양자물리학 시대의 주역

주역원리강해

(上)

이산 박규선
철학박사

세상을 여는 열쇠

周易原理講解

周易이 量子物理를 만나다.

理·氣·象·數 완전독해

이산 박규선

wowland7@daum.net

주역원리강해 (上)

발 행 | 2024년 7월 3일
저 자 | 이산 박규선
펴낸이 | 한건희
펴낸곳 | 주식회사 부크크
출판사등록 | 2014.07.15.(제2014-16호)
주 소 | 서울특별시 금천구 가산디지털1로 119 SK트윈타워 A동 305호
전 화 | 1670-8316
이메일 | info@bookk.co.kr

ISBN | 979-11-410-9284-9

www.bookk.co.kr

머리말

주문왕은 유리옥 감옥에 갇혀 주역 64괘를 세웠다. 64괘의 괘상마다 괘명을 정하고 괘사를 지었다. 과연 문왕은 우주 삼라만상의 이치를 품은 64개의 괘상을 보고 어떤 이치로 괘명과 괘사를 지은 것일까? 감옥에 홀로 앉아 괘상을 바라보며 그것이 품은 이치를 생각하고 있는 그를 상상해보자.

주공은 문왕이 지은 괘명과 괘사를 묵상하면서 64괘의 괘효마다 효사를 달았다. 도대체 무엇을 깨달았길래, 효마다 어떤 이치로 그런 효사를 저술했을까? 주공의 마음 속으로 들어가 똑 같은 시각으로 효를 바라보자.

주역 64괘를 통해 우주와 만물만상의 이치를 깨달은 공자는 점사에 불과했던 괘·효사를 보고 어떻게 그 위대한 인문(人文)을 밝혔을까?

처음 주역을 접하는 학인들은 우선 한문으로 이루어진 두꺼운 주역책을 보고 지레 겁부터 먹는다. 대부분 '주역은 한문이다'라는 생각을 벗어나지 못한다. 복희씨가 만물만상을 보고 주역 팔괘를 지을 적에는 문자가 없었다. 만물만상을 보고 음효(--)와 양효(-)라는 기호를 통해 그 이치를 담은 것이니 애초 괘만 있었을 뿐 문자는 없었다. 공자는 계사전에서 "易與天地準"이라 하여 "역은 천지와 똑같다"라고 정의를 내리고 있다. 우주만물은 복잡다단하여 인간의 시각으로는 도저히 완전한 앎에 도달할 수가 없다. 그러므로 만물만상의 이치를 음효와 양효, 2가지 부호를 사용하여 만든 삼효를 통해 여덟 개의 괘상으로 범주화함으로써 시각화한 것이 팔괘이니, 우리는 팔괘를 통하여 복잡다단한 우주 삼라만상을 쉽게 개략할 수가 있다.

보이지 않는 양자물리학적인 극미영역은 양성자(+)와 중성자(0)로 이루어진 원자핵과 그 주위를 도는 음의 성질을 가진 전자(-)로 구성된 원자(atom)를 기본으로 구성된다. 양성자는 플러스(+), 전자는 마이너스(-), 그리고 중성자는 중(中)의 성질을 가진 0으로 표시할 수 있다. 즉 세상의 기초는 양성자(+), 중성자(0), 전자(-)로 구성된 원자를 근본으로 성립한다. 그리고 이 원자는 상반된 성질의 음과 양이 상호대립과 상호작용을 통해 취산 활동을 함으로써 눈에 보이는 세상에 다양한 물상으로 자신을 드러낸다.

극미의 원자는 눈으로 볼 수 없다. 그러나 음양이라는 동력을 음효(--)와 양효(-)라는 기호로 시각화하면, 이것을 통해 물질의 기초인 원자를 괘상으로 시각화할 수가 있다. 즉, 양성자(陽), 중성자(中), 전자(陰)으로 이루어진 원자를 天人地(陽中陰)로 구성된 괘상으로 전화(轉化)할 수가 있는 것이다. 그래서 우리는 복잡다단한 만물만상을 3개의 효로 이루어진 괘상으로 단순화시킴으로써 불과 여덟 개로 범주화된 팔괘(八卦)를 통해 세상을 들여다볼 수 있게 되는 것이다.

도대체 복희씨는 어떤 신적인 능력이 있길래 음양이라는 기호를 통해 세상을 단순하게 범주화시킬 수 있었을까? 주문왕은 단순히 음과 양이라는 2가지의 기호로 구성된 여덟 개의 괘상을 보고 어떻게 64괘를 만들어 세상의 이치를 담아냈을까? 주공은 6개로 구성된 괘효(卦爻)를 통해 무엇을 보았길래 효 하나하나마다 그 이치에 맞는 다양한 효사(爻辭)를 달았을까? 단순히 점사에 불과한 것처럼 보이는 괘·효사를 보고 공자는 어떻게 우주 삼라만상의 이치를 깨달을 수 있었을까?

우리는 위대한 성인들의 마음 속으로 들어가 그들의 시각과 생각으로 만물만상과 괘상을 동시에 바라볼 수 있어야 한다. 단순히 괘효마다 달린 고문(古文) 해석을 통해서 괘상을 이해하고 만물만상의 이치를 이해하려 한다면 아마도 영원히 성인의 발끝 그림자에도 미치지 못하리라.

"역(易)은 천지와 똑같다"라고 선언한 공자의 마음 속으로 들어가 공자의 시선으로 괘상(卦象)을 바라보고 물상(物象)을 바라보자. 한문은 이를 이해하기 위한 수단일 뿐이다.

주역을 이해함에 있어서 어느 시기에는 상수(象數)가 대세가 되고, 상수의 폐단이 늘어나자 이번에는 상수를 폐기하고 원문 해석위주의 의리역(義理易)

이 지나치게 강조된다. 어느 시기가 되자 이번에는 추상적 리(理)가 강조되고, 한쪽에서는 물리학적 기(氣)를 주장한다. 주역을 바라보는 관점은 시대에 따라 달라져왔지만 "역(易)은 천지와 똑같다"라는 대전제는 변함이 없다. 지금은 바야흐로 눈에 보이지 않는 극미의 세계가 우리의 눈앞에 드러나는 양자물리학적 시대에 살고 있다. 주역을 해석함에 있어 리·기·상·수(理·氣·象·數)를 통합하여 양자물리학과의 관계를 정립할 때가 되었다.

수많은 주역 저서들은 성인의 시선과 마음의 한 끝자락을 붙들고 하나하나 실타래를 풀어낸 것에 불과하다. 주역 괘상에는 리(理)와 상(象)과 수(數)가 내재되어 있고, 양자물리학적 기(氣)의 취산 활동을 통해 생장수장(生長收藏)의 이치로 순환하는 만물의 원리가 담겨 있다.

본서는 양자물리학 시대를 맞이하여 "역여천지준(易與天地準)"이라는 공자의 정의를 바탕으로 음양의 대립과 상호작용의 원리를 통해 '역리(易理)와 양자물리(量子物理)의 공통성'을 담았으며, 『양자물리학과 주역』이라는 필자의 또 다른 저서를 통해 양자물리학 시대에 맞는 주역의 현대적 이해와 해석을 추구하였다. 『양자물리학과 주역』은 [역학의 중화론 연구]라는 필자의 박사학위 논문을 담은 것으로서, 본서 『주역원리강해』 상·하권에 그 연구 성과를 적용하고자 노력하였다.

리·기·상·수(理·氣·象·數)를 통합적으로 해석, 효변의 원리를 통해 수수께끼 같은 괘·효사를 원리적으로 분석함으로써 누구나 이해하기 쉽도록 하였다. 인류의 생존 원리인 환존(環存)의 가치를 탐구한 필자의 저서 [양자물리학과 주역]을 일독한 후, 본서 [주역원리강해] 상·하권을 공부한다면 우주의 문이 열리는 현 시대를 맞이하여 정신 영역이 확장되는 깨달음을 얻으리라 확신한다.

이산 박규선

철학박사

2024년 6월

주역원리강해 (상권)

제 1 부 주역원리개론···11

제 2 부, 주역원리강해 (上) 175

주역원리강해 (하권)

제 1 부

주역원리개론

천부경과 주역,

그리고

양자물리학의 공통성

1.천부경(天符經)

『천부경』은 『주역』을 표상하는 괘상의 생성원리를 제공한다.

우리 한민족의 시원부터 전해 내려오는 위대한 경전 『천부경』에는 우주만물의 심오한 생성원리와 만왕만래용변(萬往萬來用變)하는 순환의 이치가 81개의 글자 속에 담겨있다. 하나(一)에서 음양(二)이 작용함으로써 만물(三)을 생화하고, 생장수장(生長收藏)의 이치로 순환하는 원리가 수리적 이치로 웅장하게 다가온다. 하나(一)는 우주의 근본이요, 만유가 비롯되는 수(數)이다. 1에서 10까지의 수를 통해 천지인 삼극의 시종(始終)과 순환, 그리고 인간의 존재원리를 설명한다.

一始無始一析三極無盡本
일시무시일석삼극무진본

하나(一)가 시작되다.
무에서 시작하는 하나(一)로서 天(陽) 地(陰) 人(中) 삼극을 포태하다.
하나에서 시작하지만 시작이 없는 무궁이며,
그 하나(一)에서 천지인 삼극이 나오지만 근본은 다함이 없다.

天一一 地一二 人一三
천일일 지일이 인일삼

天은 하나(一)로서 一이 되고,

地는 하나(一)로서 二이 되며,
人은 하나(一)로서 三이 된다.

一積十鉅無匱化三

일적십거무궤화삼

하나(一)에서 시작하여 완성(十)으로 나아가니
이는 무에서 궤(태극)가 열려 다함 없이 만물(三)로 화함이라.

天二三 地二三 人二三

천이삼 지이삼 인이삼

天一은 음양(二)의 작용으로 生三에 참여하고
地一도 음양(二)의 작용으로 生三에 참여하며
人一도 음양(二)의 작용으로 生三에 참여한다.

大三合六生七八九

대삼합육생칠팔구

天地人 음양(二)이 합하여 육이 되도다.
天地人이 合六함으로써
天一과 작용하여 하늘(七)을 이루고,
地二와 작용하여 땅(八)을 이루고,
人三과 작용하여 만물(九)를 이룬다.

運三四成環五七一妙衍
운삼사성환오칠일묘연

天地人(3)이 생장수장(4) 무위운행하니(用 12),
땅(五)과 하늘(七)이 고리(環)를 이루어 하나(一)를 이루고(體 12)
그 하나(一)에서 묘리가 한없이 펼쳐진다.

(一妙衍)萬往萬來用變不動本
(일묘연)만왕만래용변부동본

하나(一)가 시작하여 묘리를 한없이 펼쳐내니
삼라만상이 가고 오며 무수히 쓰임을 달리하지만
본(本)이 되는 하나(一)는 변함이 없도다.

本心本太陽 昻明人中天地一
본심본태양 앙명인중천지일

마음은 본디 태양처럼 광명이니,
마음(本心)을 밝혀 빛(本太陽)을 이루면
人은 中이니 天地가 하나(一)된 자리라.
천지상생의 도가 인간 존재 속에 구현되도다.
빛에 오르라.
내 안에서 하늘과 땅이 하나(一)되리라.

一終無終一

일종무종일

하나(一)에서 우주만물(三)이 비롯되고
다시 하나(一)로 귀일하니
끝이 없는 영원한 하나(一)로다.

≫환웅1세 거발환 때 신지현덕
이 녹도문(鹿圖文)으로 기록한
천부경

中	本	衍	運	三	三	一	盡	一
天	本	萬	三	大	天	一	本	始
地	心	往	四	三	二	一	天	無
一	本	萬	成	合	三	積	一	始
一	太	來	環	六	地	十	一	一
終	陽	用	五	生	二	鉅	地	析
無	昂	變	七	七	三	無	無	三
終	明	不	一	八	人	匱	一	極
一	人	動	妙	九	二	化	人	無

≫고운(孤雲) 최치원이 한문으로 번역하여 기
록하였다.

가로 세로 9칸씩 81개의 칸에 천부경을 배치하면 6(六)은 정가운데 위치
하게 된다. 앞에 40개의 글자, 뒤에 40개의 글자가 배치된 81개의 문자로
이루어진 천부경의 정중앙에 육(六)이 위치하니 그 상징하는 바가 크다.

본서는 음양이 작동함으로써 무극이 태극으로 전환되는 과정을 『천부경』

의 논리를 통해 『주역』을 설명한다. 무극(0)이 에너지의 작용이 없는 0, 즉 태허(太虛)라면 태극(1)은 음양이 상호작용함으로써 무극이 품고 있는 天0地0人0의 정보를 天一地一人一로 드러낸다. 天一地一人一은 구체적으로 형상화되지 않은 추상적 개념으로서 리(理)가 된다. 天二地二人二는 天一地一人一이 품고 있는 음양성으로서 우주만물(三)을 형상화시키는 작용력이 된다. 천지인의 음양성인 天二地二人二가 상호작용을 통해 만물만상(三)을 펼쳐내니 이것이 바로 『천부경』의 天二三 地二三 人二三이 품은 뜻이다. 천지인 大三이 합하여 육(六)을 만드니 주역의 팔괘를 형성하는 3효가 나오고, 64괘를 형성하는 6효가 비롯된다

우주만물의 시원과 순환, 그리고 인간의 존재원리를 밝히는 『천부경』은 또한 『주역』의 소성괘 8괘와 대성괘 64괘를 형성하는 논리적 근거를 제시한다. 『주역』은 단순히 점사를 풀어내는 기호가 아니라 하나(一)에서 비롯된 우주의 시원부터 만물이 화생하여 만왕만래용변(萬往萬來用變)하는 이치에 이르기까지 우주작용과 순환을 설명하는 우주철학이라 할 수 있다.

유형세계는 무형세계를 바탕으로 한다. 유형세계는 무형세계의 파장(氣)이 묘리로써 응집된 형태라 할 수 있다. 북송의 리본체론자(理本體論者)인 정이(程頤)는 이를 현미무간(顯微無間)이라 하여 "보이는 것과 보이지 않는 것은 간격이 없다"라는 말로써 유무일체(有無一體)를 설명하고 있다. 유는 무를 바탕으로 하며, 동시에 유(1)와 무(0)는 하나(一)로써 동체양면으로 존재한다.

一始無始一 析三極無盡本	하나(一)에서 비롯되다(一始), 유형(有形)의 시작, 시작 없는 하나(一),
天一一 地一二 人一三	하나(一)의 속성
一積十鉅無匱化三	우주만물 화생원리
天二三 地二三 人二三	二生三 천지인의 참여적 우주 네트워크
大三合六生七八九	천지인이 합육(合六)하여 운행 도수를 정하다.
運三四成環五七一妙衍	천지운행, 천지인의 사시와 12순환
(一妙衍)萬往萬來用變不動本	만물만상의 순환
本心本太陽昂明 人中天地一	환존(環存), 인간의 목적, 존재원리 성통광명(性通光明), 재세이화(在世理化), 홍익인간(弘益人間)
一終無終一	무형(無形)으로의 복귀, 마침 없는 하나(一), 영원한 순환

2.천부경 해설[1]

  우주 삼라만상은 주체적 자아로서 상호 대립하면서도 상호 의존할 때 물리적 철학적 존재성을 획득한다. 만물만상은 상호관계망으로 연결된 생태학적 동일체, 즉 하나하나의 존재가 상호관계망으로 서로 연결될 때 비로소 존재할 수 있는 공동운명체라 할 수 있다.

  정이(程頤)가 "보이는 것과 보이지 않는 것은 간격이 없다(顯微無間)."라고 했듯이, '보이는 나'와 '보이지 않는 나'는 우주라는 공동체를 구성하는 인자라는 사실은 변하지 않는다. 얼음이 녹아 물로 돌아간다고 해서 얼음이 사라졌다고 할 수 없듯이, 기의 일시적 응취 상태인 객형(客形)이 다시 보이지 않는 기로 환원한다고 해서 기(氣)가 품고 있는 리(理)가 사라지는 것은 아니다. 객형이 품고 있는 자기동일성(自己同一性), 즉 소리(小理)를 품고 있던 기물(器物)이 무너졌다고 해서 관계성으로 연결되어 있는 우주적 大理, 즉 우주적 理가 사라지는 것이 아닌 까닭이다.

  中和와 中和가 모여 하나를 이루고 있는 大和는 에너지 불변의 법칙이 작용한다. 부분과 부분은 에너지의 편재와 편중으로써 역동적으로 움직이면서 변화하며 끝없이 모습을 달리 하지만 전체라는 우주적 동일체는 변함이 없는 것이다.

  한민족의 정체성을 담고 있는 『천부경』은 우주 삼라만상과 인간의 존재에 대한 심오한 이치를 81자에 담고 있다. 만물만상을 표상한 『주역』의 생성원리를 품고 있는 『천부경』을 통해 괘상(卦象)의 근원과 만물의 생존 원리인 환존(環存)의 의미를 살펴본다.

---

[1] 박규선, 『양자물리학과 주역』, 부크크, 2024, pp.439-457.

一始無始一 析三極無盡本
일시무시일 석삼극무진본

하나(一)에서 비롯하다. 하나에서 비롯된 이 세상은 무형(0)을 바탕
으로 시작하는 유형(一)의 세계이니, 곧 天(陽)·地(陰)·人(中) 三極이다.
하나에서 시작하지만 시작이 없는 무궁(無窮)이며, 그 하나(一)에서
天地人 삼재가 비롯되지만 근본인 하나(一)는 다함이 없다.

우주를 비롯한 만물의 시작과 끝은 종교와 과학이 추구하는 가장 중요
한 목적 중의 하나이다. 『천부경』은 시작점을 하나(一)라고 명쾌하게 정의
한다. 하나(一)는 하나님, 부처님, 알라, 빅뱅. 창조에너지 등 다양하게 표
현될 수도 있지만, 『천부경』은 모든 이치를 단순하게 "하나에서 시작하다
(一始)"라고 통칭함으로써 모든 종교와 사상과 과학을 함께 끌어안는다.
　유형(一)은 무형(0)을 바탕으로 시작하는 하나(一)다(一始無始一). 그 하
나에서 천지인 삼재가 우주 삼라만상으로 펼쳐지지만 근본(一)인 우주적
자기동일성(大理)은 사라지지 않는다(析三極無盡本). 천강에 비친 천개의
달은 사라져도 하늘에 떠 있는 한 개의 달은 사라지지 않는 까닭이다.

天一一 地一二 人一三
천일일 지일이 인일삼

天은 하나(一)로서 一이 되고,
地는 하나(一)로서 二가 되며,
人은 하나(一)로서 三이 된다.

天이 만물의 씨앗을 품고 있는 음양미분의 추상적 태극(一)이라면, 地

는 음양으로 분별되어 대립과 대대로써 상호작용하며 만물을 현상으로 드러내는 구체적 작용성, 즉 작용하는 태극(二)이다. 천과 지는 하나이면서 둘인 셈이다. 人은 천지 음양의 작용성이 드러낸 중화의 변화체로서 현상의 세계에 펼쳐진 만물이니 『천부경』은 이를 三으로 이름한다.

天은 一太極을 품은 하나(一)라 이름하고, 地는 一太極을 품은 둘(二)이라 이름하고, 人은 一太極을 품은 셋(三)이라 이름한다.

一積十鉅 無匱化三
일적십거 무궤화삼

하나(一)에서 시작하여 진화를 거듭함으로써 二·三·四·五·六·七·八·九·十, 완성(十)으로 나아간다. 이는 無(0)에서 궤匱(태극)가 열려 다함 없이 만물(三)로 화함이로다.
-상자(匚방)로 상징되는 태극에 담긴 귀(貴)는 만물을 품은 씨앗을 상징한다.

天二三 地二三 人二三 大三合六生七八九
천이삼 지이삼 인이삼 대삼합육생칠팔구

天一은 음양(二)의 작용성으로 三에 참여하고
地一도 음양(二)의 작용성으로 三에 참여하며
人一도 음양(二)의 작용성으로 三에 참여하니,
天地人(三) 大三의 음양성(二)이 合六하여
天(一)은 하늘(七)을 이루고,
地(二)는 땅(八)을 이루고,
人(三)은 만물(九)를 이룬다.

『천부경』은 수다한 말보다 수리로써 단순 명료하게 의미를 전달한다. 보이지 않는 세계(0, 무극)에서 발현된 하나(一, 태극)는 음양(二)으로 분별되어 상호작용하며 품고 있는 천지인 삼재(三)를 펼쳐낸다.

사시(四)가 순환하고 땅(五) 위에 만물이 펼쳐지니, 육(六)이다. 육(六)은 만물을 상징하며 이를 표상한 것이 『주역』의 육효(六爻)가 된다. 즉, 천지인(3)의 음양성(2)이 합하여 육효(6)로서 표상되는 것이니(二生三), 육효로 표상된 64괘는 현상의 세계에 모습을 드러낸 만물의 작용을 표현한다(六生七八九).

二生三은 『노자』에서 만물의 생화시스템을 수리적으로 표현한 말이다.

道生一 一生二 二生三 三生萬物
도생일 일생이 이생삼 삼생만물

도는 하나(一)를 낳고, 하나는 음양(二)으로 나뉘니, 음양은 상호작용을 통해 천지인 삼재(三)를 낳고, 삼재는 만물(六)을 낳는다.

道(0)는 만물의 本인 무형의 有가 되고, 하나(一)는 유형을 바탕으로 드러낸 유형의 有, 즉 태극(1)을 상징한다. 태극(1)은 음양성(2)으로 분별되어 상호작용함으로써 품고 있던 만물의 씨앗 천지인 삼재(3)를 낳는다.
눈에 보이지 않는 추상성으로서의 천지인 삼재(3)가 음양의 물리적 상호작용(2)으로 현상의 세계에 구체성(6)으로 모습을 드러내니, 이것이 육효(六爻)로 구성된 『주역』의 64괘가 되는 것이다.

<二生三의 창조원리>
태극은 천지인 삼재를 포태하고 있으니 天一地一人一로 표현한다. 그리고 천지인 삼재가 가지고 있는 음양성은 天二地二人二로 표현되고, 그 음양성의 합이 6이니 만물의 작용과 변화를 표상하는 육효의 원리가 된다. 즉, 태극(一)이 음양의 작용성(二)으로 천지인(三)을 펼쳐내듯이, 천지인(三)도 음양의 작용성(二)으로 만물(六)을 펼쳐내는 것이니, 二生三은 천지인이 공동 참여하는 '참여적 우주네트워크시스템' 즉 '환존의 원리'라 정의할 수 있다. 여기에서 生이란 음양의 작용성이 품고 있던 삼재를 토해내는 신묘한 이치를 의미한다.

『천부경』의 二三은 『노자』의 二生三으로 비유된다. 『노자』의 二生三은 『천부경』에서 天二三 地二三 人二三으로 구체적으로 표현하고 있다.

<미시영역>

태극이 품고 있는 씨앗은 각각 일태극을 품고 있는 天一地一人一로 표현된다. 즉, 태극은 天地人 三才를 품고 있고, 삼재는 각각 일태극(一太極)을 품고 있으니 天一地一人一은 만물을 생출하는 씨앗으로서 理가 된다. 이는 보이지 않는 미시영역에서 작용하는 삼재로서 체(體)라고 정의할 수 있다.

<거시영역>

天一地一人一이 체(體)라면 天二地二人二는 용(用)이 된다. 天二地二人二는 천지인이 품고 있는 음양성으로 눈에 보이는 현상세계에 강유상추 상호작용을 통해 만물(六)을 펼쳐낸다. 천지인의 음양성이 육(六)이니, 六은 씨앗(理)인 天一과 작용하여 天七을 이루고, 地二와 작용하여 地八을 이루고, 人三과 작용하여 人九를 이룬다(六生七八九). 『노자』의 三生萬物은 『천부경』의 六生七八九에 해당되며 거시의 현상세계를 표현하는 수가 된다. 거시적 현상세계의 만물을 표상한 팔괘를 구성하는 ㅍㅏㄹ괘를 구성하는 효의 수가 모두 24개이니, 이는 7+8+9를 합한 수이며, 1년을 구분한 24절기도 24수가 된다.

運三四成環五七一妙衍 萬往萬來用變不動本
운삼사성환오칠일묘연 만왕만래용변부동본

만물만상(天地人)이 생장수장(4) 무위운행하니(用, 12),

땅(五)과 하늘(七)이 고리(環)를 이루어

하나(一)를 이루고(體, 12),

그 하나(一)에서 묘리가 한없이 펼쳐진다.

하나(一)가 시작하여 묘리를 한없이 펼쳐내니,

삼라만상이 가고 오며 무수히 쓰임을 달리하지만,

본(本)이 되는 하나(一)는 변함이 없다.

  우주의 한 부분인 지구, 인간이 살아가는 바탕인 지구의 순환원리를 설명한다. 앞부분이 우주 생성이라는 추상성을 설명하는 부분이라면, 이 부분은 지구의 사시순환, 춘하추동을 설명하며. 지구 위에서 순환을 거듭하는 구체적 존재로서의 생로병사(生老病死), 생장수장(生長收藏) 그리고 원형이정(元亨利貞)이라는 물리적 철학적 이치를 밝히고 있다. 하나(1)에서 만물만상(10)이 비롯되고, 가고 오며 끝없이 변화하지만 본(本)이 되는 하나(1)라는 이치, 즉 태극은 변함이 없음을 정의하고 있다.
  카를로 로벨리가 주창한 루프양자중력이론(Loop Quantum Gravity Theory)은 양자와 양자가 고리를 이루어 전체로서 유기적 일체를 이루는 우주를 설명한다. 자연은 기본적으로 상호연결이 되어 있으며, 서로 고리를 지어 공간의 흐름을 이어주는 관계네트워크를 형성하고 있다. "루프(loop), 즉 고리(環)이라고 부르는 이유는 모든 원자가 고립되어 있는 것이 아니라 서로 비슷한 것들과 '고리로 연결'되어 공간의 흐름을 이어주는 관계네트워크를 형성하고 있기 때문이다."[2]라고 하여 천지인이 서로 고리를 지어 관계성으로 존재한다고 하였다. 여기에서 루프(loop)는 하늘과 땅이 고리를 이루어 하나를 이룬다는 성환오칠일묘연(成環五七一妙衍)의 환(環)과 의미가 동일하다.

동양의 철인들은 이미 만물을 앙관부찰(仰觀俯察)함으로써 천지인의 생존의 원리인 환(環)의 의미를 통찰하고 있다.『중용』은 "천지의 화육에 참여하여 도우니 人은 天地와 더불어 삼신일체이다."[3]라고 하였으며,『순자』는 이것이 "인간이 천지와 더불어 나란히 동등한 셋이 될 수 있는 까닭이다."[4]라고 하여 만물의 생존원리인 '환존(環存)'의 이치를 선언하고 있다.

> 本心本太陽 昻明 人中天地一
> 본심본태양 앙명 인중천지일
>
> 마음은 본디 태양처럼 광명이니
> 마음(本心)을 밝혀 빛(本太陽)을 이루면
> 人은 中이니 天地가 하나(一)된 자리라.
> 천지상생의 도가 인간의 존재 속에 구현되도다.
> 빛에 오르라. 하늘과 땅이 내 안에서 하나(一)되리라.

> 本心本太陽 昻明
> 인간은 본시 근본을 광명에 두고 있으니 내면의 빛을 밝히라 촉구한다.

---

[2] 카를로 로벨리, 김현주 역,『모든 순간의 물리학』, ㈜쌤앤파커스, 2021, p.82.

[3] 『中庸』제22장, "可以贊天地之化育, 則可以與天地參矣."

[4] 『荀子』,「天論」, "天有其時, 地有其財, 人有其治, 夫是之謂能參."

광명을 깨달을 때 천지가 교감으로 생한 중화, 즉 '환존'을 이룰 수 있음을 밝히고 있다.

人中天地一

물리적 상호관계성이 없는 사물은 존재하지 않는다. 본서에서는 철학적 물리학적 상호관계성으로 연결되어 있는 존재, 그리고 대립하면서도 대대하며 서로 의존적 관계로서 상호작용하며 조화를 이루는 관계를 '환존'이라 정의한다. 환존(環存)이란 물리적 존재, 철학적 존재로서 천지·음양과 상호교감하며 중화를 이룬 인중(人中)의 영역을 의미한다. 나는 天地·陰陽이 교감으로 생한 人中의 영역, 천하의 중심이다.

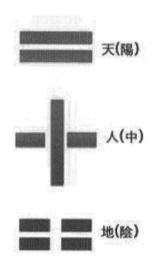

천지·음양의 교합 지점인 人中의 영역은 음효와 양효가 교차하는 지점으로서 종교와 철학, 그리고 과학이 추구하는 지고의 가치이자 깨달음의 목적지를 상징한다. 人中의 영역은 종교와 철학이 추구하는 가치의 상징물이 나오는 발생지이기도 하다.

<종만물(終萬物), 시만물(始萬物)>

『천부경』에 나오는 문자를 통해 종시(終始)를 논해 보자.

-종만물(終萬物)-

다음 문자는 "一終無終一"에 나오는 '하나(一)가 마치다'라는 종(終)의 뜻을 가진 고어다. 이것은 천지·음양이 서로 분리되어 상호작용이 일어나

지 않고 있는 대립 상태로서 人中이라는 중화가 일어나지 않고 있음을
상징한다.

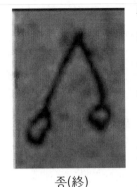
종(終)

괘상으로 보면 천지가 등을 돌리고 있는 천지비(天地否)괘에 해당되는 문자로서 人이 天과 地를 연결하고 있는 모습이다. 人으로 인해 천과 지, 음과 양이 영원히 분리되지 않음을 의미한다.

天(양)은 地(음)가 없으면 존재할 수 없고, 地 또한 天이 없으면 존재할 수 없는 상호의존관계에 있다. 人(中)이란 만물을 의미하기도 하지만 양자물리학적으로 볼 때 양자와 양자를 고리(環)지어 연결함으로써 우주 삼라만상을 생태학적 동일체로서 전일성으로 일체가 되게 하는 묘리(妙理)를 의미한다. 天人地는 셋이면서 하나이고, 하나이면서 셋이 되는 삼신일체의 신묘한 이치가 작용하는 세계이다.

즉, 영원한 마침이란 없는 것이니 역학에서는 종말(終末)을 말하지 않는다. 종(終)이 있으면 곧 시(始)가 시작되는 까닭이다. 교감이 이루어지면, 즉 음양의 상호작용이 시작되면 두 개의 원은 교합의 영역, 人中의 영역인 중화를 만들어 낼 것이다. 『주역』에서 시종(始終)이라 하지 않고 종시(終始)라고 하는 까닭이다.

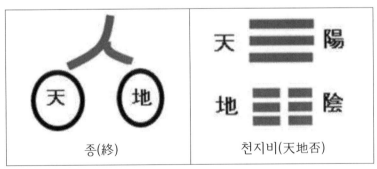
종(終)과 천지비(天地否)괘

-시만물(始萬物)-

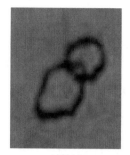

시(始)

다음 문자는 "一始無始一"에 나오는 '하나(一)가 시작하다'라는 시(始)의 뜻을 가진 고어다. 천과 지, 음과 양이 교감하며 상호작용을 일으킴으로써 교합의 영역, 즉 중화의 영역인 人中을 만들어내고 있음을 상징한다.

괘상으로 보면 지천태(地天泰)괘의 상으로서 천지와 음양이 크게 태통(泰通)하며 만물을 창조하는 모습이다. 두 개의 원이 고리를 이루어 중화의 영역인 人中을 생함으로써 만물이 펼쳐지는 '환존(環存)'의 이치가 이루어지는 자리이다. 인·중은 만물만상이 생멸하는 묘리(妙理)가 작용하는 신묘(神妙)의 영역이라 할 수 있다.

人中이란 천지·음양이 하나된 자리이니, 人中은 天地를 연결하는 자로서 人이 없다면 天地도 설 자리가 없다. 人中이란 만물만상이 생멸하는 신묘(神妙)의 자리로서 천지인 삼신일체(三神一體)의 완성을 상징한다.

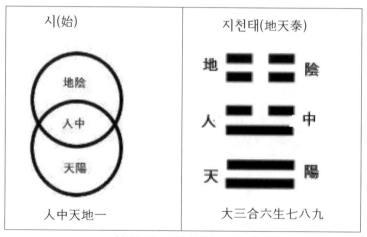

시(始)와 지천태(地天泰)괘

<인간과 지구>

지구는 우주를 구성하는 일부분이며, 만물(人) 역시 지구를 구성하는 구성요소로서 우주(天)와 지구(地)와 인간(人)은 유기적 일체로서 전일성의 관계를 맺고 있다. 그러므로 인간은 지구가 죽으면 구성요소에 불과한 인간은 함께 멸종할 수밖에 없는 생태학적 동일체라고 할 수 있다. 인간에게 있어 지구와의 공존은 필수 불가결한 선택이다.

벌이 꽃으로부터 꿀을 탈취하는 것 같지만 땅에 고정되어 있는 꽃은 꿀을 탈취하는 벌에 꽃가루를 묻혀 다른 꽃과의 수분작용을 함으로써 열매를 맺는다. 또한 열매는 짐승이나 새에게 먹힘으로써 멀리 이동하여 자신의 유전자를 퍼트린다. 꽃이나 열매는 땅으로부터 영양분을 탈취하고 태양으로부터 빛을 받아 광합성을 함으로써 생존한다. 이러한 생태학적 연결고리 중에 어느 한 분분이 끊어진다면 만물만상 중에 홀로 독존할 수 있는 존재는 사실상 없다.

陰과 陽은 中을 만든다. 그리고 中은 陰과 陽을 상호 존재하게 하는 관계망을 구성한다. 역시 天과 地는 人을 만들고, 人은 天과 地를 존재하게 하는 관계망을 구성한다. 너와 나는 우리를 만들고, '우리'는 너와 나를 공존하게 하는 생태학적 그물망이 됨으로써 만물만상을 유기체(有機體)적으로 동기화하는 생존시스템이 된다. 우리는 온 우주적으로 서로 그물망이라는 상호관계성으로 연결된 유기체적 존재로서 상호작용을 통해 서로의 존재를 확인하는 전일적 존재인 것이다.

AI 인공지능 알고리즘으로 데이터를 공유함으로써 하나로 연결된 전일성이 극명하게 드러나는 미래 세상이 눈앞에 펼쳐지고 있다. 인간은 지금까지 사회적 가치로써 유지해오던 공동체를 탈피하여 점점 개인화되어 가고 있다. 그런데 세상이 개별화되고 파편화되어 나뉘어진다는 것은 태극이 끝없이 분화되어 나눔으로써 오히려 궁극에는 파동으로 하나가 되는 이치와 다르지 않다. "천상천하유아독존(天上天下唯我獨尊)"이라는 독존적 철학성에서 알고리즘이라는 관계망으로 연결되어 데이터를 공유함으로써 오히려 하나가 되는 AI 인류는 환존의 가치가 더욱 강화될 수밖에 없다고 할 수 있다.

물론 독존이라는 자기동일성(identiy)이 사라지는 두려움은 크다. 그러므로 서로 연결된 상호관계망 속에서 상호 공존을 통해 생존하는 환존의 철학적 의미가 제대로 정립되지 않으면 개체는 전체 속에 묻혀버리게 되고, 연결망을 독점함으로써 데이터를 지배하는 독과점의 폐해가 나올 수밖에 없다.

天人地, 陽中陰이 서로 고리를 이루어 공존한다고 해서 나라는 독존성(獨存性)이 사라지는 것은 아니다. 오히려 天地·陰陽의 상호작용이 人中의 독존적 자기동일성을 강화시킴으로써 천지의 화육에 공동 참여하는 주체적인 참여자의 위치에 서게 된다.

그러나 상호관계망으로 연결되어 있다는 정체성이 무너지게 된다면, 서로를 연결하는 알고리즘이 끊어져 관계망에 혼돈이 오는 순간 데이터의 상실에서 오는 가치의 혼란은 쉽게 상호관계성을 무너뜨릴 수 있다. 유기적 일체라는 전일적 동질감으로서의 사회적 가치가 혼돈을 일으키는 것이다. 인간성은 단시일에 만들어지는 것이 아니라 수천년 수 만년을 거쳐 삶의 경험이 축적됨으로써 유전자에 각인되어 전해진다. 그러나 과학이 만든 인간성은 과학에 의해 쉽게 흔들릴 수가 있다.

산업화 정보화를 넘어 새로운 문명에 마주 선 지금은 새로운 문화의 창출과 더불어 새로운 공존의 가치를 정립하지 않으면, 즉 자신의 정체성이 확립되지 않으면 낯선 문명의 파도에 휩쓸려 파편화됨으로써 스스로 난파선을 타고 전일성으로부터 떨어져 나가 외딴 섬에 홀로 정착하는 우를 범하게 될 것이다.

—終無終—
일종무종일

하나(一)에서 우주만물(三)이 비롯되고
다시 하나(一)로 돌아가니
끝이 없는 영원한 하나(一)로다.

　시작(始)과 마침(終)은 똑같은 하나(一)이니, 종시(終始)는 서로 같은 개념이다. 시작이 있으면 마침이 있고 마침이 있으면 곧 시작이다.『천부경』에서 말하는 일시일종(一始一終)이란 시작과 끝을 말하고자 함이 아니라, 우주 삼라만상은 마침이 있으면 시작이 있다 라는 끝없는 순환의 이치를 말하고자 함에 있다. 즉 역학에서는 마침이 있는 시종(始終)이 아니라, 마침은 곧 새로운 시작이라는 의미에서 종시(終始)라고 말하고 있는 것이다.
　우주창조의 원리인 빅뱅은 시작이자 마침이고, 마침이자 시작이다. 물리적 엔트로피가 최고치에 이르러 열평형 상태가 됨으로써 음양은 상호 미분된 혼일 상태인 무극(0)이 되고 음양은 상호작용을 멈춘다. 즉 태허(太虛)로 비유되는 ‘텅 빔’이 된다. ‘텅 빔’이란 물리학적 진공이고, 상호작용은 없지만 모든 만물의 시원을 품고 있는 묘유(妙有)가 된다.
　그리고 어느 순간 음양은 다시 대소·장단·강약이라는 극미세한 어긋남이 시작됨으로써 에너지의 이동을 발생한다. 음양은 상호 분별되어 대립함으로써 상호작용을 시작하며 만물만상을 토해내기 시작한다. 곧 물리학적 빅뱅(bigbang)이자 역학적 태극이다. 태극이란 엔트로피가 낮아짐으로써 무질서한 에너지가 질서를 세워가면서 응취함으로써 만물만상으로 펼쳐지는 빅뱅의 시작점이다.
　물상의 대표격인 인간을 예로 들어보면, 어린 태아에서 아기 시기에는 엔트로피가 낮아지며 에너지가 응취하기 시작하며 질서를 세우려는 기운이 강하게 나타난다. 그러다 성장의 극에 다다른 성인이 되면 어느 순간 보름달이 기울어가듯 엔트로피는 최고치를 향하며 신체조직은 서서히 무질서를 향하며 응취된 에너지는 소산되기 시작한다. 결국 소산된 신체는 죽음이라는 꼭지점을 기준으로 입자이자 파동이라는 양자장의 세계로 귀일된다.

소산되어 하나로 귀일된 에너지는 어느 시점 어디에선 가 다시 응집을 시작하는 기(氣)에 이끌려 누군가의 무엇인가의 소속으로 물질의 구성요소가 됨으로써 세상에 또다른 물상으로 다시 드러난다. 우리는 서로 연결되어 서로를 공유함으로써 함께 우주의 순환에 참여하는 생태학적 동일체라 할 수 있다.

이러한 논리는 소위 빅뱅이라고 하는 우주의 시원(始原)을 기준으로 순환하는 창조원리와 접목할 수 있다. 빅뱅이라는 창조의 시작점은 극소이면서 극대라는 상대적 개념으로서 3차원적인 시공간적 개념으로 설명하기는 어렵다. 우주의 시작점〔始原〕은 어디인가? 우리는 무수한 종시(終始)의 순환 속에서 함께 존재하고 취산(聚散)을 반복하면서 여행하고 있는 원자들이다. 생태학적으로 전일적 동일체인 우주의 종시 또한 물상의 종시와 다를 바 없다.

부분(입자)과 전체(파동)는 서로 동일하다. 부분이 전체를 포함하고 전체는 부분을 포함한다(一中多 多中一). 이는 하나(一) 속에 다(多), 다(多) 속에 하나(一)가 있는 것이니, 내가 곧 우주요 우주가 곧 나라는 인즉천(人卽天) 사상과도 통한다. 무극과 태극, 무질서(Caos)와 질서(Cosmos), 수렴〔終〕과 빅뱅〔始〕의 개념은 종시(終始)의 끝없는 순환을 의미하는 것으로서 "하나(一)에서 시작하지만 시작이 없는 무궁이며(一始無始一), 하나(一)로 마치지만 마침이 없는 하나이다(一終無終一)"라는 『천부경』의 선언은 바로 이를 뜻한다. 『천부경』은 우리가 사는 이 신묘(神妙)한 우주 삼라만상의 이치를 다음과 같이 명료하게 정의를 내리고 있다.

一妙衍萬往萬來用變不動本
일묘연만왕만래용변부동본

하나(一)가 시작하여 묘리(妙理)를 한없이 펼쳐내니,
삼라만상이 가고 오며 무수히 쓰임을 달리하지만,
본(本)이 되는 하나(一)는 변함이 없다.

3. 하나(一)에서 비롯되다.

3.1. 『易』의 시생(始生)

무(0)에서 음양이 작동하는 순간 유(1)가 된다. 태극이란 음양의 작용을 의미하니, 무극(無)에 음양이 흐르면서 태극(有)이 되는 것이다. 무극이란 음양이 작동하지 않아 멈춰선 기계(休)이고, 태극이란 음양이 작동하는 기계(動)로 비유할 수 있다. 무극(0)에 정보로만 존재하던 天 0 地 0 人 0 이 음양이 작동함으로써 태극(1)이 되어 天一地一人一로 드러나게 되는 것이다.

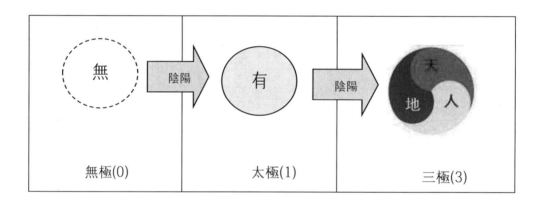

▷음양(二)이 만들어내는 물상을 효(爻)로 표현하면 천지인 삼효가 된다. 만물을 표현하는 3 개의 효는 천지인의 묘합으로 天一地一人一(體)이 되며, 그 작용성(음양)은 天二地二人二(用)이 된다. 그리고 천지인의 작용성인 음양(二)이 펼쳐내는 만물은 天三地三人三(象)으로 표현된다. 3 개의 효가 어우러져 하나의 괘가 됨으로써 8개의 우주극성을 표현한다. 삼효로 구성된 8괘는 모두 24 개의 효로 구성되어 이합집산하는 모습을 표현한다.

3.2. 괘(卦)의 형성원리

-천지인을 뜻하는 삼극(大三)은 3효로 표상되어 소성괘가 되며, 만물의 극성(體)을 표현한다(天一地一人一).

-천지인의 음양(二)이 합육(合六)하니 6효로 표상되어 대성괘가 되며, 만물의 작용(用)을 표현한다(天二地二人二).

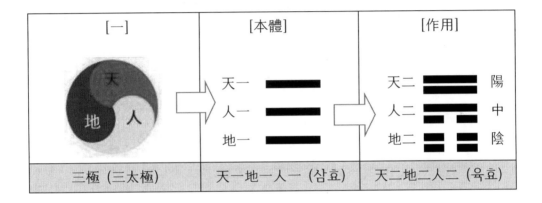

태극(一)의 속성은

본체적 측면에서 보면 천지인(天一地一人一) 삼극은 3효(體)로 표상되어 8괘를 이루고(소성괘),

작용적 측면에서 보면 음양의 작용(天二地二人二)으로 6효(用)가 되어 64괘를 이룬다(대성괘).

태극이 음양 작용을 한다는 것은 그 속성인 천지인도 각각 음양성이 있음을 의미한다. 태극(一)의 속성은 천지인(天一地一人一) 삼극이며, 작용적 측면에서는 천지인의 음양성(天二地二人二)이 된다. 천지인은 음양이 작용함으로써 그 모습을 드러내는 것이니, 본디 천지인(3)의 작용성이 음양(2)이기 때문이다(天二三 地二三 人二三).

천지인은 각각 음양(2)이 상호작용을 시작하면 6개의 효가 된다. 육효가 '剛柔相摩 八卦相盪강유상마 팔괘상탕'으로써 그 형상(64괘)을 드러내니, 상하괘가 상호작용을 통해 만물의 변화를 표현한다. 상괘와 하괘의 상호작용을 통해 만물의 변화를 표현한 것이 괘이니, 총 384개의 효가 이합집산을 통해 64괘의 변화를 그려내는 것이다.

太極(一)		
天	地	人
陽	陰	中
體	用	象
理	氣	物
空	時	變
天一	地二	人三
▷소성괘 (8괘)	▷천지인의 음양성	▷대성괘 (64괘)
►天一地一人一	►天二地二人二	►天三地三人三

人(中)은 상괘(天)와 하괘(地)에 각각 속하므로 天(陽)과 地(陰)의 속성을 동시에 지닌 중화적 속성을 가진다.

3.3. 복희팔괘(八卦)의 생성
- 소강절의 선천 복희팔괘도 생성론 -

▶팔괘의 명칭과 속성

물상	천 (天)	택 (澤)	화 (火)	뢰 (雷)	풍 (風)	수 (水)	산 (山)	지 (地)
속성	건 (乾)	태 (兌)	리 (離)	진 (震)	손 (巽)	감 (坎)	간 (艮)	곤 (坤)
괘상	☰	☱	☲	☳	☴	☵	☶	☷

▶우주 창조원리를 표상한 복희팔괘도

무극(0)에서 태극(1)으로, 태극에서 음양(2)의 작용으로 천지인(3) 우주만물(6)이 분화해 가는 창조원리는 소강절의 복희팔괘차서도에서 체계적으로 설명된다. 그러나 복희팔괘는 양(天)의 관점에서 우주의 본체를 설명하는 한계를 지닌다. 음양은 서로 대소·귀천없이 평등하지만 양의 관점에서 팔괘를 바라봄으로써 주역의 괘·효사도 음보다는 양을 우선하여 설명하고 있다. 그러므로 괘사를 읽을 때에는 "一陰一陽之謂道"라는 음양의 동등한 관점에서 음양의 균형을 잘 살펴야 한다.

▷복희팔괘차서도

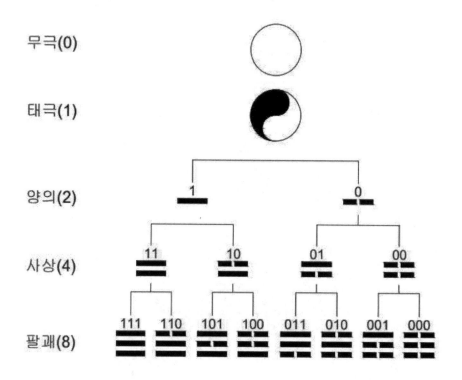

0과 1로 표시된 수는 가일배법(加一倍法)의 원리로 형성된 복희팔괘차서도를 라이프니츠의 2진법 수리서로 양의 관점에서 바라본 것이다.

▷팔괘의 배열에 대한 원리

'태극(1)-음양(2)-사상(4)-8괘(8)'의 순서에 따라 팔괘가 형성되어가는 과정에서 '건(1), 태(2), 리(3), 진(4), 손(5), 감(6), 간(7), 곤(8)'의 순서가 나열되며, 이것에 번호를 매기면 다음 그림이 된다. 이 번호가 복희팔괘도에서 사용하는 수가 된다.

8	7	6	5	4	3	2	1
곤(坤)	간(艮)	감(坎)	손(巽)	진(震)	리(離)	태(兌)	건(乾)
지(地)	산(山)	수(水)	풍(風)	뢰(雷)	화(火)	택(澤)	천(天)
☷	☶	☵	☴	☳	☲	☱	☰
음	양	음	양	음	양	음	양
⚏		⚎		⚍		⚌	
태음		소양		소음		태양	
⚋				⚊			
음				양			
태극							

이것을 팔괘 원도로 나타내면

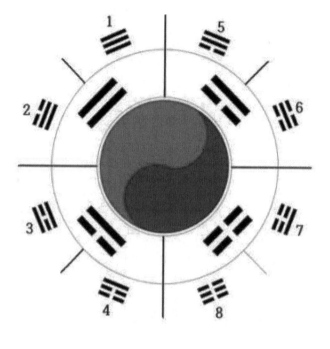

<복희팔괘도>

이것은 복희씨가 천지만물을 앙관부찰(仰觀俯察)하여 그려낸 것으로서 복희팔괘도라 한다. 그런데 복희팔괘도의 순서는 어떤 원리로 정해진 걸까? 단지 태극(一)이 분화하여 팔괘로 전개되어 가는 순서일까? 복희팔괘도의 숫자는 어떤 특별한 의미를 지니고 있는 것일까?

易有太極 是生兩儀 兩儀生四象 四象生八卦 八卦定吉凶 吉凶生大業
역유태극 시생양의 양의생사상 사상생팔괘 팔괘정길흉 길흉생대업

역에 태극이 있으니, 이것이 양의를 내고, 양의가 사상을 내고, 사상이 팔괘를 내니, 팔괘가 길흉을 정하고, 길흉이 대업을 생하도다.

계사전

주역 계사전은 '태극(太極)·양의(兩儀)·사상(四象)·팔괘(八卦)'라는 생성론적인 도식을 기술하고 있으며, 태극을 우주만물의 본원(本源)으로 제시하고 있다. 주역의 전통적인 괘의 생성원리로서 천(天), 양(陽)의 관점을 견지한다.

4. 팔괘(八卦)의 수리(數理)

4.1. 양의 관점(天易)

복희팔괘도에서 산(山)☶은 7, 수(水)☵는 6, 뢰(雷)☳는 4 이다. 이 숫자가 어떤 규칙에 의해서 매겨진 것인지 원리를 찾아보자. 라이프니츠가 복희팔괘차서도에서 발견한 이진법 체계로 양의 관점에서 수리적으로 분석해보자. 양의 관점이므로 양은 1 이 되고, 음은 0 이 된다.

山(7)	水(6)	雷(4)
☶	☵	☳

양은 위로 향하고 음은 아래로 향하는 성질이 있다. 그러므로 양은 아래로 향할수록 위치에너지가 강해지고, 음은 위로 향할수록 위치에너지가 강해진다. 이는 불은 아래에 있을수록 위로 치솟는 불길이 강해지고, 물은 위로 높이 올라갈수록 아래로 떨어지는 힘이 강해지는 이치이다. 그러므로 양은 위에서 아래로, 음은 아래에서 위로 그 에너지의 크기를 측정한다.

산(山)의 괘상을 보자. 양의 관점에서, 즉 위에서 아래로 양효를 보면 첫 번째가 되므로 +1 이 되고 +1 은 양의 에너지의 크기, 즉 내재에너지가 된다. 음은 0 이 되므로 전체 양의 에너지는 +1 이다.

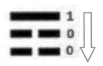

수(水)의 괘상을 위에서 아래로 보면 두 번째가 되므로 +2 가 되고, +2 는 양의 에너지의 크기가 된다.

뢰(雷)의 괘상을 위에서 아래로 보면 세 번째가 되므로 2 진법 체계로 +4 가 되고, +4 은 양의 에너지의 크기가 된다.

이러한 방식으로 나머지 괘상을 산정하면 에너지의 크기는 다음과 같다.

1+2+4=7	2+4=6	1+4=5	1+2= 3	0

팔괘 전체를 양의 에너지의 크기 순서대로 나열하면 양의 관점인 복희팔괘 도와 일치한다. 복희역은 양의 관점인 천역(天易)을 의미한다. 복희팔괘의 수 는 양의 에너지 크기를 순서대로 나타낸 번호를 의미한다.

乾	兌	離	震	巽	坎	艮	坤
(1)	(2)	(3)	(4)	(5)	(6)	(7)	(8)
☰	☱	☲	☳	☴	☵	☶	☷
+7	+6	+5	+4	+3	+2	+1	0

4.2. 음의 관점(地易)

양의 관점과 같은 방식으로 음의 관점으로 에너지의 크기를 측정해 보자. 음은 아래에서 위로 올라갈수록 위치에너지가 커진다. 즉 폭포는 높을수록 물이 떨어지는 낙차의 힘이 커진다. 양을 0으로 놓는다. 아래에서 위로 음효를 1-, -2, -4...의 방식으로 이진법으로 측정한다.

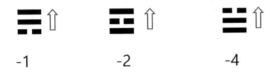

| -1 | -2 | -4 |

다른 괘에 응용하면 다음과 같은 수가 나온다.

0	(-1)+(-2)=-3	(-1)+(-4)=-5	(-2)+(-4)=-6	(-1)+(-2)+(-4)=-7

음의 에너지가 큰 순서로 나열하면

(음의 에너지 크기 순서)

乾	巽	離	艮	兌	坎	震	坤
(8)	(7)	(6)	(5)	(4)	(3)	(2)	(1)
0	-1	-2	-3	-4	-5	-6	-7

4.3. 중의 관점(人易)

중(中)의 관점이란 음양의 동시관점을 의미한다. 음괘는 음의 관점으로 보고, 양괘는 양의 관점으로 보면 중도의 관점이 생성된다, 천지·음양이 하나된 인중(人中)의 자리로서 중의 관점인 인역(人易)이 드러난다.[5]

乾	巽	離	震	兌	坎	艮	坤
양괘	음괘	음괘	양괘	음괘	양괘	양괘	음괘
(1)	(2)	(3)	(4)	(5)	(6)	(7)	(8)
+7	+5	+3	+1	-1	-3	-5	-7

► 양괘는 위에서 아래로, 음괘는 아래에서 위로 본다. 양은 아래에 위치할수록 에너지가 커지고, 음은 위에 위치할수록 에너지가 커진다(화강수승火降水昇).

1. 乾: (+1)+(+2)+(+4)=+7
2. 巽: (-1)+(+2)+(+4)=+5
3. 離: (+1)+(-2)+(+4)=+3
4. 震: (-1)+(-2)+(+4)=+1
5. 兌: (+1)+(+2)+(-4)=-1
6. 坎: (-1)+(+2)+(-4)=-3
7. 艮: (+1)+(-2)+(-4)=-5
8. 坤: (-1)+(-2)+(-4)=-7

---

[5] 김승호, 『주역원론』 1-6권, 선영사, 2009.

4.4. 天易, 地易, 그리고 人易의 비교

天道(陽) ⇩ (天易)	乾 (1) ☰ +7	兌 (2) ☱ +6	離 (3) ☲ +5	震 (4) ☳ +4	巽 (5) ☴ +3	坎 (6) ☵ +2	艮 (7) ☶ +1	坤 (8) ☷ 0
人道(中) ⇩⇧ (人易)	乾 (1) ☰ +7	巽 (2) ☴ +5	離 (3) ☲ +3	震 (4) ☳ +1	兌 (5) ☱ -1	坎 (6) ☵ -3	艮 (7) ☶ -5	坤 (8) ☷ -7
地道(陰) ⇧ (地易)	乾 (8) ☰ 0	巽 (7) ☴ -1	離 (6) ☲ -2	艮 (5) ☶ -3	兌 (4) ☱ -4	坎 (3) ☵ -5	震 (2) ☳ -6	坤 (1) ☷ -7

천역(天易)의 위치에너지(양)와 지역(地易)의 위치에너지(음)를 합하면 인역 (人易)의 위치에너지(중)가 된다. 천역은 양의 관점, 지역은 음의 관점, 인역 은 음과 양이 합일된 중의 관점이다.

천역(복희역)은 양의 관점으로 위에서 아래로, 지역은 음의 관점으로 아래 에서 위로 이진법 수리로 위치에너지(내재에너지)를 측정한 것이다. 그래서 복희역은 양을 대인(大人)으로, 음을 소인(小人)으로 보는 편향적 관점을 보 인다. 그러나 우주천지를 생화하는 음양은 서로 동등하다고 계사전은 "一陰 一陽之謂道"라 선언하고 있다. 음양지합(陰陽之合)인 중(中)의 관점으로 보는 인역의 출현은 양자물리학의 시대를 사는 우리에게 새로운 관점을 제시한다. 기계론적 물리역학에서 우주만물을 전일성(全一性)으로 보는 양자역학의 시대로 돌입하는 현시점에서, 하늘(天)을 우선하거나 땅(地)을 천시하는 관점에서 벗어나 천지·음양이 합일된 人中을 중심으로 하는 통합적 관점이 제시된 것이다.

人中天地一
人은 中이니 天地가 하나(一)된 자리이다.

인중(人中)은 천지교합(天地交合), 음양지합(陰陽之合)으로 생한 태극의 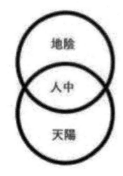 자리로서 천지·음양이 하나된 자리이다. 그러므로 天地와 합하여 人을 생하고, 陰陽이 합하여 中을 생하니, 人中이란 천지·음양이 서로 하나된 동등한 자리로서 만물이 생멸하는 태극의 자리가 된다. 천지인의 음양이 서로 합하여 6 이 되니 6 효의 움직임은 곧 천하의 도라 할 수 있다.

4.5. 작용 에너지의 원리 (人易)

　음양의 수리를 측정할 때 양은 위로 향하고 음은 아래를 향하는 수승화강 (水昇火降)의 원리를 적용한다. 양은 위로 향할 때 그 활동하는 에너지가 강하고, 음은 아래로 향할 때 활동 에너지가 극대화된다.

　그러므로 양의 활동하는 에너지를 응축시키고자 아래로 내려가면 갈수록 위로 올라가고자 하는 위치에너지가 커진다. 역시 음의 활동하는 에너지를 응축시키고자 위로 올라가면 갈수록 아래로 내려가고자 하는 위치에너지가 커진다. 불(양)은 아래에 위치할수록 위로 향하는 불길이 강해지고, 물(음)은 위에 위치할수록 아래로 떨어지는 힘이 강해진다. 활동에너지를 외재(外在)에너지, 응축에너지를 내재(內在)에너지라고도 한다.

　작용에너지는 응축에너지와 활동에너지가 서로 작용하며 찾아내는 접점을 가리킨다. 양의 응축에너지는 음의 활동에너지를 붙잡고, 음의 응축에너지는 양의 활동에너지를 붙잡아 주저앉힌다. 즉 양의 내재에너지(위치)와 음의 외재에너지(활동)의 결합, 음의 내재에너지(위치)와 양의 외재에너지(활동)의 결합이 작용에너지가 된다.

　▷ 인역(人易)의 수리
　중의 관점인 인역의 수리를 직접 산정해보자.

양괘 (1)	음괘 (2)	음괘 (3)	양괘 (4)	음괘 (5)	양괘 (6)	양괘 (7)	음괘 (8)
+7	+5	+3	+1	-1	-3	-5	-7

≫수승화강 (水昇火降)의 원리로써 양괘는 위에서부터 아래를 보고 2 진법으

로 측정하며, 음괘는 아래로부터 위를 보고 2 진법으로 측정한다. 음양의 수를 함께 산정한다.

▷음괘: 음의 위치에너지 + 양의 활동에너지 = 작용에너지

관점	음괘	음의 위치에너지 + 양의 활동에너지	작용에너지 (인역의 수리)
	+4 +2 -1	(-)+(+2)+(+4)	= +5
↑	+4 -2 +1	(+1)+(-2)+(+4)	= +3
	-4 +2 +1	(+1)+(+2)+(-4)	= -1
	-4 -2 -1	(-1)+(-2)+(-4	= -7

▷양괘: 양의 위치에너지 + 음의 활동에너지 = 작용에너지

관점	양괘	양의 위치에너지 + 음의 활동에너지	작용에너지 (인역의 수리)
	1 2 4	(+1)+(+2)+(+4)	= +7
↓	-1 -2 +4	(-1)+(-2)+(+4)	= +1
	-1 +2 -4	(-1)+(+2)+(-4)	= -3
	+1 -2 -4	(+1)+(-2)+(-4)	= -5

≫작용에너지는 괘가 실제 작용하는 성질로서 대성괘에서 활용된다. 예를 들어 坎水☵-3, 艮山☶-5는 복희팔괘에서는 양괘이지만 음의 성질을 가지고 있다. 6효로 이루어진64괘에서는 음의 성질로 활용된다. 離火☲+3, 巽風☴+5는 복희팔괘에서는 음괘이지만 양의 성질을 가지고 있다. 6효로 이루어진 64괘에서는 양의 성질로 활용된다.

5. 작용력과 균형력

▷**작용력과 균형력**[6]

► 상호작용력: 上下괘의 에너지가 만나 부딪히며 응결되고(응취력凝聚力),
　　　풀어지며 멀어지는 힘(소산력消散力) (상대성의 원리)

► 상호균형력: 上下괘의 에너지가 합쳐 고저(高低)에서 조화를 이루는 균형
　　　점 (상보성의 원리)

≫상호작용력은 하괘에서 상괘를 뺀다. (상대성)

≫상호균형력은 하괘와 상괘를 더한다. (상보성)

(예-1) 택지췌

$$≣-7 \Rightarrow ≣-1 \qquad ≣-1$$
$$≣-7$$

　　上下작용력: $(-7)-(-1)=-6$
　　上下균형력: $(-7)+(-1)=-8$

　　인역오행도에서 췌(萃)괘의 위치는 -8의 높이에서 해체되는 힘이 -6이 되어 오행 중에 수(水)궁에 해당되고, 사계 중에 겨울(冬), 생장수장(生長收藏) 순환의 이치 중에 만물이 수렴되어 휴식하는 장(藏)에 해당된다.

---

[6] 인역(人易)의 수리(數理)는 음양의 대립과 상호작용으로 생성한 괘의 중화(中和)를 수리로 표현한 것으로서, 초운 김승호 선생의 『주역원론』에서 단군괘라는 명칭으로 처음 밝혔다. 본서에서 『주역원론』에서 밝힌 중(中)의 수리를 괘의 해석기준으로 삼았다.

(예-2) 뇌화풍

☳+3 ⇒ ☳+1 ☳+1
☲+3

상하작용력: (+3)-(+1)=+2

상하균형력: (+3)+(+1)=+4

+4의 높이에서 응결력이 +2가 되어 오행 중에 火宮에 해당되고 계절로는 여름(夏)이며, 생명의 순환(生長收藏생장수장)에서는 만물이 무성하게 성장하는 장(長)에 해당된다.

天／地	-7	-5	-3	-1	+1	+3	+5	+7
+7	+14	+12	+10	+8	+6	+4	+2	0
+5	+12	+10	+8	+6	+4	+2	0	-2
+3	+10	+8	+6	+4	+2	0	-2	-4
+1	+8	+6	+4	+2	0	-2	-4	-6
-1	+6	+4	+2	0	-2	-4	-6	-8
-3	+4	+2	0	-2	-4	-6	-8	-10
-5	+2	0	-2	-4	-6	-8	-10	-12
-7	0	-2	-4	-6	-8	-10	-12	-14

<인역 64괘 방도 수리화 도표>

작용력과 균형력의 수리를 사용하여 64괘를 수리화하면, <인역 64괘 방도 수리화 도표>와 같이 음과 양이 분별되어 서로 대립하며 대대하는 질서 정연한 수리가 드러난다.

다음은 상호작용력과 상호균형력을 수리화한 <인역 64괘 수리화 도표>를 가로축과 세로축의 수리에 맞게 오행도에 배치한 것이다. 가로축은 작용력, 세로축은 균형력을 의미한다. 「태극음양도」처럼 좌측은 양의 기운, 즉 플러스(+) 에너지를 가진 괘상이 배치되고, 우측은 음의 기운, 즉 마이너스(-) 에너지를 가진 괘상이 배치된다.

인역(中)의 수리는 천역(陽)과 지역(陰)의 교합으로 생한 것으로서 음양의 통합 관점을 보여준다. 상하 에너지의 균형점인 영(0)을 기준으로 좌는 (+), 우는 (-)로 음양과 수리가 상호 대칭하고 있는 모습을 보여준다. 그리고 대칭을 이루고 있는 짝은 항상 착종 관계를 맺고 있으며, 서로 짝을 이루고 있는 수의 합은 제로(0)가 되며, 완전한 균형과 조화를 이루면서 상대적이면서도 상보적 관계를 맺고 있음을 알 수 있다.

즉, 균형지점(0)을 중심으로 좌우로 서로 짝을 이루는 괘의 상괘와 하괘는 상호 교착함으로써 음은 양으로, 양은 음으로 그 작용성을 달리하며 공간적으로 대칭 관계를 형성한다. 예를 들면, 중뢰진(䷲0)괘를 중심으로 좌는 택화혁(䷰+4)괘, 우는 화택규(䷥-4)괘가 서로 착종을 이루며 마주하고 있음을 알 수 있다. 수풍정(䷯+8)괘는 풍수환(䷺-8)괘와 서로 착종 관계를 맺고, 산천대축(䷙+12괘)괘는 천산돈(䷠-12)괘와 서로 착종 관계를 맺으면서 수리적으로 대칭을 이루고 있다. 즉, 64개의 모든 괘는 32개씩 짝을 이루고 있으며, 양과 음의 관계로써 서로 대립하고 대대하며 착종 관계로 연결이 되어있는 것이다.

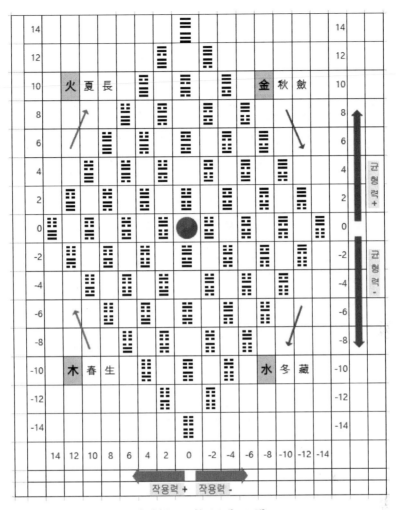

<인역(우주역) 64괘 오행도

인역(우주역) 64괘 오행도>를 보면, 세로축은 상·하괘 에너지의 평균지점으로서 상하 에너지의 교감이 이루어지는 균형지점이다. 상괘와 하괘의 작용력이 합해지면서 균형을 이루는 힘의 평균지점으로서 그 범위는 -14에서 +14가 된다. 가로축은 상하 에너지의 작용력을 의미하며, 서로 부딪히며 상호작용하는 힘으로서 에너지가 취산하는 힘이다. 서로 부딪히는 응취력(凝聚力)과 서로 벗어나려는 소산력(消散力)으로 범위는 -14에서 +14가 된다.

가로축은 상하괘 에너지의 균형력이 발생하는 평균지점에서의 상하작용력이다. 상괘와 하괘 에너지의 작용력이 제로(0)가 되는 세로축(균형지점)을 중심으로 좌우로 상하 에너지의 차이가 생기면서, 즉 상괘와 하괘가 상호교착하면서 작용이 시작된다. 세로축(균형력)을 기준으로 가로축(작용력)의 작용에너지는 좌우가 플러스(+), 마이너스(−)로 서로 대칭되어 상대적 관계가 되며, 대칭하는 괘상의 합이 0이 되니 또한 서로 상보적 관계가 된다.

	14	12	10	8	6	4	2	0	-2	-4	-6	-8	-10	-12	-14	
14								0								14
12							2		-2							12
10		火夏長				4		0		-4		金秋斂				10
8					6		2		-2		-6					8
6				8		4		0		-4		-8				6
4			10		6		2		-2		-8		-10			4
2		12		8		4		0		-4		-10		-12		2
0	14		10		6		2	●	-2		-6		-10		-14	0
-2		12		8		4		0		-4		-8		-12		-2
-4			10		6		2		-2		-6		-10			-4
-6				8		4		0		-4		-8				-6
-8					6		2		-2		-6					-8
-10		木春生				4		0		-4		水冬藏				-10
-12							2		-2							-12
-14								0								-14

균형력 + / 균형력 -

작용력 + / 작용력 -

<인역(우주역) 64괘 오행도의 수리>

위 수리 도표는 오행도에 배치된 64괘를 상호작용력의 수리로 표현한 것으로, 물극필반(物極必反)의 수리적 현상이 명확하게 드러남을 알 수 있다. 64괘가 수리적으로 배치된 오행도는 가로축과 세로축을 중심으로 +14에서 -14 사이를 질서 있게 순환하고 있는 모습을 보여준다.

상하괘의 에너지가 서로 작용하면서 균형을 이루는 과정으로 최대 +14에서 최소 -14를 왕복하면서 사계절이 순환하고, 생장수장(生長收藏)의 이치로 흥망성쇠를 반복한다. 상하괘가 부딪혀 응결(凝結)되는 것을 플러스(+) 에너지로 표시하고, 응결력이 해소되며 풀어지는 것을 해결(解結) 또는 소산력(消散力)이라고 하며 마이너스(-) 에너지로 표시한다.

▷에너지 순환의 원리

(1) 生(봄): 목(木)에서 균형력이 높아지면서 응결력(凝結力)이 최대로 커진다.

(2) 長(여름): 화(火)에서 균형력이 높아지면서 응결력(凝結力)이 점차 줄어든다.

(3) 收(가을): 금(金)에서 균형력이 낮아지면서 해결력(解結力)이 최대로 커진다.

(4) 藏(겨울): 수(水)에서 균형력이 낮아지면서 해결력(解結力)이 점차 줄어든다.

6. 지구역(문왕팔괘도)의 원리

6.1. 하도와 낙서의 수리작용

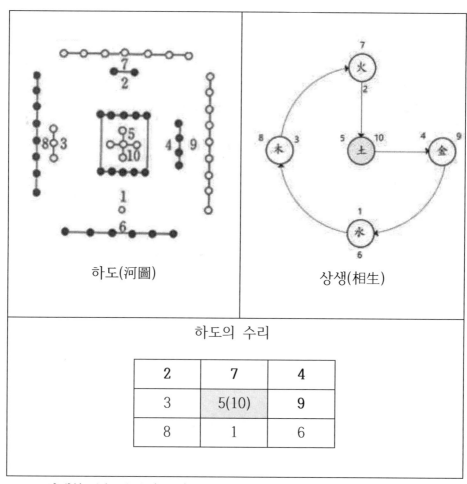

하도(河圖)

상생(相生)

하도의 수리

2	7	4
3	5(10)	9
8	1	6

☞ 상생(相生): 水生木->木生火->火生土⇒土生金->金生水

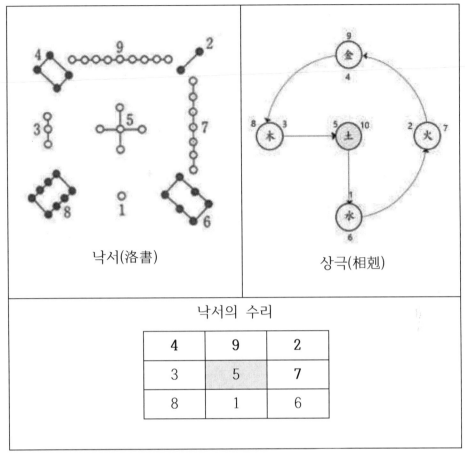

낙서(洛書)

상극(相剋)

낙서의 수리

4	9	2
3	5	7
8	1	6

☞ 상극(相克): **木克土**⇒**土克水**->**水克火**->**火克金**->**金克木**

　오행(五行)이란 상대성으로 인하여 불균형한 에너지가 이동을 통해서 서로 부딪히고 화합하면서 상생과 상극작용을 일으키는 것을 말한다. 서로가 완전한 균형을 이루고 있다면 상호작용은 일어날 수가 없다. 상호작용이란 에너지가 불균형한 상태에서 균형을 이루기 위해 이동하면서 일어나는 것이기 때문이다.

　하도의 2,7(火)과 4,9(金)가 낙서에서는 4,9(金)와 2,7(火)로 서로 자리바꿈(金火交易)을 함으로써 강유(剛柔)가 부딪히고 서로 조화를 이루기 위해 에너지가 이동하면서 상극작용이 일어나게 된다 즉, 하도에서 2,7(火)이 4,9(金)

를 시계방향으로 뒤따르다가(상생), 낙서에서 갑자기 4,9(金)가 뒤돌아서 맞부딪히니(상극), 전체가 시계 반대방향으로 돌게 되면서 [火克金, 金克木, 木克土, 土克水, 水克火]라는 상극작용을 만들어내는 것이다(剛柔相推而生變化也강유상추이생변화야).

금화교역(金火交易)을 통해 상생순행과 상극역행이 서로 교역(交易)하고, 오행이 생극제화(生剋濟化) 작용을 하며 만물의 변화를 이끈다. 즉, 하도의 2,7(화)과 4,9(금)가 자리바꿈을 함으로써 낙서의 수리가 나오는데, 낙서의 수는 마방진으로 상하좌우 대각선의 합이 10을 이루며 중앙수 황극(5土)을 더하면 하도의 중앙수 15가 나온다. 10은 하도의 완전수로서 10天를 의미하며, 1에서 9까지의 수를 사용하는 낙서는 상하좌우 대각선의 합이라는 작용을 통하여 완전수 10을 이끌어낸다. 불균형을 이루는 에너지가 상호이동을 통하여 완전한 균형을 이루도록 하게하는 이법(理法)이 숨어있음을 알 수가 있다.

　　양수: 1,3,9,7,1,3,9,7……
　　음수: 2,4,8,6,2,4,8,6……

양수 1을 기준으로 3배수로 순행하면 1, 3, 9, 7이 되고, 음수 2를 기준으로 2배수로 역행하면 2,4,8,6이 된다. 7은 27에서 완전수10(十天)의 2배수인 20을 뺀 수이고, 6은 16에서 10을 뺀 수이다. 역(易)에서 양은 3, 음은 2로 표현한다. 양은 순행(시계방향)하고 음은 역행(시계반대방향)하는 이치가 적용되며 낙서의 수리는 기문둔갑, 구성학을 비롯한 여러 점서에서 활용되고 있다.

6.2. 문왕팔괘도와 낙서의 수리

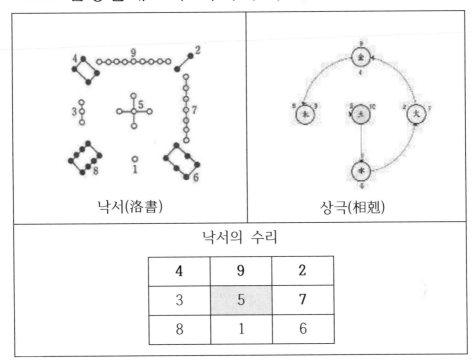

	낙서(洛書)		상극(相剋)	

낙서의 수리

4	9	2
3	5	7
8	1	6

4 木☳東南 巽	9 火☲南 離	2 土☷西南 坤
3 木☳東 震	**5土**	7 金☱西 兌
8 土☶東北 艮	1 水☵北 坎	6 金☰北西 乾

오행작용에 의하여 배열된 문왕8괘도는 지구의 순환원리를 표상한다. 지구의 자전과 공전에서 일어나는 사계(四季)의 순환과 이에 따른 만물의 생장성쇠(生長盛衰), 그리고 동서남북이라는 공간적 위치가 설정되어있다. 문왕8괘도에는 시간과 공간의 변화가 담겨져 있다.

후천문왕8괘도는 낙서의 수리가 배치되어 있는 구궁도로 표현한다. 낙서의 수리를 표현한 구궁도와 문왕8괘는 어떤 관계가 있을까?

낙서의 수를 표현한 구궁도는 완전한 수리를 표방한다. 전후좌우 대각선의 수를 합하면 완전수 10이 된다. 또한 시계방향으로 돌면 양수가, 음의 방향으로 돌면 음수가 완벽한 수리적 순환을 이루고 있다.

그렇다면 문왕8괘도의 괘가 나타내는 수리와 구궁도의 수리는 완벽하게 들어맞을까? 불행하게도 괘의 수리와 낙서의 수리는 전혀 일치하지 않는다. 이러한 불일치는 어떻게 설명할 수 있을까?

문왕역은 천역(天易)을 표방하는 복희8괘도(우주생성원리, 陽의 관점) 또는 인역8괘도(우주작용원리, 中의 관점)를 체(體)로 하는 용(用)의 관계에 있다. 문왕역은 우주역이라는 큰 틀 속에서 지구를 설명하고자 하는 지구역으로서 '전체와 부분'이라는 개념으로 설명된다. 지구는 수리적으로 보면 불완전한 것 같지만 우주역이라는 완전수(10) 안에서 변화하며 순환한다. 수리적 불완전성은 에너지의 수리적 불균형을 의미하며, 이러한 불균형은 균형을 맞추려는 에너지의 역동적인 이동을 일으키는 동인(動因)이 된다. 기울어진 지축은 춘하추동 사시(四時)의 순환을 불러오고, 사시의 순환은 만물의 생장성쇠를 불러일으켜 끊임없이 순환하며 앞으로 나아가게 한다. 불완전한 것 같지만 오히려 그 불완전성이 지구를 역동적으로 살아움직이게 하는 원동력이 되는 것이다.

구궁도에 배치된 낙서의 수는 완전성을 표방한다. 구궁도에 배열된 문왕8괘는 괘의 수리와 일치하지않는 논리적 불완전함으로 인하여 오히려 완전성을 이루기 위하여 끊임없이 역동적으로 움직이며 변화를 불러일으킨다. 하도의 수리(數理)는 움직이지않으니 변화가 일어나지않는다. 이것이 완전수를 표방하는 구궁도에 지구역인 문왕8괘가 배치된 이유이다. 이로 인하여 많은 점법에서는 8괘안에 숨어있는 낙서의 수리를 통해 보이지않는 이법(理法)으로 길흉을 점단한다.

6.3. 문왕팔괘의 사변적 의미

소성괘를 구성하는 3개의 효(爻) 중에서 음효는 토(土)가 되고, 생명을 품고 키우는 모태의 역할을 한다. 양효는 생기(生氣)를 의미하며, 만물에 내재한 생명(生命)이 된다.

<문왕팔괘도(지구역)>

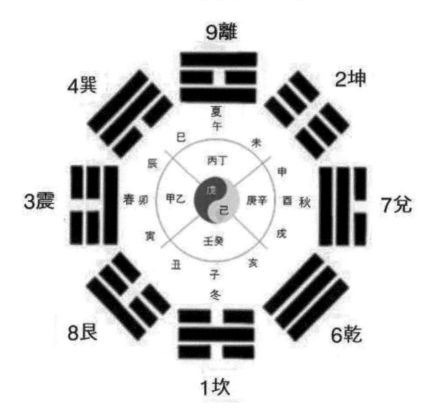

坎☵水　혼돈(混沌, chaos)

생명(二양)을 품은 혼돈(chaos)을 의미한다. 초음(初陰)과 三음이 생명(二)을 품은 상이다. 혼돈(氣) 속에 생명의 이치(理) 들어있으니 이기(理氣)가 하나로 섞여 구분되지 않는 상태이다. 만물이 순환을 완성하고 휴식에 들어간 의미가 있다.

艮☶山　종시(終始)

하늘의 양기가 내려와 생명을 품고 있는 감수(☵)를 터치(touch)하는 모습으로서, 정자가 난자를 터치하는 상이다. 艮☶山은 혼돈 속에 있는 생명이 깨어나지만 아직 움직임은 없고 다만 생명이 기척을 한 상태를 상징한다. 아래에서 보면 2개의 음에 잡혀 三효가 상향을 멈춘 상이요, 위에서 내려다보면 하늘의 양기가 대지를 터치하는 상으로서, 만물의 마침과 시작이라는 종시(終始)의 의미가 있다.

震☳雷　태동(胎動)

하늘이 땅을 터치(☷)하고, 태동(胎動)☳하는 모습이다. 생명이 태궁(胎宮)에 안착하여 역동적으로 움직이며 힘을 기르고 있다. 땅을 뚫고 나와 거대한 나무로 성장할 씨앗이다.

巽☴風　생장(生長)

모태(母胎)에서 생명이 나와 성장한 모습을 상징한다. 땅(초음)에 뿌리를 내린 장성한 나무(二,三양)의 상이다.

離☲火 질서

만물의 완성을 의미한다. 음에 잡혀 있던 두 개의 양(☰)이 음을 중심으로으로 구분되고 분별된다(☲). 사물이 분화(分化)되고 만물이 분별(分別)되니 우주 만물만상이 질서가 잡힌 모습이다. 음을 중심으로 양효가 양쪽에 위치하여 질서를 잡은 모습은 나무가 성장을 마무리하고 열매를 맺어가는 완성의 의미가 있다.

坤☷土 금화교역(金火交易)

토(土)는 생명을 품고 키우고 숙성시키는 모태(母胎)의 역할을 한다. 모든 생명(양효)은 土(음효)를 바탕으로 춘하추동(春夏秋冬), 생장수장(生長收藏)의 이치로 순환한다. 열매가 품은 여름의 왕성한 양기를 숙성시킴으로써 가을 금기운에 수렴되게 한다. 여름의 화(火) 기운에서 기을의 금(金) 기운으로 넘어가기 위해서는 곤토(坤土)의 중화작용이 필요하다(火生土-土生金).

兌☱澤 수렴(收斂)

三음이 만물로 펼쳐진 양(陽)을 안에 품은 상이다. 하늘의 기운을 받은 생명이 생장(生長)하여 완성되고 다시 땅☷으로 돌아가 수렴☱된 모습이다.

乾☰天 생명(生命), 생기(生氣)

삼효(음)가 품고 있는 태☱의 1, 2효는 천지에 펼쳐졌던 만물이 수렴된 모습으로 건괘☰의 상이다. 건☰은 만물에 깃드는 생기로서 坎☵水(二양)에 저장되어 휴식을 취하고, 艮☶山(三양)에서 다시 시작한다(始萬物).

6.4. 문왕역 64방도의 수리적 무질서

지구역: 시공(時空), 사시순환을 표현

각 칸은 위 괘(지붕 값)·아래 괘(왼쪽 값)와 그 합(合)을 표시한다. 아래 표의 숫자는 각 칸의 합(合)이다.

(地\天)	−3	+7	−1	−7	−5	+1	+5	+3
+3	+6	−4	+4	+10	+8	+2	−2	0
+5	+8	−2	+6	+12	+10	+4	0	+2
+1	+4	−6	+2	+8	+6	0	−4	−2
−5	−2	−12	−4	+2	0	−6	−10	−8
−7	−4	−14	−6	0	−2	−8	−12	−10
−1	+2	−8	0	+6	+4	−2	−6	−4
+7	−10	0	+8	+14	+12	+6	+2	+4
−3	0	−10	−2	+4	+2	−4	−8	−6

<문왕역 64괘 방도 수리화 도표>

인역(中)의 수리를 지구역인 문왕역64방도에 적용하면 어떤 현상이 나타날까? 균형점(0)을 기준으로 상·하괘의 작용력을 비교해 보면 음양은 서로 대립과 대대의 관계를 맺고 있음을 알 수 있다. 예를 들어 작용력이 제로(0)인 중산간(重山艮☶☶)괘를 기준으로 상하 대칭을 이루고 있는 지뢰복(地雷復☷☳)괘와 뇌지예(雷地豫☳☷)괘를 보면, 작용력은 +8과 -8로 서로 대칭 관계를 이루고 있지만 서로 합하면 제로(0)가 된다. 문왕역64방도를 겉으로 보면 에너지는 음과 양이 규칙 없이 혼란스럽게 뒤섞여 있는 것처럼 보이지만 내면은 대립과 대대의 원리가 작동하고 있음을 알 수 있다. 이처럼 64괘는 모두 32개씩 음양의 짝을 이루고 있으며 상호작용력과 상호균형력의 관점에서는 대립과 대대라는 음양의 대칭 관계를 맺고 있다.

지구역을 표방하는 문왕 8 괘도는 오행의 기운에 따라 8 괘를 배열한 것으로 괘상의 수리적 논리성이 없다. 人易(中)은 음양의 수리적 논리가 이진법의 수리에 의한 위치에너지의 크기로 괘상의 질서가 정해지지만, 문왕팔괘도는 괘상의 순서에 그러한 수리적 논리성이 결여되어 있다. 마찬가지로 문왕팔괘가 대성괘를 형성하여 펼쳐낸 64 방도도 수리적 논리가 없어 무질서해 보이지만 그 안에서는 질서를 찾아가는 상대적이면서도 상보적인 작용이 숨어있다.

문왕역 64 괘 방도에서, 상하에 위치한 괘상을 보면 음양의 에너지가 질서 없이 뒤섞여 있다. 이것이 바로 에너지의 불균형이 불러오는 질서 속의 무질서 상태, 혼돈 속의 이치를 의미하는 불확정성의 원리를 설명한다. 혼돈이라는 불확정한 무질서(chaos) 속에서도 리(理)가 혼재되어 있으니, 음양이 짝을 이루고 있는 상하에너지의 합이 0 으로 균형을 이루고 있으며, 상하의 괘상이 정확히 착종 관계를 맺고 있다. 이러한 무질서(chaos) 속의 리(理)가 질서(cosmos)를 찾아가는 에너지의 이동을 불러 일으키는 것이다. 지구내의 온도의 차는 바로 온도의 지역적 불균형을 의미하며, 이러한 온도의 불균형이 지구내의 에너지를 이동시켜 기후작용을 만들어내며 삼라만상을 키워내는 것과 같은 이치이다.

一妙衍萬往萬來用變不動本
일묘연만왕만래용변부동본

하나(一)가 시작하여 묘리를 한없이 펼쳐내니
삼라만상이 가고 오며 무수히 쓰임을 달리하지만
근본은 변함이 없다.

문왕팔괘도는 수리적 질서가 없다. 이러한 문왕팔괘도의 수리적 무질서는 혼돈 그 자체가 아니라 질서라는 큰 틀에서 질서를 찾아가는 작용을 뜻한다. 전체 에너지의 총량은 변함이 없으나, 균형의 불일치에 의한 에너지의 이동으로 우주 만물만상이 만왕만래(萬往萬來)하고 용변(用變)하며 운행한다. 즉, 에너지 총량은 변함이 없지만 그 에너지 총량의 틀 내에서 부분적인 에너지 불균형이 만들어 내는 에너지의 이동에 따라 상호작용하는 것을 의미한다(에너지 불변의 법칙).

문왕역 64 방도를 보면 상하에너지의 균형점인 0 을 기준으로 상하 음양의 에너지가 수리적 대칭을 이루고 있다. 천역(양), 지역(음), 인역(중)의 괘상은 균형점 0 을 중심으로 상(上)은 음(-)의 에너지, 하(下)는 양(+)의 에너지가 자리를 잡고, 에너지의 크기가 서로 동일하게 플러스(+), 마이너스(-) 짝을 지어 균형을 이루고 있지만, 문왕 8 괘 64 방도는 상하 에너지가 수리적 대칭을 이루면서도 음양의 에너지가 상하에 불규칙하게 서로 혼재되어 있음을 알 수 있다.

인역(人易)이나 문왕역은 상하(上下) 에너지 작용의 합이 0 으로서 균형을 이루고 있는 공통점이 있다(에너지불변의 법칙). 작용이란 에너지의 불균형에 의한 에너지의 이동이 발생하면서 불일치되는 에너지가 균형점을 찾아

이동하고, 합충, 상생, 상극작용하며 변화를 일으키는 것을 의미한다. 강유(剛柔)가 서로 부딪히고 팔괘가 서로 뒤섞이니 우주 삼라만상의 작용이 일어나는 것이다[剛柔相摩 八卦相盪강유상마 팔괘상탕]. 서로 균형을 이루고 있다면 에너지는 0으로서 작용이 일어나지 않는다.

인역(人易)은 에너지의 균형점인 중심선의 0을 기준으로 상하가 음과 양으로 정확하게 균형을 이룬다. 이렇게 균형을 이루고 있는 안정된 상태에서는 에너지의 이동이 일어나지 않고 작용도 일어나지 않는다. 그러나 완전한 균형을 이루고 있는 상하괘 중에서 어느 하나가 삐끗 움직이면 에너지의 균형은 무너지게 된다. 이러한 에너지의 불균형의 틈이 에너지의 이동을 불러 일으키면서 점차 전체 에너지의 흐름에 영향을 주게 된다. 나비의 날개 짓이 일으키는 작은 바람 하나가 멀리 태평양 너머에 태풍을 불러 일으키는 것이다.

카오스(chaos)가 무(0)라면 질서(cosmos)가 서는 순간 유(1)가 된다. 혼돈(氣)에도 상대적 개념인 질서(理)가 들어있다. 양이 질서를 잡으면 음이 무너지고, 음이 질서를 잡으면 양이 흐트러지는 불확정한 상태에서도 전체로 보면 부동본(不動本)이다(불확정성의 원리). 상보적 관계에 있는 양(量)의 측정은 어느 한 쪽을 정확하게 결정하면 다른 쪽의 결정이 불가능하게 된다. 이것은 측정 기술상의 문제가 아니라 본질적으로 존재하는 문제로서 상하에너지는 플러스(+) 마이너스(-)로 서로 상대적 대칭관계에 있으면서도 합하면 0으로 균형이 잡히니, 전체적으로 보면 음양의 크기는 변하지 않는 상보적 관계에 있는 것이다(에너지 불변의 법칙).

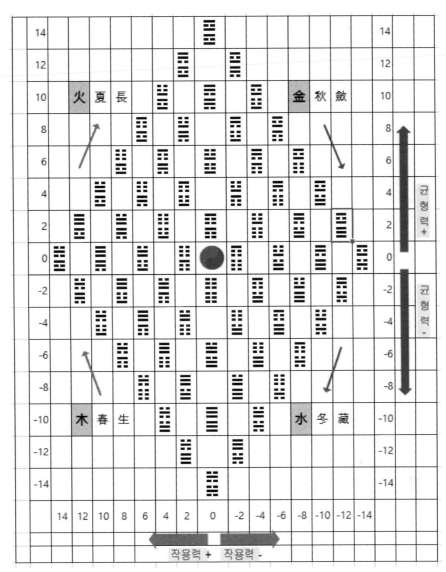

<문왕역(지구역) 64괘 오행도>

인역의 수리로써 작용력과 균형력을 측정하여 문왕역 64괘를 오행도에 배치하면 위 그림과 같다. 마이너스(-) 에너지를 가진 괘상과 플러스(+) 에너지를 가진 괘상이 질서 없이 뒤섞여 있는 혼돈의 모습을 보여준다. 그러나 겉은 무질서하고 혼돈스러운 것처럼 보이지만 그 내부는 질서를 찾아가는

6. 지구역(문왕팔괘도)의 원리   69

에너지의 역동적인 모습이 들어있다. 계절에 따른 온도의 차이가 부분적인 에너지의 이동을 불러일으키듯, 뒤섞여 있는 괘상도 에너지의 불균형한 분포를 의미하며, 이러한 부분적인 불균형은 전체적인 균형점을 찾아가는 에너지 이동의 원인이 된다.

지구는 1년 12개월 내내 사시 순환에 른 기온의 부분적인 불균형으로 인하여 에너지의 이동이 끊임없이 발생한다. 이러한 에너지의 불균형은 균형을 이루기 위한 역동적인 에너지의 이동을 야기함으로써 오히려 지구 만물을 생육하는 동인이 된다.

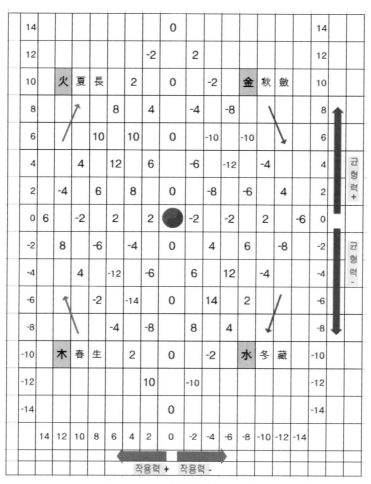

<문왕역(지구역) 64괘 오행도의 수리>

지구역(문왕역) 64괘 방도의 오행도를 인역의 수리로 전환하여 오행도에 표시하면 위 그림과 같다. 우주(인역)의 한 부분에 불과한 지구역(문왕역)은 수리적 논리성이 없다. 그러나 오히려 이러한 수리적 혼돈이 균형점을 찾기 위한 에너지의 활발한 이동을 불러일으킨다.

　에너지 불변의 법칙이란 에너지 총량의 불변을 의미하는 것이니, 이는 마방진의 완전한 수리가 만든 구궁도의 틀을 의미하는 것이고, 작용이란 낙서(洛書)의 수리를 표현한 구궁도의 틀 안에서 불확정한 상태에 있는 에너지가 균형을 찾아 이동함으로써 천변만화를 일으키는 것을 의미한다. 구궁도의 수리적 질서는 완전하지만, 그 수리는 9가 최고이므로 10이라는 완전성을 향해 끊임없이 작용과 변화를 유발한다(낙서의 수리는 상하좌우 대각선의 합을 통하여 10을 표현한다).

우주역	천역(天易) (복희역)	天, 陽의 관점 -우주생성원리
	지역(地易)	地, 陰의 관점,
	인역(人易)	人, 中의 관점 -天地 陰陽의 동시관점, -우주작용원리

지구역 (문왕역)	오행 생극의 관점, -시간(時間)과 공간(空間)을 표현

7. 지구역(문왕팔괘)이 그리는 시공(時空)

   5 土가 음양작용을 통해 갑을병정무기경신임계(甲乙丙丁戊己庚辛壬癸) 천
간(10 干)을 드러낸다. 이는 5 土(황극)가 4 象을 돌려 8 卦를 펼치는 우주완성
의 궁극적 수리인 하도의 天數(10)를 인문학적으로 개념화시킨 것이다. 그러
므로 10 天干은 五行의 음양성을 통해 나오는 天氣(10)를 자연과학적이고 인
문학적으로 구체화한 개념이라 할 수 있다.

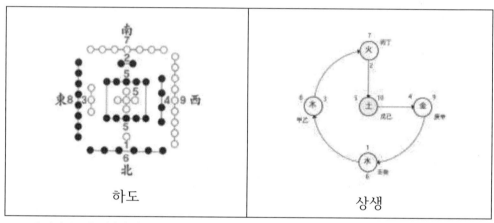

| 하도 | 상생 |

☞五行(5)은 음양(2)이 작용하는 내적원리로서 외부로 10 天(10 干)을 펼친
다.

태극(1) ≫음양(2) ≫ 오행(5) ≫ 천간(10)

태극(1) {
음(-)
양(+)
} ≫ 五土(5) {
목(+-)
화(+-)
금(+-)
수(+-)
} ≫ 戊己(10) {
갑을(+-)
병정(+-)
경신(+-)
임계(+-)
}

   ≫10 天干은 오행(5)의 음양작용(2)의 산물이다.

7.1. 팔괘와 천간(天干)

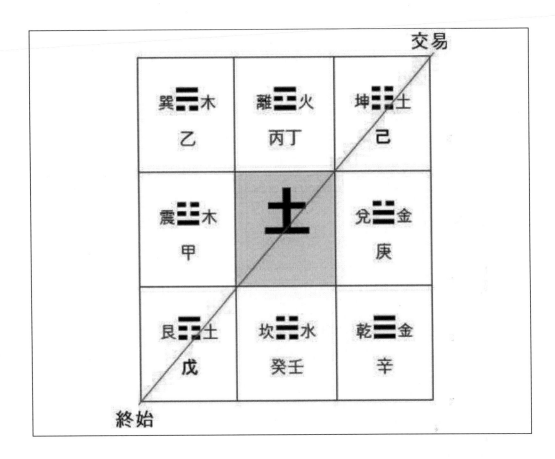

▷ **주역(周易)을 알아야 간지(干支)를 이해할 수 있다.**

왜냐하면 문왕팔괘에 천간을 부여함으로써 천간이 뜻을 얻게 되고, 비로소 지지의 성격이 규정되기 때문이다. 즉, 震☳木은 만물이 태동하여 시작되는 괘로서 天干의 甲이 정해진다. 甲의 해자(解字)는 밭(田)에 뿌려진 씨앗이 뿌리를 내리는 형상이니 생명이 시작되는 것으로 ☳와 뜻이 일치된다. 인(寅)의 지장간의 정기(正氣)가 甲木이므로 인(寅)은 甲木의 성질을 가지게 되어 寅木이 되는 것이다.

천간(天干)은 생명의 근원인 하늘의 기운(天氣)이다. 천간의 성질은 지구역인 문왕팔괘도의 극성을 따른다. 그러므로 천간의 성질을 이해하기 위해서는 팔괘의 성질의 이해가 선행되어야 한다. 태양(天干)이 지구에 빛을 내리고 땅 속(地支)으로 파고 들어가 생명의 기운을 일으키고 만물을 순환하게 하는 지기(地氣)의 원천인 지장간(地藏干)이 된다. 인(寅)의 지장간의 정기(正氣)가 甲木이므로 인(寅)은 甲木의 성질을 가지게 되어 寅木이 된다. 즉, 天干(天氣)이 地支(地氣)를 파고들어가 내장됨으로써 지지의 성격을 규정짓는 것이다.

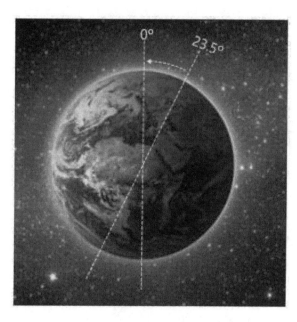

<지축>

생명이 태동하는 震☳雷에서 甲(木)이 시작된다. 그러므로 천간지지(天干地支) 순환도에서 지장간 甲木이 시작하는 지지 寅木이 1월이다. 천간 戊土는 지지의 배열에서는 辰戌에 속하며, 지축[丑未]을 회전시켜 음양(日月)과 오행(四時)를 일으키는 기운이 된다.

문왕팔괘에 천간(天干)이 부여됨으로써 천간의 성질이 정해지고, 지지 속으로들어간 천간(지장간)에 의해 지지(地支)의 음양과 오행의 성격이 규정된다. 음양오행 작용의 결과인 10천간(體)은 외부로 춘하추동 시간의 변화인 12지지(用)를 일으키는 숨겨진 원리가 되는 것이다.

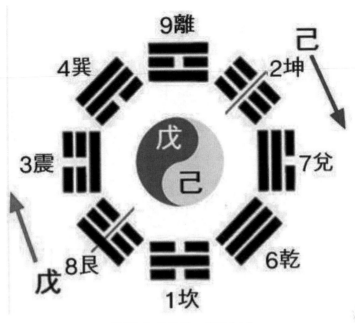

<문왕팔괘도와 戊己(土)>

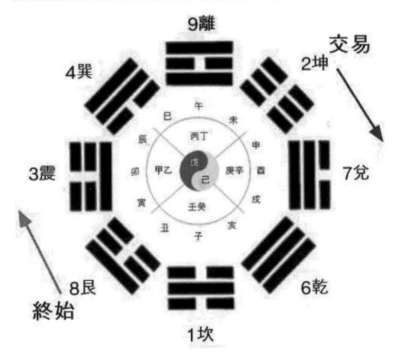

<문왕팔괘도와 천간·지지>

7.2. 地支와 地藏干 (正氣)

지지		巳	午	未		
	지장간	丙	丁	己		
辰	戊		夏(火)		庚	申
卯	乙	春(木)	土	秋(金)	辛	酉
寅	甲		冬(水)		戊	戌
		己	癸	壬		
		丑	子	亥		

<12 지지와 지장간 정기

    지지(地支) 속의 천간(天干)인 지장간으로 내장되어 지지의 음양과 오행의 성격을 규정한다. 寅이 木의 성질로서 양이 되는 까닭은 寅의 지장간 正氣가 甲木으로서 양이기 때문이다. 卯가 木의 성질로서 음이 되는 까닭은 卯의 지장간 正氣가 乙木으로서 음이기 때문이다. 다른 지지도 동일하게 설명된다.

    12지지 속에 암장되어 있는 천간(지장간)은 3가지로 분류된다.

    여기(餘氣) -이전 계절의 남은 기운

    중기(中氣) -다음 계절의 기운을 잉태

    정기(正氣) -당해 계절을 시작하는 기운

절기가 바뀌는 것은 갑자기 한 순간에 전환되는 것이 아니라 이전 계절의 남아있는 기운이 들어오고(餘氣). 다음 계절의 기운이 들어와 잉태되면서 서서히 바뀌어 가는 것이다(中氣).

지장간(地藏干)은 지지궁(地支宮)에 잉태되어 숨겨진 하늘의 기운(天干)이다. 天이 아버지라면 地는 어머니이니 지장간은 천지가 포태한 만물(人)이 된다. 어머니인 地氣(한난조습)는 天氣(오행)를 포태하여 상호작용함으로써 만물(人)을 생장수장의 이치로써 생로병사를 순환시킨다. 人은 아버지(陽)인 천간과 어머니(陰)인 지지가 상호작용하여 생한 자녀(만물)로서 中이 되는 것이니,

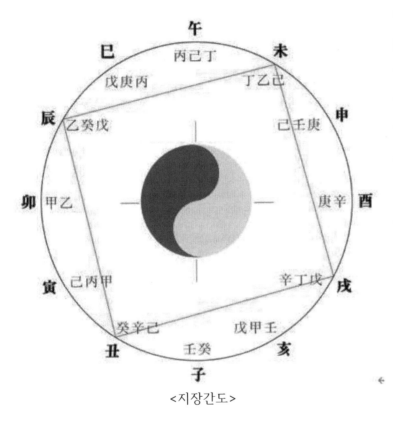

<지장간도>

지장간은 人中의 성질로서 천지의 내적작용을 의미한다. 天地가 지구의 공전에 의한 사시의 변화에 따라 서로 교합 작용하며 중화(中和)를 일으킴으로써 만물(人)을 변화시키고 순환시키는 것이다.

▶지지가 표현하는 오행(五行)과 시공(時空)

지지	지장간(정기)	음양	시간	월	계절	방위	오행
寅	甲木	陽	3-5	1月	春	東	木
卯	乙木	陰	5-7	2月			
辰	戊土	陽	7-9	3月			
巳	丙火	陽	9-11	4月	夏	南	火
午	丁火	陰	11-13	5月			
未	己土	陰	13-15	6月			
申	庚金	陽	15-17	7月	秋	西	金
酉	辛金	陰	17-19	8月			
戌	戊土	陽	19-21	9月			
亥	壬水	陽	21-23	10月	冬	北	水
子	癸水	陰	23-1	11月			
丑	己土	陰	1-3	12月			

　문왕팔괘도는 艮土☶(戊)와 坤土☷(己)를 축으로 공전과 자전을 통해 춘하추동 사시의 순환을 표현한다. 오행의 생극원리에 의한 사시순환을 통해 만물의 생로병사, 생장수장의 이치를 그려낸다. 시간적으로는 춘하추동 사시(四時)를 정하고, 공간적으로는 동서남북 사방(四方)을 정했으며, 하루를 자(子)에서 시작하여 해(亥)에서 끝나는 12地支로 나누어 24시를 정했다. 문왕팔괘도에 천간(天干)이 부여됨으로써 지지(地支)가 음양과 오행의 성질을 얻게 되고, 사계(四季), 24절기, 24시는 순환과 변화의 뜻을 갖게 된다.[7]

---

[7] 박규선, 『간지역학원론』, 부크크, 2024.

7.3. 오행(五行)과 간지(干支)

오행	木		火		土		金		水	
음양	+	-	+	-	+	-	+	-	+	-
천간	甲	乙	丙	丁	戊	己	庚	辛	任	癸
지지	寅	卯	巳	午	辰戌	丑未	申	酉	亥	子

天干	癸水	己土	甲木	乙木	戊土	丙火	丁火	己土	庚金	辛金	戊土	壬水
地支	子水	丑土	寅木	卯木	辰土	巳火	午火	未土	申金	酉金	戌土	亥水
陰陽	음(-)	음(-)	양(+)	음(-)	양(+)	양(+)	음(-)	음(-)	양(+)	음(-)	양(+)	양(+)
五行	水	土	木	木	土	火	火	土	金	金	土	水
數理	1	2	3	4	5	6	7	8	9	10	11	12

지지는 지구의 공전과 자전에 의해 생겨나는 춘하추동, 생장수장이라는 시간의 법칙을 표현한다. 지지는 坎☵水에서 시작한다. 水는 만물의 시작점이요, 만물이 생장수장의 이치로 순환하는 과정에서 천지만물을 하나로 품고 쉬는 곳이다. 만물의 씨앗을 품고 만물의 순환을 시작하는 첫 번째이므로 지지의 첫 번째인 子(水)가 된다. 문왕팔괘도의 수리도 坎☵水가 1 이다.

8. 팔괘(八卦)의 의미

8.1. 天☰乾

건(乾☰)은 천하만물에 깃든 생명지기로서 무소부재이니, 우주천지에 꽉 들어찬 순양(純陽)으로 그 양기(陽氣)가 +7 로서 최고이다. 행하나 행함이 없는 무위(無爲)로서 모든 만물에 생명을 깃들게 하는 창조지기(創造至氣)이니 곤(坤☷)을 만나 형상(物)을 만든다.

乾☰은 만물의 근원으로 생명이니 리(理)가 되고, 坤☷은 모태로 만물을 키우는 기(氣)의 작용이다. 乾☰은 공(空)으로 우주 본체가 되며, 坤☷은 시(時)가 되어 변화를 일으키니 만물만상이 만왕만래한다.

天一	陽	體	空	理	父	一
地一	陰	用	時	氣	母	二
人一	中	象	變	物	子	三

물상으로는 하늘(天)이지만 눈에 보이는 하늘이 아니며, 우주공간을 형성하는 양의 기운으로서 품은 뜻으로는 강건함이 된다. 지극히 강건하고 광명하며 건조하다. 쾌청하고 추운 날씨를 의미한다.

8.2. 風☴巽

건(乾☰)은 우주를 꽉 채운 무한의 순양(乾)으로서 곤(坤☷)에 생기를 부여하여 만물을 생화시키는 창조지기(創造至氣)로서 리(理)가 된다. 이를 물상으로 천(天)이라 한다. 이 乾☰天의 초효가 음으로 효변하면 巽☴風이 된다. 이 경우 ☴은 땅이라고 하는 지리적 한계를 갖는 자유, 흐름을 의미한다. 왜냐하면 초효인 음(땅)에 잡혀 있기 때문이다. 크기가 가늠되지 않는 무한의 순양(純陽)☰+7 이 음에 포착되면서 작은 양 덩어리☴+5 가 되는 것이다. 즉, 양 그 자체인 하늘☰+7에서 양이 음에 이끌려 땅으로 내려왔으니 작은 양의 덩어리☴+5 가 되는 것이다. 그 덩어리를 표현한 대표적 물상이 바람(風)이다. 바람이란 ☴의 성질을 표현한 대표적인 물상이다. 巽☴은 바람(風)이 아니라 바람의 성질을 말한다. ☴으로 표현되는 사물은 많다. 다만 바람이 그 많은 사물을 대표하는 물상이 되므로 풍(風)이라 하는 것이다. 풍(風)이란 자유로움과 흐름(流)이라는 성질을 뜻한다.

　☴은 목(木)을 상징한다. 목은 대지에 뿌리를 내리고 있어 대지를 벗어나지 못하는 지리적 한계에 갇혀 있다. 바람이 대지 위를 행하여도 대지는 움직이지 않지만 나무는 바람에 흔들린다. 나무는 대지처럼 고정되어 움직이지 않는 것이 아니므로 자유롭게 활동한다. 다만 땅에 뿌리를 내리고 있어 땅을 벗어나지 못하는 위치적 한계가 있다. 즉, 乾天☰은 우주를 가득 채운 순양(+7)으로서 무한이지만, 巽風☴은 지구를 채운 바람으로서 땅을 벗어나지는 못하는 유한한 양기(+5)를 의미한다(風行地上). 즉, ☴은 하늘☰+7 에 붙어 있어 자유롭지만 땅☷-7 에 잡혀 있는 것이다.

　☴은 바람이 아니다. 바람이 자유로움이라는 ☴의 성질을 대표하는 것뿐이다. ☴은 나무가 아니다. 음에서 벗어나 상향하는 양의 성질을 비유해 대지에서 나무가 자라는 모습으로 목(木)의 생장력을 상징한 것일 뿐이다. 바람이 ☴이고, 나무가 ☴이 되는 것이지, ☴이 바람, 또는 나무로 한정되는 것이 아니다. ☴의 상을 보고 바람 같은 성질, 나무 같은 성질을 보는 것이다. 다른 괘상도 같은 방식으로 이해한다.

　한 개의 유약한 양이 두 양 아래에 엎드려 숨어있는 상으로 공손하고 겸양하는 뜻이 있고, 또한 바람은 부드러우며, ☴가 상징하는 나무는 바람처럼 부드럽게 굽히는 성질을 가지고 있으니 역시 공손하고 겸양하는 뜻이 있다. ☶은 강하고 곧은 나무이지만 ☴은 바람에 쉽게 구부릴 줄 아는 부드러운 나무이다.

아래가 허(虛)하여 부드러운 바람이 안으로 들어오는 상으로 입입의 뜻도 있다. 인사(人事)적으로는 음이 처음 나온 것으로 장녀의 뜻이 있고, 넝쿨 같은 음목(陰木)이므로 끈의 의미도 나온다.

8.3. 火☲離

만물의 완성을 의미한다. 음에 잡혀 있던 자유분방한 양(☰)의 기운이 ☲로 구분되고 분별된다. 사물이 분화되고 만물이 분별되니 우주 삼라만상이 질서(cosmos)가 잡힌 모습이다. 음을 중심으로 양효가 양쪽에 위치한 모습은 만물이 분별되고 질서가 잡힌 완성의 의미가 있다.

건(乾☰)은 우주공간에 빈틈없이 가득 차 있는 강건한 양기이다. 이 양기의 속을 음이 파고들어 천하에 가득 차 있는 양기를 음을 중심으로 모은 모습이 리(離☲)이니, 하늘에 걸려있는 해(日)를 상징하며 양기가 뭉친 상이 된다. 한 개의 음이 두 개의 양 사이에 걸려있는 상으로 안은 어둡고 밖은 밝은 상이다. 해가 동에서 떠서 서로 떠난다는 뜻과 해가 하늘에 걸려있다 라는 의미로 떠날 리, 걸릴 리의 뜻이 있다.

☲은 음을 중심으로 밖으로 2 개의 양이 걸려있으니 광명이다. 밝음이고, 희망이며, 지혜로움이다. 계절로는 한 여름이며, 방향으로는 남방이 된다. 문왕팔괘 구궁도에서 ☲의 수리가 9 이니, 자연수 중에 최고의 수로서, ☲는 바로 절정, 최상, 완성을 의미하기 때문이다. 생장 분열하는 건도(乾道)의 양기를 모아 그 결과로써 열매를 맺은 상이다.

8.4. 雷☳震

　간(艮☶)은 음 2개가 땅에 굳건히 붙어있는 모습이다. 하늘☰이 땅☷을 포착하여 일정한 공간에 위치시킨 음의 덩어리로서 산山이라는 물상으로 그침(止)의 의미가 있다. 이에 반하여 진震☳은 양이 +4 의 힘으로 땅 속을 파고드니, 음 덩어리가 땅에서 떨어져 들려 있는 상이다. 양이 강력한 힘(+4)으로 음 덩어리(-3)를 들고 있는 모습으로 움직여 나아가는 동·진(動·進)의 의미가 있다.

　▷양의 내재에너지(중의 관점)

+1	+3	+4	+6	양의 위치 에너지
☷-5 ⇨	☳+5 ⇨	☳+1 ⇨	☳-1	중의 작용에너지
-3	-1	-6	-4	음의 위치에너지
止	流	動	靜	

　에너지의 크기는 음과 양이 서로 상대적이므로 음괘 양괘에 따라 그 힘이 달라진다. 예를 들어 수승화강의 원리에 따라 위치에너지는 진괘☳의 양효는 아래로 보아 +4 가 되고, 음효는 위로 보아 -6 이 되지만 3 개의 효가 하나의 괘상이 되면 양괘가 되어 아래로 측정하게 되므로 양은+4 음은 -3 이 되어 전체 작용력은 +1 이 되는 것이다.

　≫☳은 양(+1)이 음(-6)에 잡혀 있는 묵직한 모습이고, ☳의 양(+6)은 가볍고 자유롭지만 음(-1)을 벗어나지는 못한다.

> ≫☳는 양이 +4의 힘으로 -3의 음을 들고 있는 모습, 땅을 뒤흔드는 모
> 습으로 진취적이지만 상대적으로 힘이 드는 모습, ☶는 양의 에너지(+3)가
> (-4)음에 의해 안정적으로 저장이 되어있은 모습이다.

☶은 땅에 붙어있는 것이고, ☳은 땅에서 떨어져 있다. 땅에 붙어있으니
작은 것이 되고 그침(止)의 의미가 되지만, 땅에서 떨어져 있는 것은 들려
일어난 것이므로 큰 것이 되고 동(動)의 의미가 된다.

☳은 초효 +4의 힘으로 2개의 음(-3)의 덩어리가 들려 있는 상이니 양(+4)
의 입장에서 보면 요동치는 힘이 되고, 음(-3)의 관점에서 보면 들려 있는
것이 되므로 거대한 산이나 높은 빌딩의 모습이 된다. 땅에서 크게 일어난
것이기 때문이다. 땅에서 떨어져 있어 움직임이 자유로우니 자동차나 육중한
전차, 하늘을 나는 큰 독수리, 용(龍)과 같은 큰 움직임이 된다. 사람으로 보
면 흥분한 상태로서 화가 잔뜩 난 모습이고, 우레와 같은 우렁찬 소리이며,
천명(天命)이며, 적극적으로 대중을 이끌고 나아가는 강한 지도자의 모습이
다.

☶이 움직임이 없어 죽은 것을 의미한다면, ☳은 봄을 상징하는 생명력을
나타낸다. 오행으로 보면 목(木)의 기운으로서 땅을 뚫고 나오는 생명의 상
징이다. 인사적으로는 양이 처음 나온 것으로 장남(長男)에 해당된다. ☳은
하늘의 기운이 땅으로 내려와 대지 위를 순행하는 모습이고, ☳은 하늘의 기
운☰이 대지☷를 파고들어가 생명을 잉태시키는 모습으로 태동(胎動)의 뜻이
된다

8.5. 澤☱兌

태(兌☱)는 양2개가 음1개에 갇혀 있는 모습이다. 갇혀 있다기 보다는 담

겨있는 모습이다. 하늘☰이 분리되어 땅☷에 축적된 양(陽)의 모습으로 연못 ☱의 상이다. 연못은 하늘을 그대로 담아 놓은 모습으로 전체적으로 안정된 상태를 의미하며, 담겨있는 것이 양기이므로 좋은 의미로 이해할 수 있다. ☱이 물이 가득한 연못이나 호수의 모습이듯이, 지식이나 교양, 지혜 등이 담겨 있는 연못 같은 사람으로 비유할 수 있다. 그릇☱이 큰사람일수록 담겨 있는 것이 많은 법이니 안정적이며 덕이 크고 평화롭다. ☱의 대표적인 물상이 연못이다. 연못이란 담는 그릇을 상징한다. 태兌☱는 형이상학적 개념으로 많은 사물이 가지고 있는 성질중의 하나이며, 연못이 兌☱의 대표적인 물상이 된다. 양을 가득 담은 ☱의 모습은 여름의 가득한 양기를 수렴한 가을의 상이다.

이와 반대로 손巽☴은 울타리를 벗어나 상향하는 양기를 의미하니 자유롭고 가벼우며, 흐르는 물이고(流), 여름을 향해가는 울창한 나무의 모습이다 (木). ☱은 작용력이 -1 로서 차분하고 잔잔한 연못의 상이지만, ☴은 +5 로서 자유롭고 가벼운 바람의 상이다. 巽☴(靜)이 그릇의 상으로서 가족 구성원이 모여 사는 안정적 의미의 가정을 의미한다면, 간艮☶은 한곳에 서서 비바람을 막아주는 집(건물)이 된다. ☶(止)은 작용력이 -5 로서 땅에 고정되어 있으니 유동적인 ☴+5(流)과 대비된다.

☱은 연약한 음이 두 개의 강한 양을 올라타 안에 품는 기쁨(說)이 있으며, 유약하지만 부드러움으로 강한 양을 서서히 침범하여 훼손시키고 무너뜨리는 성질이 있다.

8.6. 水☵坎

감(坎☵)의 상은 음 속에 양이 파고 들어가 딱딱한 대지(☷)를 물렁하게 하는 모습이다. 딱딱한 고체가 물렁하게 녹았으니 물(水)이다. 물은 형체가 없고 정해진 틀이 없으니 어느 곳이나 젖어 스며들어가는 성질이 있다. 또한 물은 어디로 흐를 지 모르는 성질이 있으니 어디로 튈지 모르는 어린아이이고 미확정적이며, 자유로움이고 혼란스러움이다.

양이 음에 갇혀 있으니(坎陷) 어두움이 되고, 빛이 가려 있으니 혼돈의 상이다. 혼돈이지만 그 안에 실질(2효)이 내재되어 있으니 혼돈 속에도 이치가 들어있는 모습으로 생명을 상징한다. 그래서 물☵은 모든 만물의 기본이 된다. 혼돈(氣) 속에 생명의 이치(理)가 들어있으며, 이기(理氣)가 하나로 섞여 구분되지 않는 상태이다. ☵은 생명(양)을 품은 혼돈(chaos)의 상으로 초음과 3음은 생명(理)을 품은 토(土)를 뜻한다.

감수(坎水☵)는 추운 겨울 깊은 땅속에서 봄을 기다리는 씨앗(生命)의 모습으로서, 계절로는 봄을 기다리는 추운 겨울이며, 방향으로는 추운 북방이 되고, 순환으로 보면 운행을 마치고 휴식기에 접어든 우주이며, 시간으로는 하늘이 열리는 자시(子時)가 된다(天開於子). 후천 문왕팔괘도에서 구궁도의 수가 1 이니 이는 마침과 시작을 의미한다. 만물은 수水☵에서 시작하고 수水☵로 수렴되니 만물의 마침도 ☵이고, 시작도 ☵가 된다.

양이 음의 의해 분별되고 질서가 잡혀 완성된 모습인 ☰+3 와 달리 ☵-3 는 굳은 땅(☷-7) 속을 양기가 파고들어 흔들어 대는 모습으로서 무질서해진 미완의 상이다. 어두운 구덩이에 빠져 있으니 곤궁한 상태이며, 알 수 없는 미지의 세계, 정리되지 않는 생각, 종잡을 수 없는 여자의 마음 등을 상징한다.

한 개의 양이 두 음 사이에 빠져 있는 상으로 험난함, 함정을 뜻하며(坎陷), 밖은 어둡지만 안은 밝은 상이니 어둠 속에서 빛나는 달(月)을 상징하고, 어두운 밤에 움직이는 도둑이 되기도 한다.

8.7. 山☶艮

간(艮☶)은 양 하나가 ☷을 포착함으로써 일정한 하늘☰이라는 공간에 속한 음의 덩어리를 만든 모습이다. 그 덩어리를 표현한 대표적 물상이 바로 산(山☶)이다. 산이란 ☶의 성질을 표현한 대표적인 물상이다.

음 하나가 우주에 가득한 순양☰+7 을 포착함으로써 일정한 지역이라는 한계에 속한 양의 덩어리, 즉 바람☴+5 이 되는 것과 같은 이치이다. ☶-5 은 땅이라는 지리적 한계에 갇힌 양이라는 의미이다. ☰+7 은 우주적 에너지인 무한한 순양(純陽)이지만, ☴+5 은 땅에 붙잡혀 있는, 그래서 땅이라는 지역적 한계에 속해 있는 작은 양의 덩어리인 것이다. 그러므로 ☷-7 는 드넓은 대지를 의미하지만 ☶-5 은 일정 범위가 정해진 논밭이나 작은 돌 등 작은 물상을 의미한다.

☶은 우리 눈에 보이는 지역적 하늘, 그래서 그 보이는 공간적 한계를 벗어나지 않는 음의 덩어리로 하늘☰이 산☶을 공간에 가두고 있는 것이다. 음 2개가 단단히 땅에 고정되어 있어 움직이지 않으니 그침(止)의 성질이 있다. 땅에 붙어있으니 제아무리 높다 한들 하늘보다야 높아지겠는가? 하늘인 양 하나에 겨우 닿아 있으니, 하늘 아래 작은 뫼일 뿐이다. 보이는 그 하늘, 그 너머에는 무한의 하늘☰이 있으니 산이란 원래 하늘 아래 작은 뫼인 것이다.

산☶은 한곳에 우뚝 서서 비바람을 막으니 위험으로 부터 지켜주는 집이 된다. ☶이 산이 아니라 산의 성질을 말하는 것이니, 집도 ☶이다. 창을 막는 방패, 갑옷, 도둑을 막는 창고, 사람을 가두는 감옥도 ☶이 된다. 사람의 마음으로 보면 움직이지 않는 우직함이요, 융통성이 없는 고집이며, 바람도 가던 길을 멈추는 산중(山中)의 고요함이다.

닫혀 있는 문이고, 막아주는 벽이 되며, 숨겨주는 숲이 된다. 바람처럼 통행이 자유로운 열린 길☴(流)이 아니라 꽉 막혀 정체된 길☶(止)이다. 넓은 대로(大路)☰가 아니라, 산길처럼 좁은 소로(小路)☶이다. ☶은 열린 큰길을 따라 돌아가는 것이 아니라 좁은 산길로 가로 질러가니 지름길을 의미하기도 한다.

인간의 언어와 글로써 ☶을 표현하기 위해서는 ☶의 성질을 가장 잘 나타낼 수 있는 물상으로 산山을 그 이름으로 하고, 성질이 부동성, 그침(止)이 되므로 그 속성을 간(艮)이라 한다.

효를 수리적으로 이해해보자. ☶의 1 음효와 2 음효는 내재에너지가 -6 이되고, 3 양효는 +1 이 된다. 음 2 개가 -6 의 힘으로 양 1 개(+1)를 잡고 있으니 꼼짝달싹할 수가 없다(止). ☷은 우주를 꽉 채운 무한의 순음(純陰)으로 -7 이지만, ☶은 양에 의해서 땅에서 끌어올려진 음의 덩어리로 -6 의 힘이 되는 것이다. ☶의 작용력은 -5 가 된다(+1-2-4=-5).

음이 주도하는 수렴 통일의 곤도(坤道)를 마치고, 양이 주도하는 새로운 생장분열의 상극시대를 시작하는 종시(終始)의 의미가 있다. 간토(艮土☶)가 감수(坎水☵)를 극하며 생명을 깨우니 침잠해 있던 양기가 깨어나고, 진목 (震木☳)이 간토(艮土☶)를 극하니 생명이 자라난다. 간토는 곤토와 더불어 지구의 자전축으로서 간토는 양이 주도하는 건도의 시작이고, 곤토는 음이 주도하는 곤도의 시작을 의미한다.

8.8. 地☷坤

곤(坤☷)은 우주라는 공간을 채운 질료로서 만물의 재료가 되므로 기(氣)로 정의할 수 있다. ☷는 시간의 흐름에 따라 형상을 만드는 질료로서 변화를 일으키니 또한 시간이 된다.

곤(坤☷)은 안이 비어 물건을 담을 수 있는 상으로 만물을 담아 생육하는 땅의 성정을 대표한다. ☷은 땅의 성질로서 음이며, 양☰과의 작용으로 만물을 생한다. 양☰은 건천(乾天)으로서 리(理)를 뜻하며, 음☷은 곤지(坤地)로서 기(氣)를 의미한다. 乾☰이 천지에 가득한 생명지기(理)라면 坤☷은 지기를 품고 기르는 질료로서 지기를 받아 음양작용으로 형상을 만든다. 乾☰天은 아버지(父)로서 생명을 주고, 坤☷地은 어머니(母)로서 생명을 품고 형상으로 길러내니 만물(人)을 태우고 가는 수레가 된다.

坤☷(氣)은 乾☰(理)을 받아 형상을 키워내는 모태이니, 坤☷-7 과 乾☰+7 은 각각 따로 존재할 수 없으며 서로의 존재를 전제로 항상 상대적이면서 상보적인 관계를 형성하며 존재한다. 인사적으로는 유순함을 의미하며, 포용하고 생육하는 성질이 있으니, 대성괘에서 坤☷은 아래는 품어주고 가려주며, 위는 받쳐주고 지지해 주는 역할을 한다.

坤☷은 양이 주도하는 건도(乾道) 상극의 뜨거운 열기를 식혀주고 양기를 수렴하여 음이 주도하는 곤도(坤道)의 상생으로 넘어갈 수 있도록 하는 역할을 수행한다. ☷는 무분별하게 생장 분열하는 양기에 음이 파고들어가 좌우로 양을 잡아 세워 질서를 정해준 모습으로 완성을 의미하니 양기가 맺은 결과물인 열매의 상이 된다. 이 열매가 坤土☷에 떨어져 삭혀지니 껍질과 쭉정이가 걸러진다. 걸러진 알갱이는 추상같은 의(義)로움으로 가을을 상징하는 태(兌)☱에 수렴함으로써 음이 주도하는 곤도의 상생시대가 시작된다.

9. 문왕팔괘도의 오행성(五行性)

五土(황극)가 사상(四象)을 돌리니 오행(五行)이 되고, 오행이 삼라만상을 펼쳐내니 팔괘(八卦)가 된다. 팔괘는 우주에 만물이 현시된 모습을 괘상으로 펼쳐놓은 것이다. 오행이 사상과 작용을 일으켜 펼쳐낸 우주역인 복희8괘도를 오행의 기운에 맞게 괘의 배열을 달리하니 지구역인 문왕8괘도가 된다. 4상을 돌리는 5토의 작용에 따라 재배열된 것이다.

복희8괘가 본체로서 우주의 완성체(10)를 표상한다면, 문왕8괘는 그 본체에 대한 작용으로 본체의 리수理數(10) 틀내에서 운행하는 지구(9)가 된다. 지구역인 문왕8괘를 표상한 낙서의 수리에서 상하좌우 대각선의 합을 통해 10수을 드러낸다. 이는 지구의 운행이 우주본체인 복희역의 천도이수天道理數(10) 시스템 내에서 완전하게 작동하고 있음을 말해준다. 즉, 지구역(문왕8괘도)에서는 우주역(복희8괘도)의 천도수(天道數) 10이 작용을 통해서 드러나게 된다.

9.1. 오행과 문왕팔괘도(지구역)

지구역인 문왕팔괘도(用)는 지구가 공전과 자전을 하면서 일어나는 공간적 변화양상을 춘하추동 사시변화의 원리에 맞추어 지구의 운행을 표현한 지구역으로서 우주역인 복희팔괘(體)의 리수(理數) 체계(10) 내에서 작용한다. 오행의 상생과 상극의 순환으로 춘하추동 사계를 운행(時)하며, 동서남북 방위(空)를 표현한다.

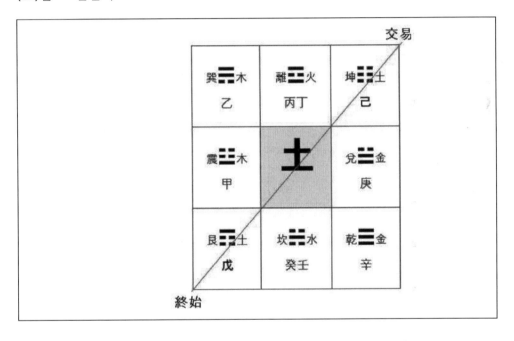

木(生)	火(長)	金(收)	水(藏)
☳태동,☴성장 봄(春)	☲질서, 완성 여름(夏)	☱수렴,☰생명 가을(秋)	☵혼돈, 저장 겨울(冬)
☶종시(終始)		☷교역(交易)	
中土			

문왕팔괘도는 지구역으로 춘하추동 사시와 동서남북 공간을 표현한다(時空). 5 土는 木火金水 사상(四象)을 돌려 팔괘를 용(用)으로 하는 지구변화를 펼쳐낸다.

만물은 震☳에서 시작하여 坎☵에서 모든 작용을 마치고 수고로움을 위로 받는다. 오행으로 보면 艮土☶와 坤土☷는 지구가 자전과 공전을 하는 축으로서, 춘하추동 계절적인 시간의 변화를 만들어내며, 만물을 낳고 기르며 키워낸다.

艮土☶는 만물의 마침과 시작을 하는 종시(終始)작용을 하고, 坤土☷는 만물을 기르고 숙성시키고, 상극의 화기와 상생의 금기가 충돌하는 것을 중재하여 금화교역이 일어나도록 하는 역할을 수행한다. 즉, 간(艮)은 동북 방향으로 모든 만물의 마침과 시작을 이루는 곳으로서(艮東北之卦也, 萬物之所成終而所成始也), 艮에서 시작하고 艮에서 마무리가 된다(始於艮 終於艮).

문왕팔괘는 水火木金土가 춘하추동 사시를 돌리는 상생작용을 표현한다. 그런데 艮土☶를 중심으로 하는 만물의 종시(終始)작용은 동방의 진(震)과 북방의 감(坎)이 서로 상극작용을 하면서 이루어지는 것을 알 수가 있다. 만물을 마치는 작용은 艮土☶가 坎水☵를 극하므로써 이루어지고(土克水), 만물을 시작하는 작용은 震木☳이 艮土☶를 극하므로써 이루어진다(木克土).

그리고 여름의 극성한 火氣☲의 기운이 가을의 金氣☱로 수렴되어 갈 때 火克金으로 서로 충돌하면서 자연스럽게 넘어가지 못함을 알 수 있다. 그래서 음토인 坤☷이 火氣를 설기(泄氣)시킴으로써 火生土, 土生金으로 자연스럽게 통관작용을 함으로써 가을로의 수렴과정을 도와 극성스런 여름의 火氣가 자연스럽게 가을의 金기(氣)로 수렴되도록 한다.

음이 극성한 겨울☵에서 양이 움트는 봄☳으로 넘어갈 때 艮土☶가 중요한 종시(終始) 작용을 하고, 양이 극성한 여름☲에서 음의 가을☱로 접어드는 과정에서는 坤土☷가 중요한 금화교역(金火交易) 작용을 하는 것이다.

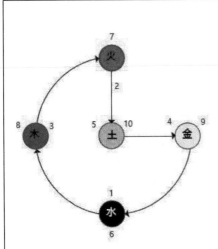

▷하도

만물이 수렴되는 작용은 火가 土(坤土☷)를 생하고, 土(坤土☷)가 金을 생하므로써 이루어진다

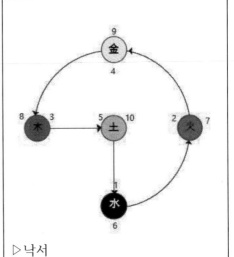

▷낙서

만물이 마치는 작용은 土(艮土☶)가 水를 극하고(終), 만물이 시작하는 작용은 木이 土(艮土☶)를 극하면서 이루어진다(始).

후천 팔괘	☵ 坎	☶ 艮	☳ 震	☴ 巽	☲ 離	☷ 坤	☱ 兌	☰ 乾
오행	水	양土	양木	음木	火	음土	음金	양金
계절	겨울		봄		여름		가을	
방위	북	북동	동	동남	남	남서	서	서북
수리	1	8	3	4	9	2	7	6

9.2. 지장간(地藏干)의 금화교역

午의 지장간이 丙丁이 아니라 丙己丁으로 己土가 들어간 이유

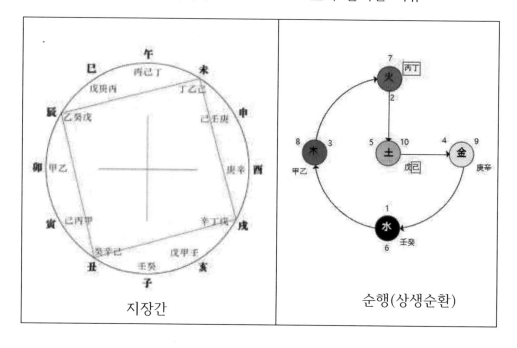

지장간   순행(상생순환)

　명리학의 대표적 이론인 지장간에서는 여름(火)에서 가을(金)으로 넘어가는 과정을 어떻게 설명하고 있을까? 여름의 火氣와 가을의 金氣는 서로 상극관계에 있기 때문에 순리적으로 넘어갈 수가 없다. 왕지(旺地)인 자오묘유(子午卯酉)를 살펴보자.

　봄의 왕지 묘(卯)의 지장간은 甲乙, 가을의 왕지 유(酉)의 지장간은 庚辛, 겨울의 왕지 子의 지장간은 壬癸이다. 그런데 여름의 왕지 午의 지장간은 丙己丁으로서 己土가 중간에 들어간다. 이유는 무엇일까?

午		
丙	己	丁

午의 지장간이 丙丁이 아니라 丙己丁으로 己土가 들어간 것은 금화교역(金火交易)의 자리에서 화극금(火克金)으로 금화상쟁(金火相爭)이 일어나는 것을 막기 위하여, 己土(☷)의 중재작용으로 강왕한 火氣(☲))를 설기시켜 줌으로써 자연스럽게 가을의 金氣(☱)로 넘어갈 수 있도록 금화교역의 역할을 하기 위함이다(火生土▶土生金).

여름의 火氣는 가을의 金氣와 서로 극하는 관계이므로 직접 넘어가지 못하기 때문에 중화(中和)의 기운인 土의 중재를 필요로 한다. 午는 음의 성정이므로 己土(음)를 丙丁의 中氣에 포장시켜 여름의 강왕한 火氣를 설기시켜줌으로써(火生土-土生金), 양이 주도하는 乾道에서 음이 주도하는 坤道의 가을 金氣로 넘어갈 수 있도록 하는 토대를 만든다. 그리하여 토기(土氣)는 여름의 뜨거운 火氣를 제어하여 가을의 金氣와 극하는 것을 막아 줌으로써 상극에서 상생의 기운으로 자연스럽게 넘어갈 수 있도록 하게 해준다. 午火가 내부에 己土를 품고 있어 火克金이 아니라 火生金이 될 수가 있는 것이다. 즉, 기토는 각각 午未申궁에 위치하여 火氣를 설기시키고 金氣를 생함으로써 금화상쟁을 막아 자연스럽게 금화교역이 일어나도록 하는 중재자 역할을 수행하는 것이다.

이것은 사고지(四庫地)인 진술축미가 이전 계절의 가장 왕한 기운인 子午卯酉(帝旺)를 입고(入庫)시켜 다음 계절로 넘어가는 것을 막아 줌으로써 다음 계절의 기운과 충돌하는 것을 막아주는 것과 같은 이치이다.

9.3. 원형이정(元亨利貞)의 철학적 이해

원형이정(元亨利貞)의 이치에 따라 춘하추동(春夏秋冬), 생장수장(生長收藏), 인의예지신(仁義禮智信)의 원리가 철학적 논리를 갖게 된다.

사덕(四德)	오행(五行)	계절(季節)	순환(循環)	오상(五常)
원(元)	목(木)	춘(春)	생(生)	인(仁)
형(亨)	화(火)	하(夏)	장(長)	예(禮)
이(利)	금(金)	추(秋)	수(收)	의(義)
정(貞)	수(水)	동(冬)	장(藏)	지(智)
중토(中土)				신(信)

원(元): 乾道(양)가 이끄는 만물이 시작(元)하는 봄(春)에는 사랑(仁)으로써 생명을 태동시키고(生),

형(亨): 만물이 완성(亨)된 여름(夏)에는 서로를 공경(禮)함으로써 만물에 질서를 세우며(長),

이(利): 乾道(양)를 이어 坤道(음)가 이끄는 가을(秋)에는 서릿발 같은 의로움(義)으로써 이로움(利)을 거두어 드리고(斂),

정(貞): 겨울(冬)에는 바르게(貞) 저장하여 그 지혜(智)를 후세에 전한다(藏).

중(中): 원형이정(元亨利貞)의 도로써 사시(四時)를 돌리는 중앙의 土는 중토(中土)로서 木火金水가 믿고 신뢰하니 오상(五常)으로 신(信)에 해당된다.

1) 원(元)

사덕(四德)	오행(五行)	계절(季節)	순환(循環)	오상(五常)
원(元)	목(木)	춘(春)	생(生)	인(仁)

원(元)은 만물의 시작을 의미한다. 목(木)☰이 간토(艮土)☷를 극함으로써 상쟁을 통해 만물의 분화가 시작된다. 깊은 동면(☷)을 깨고 양이 음을 뚫고 나오는 상이 진목☳이고, 음 밖으로 나와 무성하게 분출하는 것이 손목☴이다.

나무가 자라 왕성하게 그 기운을 뻗어 자라는 것은 무슨 목적일까? 진목 ☳이 손목☴으로 행하는 것은 시작☳과 성장☴의 관계를 나타낸다. 손목☴은 양기가 땅 위로 나와 무질서하게 그 기운을 발산하여 흐트러 짐이니, 만일 질서를 잡지 못한다면 목적을 상실하게 되는 결과를 가져온다. 단지 자라서 고목이 되어 사라질 뿐이다. 진정한 완성이란 다음 세대를 위한 문명의 열매 ☶를 맺는 것이다. 열매는 다음 생을 위한 씨앗을 머금고 있는 그릇이다.

계절로는 만물이 나오는 봄(春)이고, 생명이 땅속에서 용출하는 목기(木氣)가 된다. 순환으로는 만물의 시작인 생(生)이 되며, 생명은 사랑으로 통해서 생하는 것이니 오상(五常)으로는 인(仁)이 된다. 인(仁)이란 사람(人)은 음양(二)이 짝을 이루어 사랑할 때 진정으로 완성될 수 있음을 의미한다.

2) 형(亨)

사덕(四德)	오행(五行)	계절(季節)	순환(循環)	오상(五常)
형(亨)	화(火)	하(夏)	장(長)	예(禮)

장성한 나무가 진정으로 완성되는 것은 꽃을 피우고 열매☲는 맺는 것이다. 생장하는 양의 기운이 무진장으로 분출한다고 해서 가지에 열매가 맺히는 것이 아니다. 가지를 치는 등 질서를 잡고 양의 기운을 조절해야 열매를 맺을 수가 있는 것이다.

나무가 자라서 열매를 맺는 것은 다음 생을 위한 씨앗을 머금고자 함이다. 2개의 양 중간에 음이 자리함으로써 상하(좌우)로 질서를 바로잡으니, 하늘에 걸린 광명(日)이 되고 씨앗을 머금은 열매(子)가 된다. 질서는 서로 예(禮)를 갖춤으로 세워진다. 그러므로 여름(夏)의 화기(火氣)는 양의 기운을 무한적으로 분출하는 기운이 아니라 완전하게 조절되어 질서가 잡힌 안정적인 기운을 의미한다. 가운데 토(음)의 기운이 들어옴으로써 분출하는 양기가 열매라는 결과를 만들어내는 것이다. 씨앗이 없는 열매는 토에 떨어져 썩어 다른 씨앗을 위한 밑거름이 될 뿐이다.

화(火)☲가 형통(亨)한 것은 씨앗(생명)을 머금은 열매를 맺기 때문이요, 진정으로 장성한 어른의 모습이기 때문이다. 또한 진정한 완성이란 질서를 세워 서로 예(禮)를 갖춘 것을 의미하니, 상하좌우 질서를 세우는 것은 인사적으로 예(禮)가 기본이 된다. 씨앗을 머금은 열매는 땅(信)에 떨어져 씨앗과 쭉정이가 분리되며 숙성되는 기간을 갖게 된다.

사덕(四德) 중에 형(亨)이 되고, 오상(五常) 중에 예(禮)가 되며, 생장수장의 순환으로는 장(長)에 해당되고, 계절로는 꽃이 피고 씨앗을 만들기 위한 열매를 매다는 여름이 된다.

3) 이(利)

사덕(四德)	오행(五行)	계절(季節)	순환(循環)	오상(五常)
이(利)	금(金)	추(秋)	수(收)	의(義)

수렴☷(그릇) ≫ 정수(精髓)☵(생명)

금☷은 음이 양을 포장하고 있는 상으로 양의 기운을 모으는 그릇의 모습이다. 여름의 왕성한 기운을 음기가 중심에 거함으로써 다음 생을 위한 열매☰가 맺어지고, 이것이 땅에 떨어져 서남방에 위치한 미토☷坤가 품는다. 생장하던 양의 기운의 가운데에 음이 거함으로써 기운이 질서를 잡으며 열매☰를 맺고, 땅에 떨어져 그 씨앗을 坤☷에 믿고 맡기니 음의 기운이 주재하는 염장의 시대로 우주적 대전환이 이루어지게 된다.

여름의 화기(火氣)와 가을의 금기(金氣)는 오행상 상극으로 금화상쟁(金火相爭)의 관계에 있는데, 남방의 화(火)와 서방의 금(金) 사이에는 서남방의 곤토(坤土)가 위치하고 있다. 곤은 순음으로 만물을 품고 기르는 모태의 성질을 가지고 있다. 곤은 토기(土氣)로서 화기(火氣)와는 火生土의 관계가 되고, 금기(金氣)와는 土生金의 관계로서, 서로 상극관계에 있는 화기와 금기 사이의 조절자로서 중재역할을 하게 되어 금화교역(金火交易)이 자연스럽게 이루어질 수 있도록 한다. 생장(양)의 기운으로 왕성하기만 한 무성한 나무☰에 질서를 세워줌으로써 그 생장의 결실인 열매☰를 맺게 하고 그 열매를 받아드리는 것이 곤☷坤이다.

금기(金氣)는 추상같은 정의(正義)로써 땅이 받아드린 열매 중에 알갱이와 쭉정이를 가려낸다. 이것은 공의(公儀)로써 공정(公正)하게 이루어진다. 만일 공정하지 않다면, 쭉정이까지 수렴되어 저장된다면 생명의 순환, 우주의 순환은 멈추게 된다. 그러므로 금기의 수렴성은 가을에 농부가 바람☰으로 알갱이를 가려 수확하듯이 정의롭고 공정한 것이다(태☰를 위에서 보면 바람☴이다). 건☰은 수렴된 양기로 정제된 알갱이를 상징하며 다음 세대를 위한 생명의 정수(精髓)이다. 그래서 정제된 생명의 정수☰는 북방의 水☵에서는 정(貞)하게 쉬면서 다음 세대의 양(陽)의 생(生)을 준비하는 것이다.

사덕(四德) 중에 이(利)가 되고, 오상(五常) 중에 의(義)가 되며, 생장수장의 순환으로는 수(收)에 해당되고, 계절로는 씨앗을 거두기 위한 결실을 수확하는 가을(秋)이 된다. 모두가 같은 의미이다.

4) 정(貞)

사덕(四德)	오행(五行)	계절(季節)	순환(循環)	오상(五常)
정(貞)	수(水)	동(冬)	장(藏)	지(智)

만물이 쉬는 것은 다음 생애를 위한 충전의 시간을 갖는 것이다. 그러므로 사시순환으로는 장(藏)이 되고, 장(藏)은 바르게 위치해야 다음 세대에 새로운 시작을 할 수가 있는 것이니 사덕(四德)으로 정(貞)이 된다. 정(貞)은 정(正)으로서 바름으로 저장된 정수는 다음 세대를 시작하기 위한 지혜(智)가 된다.

오행으로 수(水)는 만물의 끝이자 시작점이다. 水☵는 金氣가 수렴한 乾☰을 가운데에 바르게 저장하고 있는 모습, 바르게 저장하지 않으면 다음 세대에 생명으로 생할 수가 없기 때문이다. 생명을 품고 있는 근원으로 水☵는 우주의 기원이자 시작점이다.

艮土☶가 坎水☵를 극함으로써 잠자던 생명을 깨운다. 艮土☶는 하늘이 땅☷을 처음 터치하는 모습으로 음이 주도하는 수장(收藏)의 시기를 끝내고(終), 양이 주도하는 생장(生長)의 시대를 여는 시작점(始)으로 종시(終始)를 상징한다.

5) 중(中)

사덕(四德)	오행(五行)	계절(季節)	순환(循環)	오상(五常)
중(中)				신(信)

坤☷을 축으로 하여 양이 생장하는 시대에서 음이 수장(收藏)하는 시대로의 전환은 우주적인 대변혁의 시기로 개벽이라 칭한다. 물질적인 개혁이요, 정신적인 개벽으로 총체적인 변혁이다.

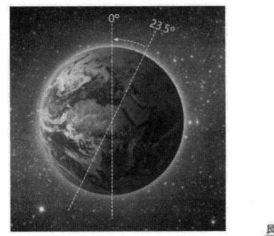

坤☷은 艮☶과 짝을 이루어 지구를 회전시키는 지축이다. 간(艮)은 북방의 양이 坎水☵에서 휴식을 마치고 동북인 간방에서 다시 양의 시대를 시작하는 종시(終始)의 개념이 있다. 음의 시대를 멈추고 양의 시대로 전환하는 간방(艮方)의 艮土☶는 坎水☵를 극함으로써 생명(양)을 생한다(土克水, 木克土). 생장(生長)하는 양의 시대는 상극으로 투쟁함으로써 분열하며 생장하는 것이다.

생장이 완성되는 화궁에서 양기를 수렴하고 음이 주도하는 수장의 시대로 전환되는 지점인 토궁은 간토☶와 곤토☷가 지축을 이루는 회전축으로 변혁의 전곡점이 된다. 시간으로는 미시(未時)가 된다.

예로부터 선각자는 이를 개벽이라 불렀고 기울어진 지축이 바로 서면서 양이 주도하는 분열 성장의 상극시대가 기울고, 음이 주도하는 수렴의 상생 시대, 진정한 생명으로 대통합을 이루는 완성의 시대가 열린다고 하였다. 지축의 변화를 수반하는 변혁의 시대에는 토성(土性)을 지닌 군자들이 출현하여 상극의 화기를 품어 상생으로 전환시키고(火生土), 껍데기와 쭉정이를 삭혀 거름이 되게 하며, 알갱이(생명☰)을 가려 후천으로 수렴되도록 하는 시대를 여는 것이다(土生金).

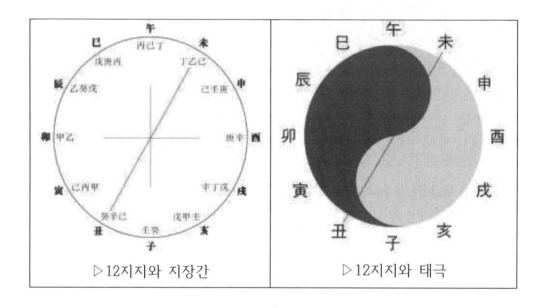

▷12지지와 지장간   ▷12지지와 태극

인사적으로 보면 생장 분열하는 선천 건도(乾道) 시대에는 성공으로 표현되는 물질적 부유와 풍요를 누리는 사람이 성공한 것으로 불리지만, 진정한 성공은 다음 생을 위하여 씨앗을 머금은 열매를 맺은 자이니 이는 개벽의 전환점인 토(土)의 시대가 되면 저절로 드러나게 된다. 왜냐하면 토성(土性) ☷은 껍데기는 삭혀버리고 쭉정이는 썩혀 버림으로써 알갱이가 저절로 드러나게 되는 시대이기 때문이다. 진정한 빈부(貧富)는 토성의 시대에는 그 개념이 달라진다. 토성군자(土性君子) 앞에서 불의(不義)는 저절로 그 껍데기가 삭혀짐으로써 몸을 둘 곳이 없어지기 때문이다.

곤(坤)☷은 생장하는 양의 흐트러진 기운의 질서를 바로잡아 열매를 맺게 하고 생장(生長)의 꼭대기에서 떨어진 열매를 품어 그 씨앗을 보호하며, 금기(金氣)로 수렴하여 씨앗(알갱이)을 거두어 드릴 수 있도록 한다. 중토(中土☷)는 금화상쟁(金火相爭)관계에 있는 火와 金을 중재함으로써 상생관계로 전환시키는 중재자이다. 음이 주도하는 수장(收藏)의 후천 곤도(坤道) 시대는 상극(相剋)으로 분열하며 생장(生長)하는 양의 기운을 수렴(收斂)함으로써 상생(相生)으로 시작하는 대통일장을 열어 생명☰을 맺는 시대이다.

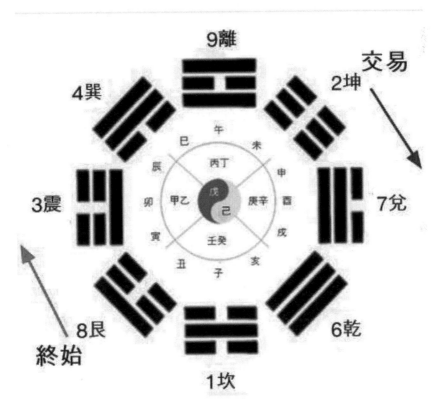

문왕팔괘도의 종시(終始)와 금화교역(金火交易)

태극	양(陽)			중(中)		음(陰)		
오행	木		火	土		金		水
괘상	☳ 진 (震)	☴ 손 (巽)	☲ 리 (離)	☶ 간 (艮)	☷ 곤 (坤)	☱ 태 (兌)	☰ 건 (乾)	☵ 감 (坎)
사시	춘 (春)		하 (夏)	중토 (中土)		추 (秋)		동 (冬)
선천 후천	선천 (乾道) 상극 세상			종시 終始	교역 交易	후천 (坤道) 상생 세상		

서남방의 곤토(坤土☷)는 남방의 병화(丙火☲)와 서방의 경금(庚金☱)이 충돌하는 금화상쟁을 중재하고 조정함으로써 음이 주도하는 곤도(坤道)의 시기로 무난하게 넘어갈 수 있도록 하는 중재자 임무를 수행한다. '화생토(火生土)-토생금(土生金)'이라는 곤토의 중재로 화극금(火克金)이 아니라 화생금(火生金)이 되고, 금생수(金生水)로 이어지면서 후천 상생의 곤도(坤道) 시대가 만들어진다.

후천은 상극을 주도하는 양이 아니라 상생으로 이끌어 가는 음이 주도하는 세상이다. 곤토☷는 계절상으로 여름과 가을의 중간지대로서 양기가 가득 맺힌 열매☲를 받아드려 삭힘으로써 알갱이와 쭉정이를 선별하는 성정을 가지고 있다. 선별된 알갱이는 서늘한 숙살지기의 가을 금기(金氣)가 수렴하고 정제함으로써 순수한 양기(☰)만을 겨울의 수기(水氣☵)에 저장하도록 하여 다음 세대를 준비하도록 하는 것이다.

9.4. 오행과 팔괘의 상관성 이해

9.4.1.　목(木)

목(木)은 시작과 성장의 기운을 나타낸다. 시작☲과 성장☴을 잘 표현하는 것이 木으로서 기운이 위로 용출하는 상승의 성질이 있다. 시작, 상승, 성장, 전진, 직립 등의 의미가 있다.

만물을 발아시켜 키우는 때가 계절로는 봄이며, 해가 떠오르는 곳이 동쪽이고 인사적으로 보면 청소년기에 해당한다. 봄은 영어로 spring이 되는 데 봄(春), 스프링(용수철), 샘, 용출(湧出)의 뜻이 있다. 샘이 용출하는 기운이며, 스프링처럼 튀어 오르는 젊음이며, 동토(凍土)를 뚫고 나오는 봄의 생명력을 뜻한다.

시간으로는 아침이 된다. 8괘로 보면 震과 巽에 해당되니 震木☳, 巽木☴이라고 한다. 천간(天干)으로는 甲木, 乙木이 지지로는 인(寅), 묘(卯)가 된다. 순환의 과정으로 보면 생장수장(生長收藏) 중에서 生에 해당된다. 만물의 시작인 원(元)이 되고, 오상(五常)중에 인(仁)에 해당된다. 만물을 생하는 것은 서로의 사랑을 바탕으로 하니 인(仁)의 뜻이다.

☳+1 ≫ ☴+5

≫초양이 억누르고 있는 2 개의 음을 뚫고 분출하는 모습으로 목(木)의 기운을 표징한다.　진목☳은 쭉쭉 자라는 나무, 청소년기의 용출하는 기운을 의

미하고, 손목☴은 장성한 나무, 원숙한 장년을 상징한다.

震雷☳木	甲	+1	동(動), 진(進), 태동, 우레, 진동, 움직임, 직진성, 봄(春), 원(元), 새싹, 시작, 청년, 쭉쭉 자라는 나무(木), 대로(大路), 빌딩, 높은 산, 장신(長身), 육중한 움직임, 강물, 전차, 독수리, 용(龍), 천명, 선포, 포효, 위엄, 장남(長男), 동(東)
巽風☴木	乙	+5	류(流), 입(入), 유동성, 통(通), 소식, 자유, 방종, 외향적 성격, 밖(外), 소비, 낭비, 탕진, 발산, 접시. 늦봄(초여름), 장성한 나무(木), 원숙, 노련, 장년, 흐름, 유통, 가벼움, 가벼운 움직임, 촐랑거림, 시냇물, 부드러움, 유연성, 관통, 열린 문, 공손, 겸양, 끈, 닭, 풀이나 채소, 잡목, 덩굴 식물, 단신(短身), 장녀(長女), 동남(東南)

9.4.2. 화(火)

화(火)는 완성과 정점을 의미하며 기운이 만개한 상태가 된다. 만물이 성장하여 질서가 잡힌 모습이며 기운이 최고조로 확장되어 발산하는 상태이다. 완성 질서 만개 화려 최고의 정점 등의 의미가 있다. 수리는 완성을 의미하는 자연수의 최고인 9가 된다.

계절로는 만물이 왕성하게 펼쳐진 여름이 되고, 해가 가장 높이 떠있는 남쪽이 되며, 기운이 가장 왕성한 청년기가 해당된다. 시간으로는 해가 중천인한 낮이다. 8괘로는 離火☲가 되며, 천간(天干)으로는 丙火 丁火, 지지(地支)는 사(巳), 오(午)가 된다. 순환의 과정으로 보면 생장수장(生長收藏) 중에서 長에 해당된다. 만물이 열매를 맺는 형(亨)이 되고, 인사적으로는 예(禮)에 해당된다. 손☴으로 장성하여 만화만상으로 흐트러진 기운을 음이 중(中)에 거하여 상하로 양의 질서를 잡는 상이니, 오상(五常)중에 예(禮)가 되는 것이다.

☴+5 ≫ ☲+3

≫무성하게 흐트러진 양의 기운이 균형을 갖추어 질서를 잡는다. ☲는 2개의 양이 가운데 음으로 인해 분별되어 질서를 잡고 있는 모습, 만물이 질서를 잡는 것은 인사적으로 보면 상하(上下)로 예(禮)를 갖추는 것이다. 여름의 외형은 무성하지만 내면은 음(陰)해지는 때이므로 양의 생장(生長)이 멈추고 열매를 맺으니, 음의 수장(收藏)으로 접어들게 된다.

| 離火☲火 | 丙丁 | +3 | 질서(cosmos), 해(日), 밝음(明), 형(亨), 지혜, 문명, 최고, 명예, 정상, 환려, 외향성, 완성, 열매, 어른, 희망, 이성적, 분별, 분열, 중녀(中女), 맑은 날씨, 번개(電), 전기, 전자, 여름, 남(南) |

9.4.3. 토(土)

토(土)는 중화적 성질로 木火金水의 성질을 하나로 버무린 중토(中土)로서 木火金水의 조절자의 역할을 한다. 토의 중화(中和)적 성질이 없으면 목화금수가 안정적인 순환으로 이어지지 못하니 춘하추동 4계절이 자연스런 순환을 하지 못한다. 곤토☰☰(未)와 간토☰☰(丑)는 지구가 회전하는 자전축으로 사계절을 돌리는 지축이다.

坤☰☰(未土)은 火(여름)가 金(가을)을 극(克)하는 금화상쟁(金火相爭)을 중재함으로써 火生土, 土生金으로 자연스럽게 곤도상생(坤道相生)으로 이어주는 금화교역(金火交易)이 이루어질 수 있도록 한다. 즉, 坤☰☰은 음토로서 생장(生長)하는 양의 기운(木火)을 수장(收藏)하는 음의 기운(金水)으로 넘기는 역할을 한다. 그리고 艮☰☰(丑土)은 양토로서 깊은 동면에 들어간 水☰☰를 극함으로써 깊은 잠에서 깨워 음(陰)을 종(終)하게 하여 곤도(坤道) 시대를 끝내고, 양(陽)을 시(始)하게 하여 건도(乾道) 양의 시대가 시작되도록 한다. ☰☰은 종시(終始)의 의미가 있다. 진술축미(辰戌丑未)는 각 계절이 전환되는 위치에 있어 오행의 이행을 돕는다.

토는 木火金水를 하나로 포용하고 키우며 중재하는 모태의 성질이 있다. 木火金水가 믿고 맡기는 모태로서 中和의 성질을 가지고 있으므로 오상(五常) 중에 신(信)에 해당된다. 팔괘로는 坤土☰☰, 艮土☰☰이며 천간은 戊土☰☰, 己土☰☰가 되며 지지는 진술축미로 사계절에 관여한다. 坤☰☰은 未土, 艮☰☰은 丑土가 된다.

순환의 과정으로 보면 坤☰☰는 생장수장(生長收藏)이라는 순환의 과정을 중재하고 조절하는 중화의 성질이 있다. 오행으로 화극금(火克金)으로 부딪히는 금화상쟁(金火相爭)의 상극기운을 상생으로 화해시킴으로써(火生土 土生金), 양이 분열 성장하는 火(여름)에서 음으로 수렴 통일하는 金(가을)으로 자연스럽게 넘어가도록 하는 가교역할을 한다.

坤☰☰은 뜨거운 여름의 화기(火氣)를 식혀 주어 금기(金氣)로 수렴될 수 있도록 하며, 艮☰☰은 만물이 휴식을 마치고 하늘(양)이 땅(음)을 처음 터치하는 상으로 만물의 시작을 의미한다(終始).

개벽의 시기에는 토성(土性☰☰)을 지닌 군자들이 시대를 이끈다. 땅에 떨어진 열매를 삭히고 씨앗을 걸러내고, 쭉정이를 삭혀 밑거름이 되게 하니 금기

(金氣)가 생명의 정수인 알갱이☰를 수렴할 할 수 있도록 한다.

   곤토☷는 생장하며 분열 성장하는 양의 시대를 숙성시켜 열매를 맺게 한다. 그리고 떨어지는 열매를 받아드려 껍데기와 쭉정이를 삭혀 알갱이(씨앗)을 걸러낸다(품는다). 그리하여 음이 주도하는 수장(收藏)의 시대에 공정한 공의(公義)로써 정제된 씨앗(알갱이)를 거두어 드리게 한다. 태(兌☱)는 토기(土氣☷)에 의해 푹 삭혀 걸러낸 알갱이(정수)를 담는 그릇이다. 토성(土性)을 지닌 군자가 이 시절을 이끈다. 화기(火氣)를 누그러뜨리고 음에게 수렴되도록 가교 역할을 한다. 토(土)는 인내, 포용, 숙성의 성질이 있다.

坤☷　　艮☶

≫坤: 땅 속으로 乾道(양)의 열매를 받아드려 숙성시킨다.

≫艮: 하늘(양)이 땅(음)을 터치하는 모습이다. 간(艮)은 겨울 동면을 마치고(終), 양이 기지개를 펴는 모습(始), 만물이 휴식을 마치고 시작하는 종시(終始)의 뜻이 있다.

坤地☷土	己	-7	유순(柔順), 유(柔), 어머니(母), 기(氣), 시간, 모태, 포용, 숙성, 생육, 질료, 따스함, 광활한 대지, 평지, 교역(交易), 남서(南西)
艮山☶土	戊	-5	지(止), 정지, 멈춤, 그침, 고정성, 막아주는 것, 방패, 막혀 있음, 성(城), 집(house), 닫힌 문, 창고, 감옥, 우직함, 고집, 남성적, 침묵, 고요, 묵직함, 지름길, 소로(小路), 보호막, 집 지키는 개, 작은 산, 논밭, 소남(少男), 초봄(늦겨울), 종시(終始), 동북(東北)

≫실리(實利): 火☲(열매)의 양기를 수렴하여 숙성시키면서 열매가 나무에서

떨어지도록 한다. 坤土는 火氣를 수렴하면서 가을의 이로움(利)을 만드는 중간자적 역할을 한다. 문왕팔괘에서 坤土는 음의 시작(利貞)이고, 艮土는 양의 시작(元亨)을 의미하며, 지구를 순환시키는 지축이 된다.

9.4.4.   금(金)

금(金)은 土의 중재과정을 거쳐 음이 양을 포장하는 수렴작용을 시작하는 단계이다. 木火라는 양의 발산작용이 金에서는 수축 작용하는 음의 운동으로 전환된다. 火生土 土生金이라는 土의 중재과정을 통해 수렴단계에 접어드는 것이다.

木의 생장(生長)하는 성질과 달리 金은 수축하고 수렴하는 성질로 단단하게 응축되어 뭉친 金으로 그 성질을 표현한다. 수렴, 절제, 제어, 수확, 결실, 성숙의 의미가 있다. 계절로는 결실을 수확하는 가을이 되며, 알갱이와 쭉정이를 올바로 가려 거두는 의(義)로운 숙살지기의 기운이 있다.

방위는 해가 지는 서쪽이 되고, 시간으로는 하루를 정리하는 저녁이 되며, 인생의 성숙기인 중년기에 해당된다. 팔괘로는 兌金☱, 乾金☰이 되며, 천간은 庚金, 辛金이 된다. 순환의 과정으로 보면 생장수장(生長收藏) 중에서 수렴(收)에 해당된다.

乾道(양)를 이어 坤道(음)가 이끌어가는 가을(秋)에는 쭉정이는 버리고 알갱이를 모으는 추상(秋霜)같은 의(義)로써 이로움(利)을 거두어 드리니(收), 오상(五常) 중에 의(義)에 해당되고, 사덕(四德) 중에 이(利)가 된다.

수렴   생명

≫태兌☱는 수렴된 양을 음으로 포장하는 모습이고, 乾☰은 수렴되어 정제된 생명을 의미한다.

兌澤☱金	庚	-1	수렴, 저장, 보호, 이(利), 안(內), 그릇, 은행, 저축, 가정(家庭), 이익, 여성적, 주머니, 내성적 성격, 기쁨(說), 결실, 수확, 정(靜), 안정, 평화, 지혜, 지식, 덕(德), 훼손, 입(口), 말(言), 구설수, 교태, 아첨, 첩, 연한 금, 양(羊), 소녀(少女), 가을(秋), 서(西)
乾天☰金	辛	+7	강건(剛健), 강(剛), 아버지(父), 머리, 어른, 대인, 관공서, 정제된 금(보석), 리(理), 공간, 생명, 정제된 씨앗, 창조지기, 차가움, 예리함, 늦가을(초겨울), 강건한 말(馬), 서북(西北),

9.4.5.　수(水)

금(金)에서 수렴된 양의 기운이 드디어 음의 기운 속에 저장되어 마무리하는 단계가 된다. 하강하고 수축하던 기운이 마지막으로 저장되어 휴식하는 단계이다. 휴식, 보존, 해체, 소멸, 죽음의 의미가 있으며, 그 안에는 순환을 시작하는 양의 기운을 품고 있다.

괘상으로는 감수坎水☵가 되며, 양기가 음기 가운데에서 휴식하고 있는 모습으로 수리적으로는 1이 되고, 지지(地支)는 외양내음(外陽內陰)으로 子

水가 음의 성질로 1이 된다. 만물의 시작은 양이 아니라 양을 품고 있는 음이 되는 이유이다.

계절로는 수렴을 마치고 휴식하는 겨울이며, 인사적으로는 노년기에 해당된다. 방위는 북쪽이며, 시간으로는 해가 떨어진 한 밤이다. 팔괘는 坎水☵가 되고, 천간(天干)은 壬癸, 지지(地支)는 亥子가 된다.

순환의 과정으로 보면 생장수장(生長收藏) 중에 장(藏)에 해당된다. 저장된 생명의 씨앗(핵)은 다음 세대를 위하여 바르게 저장되어야 하니 사덕(四德) 중에 정(貞)이 되며, 이것은 새로운 시작을 위한 지혜가 되니 오상(五常) 중에 지(智)에 해당된다. 저장과 휴식은 새로운 시작을 하기 위함이고 그 바탕은 貞(正)하여야 하니, 그래야 지혜를 담아 다음 세대에 제대로 전달할 수가 있는 것이다. 괘상☵을 보면 2개의 음 가운데 양이 바르게 위치하고 있다.

坎水☵水	壬癸	-3	혼돈(chaos), 무질서, 혼란(亂), 달(月), 어두움(暗), 도둑, 무지(無知), 곤궁, 곤란, 난관, 실질, 핵심, 휴식, 저장, 생각(철학적), 내면적 성향, 정신세계 추구, 어지러움, 교활, 번민, 함정, 구덩이, 험수(險水), 험함(險陷), 미해결, 미완성, , 유동성, 어린아이, 감정적, 감성적, 여심(女心), 정(貞, 正) 중남(中男), 겨울(冬), 북(北)

문왕팔괘	☵ 坎	☶ 艮	☳ 震	☴ 巽	☲ 離	☷ 坤	☱ 兌	☰ 乾
오행	水	양土	양木	음木	火	음土	음金	양金
계절	冬		春		夏		秋	
방위	北	北東	東	東南	南	南西	西	西北
순환	藏		生		長		斂	

구분	목(木)	화(火)	토(土)	금(金)	수(水)
사계(四季)	봄(春)	여름(夏)	中	가을(秋)	겨울(冬)
사덕(四德)	元	亨	中	利	貞
순환(循環)	生	長	中	斂	藏
방위(方位)	東	南	中	西	北
오색(五色)	靑	赤	黃	白	黑
천간(天干)	甲乙	丙丁	戊己	庚申	壬癸
지지(地支)	寅卯	巳午	辰戌丑未	辛酉	亥子
오상(五常)	仁	禮	信	義	智
오기(五氣)	風	熱	濕	燥	寒
후천수	3,8	2,7	5,10	4,9	1,6
신체	간(肝臟)	심장(心臟)	비장(脾臟)	폐(肺臟)	신장(腎臟)
	담(膽)	소장(小腸)	위(胃)	대장(大腸)	방광(膀胱)
오미(五味)	신맛	쓴맛	단맛	매운맛	짠맛
하루	아침	낮	정오(中天)	오후	밤

10. 효(爻)와 괘(卦)의 이해

10.1.   효(爻)의 이해

10.1.1. 원방각(圓方角)

　모든 수의 공통인 1을 제외하면 최소의 수가 양(陽)은 홀수 3, 음(陰)은 짝수 2가 된다. 음효는 두 점 사이를 직선으로 잇는 것이고(地,평면,方), 양효는 두 점에 점 하나를 추가, 세점을 연결하여 원을 그린 것이다(天,공간,圓). 중(中)은 양과 음을 연결하는 각(角)이 된다(人,物,角). 그러므로 天陽은 원(圓,○)이고, 地陰은 방(方,□)이며, 人中은 각(角,△)이 된다.

　　▷원방각(圓方角)

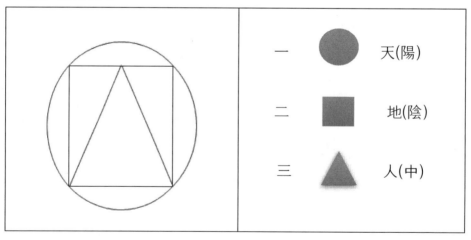

　원(圓)은 3개의 점을 이어 圓一(1)을 만드는 것으로 삼즉일(三卽一), 일즉삼(一卽三)의 원리를 뜻한다(양효는 점 세개를 이은 것이다). 땅은 방정(方

正)하니 짝수 2가 되어 반듯한 4각형을 만들어 땅을 상징한다(음효는 두 개의 점으로 이루어져 있다). 하늘의 덕성은 원만하고 땅의 덕성은 방정하다는 천원지방(天圓地方) 사상을 뜻한다. 인(人)은 하늘과 땅을 잇는 안정된 삼각형(三角形)을 이룬다(人은 만물로서 3수를 의미한다).

▶음효와 양효의 구성원리

▷음효(陰爻)

≫음효는 두 개의 점으로 이루어져 있다.
≫음효는 수리적으로 짝수 2가 된다.
≫직선은 두점을 이어 만든다(직선은 평면을 구성한다).
≫음효는 평면(方)을 상징한다.
≫음효는 방정(方正)한 땅(地)을 상징한다.

▷양효(陽爻)

≫음효의 두 점 사이에 점하나를 추가하면 양효가 된다.

≫양효는 수리적으로 홀수 3이 된다.

≫원은 세점을 이어 만든다(원은 공간을 구성한다).

≫양효는 원(圓)을 상징한다.

≫양효는 원만한 하늘(天)을 상징한다.

10.1.2. 효의 명칭에 대한 수리적 이해

음양은 무극(0)을 유극(태극,1)으로 전환시키며 만물을 화생시키는 동력이다. 5토는 황극(皇極)으로서 태극(太極)으로 전환된 음양의 기운을 만물으로 형상화시키는 역할을 한다. 만물의 형상은 3개의 효로써 그 극성을 표시하는데 8개의 형태(8괘)로 표현된다. 우주만물이 8개의 괘로 단순하게 개념화되기 때문에 8괘의 괘상을 이해하는 것만으로도 우주를 이해할 수가 있게 된다. 5土 황극은 실제적으로 작용하는 태극이다.

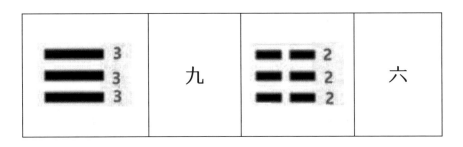

▶천지음양의 수의 합(9+6)이 15이니, 우주공간을 의미하는 하도낙서의 10天과 시간의 흐름에 따라 만물을 생하고 작용하게 하는 5土(황극)의 합과 같다. 이는 천지음양의 수리와 우주창조원리가 수리적으로 일치함을 말한다. 우주공간(10천)에서 5토(황극)가 삼라만상의 조화(8괘)를 일으키니, 이는 곧 乾☰ 坤☷이 만들어내는 천지조화를 의미한다.

양효를 합하여 9 되므로 양효를 대표하여 九라 칭하고, 음효를 합하여 6이 되니 음효를 대표하여 六이라 칭한다.

10.1.3. 효의 명칭

주역에서 효를 부르는 명칭이 있다. 삼천양지(양3음2)의 수리로서 양의 최고의 수는 乾☰이 9가 되므로 양효는 구(九)라고 표시하며, 음의 최고의 수는 坤☷이 6이 되므로 음효는 육(六)이라고 표시한다. 괘효는 아래로부터 위로 향한다.

양효의 순서	명칭	음효의 순서	명칭
6 양효 ⚊	上九	6 음효 ⚋	上六
5 양효 ⚊	九五	5 음효 ⚋	六五
4 양효 ⚊	九四	4 음효 ⚋	六四
3 양효 ⚊	九三	3 음효 ⚋	六三
2 양효 ⚊	九二	2 음효 ⚋	六二
초양 ⚊	初九	초음 ⚋	初六

[예] 중화리(重火離), 중수감(重水坎)

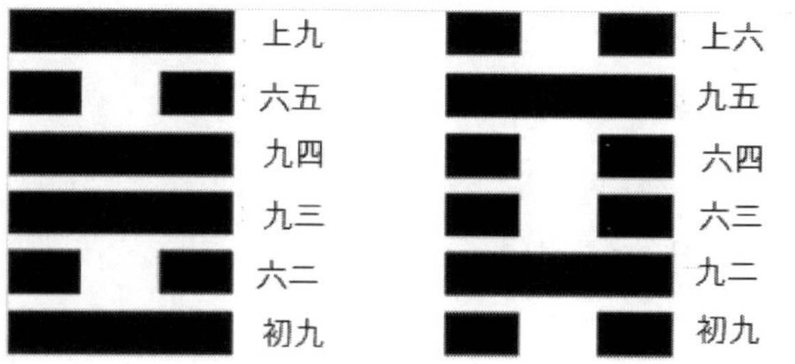

►처음 시작하는 초효를 초(初)라하고, 맨 위의 6효는 상(上)이라 표시하니 이는 처음과 끝을 표시하기 위함이다.

10.2. 괘변(卦變)과 효변(爻變)

10.2.1. 괘변(卦變)의 원리

(예) 택지췌(澤地萃)

澤☱兌
地☷坤

호괘 - 풍산점(風山漸)

萃   漸

≫괘의 내적 작용원리를 설명한다. 내호괘는 2,3,4 효가 되고, 외호괘는 3,4,5 효가 된다.

착종괘 - 지택림(地澤臨)

萃   臨

≫하괘가 시간의 흐름에 따라 상괘를 앞서 나가 미래를 만든다.

도전괘 - 지풍승(地風升)

萃   漸

≫반대의 관점에서 바라본 괘이다.

배합괘 - 산천대축(山川大畜)

萃   大畜

≫모든 효가 효변하여 정반대의 의미를 가지게 되는 경우이다.

10.2.2. 효변(爻變)의 원리

▷대성괘의 형성원리
하괘(下)가 괘변하면서 상괘(上)가 만들어지고, 그 뜻이 대성괘(上下)로 드러난다.

6개의 효가 만들어내는 대성괘는 어떤 원리로 만들어질까? 그냥 단순히 2개의 소성괘가 서로 만나 상하로 짝을 맞추어 보는 것일까? 괘상은 시간이 흐름에 따라 효가 변화하는 모습을 한 순간 포착한 것이다. 그러므로 괘상은 시간의 흐름에 따른 효의 변화를 의미한다. 上下괘는 어떻게 효의 변화에 따라 만들어지는 걸까?

괘상은 시간이 흐르면서 변화하는 순간을 포착하여 표현한 기호로서 만물의 변화를 나타낸다.

과거　　　현재　　　미래
☷-1 ⇨ ☷+3 ⇨ ☷+3
　　　　☷-1
　　　　-4

하괘가 효변하면 상괘에 그 결과가 표현되면서 전체 대성괘가 그 뜻을 드러낸다. 하괘에서 상괘로의 변화 과정을 현재시점에서 포착한 것이 바로 대성괘이다. 시간의 흐름으로 보면 하괘는 과거, 상괘는 미래가 되어 대성괘는 과거와 미래가 만나는 현재의 순간이 되는 것이다. 괘상은 바로 시간의 흐름을 표현하는 것으로서, 그 뜻에 감응(感應)할 수 있다면 과거와 현재 그리고 미래로의 변화를 읽어낼 수가 있는 것이다.

하괘의 효가 움직이면 상괘에 그 형상이 나타나고, 뜻이 대성괘의 상으로 드러난다. 하괘의 변화의 결과가 상괘에 나타나고 그 뜻이 上下괘(대성괘)로 표현되는 것이다. 즉, 내부(下)의 변화가 밖(上)으로 표현된 것이 대성괘이다. 안(下)에서 작은 것이 움직이면 밖(上)으로 그 上下의 뜻이 드러나고, 그 뜻을 알면 바로 천지만물의 작용을 이해할 수가 있다. 단순히 만물을 있는 그대로 찍어낸 사진에서 무슨 뜻을 읽어낼 수가 있는가? 만물의 흐름을 괘상으로 그려낼 수가 있다면 우리는 천지만물이 품고 있는 뜻을 읽어낼 수가 있으니 이것이 바로 역(易)의 위대함이다.

천하에서 일어나고 있는 수많은 현상들은 과연 무슨 뜻이 있는가? 작은 것을 보고 큰 것을 미리 알 수 있는 것이 역이니, 크게 보이는 변화도 실은 그 안의 작은 것에서부터 비롯되는 것이다.

▷ 서합(噬嗑)과 풍(豊)

☵+3 ☷+1 噬嗑-2	☷+1 ⇨ ☵+3 ≫양(初九)을 막아서서 내리누르던 음(六三)이 양으로 효변하니 막힌 길이 뚫리고 앞으로 나아가는 모습, 길을 가로막은 장애물(六三)이 제거되니 길이 뻥 뚫리다. 무거운 짐을 덜다.
☴+1 ☳+3 豊+2	☳+3 ⇨ ☴+1 ≫九三이 음으로 효변하면서 상향하던 양(初九)의 길을 막아서는 모습. 장애물 때문에 나아가던 차량이 막히면서 병목현상으로 서서히 쌓여가는 모습, 쌓이니 풍(豊)이다.

▷ 혁(革), 대과(大過) 그리고 쾌(夬)

☱-1 ☲+3 革+4	☴+3 ⇨ ☱-1 ≫양(九三)이 六二를 파고 들어간 모습, 양이 서서히 쌓여가는 모습으로 팽창하고 있다. 상하 작용력이 +4 로서 괘명이 혁(革)이다.
☱-1 ☴+5 大過 +6	☴+5 ⇨ ☱-1 ≫양 2개(九二, 九三)가 동시에 초육(初六) 안으로 파고 들어간 모습, 완전히 부풀은 풍선, 위태로운 모습이다. 상하 작용력이 +6 이 되니 괘명이 대과(大過)이다.
☰-1 ☰+7 夬+8	☰+7 ⇨ ☱-1 ≫천하에 가득한 大陽을 음이 갑자기 막아선 모습, 폭발하기 직전이다. 상하 작용력이 +8 이다. 上六 혼자서 견디기 어려운 압력으로 괘명이 쾌(夬)가 된다.

괘효의 변화는 순리대로 하나하나 효변하기도 하지만 2개 또는 3개의 효가 한번에 효변할 수도 있다. 예를 들어 혁(革)은 구삼이 육이를 파고들어간 것이지만, 대과(大過)는 하괘 손풍☴의 2효와 3효가 한번에 초육을 파고들어가 쾌(夬)라고 하는 과도함을 만들어내는 것이다.

▷ 규(睽)와 혁(革)

☲+3 ☱-1 睽-4	☱-1 ⇨ ☲+3 ≫갇혀 있던 九二가 六三을 뚫고 밖으로 나아가는 모습, 바다에서 태양이 떠오르는 상이다.
☱-1 ☲+3 革+4	☲+3 ⇨ ☱-1 ≫六二가 상향하여 九三을 가두니 상향하던 양기가 수렴되는 모습이다.

10. 효(爻)와 괘(卦)의 이해　　123

▷둔(屯)과 해(解)

☷-3 ☳+1 屯+4	☷+1 ⇨ ☷-3 ≫초구(初九)가 힘차게 물에 뛰어들어 헤엄치는 모습, 물에 들어가 있으니 어려움은 있으나 물에 빠진 것은 아니고, 유유히 헤엄치며 양기를 기르고 있는 모습이다.
☵+1 ☳-3 解-4	☵-3 ⇨ ☵+1 ≫九二가 험난(險難)에서 벗어나 힘차게 나아가는 모습이다.

▷건(蹇)과 몽(蒙)

☵-3 ☶-5 蹇-2	☶-5 ⇨ ☵-3 ≫九三이 아래로 파고들어 두 개의 음 사이에 빠져 꼼짝 못하고 있는 모습, 물에 뛰어들었으나 헤엄을 치지 못하고 빠져버린 모습
☶-5 ☵-3 蒙+2	☵-3 ⇨ ☶-5 ≫九二가 두 개의 음사이에서 벗어났으나 나아갈 길을 모르고 멍하니 서있는 모습, 물(險難)에서 벗어났으나 더 이상 전진하지 못하고 서있는 상황이다.

▷환(渙)과 정(井)

☴+5 ☵-3 渙-8	☵-3 ⇨ ☴+5 ≫六三이 양으로 효변하면서 물이 바람이 되는 상, 액체가 기체로 화하면서 흩어지는 모습이다.
☵-3 ☴+5 井+8	☴+5 ⇨ ☵-3 ≫九三이 음으로 효변하면서 바람이 물이 되는 상, 기체가 액체로 화하면서 물이 솟아나는 모습이다.

10.3 용어의 이해

10.3.1. 상괘와 하괘

상괘는 天을 의미하고, 하괘는 地를 의미한다. 3 효와 4 효는 人효를 의미하는데 4 효는 天에 속하고, 3 효는 地에 속하니 人이란 天地가 합하여 하나가 된 자리를 의미한다(人中天地一). 상괘와 하괘, 즉 天과 地가 상호 생극작용을 하면서 만물(人)의 생화를 도우니 이것이 음양오행의 작용이다.

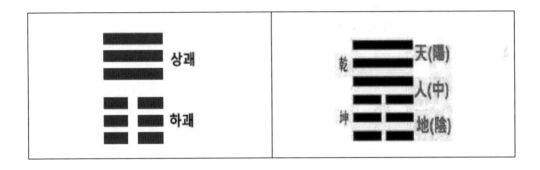

상괘와 하괘, 즉 천지가 생극작용을 하면서 만물(人)의 변화를 표현한다. 인사(人事)란 天과 地에 속에 있는 人(物)이 天地의 상호작용에 따라 함께 변화하는 것을 의미한다. 즉 천지의 작용에 함께 참여하는 것이니 내(人)가 변하면 천지가 따라 움직인다(參贊天地之化育). 參贊天地之化育참찬천지지화육이란 천지인 삼신일체로서 우주를 구성하는 삼신 중의 하나인 내(人)가 천지(天地)의 작용에 직접 참여하여 서로 돕는 것을 의미한다.

10.3.2. 위(位)

　양위(陽位)의 자리에 양효가 오면 자리가 바르다 하여 정위(正位)라 하고, 반대로 음위에 양효가 오고, 양위에 음효가 오게 되면 자리가 바르지 않다 하여 부정위(不正位)가 된다. 효는 아래로부터 위로 향하며, 기수(홀수)는 양, 우수(짝수)는 음이 된다.

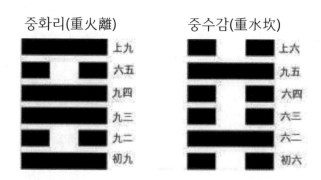

중화리(重火離)　　중수감(重水坎)

　중화리괘는 初九는 정위(正位), 六二는 정위이면서 中의 자리이니 中正하고, 九三은 정위, 九四는 부정위, 六五는 부정위이면서 中의 자리를 지키며, 上九는 부정위가 된다.

　중수감괘는 初六은 부정위, 九二는 부정위이면서 中의 자리를 지키고 있으며, 六三은 부정위, 六四는 정위, 九五는 정위이면서 中의 자리를 지키니 中正이며, 上六은 부정위가 된다.

10.3.3. 응(應)

　상괘(天)와 하괘(地)는 외괘(外卦)와 내괘(內卦)라고도 하며, 양과 음이 서로 상생과 상극을 반복하고 작용하며 팔괘를 생성하듯이, 上下괘도 천지음양으로 서로 부딪히고 작용하면서 내부에 위치한 만물(人)과 영향을 주고받으며, 효변을 일으키며 길흉득실을 정한다.

-상응(相應): 初효와 四효, 二효와 五효, 三효와 上효가 음효와 양효, 또는 양효와 음효로서 서로 응하면 상응이라 한다.

-정응(正應): 자리가 바르면서 상하괘가 음양으로 응하면 정응이 된다.

-적응(敵應): 상하괘가 음과 양으로 서로 응하지 못하고, 양과 양이, 음과 음이 응하게 되면 서로 대립이 되니 불응, 또는 적응이 된다. 상하괘가 모두 적응하는 괘는 상하괘가 같은 中天乾, 重地坤, 重雷震, 重風巽, 重水坎, 重火離, 重山艮이 있다.

10.3.4. 정(正)

1, 3, 5 효는 홀수로서 양의 자리가 되고, 2, 3, 6 효는 짝수로서 음의 자리가 된다. 양의 자리에 양효가 오면 자리가 바르다 하여 정(正)이 되고, 음효가 오면 자리가 바르지 않다 하여 부정(不正)이 된다. 마찬가지로 음의 자리에 음효가 오면 정(正)이 되고, 양효가 오면 부정(不正)이 된다.

10.3.5. 중(中), 중정(中正)

하괘와 상괘에서 중심이 되는 괘는 二位와 五位로서 중中의 자리이다. 상하괘를 이끄는 중심으로 서로 대립하고 화해하며 상호작용을 이끄는 상하괘의 핵이다. 이위二位는 음위(陰位)로서 음효가 오면 중(中)으로서 자리가 바르니 중정(中正)이 되고, 양효가 오면 중의 자리를 지키나 자리가 바르지 않으므로 부정(不正)이 된다. 마찬가지로 오위(五位)는 양위(陽位)로서 양효가 오면 중(中)의 자리가 바르니 중정(中正)이 되며, 음효가 오면 중의 자리를 지키나 자리가 바르지 않으니 부정이 된다. 괘의 해석에서 가장 중요한 것이 중정(中正)이다. 中과 正中에서 中의 비중이 더 크다.

10.3.6. 비(比)

비(比)는 '친하다(親)'라는 뜻이다. 서로 이웃한 음효와 양효를 상비(相比) 관계에 있다고 한다. 서로 응하고 있는 관계를 방해하는 역학관계를 설명할 때 주로 사용된다.

상·하괘가 대대(對待) 관계를 이루며 서로 응하고 있는 상응과 달리, 3개의 효가 서로 음양의 관계로 이웃하여 협조하는 경우를 상비(相比)라고 한다. 음효가 양효 아래에 위치하고 있는 경우를 승(承)이라 하여 길하게 보고, 음효가 양효 위에 올라타고 있는 경우를 승(乘)이라 하여 불길하게 본다. 승(承)은 '받들다', 승(乘)은 '올라타다'의 뜻이다.

[예] 기제(旣濟)와 미제(未濟)

상하괘가 서로 바른 자리에서 응하는 괘는 수화기제, 상하괘가 서로 바르지 못한 자리에서 응하는 괘에는 화수미제가 있다. 서로의 호괘를 보면 기제의 호괘는 미제, 미제의 호괘는 기제가 되니, 세상만사의 이치는 치우침이 없다. 달이 차면 기울고, 기울면 다시 차니 세상의 이치는 옳고 그름이 없는 것이다. 달이 차면 기울 것을 생각하고, 기울면 어렵고 힘들지만 다시 보름달을 지향하니 세상의 이치는 둥글다.

수화기제(水火旣濟)	화수미제(火水未濟)

모든 효가 正位를 지키고 있으며, 九五와 六二가 中正함으로 서로 정응正應하고 있다. 천지만물이 가장 바르고 왕성하게 작용하는 모습을 보여준다. 그러나 보름달이 차면 기울듯 다음을 대비하는 자세가 필요함을 뜻한다.	모든 효가 자리가 바르지 못한 不正位를 보여주고 있으며, 六五와 九二가 中正하지 못하나, 서로 음양으로서 상응相應하고 있다. 천지만물이 자리가 바르지 못하여 작용을 하지 못하고 있는 상태로서 만물이 다시 처음 시작하는 모습을 보여준다.

11. 인역(人易) 오행도 심층이해

인역 오행도

14														14	
12														12	
10		火 夏 長							金 秋 收					10	
8														8	
6														6	
4														4	균형력 +
2														2	
0														0	
-2														-2	균형력 -
-4														-4	
-6														-6	
-8														-8	
-10		木 春 生							水 冬 藏					-10	
-12														-12	
-14														-14	
	14	12	10	8	6	4	2	0	-2	-4	-6	-8	-10	-12	-14

작용력 +　작용력 -

오행	목(木)	화(火)	금(金)	수(水)
순환	생(生)	장(長)	수(收)	장(藏)
사시	춘(春)	하(夏)	추(秋)	동(冬)
방향	동방	남방	서방	북방
4궁	청룡	주작	백호	현무
28숙	각항저방심미기	정귀류성장익진	구류이묘필자삼	두우여허위실벽

☞태양을 중심으로 돌아가는 지구 24절기(태양력)

대설	12월7일경	망종	6월6일경
동지	12월22일경	하지	6월21일경
소한	1월5일경	소서	7월7일경
대한	1월20일경	대서	7월23일경
입춘	2월4일경	입추	8월7일경
우수	2월19일경	처서	8월23일경
경칩	3월6일경	백로	9월8일경
춘분	3월21일경	추분	9월23일경
청명	4월6일경	한로	10월8일경
곡우	4월20일경	삼강	10월23일경
입하	5월5일경	입동	11월7일경
소만	5월21일경	소설	11월22일경

◆오행도의 흐름 (음력표기)

▶태극도로 표현된 24절기

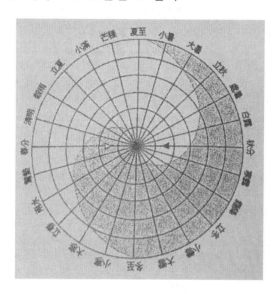

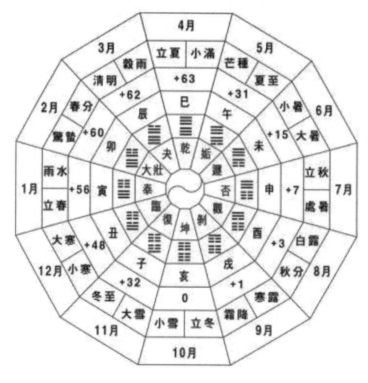

11.3. 봄(生)

►수리적 의미: 작용력이 0에서 점점 +14를 향해 커지면서, 균형력도 최저 -14에서 함께 0으로 상향하다.

►괘상: 나무가 서서히 양기를 머금으며 자라다.

►하괘의 양효: 씨앗이 발아하여 나무로 자라는 과정을 표현

  새싹이 땅을 뚫고 나아가며 부딪히니 작용력이 커지며, 균형력을 높여 나간다.

괘상	䷁	䷁	䷃	䷂	䷚	䷗	䷗	䷗
작용력	0	+2	+4	+6	+8	+10	+12	+14
균형력	-14	-12	-10	-8	-6	-4	-2	0

괘상								
	中土						

月(음)	中(土)	11월	12월		1월		2월	中(土)
時	中(土)	24	1	2	3	4	5	中(土)
地支		子	丑		寅		卯	
24절기		동지	소한	대한	입춘	우수	경칩	

11.4. 여름(長)

▶수리적 의미: 작용력이 최고 +14에서 0으로 점차 작아지면서 균형력은 최고 +14를 향해 커지다.

▶괘상: 양기가 무성한 나무, 열매가 양기를 머금으며 점점 커져가다.

▶상괘의 양효: 성장한 나무에 열매가 열리고 커져가는 과정을 표현
나무의 양기가 열매로 맺혀가는 모습을 보여준다.

괘상	䷓	䷖	䷲	䷢	䷽	䷎	䷳	䷦
작용력	+14	+12	+10	+8	+6	+4	+2	0
균형력	0	+2	+4	+6	+8	+10	+12	+14

괘상								
月(음)		2월	3월		4월		5월	
時	中	6	7	8	9	10	11	中
地支	(土)	卯	辰		巳		午	(土)
24절기		춘분	청명	곡우	입하	소만	망종	

中土

11.5. 가을(斂)

► 수리적 의미: 작용력이 0에서 -14로 작아지면서 균형력도 0으로 작아지다.

► 괘상: 나무가 양기를 줄이며 열매를 숙성시키다.

► 하괘의 양효: 나무가 양기를 줄이는 과정을 표현

나무가 양기를 줄이면서 열매를 숙성시키다. 열매에 양기가 수렴되다.

괘상	䷀	䷪	䷥	䷮	䷯	䷬	䷫	䷠
작용력	0	-2	-4	-6	-8	-10	-12	-14
균형력	+14	+12	+10	+8	+6	+4	+2	0

괘상							

(중土)

月(음)	中(土)	5월	6월		7월		8월	中(土)
時		12	13	14	15	16	17	
地支		午	未		申		酉	
24절기		하지	소서	대서	입추	처서	백로	

11.6. 겨울(藏)

►수리적 의미: 작용력이 최저 -14에서 0으로 서서히 커지면서 균형력은 최저 -14를 향해 간다.

►괘상: 열매의 양기가 사라져가다.

►상괘의 양효: 열매(씨앗)가 토(土)로 흡수되어가는 과정을 표현

괘상								
작용력	-14	-12	-10	-8	-6	-4	-2	0
균형력	0	-2	-4	-6	-8	-10	-12	-14

괘상									
					中土				

月(음)	中	8월	9월		10월		11월	中
時	(土)	18	19	20	21	22	23	(土)
地支		酉	戌		亥		子	
24절기		추분	한로	삼강	입동	소설	대설	

균형력이 -14를 향해가면서 양의 기운이 토(土)의 기운으로 흡수 저장되

는 모습. 추운 겨울, 그러나 작용력은 오히려 -14에서 0으로 커지면서 봄이 가까워짐을 암시한다. 얼어붙은 땅속에서 양의 기운은 점점 메말라가고 딱딱해져 죽어가는 것 같지만 씨앗 내부에서는 오히려 서서히 봄이 태동되고 있는 것이다.

12. 길흉(吉凶)의 판단

　지금 이순간 나를 중심으로 일어나는 크고 작은 사건은 셀 수도 없다. 내 주변에 일어나는 크고 작은 사건, 보이지 않고 느끼지도 못하는 사건에 이르기까지 미치는 영향력은 해와 달의 작용에 따른 영향이나 별의 움직임에 따른 영향, 내 주변의 만물과의 관계에서 발생하는 영향 등 수없이 많다. 그러나 이것들은 특정한 시점에 발생하는 특이한 사건이 아니라 항구적이고 지속적으로 발생하는 일반적인 영향력들이다. 모태母胎에 생명이 맺히는 순간에 특별히 특이한 영향을 주는가? 아니면 태궁胎宮에서 나오는 탄생의 순간에 해와 달과 별의 특이한 영향을 받는가? 이러한 사건들이 그의 평생의 삶을 규정하고 변화의 매 순간을 이미 정해 놓았는가?

　과거의 시점에서 발생하던 그 영향은 지금 이 순간에도 똑같이 일어나고 있는 현재진행형이다. 해는 오늘도 떠올라 만물에 영향을 주고 있으며, 달은 오늘도 바닷물을 끌어당기고 또 밀어낸다. 하늘의 별은 내가 태어나는 그 순간처럼 지금도 나의 삶을 내려다보고 있으며, 나의 부모, 형제 그리고 주변의 관계인들과 뉴스를 통해 매일 보는 세계인들도 나와 끊임없이 영향을 주고받는다. 나비의 날개 짓이 일으키는 작은 바람이 나의 삶에 태풍을 일으킨다. 나에게 일어나는 이 모든 사건은 이미 정해져 있는 것인가?

> 此有故彼有 此起故彼起 此無故彼無 此滅故彼滅
> 차유고피유 차기고피기 차무고피무 차멸고피멸
>
> 이것이 있으므로 저것이 있고(此有故彼有),

> 이것이 생기므로 저것이 생기며(此起故彼起),
>
> 이것이 없으므로 저것도 없고 (此無故彼無),
>
> 이것이 없어지므로 저것도 없어진다(此滅故彼滅).

　시간의 흐름에 따라 영향도 끊임없이 변화한다. 그 영향은 지금 이 순간에도 여전히 미치고 있으며 무수한 변화를 만들어낸다. 천지인은 서로 환존(環存)한다. 독존(獨存)하는 것이 아니라 서로 영향을 주고받으며 하나(一)로서 존재한다. 독존이란 철학적 개념일 뿐이다. 나(人)는 天과 地와 관계성을 통해 존재하는 환존으로서 결코 홀로 존재할 수 없다. 영향을 주고받음으로써 함께 하나(一)로 존재한다. 나는 타인과 분리되어 있는 것 같지만 기실은 서로의 변화를 통해 존재를 확인하며 하나(一)로서 환존하고 있는 것이다. 어느 하나라도 없다면 환존은 성립되지 않으니 天地人은 三神으로서 一體가 된다.

　시간의 흐름은 기(氣)의 흐름이다. 내 손에서 던져지는 주사위, 내 손으로 뽑는 산가지도 그 변화의 흐름의 연장선에서 함께 변화한다. 그러므로 그 변화가 만들어내는 모습이 한 순간 포착되어 만들어지는 괘상은 바로 변화의 흐름 과정 중의 한 순간을 뜻한다. 물상에는 뜻이 보이지 않지만 그 변화의 순간을 포착한 괘상에서는 뜻을 읽을 수 있다. 물상에서 뜻을 읽을 수 있다면 그것은 신의 경지이고, 괘상에서 뜻을 읽어내는 것은 바로 성통광명(性通光明)을 이룬 대인의 역할이다.

　역(易)은 변화를 뜻한다. 변화의 순간을 괘상으로 그려 놓은 것이다. 변화의 흐름에서 뜻을 읽어낼 수만 있다면 변화의 방향도 알아낼 수 있으니, 거기에 나의 의지를 더한다면 운명(運命)은 말 그대로 스스로가 만들어가는 것이다. 天地는 人이 있어야 하나(一)로서 존재하니, 나는 나의 의지를 통해 천지를 창조하는 우주네트워크 참여자로서 天地人 三神一體가 되다(參贊天地之化育참찬천지지화육).

사람은 일정한 공식을 좋아한다. 틀을 만들어 놓고 그 틀에 의해 정해진 답을 찾는데 이성은 익숙하다. 생년월일시와 간지(干支)로서 추명하는 사주명리학(四柱命理學)이 대표적이다. 그러나 역의 진정한 의미는 변화이다. 어느 한 순간의 특이한 사건이 주는 영향은 평생을 좌지우지할 정도의 영향을 줄 수도 있지만, 그것이 시간표처럼 매 순간을 규정하지는 않는다. 천지만물이 어우러져 서로 주고받는 영향은 현재 진행형이니, 지금 이순간 내게 미치는 영향이 바로 다음의 변화를 만들어내는 것에 비하면 과거 태어나는 순간에 끼친 영향은 포괄적인 것으로 현재에 미치는 영향은 미미할 수밖에 없다.

과거 태어나는 한 순간에 받은 영향이 그 이후의 매 순간 변화를 시간표처럼 정해 놓는 것일까? 그리고 그 일정표에 기록된 대로 따라가며 살아가는 것이 인생일까? 이미 정해진 일정표상의 운명을 인정하고, 추명하는 것은 현재 살아가고 있는 나(我)라는 존재의 자유의지를 무시하고, 실존적 자아를 말살하는 결과를 초래한다. 오히려 생년월일시보다는 어느 부모에게서 태어났는지, 어느 시대, 어디에서 태어났는지, 그를 둘러싼 환경이 더 중요하다. 그 선택의 여지가 없는 주변 환경에 의해 인생의 출발점이 달라지기 때문이다. 현대 사주명리학은 사주팔자를 간명함에 있어 숙명보다는 개인을 둘러싼 환경과 자유의지에 의한 선택과 결과에 중점을 두는 방향으로 발전하고 있다.

수억 개의 정자(양) 중에 하나가 난자(음)와 결합하는 순간, 그 생명체의 유전성이 결정되고, 주어진 환경에 따라 상호작용하며 진화론적으로 변화해가는 것이라고 보는 것이 더 합리적이다. 수억 개의 정자 중에 하나만이 선택된다는 것은 결국 우연의 산물이라 할 수 있다. 운명이란 이미 정해진 시간표대로 따라가는 것이 아니라 매순간의 우연의 선택에 의하여 결정되어가는 진행형의 선상에 있는 것이다. 바로 지금 이 순간의 자신의 선택과 결정이 내일을 결정짓는 것이다.

운명이란 정해진 것이 없다. 운명(運命)이란 한자 그대로 나의 삶을 스스로 운영하며 천지만물과 더불어 변화를 주고받으며 만들어가는 것을 말하니, 운명이란 나의 명을 스스로 개척해가는 적극적 개념이다.

물상은 아무런 뜻 없이 모습을 보이지만 6개의 효로서 표현된 대성괘는 물상이 품고 있는 뜻을 드러낸다. 이 뜻을 표현한 것이 역이며, 이를 읽어내는 것이 바로 천지만물과 일통한 대인의 역할이다. 역(易)의 괘상과 효의 작용을 추상적 사색으로 그치지 않고 인사에 적용함으로써 天地와 人을 하나(一)로 연결시킨다. 시간이 흐름으로써 만물이 변하고, 만물을 표상한 효가 변하면서 만들어내는 괘상은 천지인의 형상이다. 당연히 하늘과 땅과 만물이 서로 영향을 주고받으며 의미를 만들어내니, 이로써 인간만사 길흉이 움직이는 것이다.

시간이 흐르면서 공간 속의 만물은 시시각각으로 변해간다. 내 손바닥 위에서 던져지는 주사위나 동전, 또는 산통에서 뽑는 산가지도 그 변화의 흐름 속에 있다. 그래서 주사위나 동전이 떨어지면서 만들어 내는 괘의 상에도 바로 그 변화가 담기게 되는 것이다.

易 無思也無爲也 寂然不動感而遂通天下之故
역 무사야무위야 적연부동감이수통천하지고

역(易)이란 더 생각할 것도 없고 더 할 것도 없는 세계이다. 고요하고 고요하여 움직임이 없으나 일체에 감응하여 세상 만사에 두루 통한다. 天地人 三神 一體이니 하나의 체로서 느끼니 통하는 것이다.

[계사전]

소성괘(8괘)는 사물의 이름을 빌어 우주의 극성極性을 표현하며, 대성괘(64괘)는 극성의 상호작용을 통한 우주의 변화와 인사를 표현한다. 대성괘의 상에서 보여지는 천지만물의 변화와 작용을 통해 사회 인문학적 개념을 적

용하여 인사적 풀이를 함으로써 길흉吉凶을 점칠 수 있다.

그러나 우주만물의 생성 순환하는 이치를 깨닫지 못하고 단순히 미래를 예측하고자 하는 기술적인 측면에만 치우친다면 이는 잡술에 불과한 술법이 될 수 있다. 만물의 순환과 변화, 이에 따른 과학적 원리에 대한 깊은 이해, 만물에 대한 사랑과 태극에서 비롯된 하나(一)라는 동질감이 부재된 예측술은 혹세무민하는 술수에 불과 할 뿐이니, 인륜적이고 인문 철학적인 사상을 기반으로 하는 심법(心法)으로서의 역을 탐구하는 자세가 필요하다. 역(易)은 소인배에겐 단지 술수에 불과할 수 있지만, 대인에게는 우주만물의 뜻을 품는 도구가 된다.

13. 역리(易理)와 양자물리(物理)의 상관성[8]

본 내용은 필자의 저서인 『양자물리학과 주역』에서 [물상(物象)의 중화론] 편을 수록한 것이다.

역(易)은 천지 만물에서 상(象)을 취하고 그 상에서 뜻(義)을 취하는 것이니 역과 사물은 그 이치가 똑같다(易與天地準). 즉, 역은 자연현상에 대한 모방에서 나온 것으로서 그 근원은 자연계에 있다고 할 수 있다. 그러므로 역이란 "천지가 드러내 주면 성인이 이를 근거해서 완성한 것"이니 "변화의 도를 아는 자는 신의 하는 바를 안다."라고 할 수 있는 것이다.

음양의 상호작용은 물상을 낳고, 이를 표상한 음효(--)와 양효(-)의 상호작용은 괘상을 낳는다. "따라서 상은 자연에 대한 성인의 추상적 요약이며, 자연의 도와 인문의 도를 연결하는 매개체이다. 나아가 상은 자연의 도와 인문의 도를 모두 가지고 둘을 통일하게 된다." 이는 「계사전」에서 언급한 "역은 천지와 똑같다. 그러므로 역은 천지의 도를 두루 다스릴 수 있다."라는 말의 논거가 된다.

본 장에서는 "역은 천지와 똑같다(易與天地準)"라는 「계사전」의 명제 아래 사물과 괘상의 상관관계를 모색한다. 양자물리학이 밝혀낸 미시세계의 원자(atom)는 기본적으로 양의 성질을 가진 원자핵을 이루는 '양성자(+)와 중성자(0), 그리고 음의 성질을 띤 전자(-)'로 이루어져 있으며, 괘는 '天(陽), 人(中), 地(陰)' 삼효로 구성된다.

.[8] 박규선, 『양자물리학과 주역』, 부크크, 2024, p.262-297.

박규선, 『易學의 中和論 연구』, 동방문화대학원대학교 박사학위논문, 2023

괘는 성인이 천지자연을 본떠 세운 것이니 괘와 만물은 서로 같다. 그러므로 물질의 근원인 원자의 형상을 괘상으로 치환하면 삼효로 구성된 괘가 된다. 또한 원자의 상호작용으로 생화된 물질은 팔괘의 상호작용을 통해 변화를 드러낼 수 있으니, 이는 6효로 구성된 64괘로써 괘의 상하작용으로 표상된다.

그러므로 괘효의 변동을 분석하면 시간의 흐름에 따른 만물의 변화와 그에 따른 인사·길흉을 예측할 수가 있다. 모든 사물과 현상들이 서로 하나로 연결된 전일적 일체 관계에 있다는 동양적 깨달음에 과학적 깊이를 더한다면 추상적 사색에 구체적 증거가 보태어져 완전한 하나를 이룰 수 있을 것이다.

1) 괘(卦)와 물(物)의 상관성

인류는 이 땅 위에 존재하면서부터 '어디에서 왔는지, 어떻게 살 것인지, 또 어디로 가고 있는 것인지' 근원에 대한 철학적 의문을 끊임없이 제기해왔다. 『주역』의 괘상은 천지 만물을 단순하게 개념화시켜 범주화함으로써 무한 무량한 우주를 이해하려는 고도의 철학적 사고를 내재하고 있다.

시간의 흐름에 따라 공간 속의 사물은 변화를 거듭하고, 그 변화는 물극필반의 이치로 한없이 순환한다. 하나(一)에서 묘한 이치로 천지인 삼재가 펼쳐지고, 만물은 굴신·왕래하며 한없이 변화하지만 근본인 하나(一)는 부동하다. 이는 지구가 태양을 공전하면서 발생하는 사시 순환을 통해 만물은 생로병사를 거듭하면서도 생장수장의 이치로써 순환하며 소멸하지 않는다는 뜻이다.

짐작할 수도 없는 광대무변한 우주에 비하면 티끌에도 미치지 못하는 존재로서의 인간이 지적인 탐구를 통해 우주 만물에 대한 철학적 이해를 궁구하는 수단으로서의 괘상은 우주와 인간, 사물과 현상에 대한 사색의 도구로서 매우 중요한 역할을 해왔다. 「계사전」은 복희씨가 "우러러 하늘의 상(象)을 관찰하고 구부려 땅의 법(法)을 관찰하며, 새와 짐승의 문(文)과 천지의 마땅함(宜)을 관찰하며, 가까이는 자신에서 취하고 멀리는 사물에서 취하여, 이에 비로소 팔괘를 만들어 신명의 덕(德)을 통하고 만물의 정(精)을 분류하였다.”라고 하였으니, 역은 만물에서 상(象)을 취하여 그 뜻(義)을 세운 것임을 가리킨다.

무엇 때문에 역이 천지와 똑같은 것일까? 주희(朱熹)는 “성인이 역을 지을 적에 괘·효상과 그 변화의 법칙은 음양의 실체에 근거하여 천지 만물의 형상과 그 변화의 과정을 본떠서 정한 것”이라고 역을 정의하고 있다. 그러므로 『주역』의 법칙은 천지의 법칙과 일치한다. 팔괘의 형상은 천지 만물의 형상을 관찰하여 그대로 모방한 것이기 때문이다.

그러므로 “우러러 위로는 천문(天文)을 관찰하고, 굽어 아래로는 지리(地理)를 살피니, 그윽하게 숨겨짐(幽)과 분명하게 드러남(明)의 이치를 알게 되고, 처음에서 시작하여 마치면 다시 본원으로 돌이키니 삶(生)과 죽음(死)의 이치를 알게 되며, 정기(精氣)가 엉겨 물(物)이 되고 유혼(遊魂)은 변(變)이 되니, 이런 까닭에 귀신(鬼神)의 정황을 알 수가 있는 것”이다. 이는 광대무변한 만물의 이치와 변화는 짐작하기 어려우나 이를 범주화한 괘의 상을 살펴봄으로써 비로소 그 내면을 들여다볼 수 있음을 의미한다. 그러므로 『주역』의 법칙을 이해하면 “그 지혜는 만물에 두루 미치고 그 도가 천하를 구제하는 것(知周乎萬物而道濟天下)”이니 우주 만물의 이치를 알 수 있다고 하는 것이다.

본 장에서는 역이란 천지의 도를 망라하고 있으니 “역은 천지자연과 똑같다(易與天地準)”라는 「계사전」의 명제를 근거로 괘상과 사물의 이치를 궁구하여 상통하는 바를 찾아 모형(논리)을 세움으로써 양자물리학으로 대변되는 현대과학과의 간극을 좁혀 그 접점을 모색해 보고자 한다.

2) 괘의 시생(始生) 원리

역은 천지와 똑같다(易與天地準). 이 말은 괘가 천지의 상을 담고 있으니 『주역』의 법칙과 천지 만물의 변화는 서로 일치한다는 것을 의미한다. 역은 천지의 법칙에 준거하여 사물에서 상을 취하여 세운 것이므로 "『주역』의 괘 효는 천지의 도를 모두 갖추고 있어 천지와 더불어 똑같다." "역의 법칙은 천지와 더불어 비슷하므로 서로 어긋나지 않는다."라고 했으니 이는 역의 이치를 알면 천지운행의 이치와 그 변화를 알 수 있다는 뜻이다.

역은 천지 만물에서 상을 취하여 세웠기 때문에 괘상 속에는 만물의 이치와 그 변화의 원리가 들어있다. 그러므로 괘상은 천지의 모든 조화를 포괄하면서도 그 범위를 지나치는 법이 없다. 우주 만물이 시생하여 변화하며 순환하고 작용하는 원리가 괘 속에 담겨있음을 정의한 것이다.

『주역』에서 하나(一)는 만물을 시생하는 근원인 태극(一)을 의미한다. 그리고 태극(一)은 天地人 삼재(三)를 포태하고 있으니, 삼재는 각각 일태극(一太極)을 품고 있는 것이 되므로 天一地一人一로 표현할 수 있다. 주희(朱熹)는 이것을 "삼극(三極)은 天地人의 지극한 이치이니, 천지인 삼재는 각각 일태극(一太極)이 된다."라고 정의했다.

태극(一)은 일물양체(一物兩體)로서 곧 음양(二)의 작용성을 의미한다. 그러므로 태극의 속성인 天一地一人一도 각각 음양의 속성을 품고 있는 것이 되므로 이를 표현하면 天二地二人二가 된다. 태극(一)이 음양(二)의 작용으로 내재하고 있는 천지인(三)을 펼쳐내듯이, 천지인도 각각 음양(二)의 작용성으로 만물(六)을 펼쳐내니 『노자』의 二生三의 의미가 드러난다.

천지인 삼재의 음양을 수리로 표현하면 天二地二人二가 되고, 그 합은 6으로서 만물의 작용을 표상하는 육효(六爻)의 원리가 된다. 「계사전」에서는 이를 "六爻之動 三極之道也"라 표현하고 있으며, 「노자」는 "道生一 一生二 二生三 三生萬物"이라 표현하고 있다. 그러므로 만물의 시생 과정을 수리로 표현하면 '무극(0) - 태극(1) - 음양(2) - 천지인 삼재(3, 三爻) - 천지인 만물(6, 六爻)'로 표현할 수가 있다.

『노자』는 "도(0)는 태극(1)을 낳고, 태극은 음양(2)을 낳고, 음양은 천지인 삼재(3)를 낳으니 삼재가 만물(6)을 낳는다."라 하여, '도(0)에서 태극(1)이 나오고, 태극은 음양(2)을 낳고, 음양은 천지인 삼재(3)를 낳으니 삼재가 천지만물(6)을 이룬다'라고 하였다.

도생일(道生一)의 일(一)을 태극으로, 이(二)를 음양으로 보면 괘의 생성원리가 도출된다. '하나(一)가 둘(二)을 낳는다(一生二)'는 것은 「계사전」의 '태극(一)이 음양(二)을 낳는다(太極生兩儀)'라는 것과 의미가 같다. 태극(一)이 음양(二)의 작용으로 내재하고 있는 천지인 삼재(三)를 펼쳐내듯이(二生三), 천지인(三)도 각기 음양(二)의 작용으로 만물(六)을 펼쳐내니 삼생만물(三生萬物)의 뜻이다. 이것은 『노자』의 二生三의 원리로 天地人의 음양성(二)으로 표현되며, 『천부경』은 이를 天二三 地二三 人二三으로 정의하고 있다. 천지인 삼재는 삼효(三爻)로 표상되어 8개의 소성괘가 되고, 삼재(三)의 음양성(二)이 낳은 만물의 작용성은 육효(六爻)로 표상되어 64개의 대성괘가 되는 것이다. 소성괘(8괘)가 체(體)라면 대성괘(64괘)는 용(用)의 관점이 된다.

"만물은 음을 지고 양을 안으며 충기로써 조화를 이루는 것"이니, 음양이기가 서로 교감하여 천지인 삼재를 낳는다(二生三). 그러므로 천지인은 각각 음양 양면의 성질을 갖추게 된다.『추언』에서도 "만물은 음양 양자가 서로를 낳으며 제삼자를 드러낸다."라고 하여, 음양의 범주로 만물의 생성과 변화의 과정을 정의하고 있다.

도는 무극과 같은 개념으로 모든 유무를 품고 있는 근원으로서 태극의 본바탕이다. 무극(0)은 天地人(3) 삼재를 품고 있으나 음양(2)으로 나뉘지 않은 혼륜 상태이며 작용성이 없으므로 이를 드러내지 못하지만, 태극(1)은 음양(2)으로 분별된 상태로서 상호작용을 통해 천지인 삼재(3)를 발화시킨다. 무극에서 정보로만 존재하던 천지인 삼재가 태극에서 비로소 지기(至氣)로 발현되는 것이다. 그러므로 무극은 태극이 발원하는 본원이라 할 수 있다. 즉,

태극은 음양이 작용하는 상태로 '태극=음양=천지인'의 등식이 성립된다. 부언하면 만물 속에는 '태극·음양·천지인'이 동시에 하나의 동일성(一)으로 내재하고 있는 것이다.

「계사전」을 보면 "역에 태극이 있으니, 태극은 양의를 낳고, 양의는 사상을 낳고, 사상은 팔괘를 낳는다."라고 하여, '太極(1)-兩儀(2)-四象(4)-八卦(8)'의 순서로 가일배법(加一倍法)의 분화과정을 제시하고 있다. 복희팔괘차서도는 음과 양이 3단계에 걸쳐 차례로 삼변하여 분화하고 겹침으로써 세 개의 효로 하나의 괘체를 만드는 과정을 표상하고 있다. 즉, 태극이 음양으로 분화되고, 음양은 다시 분화되어 사상으로 확장되고, 사상은 한 번 더 음양이 분화됨으로써 '건(乾)-태(兌)-리(離)-진(震)-손(巽)-감(坎)-간(艮)-곤(坤)'의 순서로 팔괘가 나오는 과정을 보여준다. 이렇게 삼변하여 세워진 괘체 8개는 천지 만물을 8개의 극성으로 범주화함으로써 우주에 대한 이해를 쉽게 해준다.

그런데 괘상은 천지인을 정의하면서도 정작 괘효사에는 삼효, 또는 육효가 천지인을 규정하고 활용하는 구절을 찾아보기 어렵다. 복희팔괘차서도에서는 음양의 삼변으로 팔괘가 생성되는 과정을 설명하고 있을 뿐 천지인의 위(位)는 제대로 드러나지 않는다.

다만 「계사전」에 "육효의 움직임은 천지인 삼극의 도다(六爻之動 三極之道也)"라는 구절이 있고, 또 "天道가 있고 人道가 있고 地道가 있으니 삼재를 겸하여 두 번하였다. 그러므로 六이니 六은 다름이 아니라 삼재의 도다."라고 언급하고 있을 뿐이다. 주희(朱熹)는 이를 "세 획(畫)에는 三才가 이미 갖추어져 있는데 거듭하였으므로 六이니, 위의 두 효는 天이 되고, 가운데 두 효는 人이 되고, 아래의 두 효는 地가 된다."라고 주석하고 있으나, 실제 『주역』 64괘를 풀이한 『역경』의 괘효사에는 효위(爻位)의 차등에 따른 천지인의 의미는 제대로 드러나지 않는다. 그렇다면 「계사전」에서 "역은 천지와 똑같으니, 그러므로 역은 천지의 도를 두루 다스릴 수 있다."라고 말하는 논거는 무엇일까?

"한번 음이 되고, 한 번 양이 되는 것"은 『주역』을 형성하는 기본원리라 할 수 있다. 이것은 음과 양이 서로 대립하면서도 대대하는 상호작용을 통해 괘를 세운다는 것을 의미한다. 「계사전」은 이것을 "강과 유가 서로 밀고 당기면서 변화를 만들어낸다."라고 하였으니, 음양이 진퇴를 거듭하며 '상호작용'을 통해 '변화'를 생한다는 것은 천지(天地)의 교감으로 인(人)을 생하고, 음양(陰陽)의 작용으로 중(中)을 생하는 것을 가리킨다. 즉, 음양의 상충과 화해의 과정인 상호작용이 천지 만물의 변화 원인이 되는 것이니, 음양의 대립이 없다면 어떤 변화도 일어나지 않는다는 것을 의미한다.

그러므로 음양의 상호작용을 떠나서는 『주역』의 법칙은 존재할 수가 없다. 음양은 서로 대립하면서도 상대가 없으면 나도 존재할 수 없는 대대 관계를 통해 변화를 만들어내는 것이니, 음양은 서로 상대적이면서도 상보적인 상호관계로서 천지 만물의 변화를 일으키는 동인이 되는 것이다. 이는 음양의 상호작용이 사물 변화의 기본법칙이라는 것을 의미하며, "대대 관계의 두 주체, 음양이 조화를 위해 끊임없이 진퇴하는 과정이 곧 생명을 향한 변화"[9]라는 것을 말해준다.

서로 밀친다는 것은 한쪽으로 밀어내는 것일 뿐만 아니라 다른 한쪽을 불러오는 것으로, 마치 굽힐 수 있기에 펼 수 있고 추위가 가기에 더위가 오는 것과 같다. 그러므로 음양의 대립과 대대를 통한 상호작용은 천지 만물이 생하는 변화의 기본법칙으로서, 음양의 대립과 대대를 떠나서 주역 64괘는 존재할 수가 없는 것이다.

예를 들면 남과 여가 교합하여 자식을 낳고, 陽과 陰이 상호작용하여 中을 생하며, 天과 地가 상교(相交)하여 人(物)을 생하니, 이러한 법칙은 우주가 스스로 영속해 나가는 "一陰一陽之謂道"의 원리라 할 수 있다. "음이 생

---

[9] 심귀득, 『『주역』의 음양의 조화에 관한 연구-五位를 중심으로], 『동양철학연구』제35권, 동양철학연구회 2003, p.245.

겨나면 양이 줄어들며, 양이 생겨나면 음이 사멸해가니, 두 기운이 서로 어우러져 만물이 생겨난다." 귀매(歸妹☳☱)괘 「단전」에서는 "하늘(天)과 땅(地)이 교합하지 않으면 만물(人)이 흥성하지 못한다."라고 하였으니, 人(物)은 천지가 교합하여 생한 천지합일의 결과물임을 말하는 것이다.

『주역』에서 밝힌 괘의 생성원리를 통해 천지인 삼재의 원리와 사물의 초극미 영역인 원소(atom)와의 상관관계를 살펴 역리(易理)과 물리(物理)의 상통하는 바를 모색해 보자.

3) 원자[atom]와 天人地[陽中陰] 삼재

(1) 음양의 분화

현대물리학이 발견한 극미의 영역은 거시세계의 인과론이 철저하게 무시되는 마술과 같은 세계를 보여준다. 입자이면서 동시에 파장이 되고 또한 파장이면서 입자가 된다. 전자는 하나가 둘처럼 동시에 활동하며, 동에 번쩍 서에 번쩍 논리와 이치를 무시하고 나타난다. "역은 천지와 같다(易與天地準)"는 명제 아래 현상으로 드러난 거시세계가 '천인지 삼재'로 범주화되면 사물의 근원인 미시세계도 거시세계와는 물리적 현상이 다를지라도 거시세계를 발현시킨 근원으로서 '천인지 삼재'로 개념화할 수 있을 것이다.

"무(無)는 무극(無極)으로 음양이 구분되지 않는 혼돈(chaos)이며, 유(有)는 태극(有極)으로 음양은 분별되지만 하나(一)로써 존재하는 질서(cosmos)를 의미한다. 하나(一)에서 음양이 분화되니 양의(2)가 되고, 양의는 다시 음양으로 분화되어 사상(4)이 되며, 사상은 다시 음양의 분화로 팔괘(8)가 된다. 이것을 수리로 나타내면 (0‐1‐2‐4‐8)이 되어 이진법 수리논리체계가 드러나게 되고, 계속하면 (16‐32‐64)로 64괘가 나타난다. 음양이 음양을 낳는 방식으로 계속해서 분화해간다면 끝없는 미세의 세계로 들어서게 되고 더는 나뉘지 않는, 더는 나눌 것이 없는 초극미 영역으로 진입하게 됨으로써 양자역학으로 대변되는 현대물리학과 조우하게 될 것이다."[10]

음과 양은 분화되어 배가될수록 더욱 은미하게 세분된다. 소옹(邵雍)은 이 것을 "1이 나뉘어 2가 되고 2가 나뉘어 4가 되고 4가 나뉘어 8이 되고 8이 나뉘어 16이 되고 16이 나뉘어 32가 되고 32가 나뉘어 64가 되니, 뿌리에 줄기가 있고 줄기에 가지가 있는 것과 같아서 더욱 커질수록 더욱 적어지고 더욱 세세해 질수록 더욱 많아진다."라고 하였고, 이로부터 미루어 나가면 백천만억(百千萬億)의 무궁함에 이른다 라고 하였다.

0과 1이 만드는 이진법 체계는 2^n으로 거듭하여 분화돼 갈수록 더욱 은미 하게 세분되어 초극미의 세계로 흐르며, 음양(二)은 서로 대립하면서도 대대 하며 우주 만물을 일체의 생명으로 바라보는 양자(atom)의 영역에서 하나 (一)로 통합되어 갈 것이다. 2^n으로 숫자가 끝없이 커질수록 사물 입자는 더 욱 초미세해지고, 세세해질 수록 입자의 수는 늘어나지만 결국은 백천만억의 무궁함에 이르게 되면 더는 나뉘지 않는 전일적 하나(一)인 동일체로 귀결되 는 것이다.

이는 입자이면서 동시에 파동이라는 양자역학적 이중성과 접점을 이룬다. 즉, 0과 1의 대대(對待)는 결국 10이라는 통합의 세계를 지향해 간다. 이것 은 天과 地의 대대가 人(物)을 생하고, 陰과 陽의 대대가 中이라는 합을 이 뤄내는 것을 의미한다.

"만물은 음양 양자가 서로를 낳으며 제삼자를 형성하는 것"이니, 『노자』는 이것을 "만물은 음을 짊어지고 양을 끌어안아 충기로써 조화를 이루는 것" 이라 했다. 그러므로 人(物)은 天地가 하나(一)로 합일된 中의 자리로서, 천 지와 음양이 대대를 통해 생발되는 人中의 조화는 『주역』과 양자물리학이 만나 접점을 이루는 논거를 제공한다.

---

[10] 박규선·최정준 「괘효의 수리화를 통한 역의 과학적 해석연구」, 『동방문화와 사상 』 제10집, 동양학연구소, 2021, p.24.

(2) 괘와 원자의 상관성

물질세계는 분자를 구성하는 원자라는 초미세 입자들이 응집하여 이루어진다. 현대물리학에서 밝힌 물질의 최소 단위인 분자를 이루고 있는 원자(atom)는 종류와 관계없이 중심에 양전하(+)를 띠고 있는 양성자(陽)와 전하가 0인 중성자(中)로 이루어진 핵이 있고, 그 주변을 음전하(−)를 띤 전자(陰)가 위치하여 불확정한 상태로 움직이고 있는 구조를 이루고 있다. 핵을 구성하는 양성자(+)와 핵의 주위에 있는 전자(−)의 수는 동일하며, 양성자 1개의 (＋)전하량과 전자 1개의 (−)전하량이 같아 모든 원자는 전기적으로 중성을 이룬다.

원자는 자신만의 고유한 양성자의 수를 가진다. 예를 들면 수소 원자의 핵 속에는 양성자 1개가 들어있다. 양성자가 2개인 원자는 헬륨이고, 3개이면 리튬이 된다. 양성자와 중성자로 되어있는 원자핵은 원자의 중심부에 있는데 부피는 작지만 질량이 매우 크며 원자의 질량 대부분을 차지한다. 원자의 크기를 대형 야구장으로 비유하면 원자핵은 그 안의 모래알 정도의 크기이니 사실상 원자의 대부분은 텅 빈 공간으로 이루어져 있다.

양성자는 서로 같은 전하를 띠고 있어 반발하는 기운으로 흩어지려 하나 중성자가 핵력으로 묶어 원자핵을 유지한다. 더는 작은 것으로 쪼개질 수 없는 가장 가벼운 입자인 전자는 양성자의 수에 의해 결정되며, 외부의 다른 원소와의 특징을 구분 짓는 역할을 한다. 양전하(+)인 양성자는 원자의 핵심 위치에서 창조적인 역할을 수행하고, 핵의 외곽에서는 음전하(−)인 전자가 바쁘게 움직이며 업무를 수행한다. 중성자는 중심에서 반발하는 양성자를 묶어서 안정시키는 조절자로서 다양한 원소를 만드는 2차적인 역할을 수행한다.

만물의 형상을 본떠 만든 괘상은 天人地 3개의 효로 이루어져 있다. 天(陽)은 생명을 창조하는 생기이고 地(陰)는 씨앗을 받아 생육하니 만물을 의미하는 人(中)이 천지 사이에서 생겨난다. 人(中)은 天地(陽陰)가 교합하여 하나(一)를 이룬 것으로서 중성적 성질이 있다.

　사시 순환과 이에 따른 생장수장의 이치를 표상한 「후천문왕팔괘도」를 보면 양은 만물이 생장하는 건도(乾道)를 시작하고, 음은 양기를 수렴하는 곤도(坤道)를 시작한다. 간토(艮土☶)는 잠자고 있는 양기(坎水☵)를 깨워 건도를 시작하고(土克水), 곤토(坤土☷)는 화기(火氣☲)를 수렴하고 금기(金氣☱)를 생하는 금화교역(金火交易)을 통해 곤도를 시작한다(火生土-土生金). 즉, 토(土)는 선천 건도와 후천 곤도, 상극과 상생, 양과 음을 연결함으로써 상호 순환하도록 하는 중토(中土)의 성질이 있다.

　양(+)의 창조 원리, 음(-)의 화육 원리, 중(0)의 중재 원리는 양성자(+), 중성자(0), 전자(-)로 이루어진 원자와 天(+), 人(0), 地(-)로 이루어진 괘상이 서로 그 원리를 같이하고 있음을 보여준다. 양이 생기를 주면 음이 양육을 담당한다. 「계사전」은 "乾道는 男(陽)이 되고, 坤道는 女(陰)가 되니, 乾은 큰 시작을 주관하고 坤은 물건을 이룬다."라고 했다. 건괘 「단전」은 "건원(乾元)이여, 만물이 의뢰하여 시작하니 이에 하늘을 통섭하도다."라고 했으며, 곤괘 「단전」은 "곤원(坤元)이여, 만물이 의뢰하여 생겨나니 이에 순히 하늘을 받든다."라고 했다. 주희(朱熹)는 이것을 "시(始)는 기운의 시작이요, 생(生)은 형체의 시작이다. 하늘의 시행을 순히 받드는 것은 땅의 도리이다."라고 하여 양과 음의 역할에 대해 구분하고 있다.

　그러므로 "하늘은 상(象)을 이루고 땅은 형(形)을 이루니 만물의 변화가 드러난다." 양은 생기가 되어 만물의 씨앗이 되고 음은 이를 받아 실체〔변화〕를 만드니, 이는 양성자(+)가 창조하고 전자(-)가 사물의 변화를 특징 지우는 것으로 비교할 수 있으며, 중성자는 양성자의 무한한 확장력을 중재하여 치우치지 않게 하는 역할을 수행한다.

　양성자(+)와 전자(-)의 수는 똑같다. 이것은 양〔乾〕과 음〔坤〕이 서로 동등하다는 "一陰一陽之謂道"의 의미와 일치한다. 다만 양과 음의 위치에 따라 작용에 있어서 역할에 차등이 있을 뿐이다. 음이든 양이든 홀로는 존재할 수 없으며, 대립하면서도 공조하며 서로 대대 관계를 유지하면서 통일체로 공존한다. 天은 地가 없으면 人을 생하지 못하고, 地 또한 天이 없으면 人을 기르지 못한다. 마찬가지로 陽은 陰이 없으면 中을 생하지 못하고, 陰 또한 陽이 없으면 中을 세우지 못하니 음양의 대립과 대대는 천지 만물을 영속시키는 근원적인 동인이라 할 수 있는 것이다.

『노자』는 이를 "만물은 음을 짊어지고 양을 끌어안아 충기로써 조화를 이룬다."라고 표현하고 있다. 음양은 우주 만물의 근원으로 생명을 작동시키는 원동력이다. 사물의 초미시적인 근원으로 들어가 보면 양과 음이 플러스(+) 마이너스(-) 동력으로 작동됨으로써, '天(陽), 人(中), 地(陰)'가 서로 하나의 체를 이루고 있음을 알 수 있다.

물질세계를 (+)라고 하면, 반물질세계는 (-)가 된다. 물질세계를 이루는 양성자, 중성자, (음)전자가 (+)라면 그와 반대되는 반양성자, 반중성자, (양)전자는 반물질(-)이라 할 수 있다. 그러므로 태극(有)이 +1로 물질세계를 의미한다면, 반대로 -1(無)의 영역은 반물질 세계라 정의할 수 있다. 양의 속에도 음양이 있고 음의 속에도 음양이 들어 있듯이, +(有)인 물질에도 음양이 들어 있고 -(無)인 반물질에도 어떤 형식으로든 대립적 성질의 음양이 들어있다고 판단할 수 있다. 이것은 태극(有)에서 음양이 분화되고, 음양은 각각 다시 음양으로 분화되어 사상을 이루고, 또 사상은 다시 각각 음양으로 분화되어 팔괘를 이루는 것과 같은 원리로서, 음양이기의 대칭성을 벗어나서는 그 어떤 것도 존재할 수가 없기 때문이다. 아직 현대과학은 물질과 반물질 사이의 근본적인 대칭성을 정확하게 파악하고 있지는 못하지만, 역학적으로는 태극(有)과 반대의 개념으로 범주화할 수가 있을 것이다.

물질의 최소 단위인 원자는 '양성자(+), 중성자(0), 전자(-)', 즉 '陽中陰' 3개의 요소로 이루어져 있고, 이것을 괘상으로 치환하면 '天人地' 삼효로 구성된 괘체로 표상할 수 있다. 그리고 원자와 원자가 상호작용함으로써 형성하는 사물은 천지인 삼효가 상하로 중첩되어 육효로써 상호작용하는 64괘로 표상할 수 있다.

입자는 자갈처럼 구분되어 뭉쳐 있는 것이 아니라 입자이면서 동시에 파장으로 상호 연결되어 하나(一)로써 존재하는 유기적 일체의 생명을 의미한다. 음효와 양효도 각각 홀로는 존재할 수 없으며 어떤 의미도 부여될 수 없지만 상호작용을 통해 세 개의 효가 일체가 되어 하나의 괘를 세울 때 비로소 사물의 극성을 나타낸다. 이는 天地가 하나된 人, 陰陽이 하나된 中을 이룰 때 비로소 우주는 일체 생명(一)이라는 인문・철학적 의미를 갖게 된다는 것을 의미한다. 이것은 우주를 "분리된 부분들의 집합체라기보다 통합된 전체로 보는 전일적 세계관(holistic worldview), 또는 생태학적 세계관(ecological worldview)"[11]이라고 정의할 수 있다.

陽中陰으로 구성된 원자가 상호작용함으로써 분자라는 변화를 만들어내듯이, 天人地 삼효로 이루어진 소성괘는 상하로 중첩되어 상호작용을 함으로써 만물의 변화를 표상해 내는 것이다.

> 전자들은 전기적인 힘에 의하여 원자핵에 붙들어 매어져 있다. 원자핵은 양전기를 띠고 있으며, 음전기를 띤 전자들은 붙들어 매는 전기적인 힘에 의하여 둘러 쌓여있다. 이미 오래전에 원자핵 역시 그 자체가 하나의 합성체(보따리 구조)라는 것이 밝혀졌다. 원자핵은 두 가지 형태의 입자들로 구성되어 있다. 양전기를 띤 양성자와 전기적 중성인 중성자로 불리는 입자들이 그것이다. 양성자와 중성자는 둘 다 전자보다 1800배 정도 무겁다.[12]

그런데 과학의 진전에 따라 이러한 입자는 전혀 기본적인 것이 아니라 또

---

[11] 프리초프 카프라, 김용정・이성범 공역, 『현대물리학과 동양사상』, 범양사, 2017, p.408.

[12] 폴 데이비스, 류시화 역, 『현대물리학이 발견한 창조주』, 정신세계사, 2020, p.125.

다시 더 작은 입자들의 합성체(보따리 구조)를 이루고 있음이 밝혀지고 있다. 원자는 원자핵과 전자로 이루어져 있으며, 원자핵은 양성자와 중성자로 이루어져 있고, 양성자와 중성자는 각각 여러 개의 쿼크(quark)로 이루어져 있으며, 또한 앞으로 과학의 진전에 따라 더 깊은 미세의 영역에서 새로운 발견이 이루어질 수 있음도 간과할 수 없다.

이러한 미세입자들을 작동시키는 근본원리는 무엇일까? 그것은 바로 복잡한 초미세 영역인 원자 세계 이하의 기저에 있는 대칭성이다. 대칭성이 갖는 철학적 의미는 대립과 대대를 기본 원리로 하는 태극의 음양성이다. 폴 데이비스는 물질 내부작용의 비밀을 알려주는 대칭성의 신묘한 아름다움에 대해 "갈수록 대칭성이 밝혀짐에 따라 입자물리학자들은 태고적부터 원자 깊은 곳에 묻혀서 비밀로 남아있던 이러한 신비한 규칙성에 깊은 감동을 받게 되었다. 이제 그것들은 진보된 기술과 어지러운 도구들의 도움을 받아 처음으로 인간존재에 의하여 목격된 것이다."[13]라고 표현하고 있다.

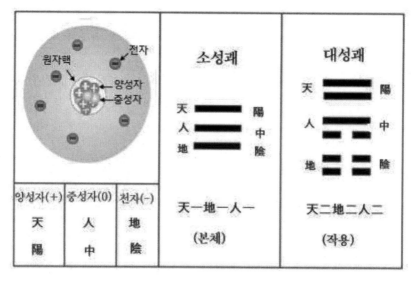

<원자와 괘상의 비교>

---

[13] 폴 데이비스, 류시화 역, 『현대물리학이 발견한 창조주』, 정신세계사, 2020, p.221.

괘상은 음기를 표상한 음효와 양기를 표상한 양효로 이루어져 있다. 즉, 음효와 양효로 만물의 근원인 원자를 표상한 소성괘(三爻)와 괘의 상하작용을 통해 만물의 작용과 변화를 표상한 대성괘(六爻)가 그것이다. 그러므로 6개의 효로 이루어진 64괘는 근본적으로 음양의 상호작용을 통해 변화하고 움직이면서 사물의 변화와 길흉을 드러내는 것이다.

4) 상호연결성

물질을 뚫고 들어가 보면 볼수록 자연은 어떤 독립된 기본적인 구성체를 보여주지 않고 오히려 전체의 여러 부분 사이에 있는 복잡한 그물(網)의 관계로 나타난다.[14] 즉, 물질의 구성요소들은 상호연결이 되어있으며 고립된 실체가 아니라 전체의 부분으로 나타난다. 즉, '부분과 전체'라는 관점에서 보면 부분은 전체를 구성하는 유기적인 존재로서 전일성의 현시가 된다. 양자론은 소립자들이 낱낱이 떨어진 물체의 알갱이들이 아니라 불가분해한 우주적 망(網) 속의 확률 모형이며 상호연결임을 밝히고 있다.[15] 즉, 아원자의 세계는 기본적으로 그물망처럼 상호연결이 되어있는 파동으로서 소립자는 나 홀로 존재할 수 없고 통일된 천체의 한 부분으로 상호작용함으로써 존재할 수 있을 뿐이다.

하나의 사물에 있는 두 가지 체는 기(氣)이다. 하나이기 때문에 신묘하고 (둘이 있기 때문에 헤아릴 수 없고), 둘이기 때문에 화한다 (하나에서 미루

---

14 프리초프 카프라, 김용정·이성범 공역,『현대물리학과 동양사상』, 범양사, 2017, p.98.

15 프리초프 카프라, 김용정·이성범 공역,『현대물리학과 동양사상』, 범양사, 2017, p.267.

어 행한다).[16]

　사물을 이룬 기는 음양 두 기로 분별되어 상호작용하면서도 또한 분리될
수 없는 하나의 체를 이루고 있다. 그러므로 모든 사물과 사건들은 상호 의
존적이고 분리될 수 없는 상호관계의 완전한 망을 이루고 있는 '불가분의 전
체'(the oneness)라 할 수 있다. 데이비드 봄(David Bohm)은 "따라서 세계
를 상호작용하는 개별 부분으로 나눌 수 있다는 고전적 관념은 근거도 의미
도 없다. 우리는 우주 전체를 단절이 없는 미분리된 전체로 보아야 한다. 입
자 아니면 입자와 장으로 분할하는 일은 조잡한 추상이나 근사일 뿐이다. 따
라서 우리는 갈릴레오나 뉴턴과는 뿌리부터 다른 질서, 미분리된 전체
(undivided wholeness)라는 질서에 이르렀다."라고 하고 있다.
　이러한 연결성은 멀리 떨어진 항성과 은하계들에 까지 우주 전체에 미치며, 그
리하여 미시적 세계뿐만 아니라 거시적인 세계에서도 우주의 근본적인 통일성으
로 나타난다.[17]

　　그리하여 현대물리학은-그것과 이번엔 거시적인 단계에서-물질적 대상은
　　뚜렷한 실체가 아니라 그 주위 환경과 불가분적으로 연결되어 있다는 것을,
　　즉 성질은 세계의 온갖 나머지 것과의 상호작용의 견지에서만 이해될 수 있
　　다는 것을 밝혀주었다. 마흐의 원리에 의하면 이러한 상호작용은 멀리 떨어
　　진 항성들과 은하계들까지 우주 전체에 미친다. 그리하여 미시적 세계뿐만
　　아니라 거시적인 세계에서도 우주의 근본적인 통일성이 나타난다. 이러한
　　사실은 현대 천체 물리학과 우주론에서 점점 더 분명해지고 있다.

---

[16] 張載, 『正蒙』, 「參兩」, "一物兩體 氣也, 一故神, (兩在故不測), 兩故化, (推行於
一)."

[17] 프리초프 카프라, 김용정이성범 공역, 『현대물리학과 동양사상』, 범양사, 2017,
P.274.

천문학자 프레드 호일(Fred Hoyle)의 말을 빌리면 이렇다.

　　오늘날에 있어서 우주론의 발전은 멀리 떨어진 우주의 부분들이 없다면
　일상적인 상황들은 지속될 수가 없다는 것을, 즉 만일 멀리 있는 우주의 부
　분들이 제거된다면 공간과 기하학에 관한 우리의 모든 개념은 완전히 소용없
　게 된다는 것을 강력하게 시사하기에 이르렀다. 우리의 일상적인 경험은 가
　장 미세한 부분에 이르기까지 우주의 대규모적인 현상과 매우 밀접하게 통합
　되어 있으므로, 그들을 분리시켜 생각한다는 것은 거의 불가능한 일이다.[18]

　이러한 인식의 확장은 '부분이 곧 전체가 되고, 전체는 부분에서 온전히
그 모습을 드러낸다'라는 유기적 동일체의 전일성으로 나타난다. 그러므로
이것은 부분을 알면 전체를 아는 일이관지(一以貫之)의 정신적 통찰을 경험
하는 철학적 논리로 귀결된다.
　카를로 로벨리는 그의 저서 『모든 순간의 물리학』에서 '우주 공간은 원자
핵 중에서 가장 작은 원자핵보다 수십, 수천억 배나 작은 아주 미세한 크기
의 공간원자로 이루어져 있으며, 그러므로 우주는 곧 공간원자 그 자체'라고
말한다. 즉, 우주는 양자(공간원자)가 그물망처럼 상호 연결된 전일적 하나
(一)라 할 수 있다. 자연은 기본적으로 상호연결이 되어있으며 서로 고리
(loop, 環)를 지어 공간의 흐름을 이어주는 관계 네트워크를 형성하고 있다.
　카를로 로벨리(Carlo Rovelli)는 루프양자중력이론(The Loop Quantum
Gravity Theory)에서, 현재 기술로는 측정할 수 없을 정도로 미세한 루프
(loop)가 양자를 고리(環환)지어 공간 네트워크를 형성하고 있다고 밝히고
있다. 공간은 공간양자(중력양자)로 이루어져 있는데 이 원자들의 크기는 원
자핵 중에서도 가장 작은 원자핵보다 수십, 수천억 배나 작은 아주 미세한

---

[18] 프리초프 카프라, 김용정이성범 공역, 『현대물리학과 동양사상』, 범양사, 2017,
P.274.

크기이며, 이 양자들을 연결시키는 매개체를 루프(loop), 즉 '고리(環)'라고 부르는 이유는 모든 원자가 고립되어 있는 것이 아니라 동기화된 다른 비슷한 것들과 '고리로 연결'되어 공간의 흐름을 이어주는 관계 네트워크(環存환존)를 형성하고 있기 때문이라고 하였다.

이에 따르면 '세상은 상호 연결된 사건들의 그물망'이며, 공간 자체가 곧 양자이므로 우주는 입자 간에 성립하는 상호작용들의 네트워크 그 자체라고 할 수 있다. 결국 우주는 입자들이 상호작용을 통해 관계 네트워크를 형성한 것이며, 만물은 상호 연결된 일체로써 공존하는 것이라 할 수 있다. 즉, "모든 존재가 경계나 나뉨 없이 흐르는 온전한 전체"[19]라 할 수 있는 것이다. 루프양자중력이론은 일반상대성이론과 양자역학을 결합하려는 시도에서 나온 것이다.

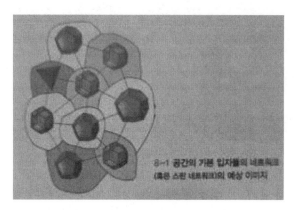

8-1 공간의 기본 입자들의 네트워크
(혹은 스핀 네트워크의 예상 이미지)

카를로 로벨리(Carlo Rovelli)는 『모든 순간의 물리학』에서 루프양자중력이론을 다음과 같이 알기 쉽게 설명하고 있다.

> 루프양자중력이론의 개념은 간단합니다. 일반상대성이론은 공간이 생기가 없는 딱딱한 상자가 아니라 무언가 역동적인 것이라 설명합니다. 말하자면 우리가 존재하는 이 공간이 유동성이 있는 거대한 연체동물과 같아서 압축이 될 수도 비틀어질 수도 있다는 것입니다. 한편 양자역학은 모든 종류의 장이 '양자로 이루어지고' 미세한 과립구조를 가지고 있다고 설명합니다. 그리고 물리적 공간 역시 '양자로 이루어져 있다'고 봅니다. 루프양자중력이론의 핵심은 공간은 연속적이지 않으며 무한하게 나누어지지도 않지만 알갱이

---

[19] 데이비드 봄, 이정민 역,『전체와 접힌 질서』, 도서출판 마루벌, 2010, p.219.

로, 즉 '공간원자'로 구성되어 있다는 것입니다. 이 원자들의 크기는 원자핵 중에서 가장 작은 원자핵보다 수십 수천억 배나 작은 아주 미세한 크기입니다. 루프양자중력이론은 수학적 형식으로 이러한 '공간원자'와 원자들 간의 진화를 정의하는 방정식을 설명합니다. '루프(loop)', 즉 '고리(環)'라고 부르는 이유는 모든 원자가 고립되어 있는 것이 아니라 다른 비슷한 것들과 '고리로 연결'되어 공간의 흐름을 이어주는 관계 네트워크를 형성하기 때문입니다. 그렇다면 이 '공간양자'들은 어디에 있을까요? 어느 부분에도 없습니다. 양자들은 그 자체가 공간이기 때문에 공간 속에 있지 않습니다. 공간은 각각의 양자들을 통합하여 만들어집니다. 이렇게 되면 다시 한 번 세상은 단순한 물체가 아닌 어떠한 '관계'처럼 보이게 됩니다.[20]

천지인의 작용과 변화를 일으키는 동력원으로서의 음양은 동일체의 서로 다른 양면이며, 전체적으로는 하나의 통일체(태극)를 이루고 있다. "대극(對極)이란 그저 하나의 과정에 대한 두 개의 다른 이름일 뿐"[21]인 것이다. 즉, 모든 자연현상은 대대(對待)하는 음양의 상호작용에 따른 산물에 지나지 않는다. 대립적인 것은 상호 의존성이며, 이것은 상대가 없으면 나도 존재할 수 없는 대대의 원리로 표출된다.

카를로 로벨리(Carlo Rovelli)는 그의 저서에서 사물이란 "대상의 모든 특성은 오직 다른 대상과의 관계에서만 존재한다. 자연의 사실들은 오직 관계 속에서만 그려지는 것이다. 양자역학이 기술하는 세계에서는 물리계들 사이의 관계 속에서가 아니고는 그 어떤 실재도 없다. 사물에 있어서 관계를 맺게 되는 것이 아니라 오히려 관계가 '사물'의 개념을 낳는 것이다. 양자역학의 세계는 대상들의 세계가 아니다. 그것은 기본적 사건들의 세계이며, 사물

---

20 카를로 로벨리, 김현주 역, 모든 순간의 물리학, ㈜쌤앤파커스, 2016, pp.81-81.
21 켄 윌버, 김철수 역, 『무경계』, 정신세계사, 2022, p.63.

들은 이 기본적인 '사건들'의 발생 위에 구축되는 것이다."[22]라고 설명하고 있다. 즉, 모든 사물과 이치는 '상대적 관계성'으로 존재하는 것이며, "궁극적인 실재란 대극(對極)이 통일된 상태"[23]를 의미하는 것이다.

5) 원자와 괘상의 물리학적 공통성

만물의 근원에는 음양의 대칭성이 존재하며, 이는 우주 만물을 생성하는 근원적인 작용원리가 된다. 양성자(+)와 중성자(0), 전자(-)로 구성된 미시세계의 원자는 음양의 상호작용으로 형성되며, 음효(--)와 양효(—)는 상호작용을 통해 만물을 표상한 천지인 삼효를 구성한다. 원자가 양성자(陽), 중성자(中), 전자(陰)로 구성되어 있듯이, 괘도 天(陽)·人(中)·地(陰)로 구성된다. 그러므로 성인이 만물을 본떠 만든 괘상과 물상의 근원적인 형태는 그 구성과 형태에 있어 논리성이 일치한다고 볼 수 있다.

원자가 상호작용으로 어떤 특정한 물질을 생성해내는 것은 원자의 어떤 특성 때문일까? 원자가 모여 생성된 분자는 어떻게 각각의 특성을 가진 개체로 형성되는 것일까? 어떤 것은 사람이 되고, 또 어떤 것은 원숭이가 된다. 어떤 유형의 성질이 모여 동물이 되고 식물이 되며 바위가 된다. 미시계의 원자가 거시계의 물질을 이루면서 어느 시점에서 사물 개체의 특성이 형성되는 것인지 아직 과학적으로 증명된 바는 없다. 폴 데이비스(Paul Davis)는 "독특한 성질은 전체의 형태 속에서 발견되는 것이지 낱낱의 구성요소 속에서 발견되는 것이 아니다. 이와 마찬가지로 생명의 비밀은 개개의 원자들 속에서는 발견되지 않으며, 그것들의 결합 형태, 즉 분자 구조 속에 암호화된 정보에 따라 그것들이 합쳐지는 방식 속에서만 발견될 것이다."[24]라고 하고 있다.

---

[22] 카를로 로벨리, 김현주 역, 모든 순간의 물리학, ㈜쌤앤파커스, 2016, p.136.

[23] 켄 윌버, 김철수 역,『무경계』, 정신세계사, 2022, p.57.

[24] 폴 데이비스, 류시화 역, 『현대물리학이 발견한 창조주』, 정신세계사, 2020, p.105.

떠다니는 기(氣)가 얽히고 뒤섞여, 합하여 질(質)을 이룬 것이 각양각색의 사람과 품물(品物)을 낳는다.[25]

미시세계의 소립자들은 서로 비슷한 유형끼리 고리(環, loop)지어 연결됨으로써 상호관계망 속에 존재한다. 「계사전」은 "비슷한 기운을 가진 유형은 서로 같은 방향으로 모이고, 사물은 무리별로 나뉜다."라고 하여, 생명이 생성되는 이치를 개략하고 있다. 이는 유유상종(類類相從)으로 정의할 수 있는데 방이유취(方以類聚)는 미시계의 원자들이 서로 유사한 기운으로 집중되어 서로 다른 유형으로 응결되는 것을 의미하고, 물이군분(物以群分)은 원자들이 응결되어 이루어진 물질들이 각각의 이치를 따라 무리를 지어 나뉨으로써 물질의 특성이 되는 것을 의미한다. 거시계에서는 고유한 물질의 특성을 가진 개체들은 종족으로 모이고 그 구성원들은 비슷한 기운, 비슷한 성향끼리 무리를 지으며 유유상종하니, 이는 만물의 근원적인 속성이라 할 수 있다.

유유상종은 상호작용을 통한 음양불측(陰陽不測)한 신묘한 원리로써 개체를 구성하는 이치를 정의한다. 사물은 상호작용을 통한 신묘한 이치로 원자와 원자가 결합함으로써 비로소 개체의 특성을 갖는 전체 시스템을 갖는다. 음양의 상호작용에 내재한 신묘한 이치 없이 원자를 벽돌처럼 하나 하나씩 쌓아 올린다고 해서 생명이 내재된 원자들의 집합이 되지는 않는다. 「계사전」은 이 신묘한 이치를 "陰陽不測之謂神음양불측지위신"이라고 정의하고 있다.

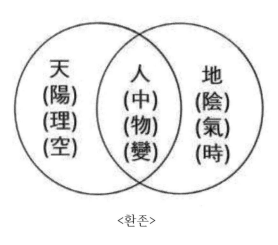

<환존>

---

[25] 張載, 『正蒙』, 「太和」, "游氣紛擾合而成質者, 生人物之萬殊."

음과 양, 원자와 원자, 개체와 개체, 무리와 무리, 행성과 행성 간의 상호 작용 없이 우주는 존재하지 않는다. 우주는 부분과 전체가 만유인력(중력)으로 서로 복잡다단하게 연결되어 상호작용을 일으키며 역동적인 관계망을 형성함으로써 서로 고리(環) 지어 상호 의존하는 '환존(環存)'으로써 존재한다.

> 이러한 세계에서는 '소립자' '물질적 실체' 혹은 '독립된 물체'와 같은 고전적 개념들은 그 의미를 상실하고 만다. 전 우주가 따로 떼어질 수 없는 역동적인 에너지 모형들의 역동적인 그물(網)로서 나타난다. (……) 그것들 입자의 속성들은 그 활동-주위 환경과의 상호작용-의해서만 이해할 수 있으며, 그러므로 그 입자는 독립된 실체일 수가 없고 전체의 통합된 부분으로서 이해되어야 한다는 것을 보여준다. [26]

무극에서 기운이 움트고 음양이 작용하는 순간 무극은 태극으로 전환된다. 태극은 그 자체가 음양의 작용을 의미하고, 음효(--)와 양효(-)는 상호작용을 통해 상을 드러내니, '실제 작용하는 태극'인 중앙의 五土〔황극〕가 사상(四象)을 돌려 8개의 극성을 가진 형상〔八卦〕을 펼쳐낸다. 음양의 작용으로 드러낸 상은 5土를 포함하여 木火土金水 다섯 개의 상을 의미하는데 이는 만물의 근원적인 특성, 즉 물성(物性)을 의미한다.

목(木)은 음기에서 양기가 터져 나오며 질풍노도처럼 생장하는 기운을 가진 물성을 의미하고(☳), 화(火)는 음기를 중심으로 양기가 질서 있게 펼쳐진 상으로서 내부중심에 음기가 저장된 물성이며(☲), 금(金)은 양기를 수렴하는 기운으로서 음기가 양기를 포장하는 기운의 물성이고(☱), 수(水)는 외부에 음기가 펼쳐진 상으로서 내부 중심에 양기가 저장된 물성을 의미한다(☵). 토(土) 중의 곤토(坤土)는 음기가 가득한 모태의 상으로 내부에 양기를 받아드려 숙성시키는 기운의 물성이고

---

[26] 프리초프 카프라, 김용정·이성범 공역, 『현대물리학과 동양사상』, 범양사, 2017, p.112.

(☶), 간토(艮土)는 잠자고 있는 양기를 깨우는 기운으로서 음기를 종식시키고 양기를 시작하게 하는 종시(終始)의 기운이다(☶).

이것을 방이유취(方以類聚)로 설명하면 목은 동방이요, 화는 남방이고, 금은 서방이며 수는 북방의 물성을 지녔다. 그리고 토는 가운데에서 木火金水와 작용하는 중토(中土)로서 중화적 물성을 지녔다.

음양에서 사상이 나오고, '작용하는 태극'인 황극(土)이 사상을 만나 오행작용으로 8개의 극성을 가진 만물의 형체(八卦)를 펼쳐낸다. 음양의 상호작용으로 象(사상)이 맺히고, 오행작용으로 形(팔괘)을 드러내는 것이다. 목화토금수 다섯 개의 상은 물질의 상으로서 만물의 특성을 규정한다.

음양이 五土를 포함하여 다섯 개의 상을 드러냄으로써 8개의 극성인 팔괘를 펼쳐낸 것이 만물만상이다. 「계사전」에서는 이를 "在天成象 在地成形"이라 정의하고 있다.

음양은 창조의 근원에서 만물을 작동시키는 초대칭성인 플러스(+) 마이너스(-) 전기력으로 이해할 수 있다. 음양은 만물의 생화시스템인 오행을 작동시킴으로써 다양한 형체, 즉 팔괘를 드러낸다. 그리고 8괘를 서로 중첩시켜 중괘(重卦)를 이룸으로써 64괘의 상하작용(상호작용)을 통해 만물의 작용과 순환을 표상하는 것이다.

"낱낱의 알맹이들이 모여 하나의 시스템을 이룰 때, 그 알맹이 하나하나에서는 찾아볼 수 없는 독특한 성질을 전체 시스템은 갖게 된다. 이 독특한 성질은 낱낱의 구성성분의 차원에서 볼 때는 의미가 없다."[27] 즉, 음효(--) 따로, 양효(—) 따로 개체일 때는 아무런 의미가 없는 것이 서로 모여 괘체를 이룰 때는 독특한 성질을 가진 시스템을 이루게 된다. 음효와 양효가 서로 모여 삼효를 이루면 괘체가 되어 자기만의 물성(物性)이 내재된 특성을 드러

---

[27] 폴 데이비스, 류시화 역, 『현대물리학이 발견한 창조주』, 정신세계사, 2020, p.105.

내는 것이다. 유사한 성질의 원자들이 상호작용을 통해 '자발적 자기 조직화'
로써 질서(理)를 세워 나가는 것이 곧 사물이며, 이것이 팔괘로 표상되는 것
이다. 인간은 미시세계를 인식하거나 느낄 수 없으므로 팔괘라는 도구를 통
하여 미시와 거시를 통찰할 수 있는 능력을 갖추게 된다.

　원자의 상호작용으로 형성된 물질에 생명이 내재하기 시작하고, 어느 순간 생명의
주체적 자아가 성립됨으로써 개체화된 존재로 발현하게 된다. 주체적 자아(특성)는 개
체의 주인으로서 관리자, 운전자의 소임을 하게 된다. 주체적 자아란 생물이나 무생물
에 관계없이 물질의 자기다운 특질, 즉 자기동일성(identity)을 의미한다.

　만물의 근원인 원자를 본떠 만든 소성괘는 천인지 삼재로 그 특성이 개념
화되어 8괘로 범주화된다. 원자가 상호작용으로 다양한 사물을 생출하듯이,
괘도 상하작용(상호작용)으로 만물의 다양한 변화를 드러낸다. 시간의 흐름
에 따른 괘효의 변화는 시공의 변화를 의미하며, 이는 곧 물질의 변화를 표
상한다. 그러므로 여섯 개의 효로 이루어진 64괘의 작용을 분석함으로써 만
물의 변화와 이에 따른 길흉·득실을 예측할 수가 있게 되는 것이다.

14. 시공간(時空間)으로 연결된 괘상[28]

　현대물리학에 따르면, 우주는 독립된 개체들의 모임이 아니라 개체들이 전일적 관계성으로 연결된 그물망에서 상호의존하며 하나로 통합되어 전체를 이루고 있는 동일체라 할 수 있다. 장재(張載)는 이것을 "홀로 고립되어 존재하는 이치를 가진 사물은 없다(物無孤立之理)"라고 하여 '상호관계성'을 사물의 존재 원리로 규정하고 있다. 즉, 만물은 상호대립하면서도 대립자가 없으면 나도 존재할 수 없는 상호의 존성을 기본원리로 한다. 그러므로 내가 생존하기 위해서는 상대와의 공존은 필수적이라 할 수 있다.

　　홀로 고립되어 존재하는 이치를 가진 사물이란 없다. 동이(同異)와 굴신(屈伸), 그리고 시종(始終)으로써 이를 드러내지 않는 사물이 있다면, 설령 그런 사물이 있다 하더라도 그것은 진정으로 존재하는 사물이 아니다.[29]

　우주를 8개의 극성으로 범주화하여 부호로써 표상한 것이 「선천복희팔괘도」이다. 여덟 개의 괘는 나름의 수리적 이치를 가지고 '乾☰(1) - 兌☱(2) - 離☲(3) - 震☳(4) - 巽☴(5) - 坎☵(6) - 艮☶(7) - 坤☷(8)'이라는 순서로 배열되고 있으며, 일반적으로 설명되고 있는 팔괘도는 평면적으로 구성이 된 것이다. 우주를 하나의 기물(器物)이라고 한다면 복잡다단한 우주의 속성을 간략하게 범주화한 8괘는 우주라는 기물을 구성하는 필수구성요소라 할 수 있다.

---

[28] 박규선, 『양자물리학과 주역』, 부크크, 2024, p.251-261.
　　박규선, 『易學의 中和論 연구』 -易理와 量子物理를 중심으로-, 동방문화대학원대학교 박사학위논문, 2023.
[29] 張載, 『正蒙』, 「動物」, "物無孤立之理, 非同異屈伸終始以發明之, 則雖物非物也."

1) 팔괘가 표현하는 우주의 기하학적 모형

우주를 구성하는 팔괘 중 어느 하나라도 누락이 된다면 우주라는 본체는 형성되지 않는다. 음과 양이 상호대립하면서도 의존하며 합일을 통해 천지에 물상을 세우는 것은, 음괘와 양괘로 상호대립하면서도 의존하며 합일을 통해 천지에 괘상을 구성하는 공존의 이치와 서로 같다. 서로 대립·상충하면서도 내가 존재하기 위한 필수적 전제조건으로 대립자를 인정함으로써 상호의존하지 않으면 양자는 상호 존재할 수 없다. 그러므로 대립은 상대를 배척하여 소멸시키고자 하는 충돌이 아니라 상호공존을 목적으로 중화를 이루기 위한 상호작용의 필수적 전제조건인 셈이다.

8괘도는 괘상을 평면적으로 펼쳐 놓은 원도이지만 우주입체 공간을 표상한 것이므로 입체적으로도 표현할 수가 있다. 소성괘의 3효는 가로·세로·높이로서 3차원 공간을 의미하며, 소성괘가 상·하로 중첩하여 구성된 대성괘는 공간을 채우는 6면체를 상징하는 6개의 효로 구성되어 만물의 작용을 표상한다.

가로와 세로가 만나면 면을 이루고, 높이가 추가되면 공간이 만들어진다. 공간이란 세 개의 선이 만나는 지점, 즉 공간을 형성하는 8개의 꼭지점(공간)과 꼭지점을 연결하는 12개의 선(시간)이 만나 6개의 면을 이루면서 6면체라는 변화(작용)를 만들어낸다.

괘상은 天人地라는 3개의 효로 구성된다. 평면도에 배치된 8괘를 우주 공간을 표현한 6면체에 배치하여보자. 그러면 3개의 선이 만나는 꼭지점이 3효로 이루어진 괘상이 되며, 8개의 꼭지점은 우주 만물을 8개의 극성으로 범주화시킨 8괘가 된다. 입체적인 「선천복희팔괘도」는 8꼭지 6면 12선으로서 상호네트워크로 연결된 6면체의 도형에 배치할 수가 있으니, 이로써 우주 만물이 유기적 일체를 이루는 '총체적 하나'임을 설명할 수가 있다.

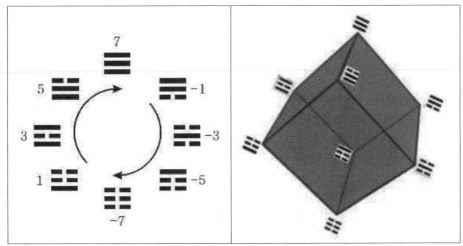

<복희팔괘도의 평면도[30]와 입체도[31]>

3선: 3개의 선은 天人地 3효를 의미한다. 3개의 선이 만나 꼭지점(공간)을 이루니 공간을 구성하는 괘가 되며 모두 8개의 꼭지점(8괘)을 만든다.

8꼭지점: 8개의 꼭지점은 3개의 선(天人地)이 만나 합일되는 지점으로서 소성괘가 되며 8괘를 이룬다. 8괘는 우주 본체를 상징하며 시공간(時空間)을

---

[30] 소옹(邵雍)의 加一倍法(2진법)의 원리: 복희팔괘도는 양의 관점인 天易으로서, 위에서부터 아래로 2진법으로 측정하여 그 수가 큰 순서대로 나열한 괘도이다. 즉, 복희팔괘도는 음효를 0으로 놓고 양효를 (+)로 하여 2진법으로 측정한 것이다. 본 그림의 數는 음양이 동등하다는 一陰一陽之謂道의 관점으로 양을 (+), 음을 (-)로 설정하여 2진법으로 측정한 것이다. 예를 들어 兌卦 ☱는 위에서부터 (-1, +2,+4)가 되어 합이 +5가 되고, 巽卦☴는 (+1, +2, -4)가 되어 합이 -1이 된다.

[31] 6면체에 팔괘의 배치원리: 12개의 선은 한 번의 爻變을 의미한다. 그러므로 건괘☰에서 한 번의 효변은 兌☱·離☲·巽☴괘가 되고, 두 번의 효변은 두 개의 선을 건너뛴 震☳·艮☶·坎 ☵괘가 되고, 3번의 효변은 선을 세 번 건너뛴 坤☷괘가 된다. 즉, 乾卦의 3爻가 모두 三變하면 坤卦가 되는 것이다.

구성한다.

6면: 6개의 면은 6효를 상징한다. 6개의 효가 64괘의 변화(작용)를 만든다. 8개의 꼭지점(8괘)이 12선으로 연결되어 6개의 면을 만들어내니 입체 공간 (6효)의 변화, 즉 만물의 작용을 표상한다.

12선: 8개의 꼭지점인 8괘를 연결하는 선은 12개이다. 12는 사시 순환(12개월) 을 의미하며 시간은 12개의 선을 따라 흐른다. 효는 12선을 따라 움직이며 이합 집산을 거듭하고 서로 작용하면서 변화를 일으킨다.

모두 384개의 효가 64개의 괘를 만들어낸다. 8괘가 12선을 따라 상호중첩함으로써 64개의 대성괘를 만들어내듯이, 384효도 12선을 따라 순환하며 서로 작용하면서 괘를 구성해간다.

즉, 시간과 공간은 서로 분리된 것이 아니라 일체로서 우주 만물을 이룬다. 우주는 구성요소 하나하나가 그물망으로 연결되어 상호작용하지 않음이 없으니, 양자역학적 관점이나 불교의 인연법 또한 그렇다. 내(一爻)가 변하면 우주(一卦) 가 변하하는 것이니 우주와 나는 일체로서 본래 하나이기 때문이다.

장재(張載)는 "만물이란 본래 하나"라고 하여 "하늘과 사람은 서로 일물(一物)" 라 정의하고 있다. 이는 "하나의 작은 티끌 속에 우주가 있고, 모든 티끌도 역시 그러하다."라는 신라의 고승 의상(義湘)의 말처럼, '티끌과 우주는 둘이 아니라 하나이니 티끌 하나가 변하면 우주가 변한다'라는 이치와 다름없는 것이다.

> 이것이 있으므로 저것이 있고, 이것이 생기므로 저것이 생기며, 이것이 없
> 으므로 저것도 없고, 이것이 없어지므로 저것도 없어진다.[32]

---

[32] 『華嚴經』, "此有故彼有, 此起故彼起, 此無故彼無, 此滅故彼滅."

384효의 이합집산을 통해 사물의 극성(3효)이 괘상(8괘)으로 범주화되고, 극성 간에 상호작용이 일어나 물상(6효)의 변화가 일어난다. 384효는 우주를 구성하는 기본요소이다. 그러므로 그 중에 하나가 변하면 우주 전체가 변한다. 즉, 내가 변하면 우주가 변하는 것이니, 존재하는 숫자 중에 어느 하나라도 **빠지면** 수리(數理)는 완성되지 않는다.

64괘: 8개의 괘상이 12선을 따라 순환하며 상호작용을 일으키니, 만왕만래하면서 64괘로 표상되는 만물만상의 변화를 일으키며 끝없이 순환한다. 하나(一)에서 묘한 이치로 8괘 64괘 384효가 펼쳐져 한없이 가고 오며 끝없이 순환하며 변화하지만 하나(一)라는 근본, 즉 태극은 변함이 없는 것이다.

팔괘도의 12선을 따라 흐르는 모든 변화는 8꼭지 6면 12선으로 구성된 6면체라는 시공간에서의 변화이다. 모든 변화는 결국 태극이라는 하나(一)를 벗어나지 않는 것이니, 왕부지(王夫之)의 말처럼 본래 만법(萬法)은 하나(一)를 이루고 있기 때문이라고 할 수 있다(萬法一致).

공간이 존재하면 시간이 흐른다. 시간이 흐름으로써 공간이 존재한다. 양자역학적 관점에 따르면 시공(時空)은 양립하는 존재가 아니라 하나(一)로써 존재한다. 8괘가 우주 공간을 형성한다면 시간은 12선을 따라 흐르며 만물의 변화를 만들어낸다. 공(空)이 天(陽)이라면 시(時)는 地(陰)로서 人(中)을 생화하는 기본 질료라 할 수 있으니, 시간이 흐름에 따라 만물은 천변만화하며 천태만상[人中]을 만들어내는 것이다.

2) 관계망으로 연결된 일체

우주 공간〔육면체〕에 입체적으로 배치된 8괘는 6면과 12선으로 연결이 되어있다. 이것을 통해 우주 삼라만상은 6효로써 天地人이라는 기둥〔공간〕을 세우고, 12개월〔시간〕이라는 빠져나갈 수 없는 촘촘한 그물망(network)으로 상호연결됨으로써 하나의 유기체적 일체를 이루고 있음을 알 수 있다.

『주역』은 "천지가 사귀니 만물이 통한다."라고 하여 건곤(乾坤)이 상호작용을 통해 만물의 변화를 일으키는 것을 통태(通泰)라 하고 있다. 통태란 천지가 상호작용하여 만물을 내는 가장 최적의 상태를 말한다.

정이(程頤)는 이것을 "천지·음양의 기운이 서로 사귀어 만물이 통(通)하니 태(泰)를 이룬다."라고 해석하여, 천지 음양이 서로 교감과 교합의 과정을 거쳐 시의적절하게 다양한 만물을 생화하는 것이라 정의하고 있다. 이는 태극(一)을 품은 만물의 극성, 즉 만물의 씨앗이 되는 팔괘가 서로 대립하고 교감하는 교합의 과정을 거쳐 중화를 이루어가는 과정에서 만물이 나오는 것임을 의미한다.

> 문을 닫는 것은 곤(坤)이고, 문을 여는 것은 건(乾)이다. 한번 닫혔다 열렸다 하는 것이 바로 변화이니, 가고 오는 것이 다함이 없는 것을 통(通)이라 한다.[33]

장재(張載)는 "만물은 혼자 고립되어 존재하는 이치란 없다(物無孤立之理)"라고 하면서 "같음과 다름, 굽어짐과 펴짐, 끝과 시작으로써 그것을 발하여 밝히지 않으면 비록 物이라도 참된 物이 아니다."라고까지 논리를 전개하고 있다. 이것은 대립하면서도 상호의존관계에 있는 팔괘가 서로 연결됨으로써 감통(感通)하면 상호작용이 일어나 만물이 생하고, 연결이 끊어져 불통(不通)

---

[33] 『周易』, 「繫辭傳上」 第10章, "闔戶謂之坤, 闢戶謂之乾, 一闔一闢謂之變, 往來不窮謂之通."

이 되면 멸한다는 것을 말한다. 통(通)이란 중화로 가는 길이며 생과 멸이 통하는 문이니, 통하면 생이고 불통이면 멸이다. 즉, 천지인이 그물망으로 연결되어 전일성이 되면 '환존(環存)'으로 생이 되고, 서로를 연결하는 관계망이 끊어지면 '독존(獨存)'으로 멸이 되는 것이다. 닐스 보어(Niels Bohr)의 말을 빌리면 "독립된 물질적 입자들이란 추상물로서 그들의 속성은 다른 체계들과의 상호작용을 통해서만 정의될 수 있고 관찰될 수 있는 것이다."

만물은 홀로 존재할 수 있는 이치란 없다. 서로 대립상충으로 부딪히고 모순의 상쇄과정을 거치면서 합일을 통해 새로움을 만들어내는 것이 만물의 근원적 원리이기 때문이다. 상반된 대립인자인 음양이 대립과 상호작용을 통해 만물의 극성인 팔괘를 생하고, 팔괘는 서로 대립과 상호작용을 통해 64괘라는 만물의 다양한 양태를 생출하듯이, 우주 만물은 상호 연결된 우주적 망 속에서 상충하면서도 대립자가 없으면 나도 존립할 수 없는 상호의존성으로 존재하는 것이다.

6효로 구성된 64괘는 천차만별, 만물만상을 표상한다. 괘상 하나하나, 괘효 하나하나가 만물의 다양한 양태와 작용을 가리킨다. 괘상은 기본적으로 대립인자인 음효와 양효로 구성된 天人地가 합일된 삼효의 형태를 취하고 있다.『주역』은 이것을 "육효의 동함은 삼극의 도이다."라고 정의함으로써, 각각 일태극(一太極)을 갖추고 있는 天一地一人一 삼재가 상호관계망으로 연결되어 삼태극(三太極)을 표상하는 것이라 하였다.

六爻는 初와 二는 地가 되고, 三과 四는 人이 되고, 五와 上은 天이 된다. 동(動)은 곧 변함이고 극(極)은 지극함이니, 삼극(三極)은 천지인의 지극한 이치이니, 삼재(三才)는 각기 일태극(一太極)을 갖추고 있다.

<천지인 삼재>

모든 만물은 서로 아무런 관계없이 개별적인 개체로서 존재하는 것이 아닌 상호 의존적인 개체로서 유기적 총체를 이루어 하나(一)로써 존재한다. 그러므로 우주를 구성하는 모든 사물과 사건들은 상호 의존적이며 분리될 수 없는 상호관계의 완전한 망을 이루고 있는 '불가분의 전체(the oneness)'라 정의할 수 있다.

천지의 모든 움직임은 항상 하나(一)로 귀일된다.[34]

즉, "우주는 만물만상이 제각기 '독존(獨存)'하는 것이 아니라 서로 고리(環)를 이루어 전일성으로 존재하는 '환존(環存)'이라 정의할 수 있다." 그러므로 어떤 사물이나 현상도 밖으로 드러난 개별적인 모습과는 달리 자신과 상반된 사물이나 현상들과 상호 긴밀히 관계하면서 더불어 존재하는 것이다.

---

[34] 『周易』, 「繫辭傳下」 第1章, "天下之動, 貞夫一也."

제 2 부

주역원리강해

(上)

세상을 여는 열쇠

1. 重天乾_{중천건}

天☰乾
天☰乾

▶효변(爻變)

과거	미래	현재
☰+7 ⟹	☰+7	☰+7
		☰+7

上下작용력: (+7)-(+7)==0

上下균형력: (+7)+(+7)=+14

乾 元 亨 利 貞

彖曰 大哉乾元 萬物資始 乃統天 雲行雨施 品物流形 大明終始 六位時成

時乘六龍以御天 乾道變化 各正性命 保合太和 乃利貞 首出庶物 萬國咸寧

象曰 天行健 君子以自强不息

初九 潛龍勿用

九二 見龍在田 利見大人

九三 君子終日乾乾 夕惕若 厲无咎

九四 或躍在淵 无咎

九五 飛龍在天 利見大人

上九 亢龍有悔

用九 見羣龍无首 吉

1. 괘상(卦象)

건(乾☰)은 광대무변한 우주에 가득한 강건한 대양(大陽)을 상징한다. 천하 만물에 깃든 생명지기로서 리(理)가 되고, 곤(坤☷)은 만물을 키우는 기(氣)가 된다. 乾☰理은 무소부재하며 천지에 꽉 들어찬 순양(純陽)이니, 행하나 행함이 없는 무위(無爲)이고, 모든 만물에 생명이 깃들게 하는 창조지기로서 坤☷氣을 만나 형상(物)을 이룬다.

☞하나(一)에서 비롯되다.

근원적 실재인 하나(一)에서 음양(二)이 일어나면서 양은 체[空]가 되고, 음은 용[時]이 되어 상(變)를 일으킨다. 理[體]는 氣[用]와 더불어 시간의 흐름에 따라 조화를 이루니 비로소 物[象]이 일어난다. 기(氣)는 물(物)을 만드는 질료로서 시(時)에 따라 작용하니 물(物)은 리(理)가 기(氣)라는 옷을 입은 형상(象)이다. 그럼으로 상(象)의 근원으로 들어가 보면 음양의 모체인 태극(一)이 보이니 궁극적으로 하나(一)가 상(三)을 입어 그 모습을 드러낸 것이기 때문이다.

하나(一)가 천지인 삼극으로 펼쳐저 만왕만래(萬往萬來)하며 용변(用變)하지만 하나(一)라는 근본은 변함이 없다. 천부경은 이를 "一妙衍萬往萬來用變不動本일묘연만왕만래용변부동본"이라고 명쾌하게 정의를 내리고 있다.

텅 비어 있으나 결코 없음이 아니니 공즉묘유(空即妙有)라. 색(色)인즉 공(空)이요, 공(空)인즉 색(色)이로다(色卽是空 空卽是色색즉시공 공즉시색).

▶환존(環存): 참여하는 우주 네트워크시스템

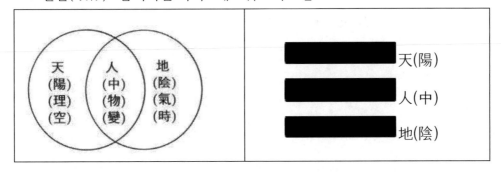

昻明 人中天地一

빛에 오르라. 人은 中이니 天地가 하나(一)됨이라. 내(人)안에서 天地가 하
나(一)되리라.   /천부경

太極 (一)		天一	陽	體	空	理	父	一
		人一	中	象	變	物	子	三
		地一	陰	用	時	氣	母	二

▶一析三極 (소성괘, 8괘도의 구성원리)

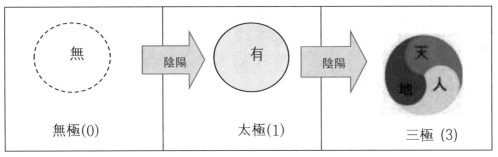

無極(0)	太極(1)	三極 (3)

하나(一)는 그 속성이 天地人(三) 삼극이다. 하나(一)는 음양(二)이 작용하
면서 천지인 삼극(三)을 펼쳐낸다. 天은 하나(天一)요, 地도 하나(地一)요, 人
도 하나(人一)이니 삼신일체의 도로서 궁극적으로 그 본체는 하나(一)가 된

다. 그러므로 하나(一)의 속성이 곧 삼극(三極)이며, 이를 天一地一人一이라
한다. 이것을 효(爻)로 그려낸 것이 삼효(三爻)이며, 天地人 만물을 표현한다.
천지인 삼극(三極)이 삼효로 표상되어 천지운행을 표현하니 곧 우주 본체인
팔괘(八卦)가 된다.

▶大三合六 (대성괘, 64괘의 구성원리)

태극(一)에 음양(二)이 있다는 것은 곧 태극의 속성인 천지인(三)에도 각각
음양(二)이 있음을 의미한다. 즉, 天一에도 음양(二)이 있고, 地一에도 음양
(二)이 있으며, 人一에도 음양(二)이 있어 만물(三)의 화생(化生)을 일으키니
天二三 地二三 人二三이다. 天二地二人二의 작용이 三合하면 六이 되고, 이
六으로써 천지의 화육에 참여하며 도우니 大三合六生七八九가 된다. 그래서
六生은 천지만물의 변화 작용을 표시하는 대성괘 6효로 나타난다. 계사전은
이를 六爻之動 三極之道也라 표현하고 있다. 6개의 효가 움직여 만물의 작
용과 변화를 표현하니 그 수가 64개의 괘상이 되며, 그 효의 수는 384효가
된다.

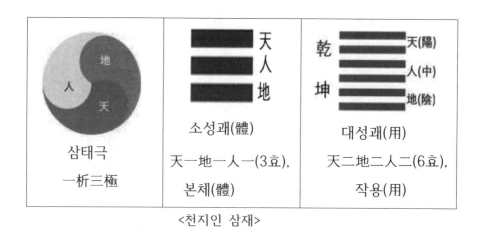

<천지인 삼재>

天二地二人二 6효가 生七八九하니, 이는 태극의 속성인 天一地一人一(體)
이 天二地二人二(用)의 작용으로 구체적 형상인 天三地三人三(象)으로 발현

되어 천지인을 완성시키는 것을 의미한다. 천지인이 合六하여 작용하니, 天一은 天七로서 완성되고, 地一은 地八로 완성되며, 人三은 人九로서 완성된다. 七八九가 합하면 24수가 되니, 8괘도를 구성하는 24효의 수가 되고, 사시사철을 순환하며, 생장수장(生長收藏)의 이치를 펼치는 24절기가 된다.

☞ 哉: 어조사 재/ 乾: 하늘 건, 마를 건/ 元: 으뜸 원, 처음 원(첫째, 천지의 큰 덕, 만물을 육성하는 덕, 근본, 근원, 크다, 아름답다)/ 資: 바탕 자, 재물 / 統: 거느릴 통/ 施: 베풀 시/ 品: 물건 품(등급, 품격, 품계)/ 流: 흐를 류/ 形: 모양 형, 형상 형/ 乘: 탈 승, 오를 승/ 龍: 용 용(룡)/ 御: 거느릴 어, 통솔할 어/ 變: 변할 변/ 庶: 여러 서/ 咸: 모두 함, 다 함/ 寧: 편안할 영(녕)/ 健: 굳셀 건/ 息: 쉴 식, 호흡할 식

2. 괘변(卦變)

▷호괘, 착종괘, 도전괘 — 重天乾

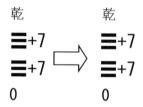

乾   乾

☰+7   ☰+7
☰+7   ☰+7
0   0

하늘은 내부를 보아도 같고 외부를 보아도 똑같다. 거꾸로 보아도 같으며, 앞뒤를 바꾸어도 똑같다. 만물의 생기(生氣)가 되니 곤(坤)이 품어 낳아 기른다. 같은 기운이 천하를 가득 채우니 작용력이 제로(0)이며, 균형력은 +14로 최고점이다.

▷배합괘 — 重地坤

乾   坤

☰+7   ☷−7
☰+7   ☷−7
0   0

천기(天氣)는 지기(地氣) 속에 들어가 만물의 생기(生氣)가 된다. 배합하면 重地坤이다.

3. 괘사(卦辭)

乾 元 亨 利 貞

건 원 형 이 정

乾은 元하고 亨하며 利하고 貞하도다.

춘하추동 시간의 흐름에 따라 생장수장의 이치로 만물이 순환하니 이를 원형이정의 도로 설명한다. 봄은 천지의 기운을 받아 만물이 시작하는 원(元)이요, 여름은 만물이 장성하는 형(亨)이며, 가을은 만물이 품은 양기를 수렴하여 이로움(利)을 거둬드리고, 겨울은 만물이 천지의 품속에서 바르게 자리하여 휴식하는 정(貞)이 된다. 원(元)은 만물이 비롯되는 바탕이자 시작(始生)이며, 형(亨)은 장성(長成)함이고, 이(利)는 수렴(收斂)이며, 정(貞)은 바름(正固)이다. 만물이 바르게 자리잡지 않으면(貞固), 元이 비롯되지 않으니 원형이정의 바른 도가 나오지 못한다. 씨앗이 바르게 자리하지 않으면 싹을 제대로 틔우지 못하는 이치이다. 원형이정의 도에서 인도(人道)를 배우니 곧 인의예지(仁義禮智)이다.

元	亨	利	貞		天道
春	夏	秋	冬	中	
生	長	收	藏		地道
木	火	金	水	土	
仁	禮	義	智	信	人道

춘하추동은 자연순환의 이치요, 생장수장은 생명순환의 이치이며, 목화토금수는 이것을

오행의 이치로 표현한 것이고, 원형이정은 우주순환의 철학적 개념으로 천도를 말함이며, 인의예지는 천도가 인간세상에 펼쳐진 인도를 말함이다. 원형이정을 점사로 풀이하면, 元亨이란 만물이 시생(元)하여 장성(亨)하니 크게 형통함을 뜻하고, 利貞은 수렴(收)하여 바르게 저장(藏)함이니, 利는 의(義)로써 옳고 그름을 구별하여 거둬드리는 것이며, 貞은 지혜(智)로써 구별하여 수렴한 이(利)를 바르게 저장하여 후세에 전하는 뜻이 있다.

문언전에서 공자는 건(乾)의 괘사인 원형이정을 다음과 같이 풀이한다.

文言曰 元者 善之長也 亨者 嘉之會也 利者 義之和也 貞者 事之幹也
문언왈 원자 선지장야 형자 가지회야 이자 의지화야 정자 사지간야
君子 體仁足以長人 嘉會足以合禮 利物足以和義 貞固足以幹事
군자 체인족이장인 가회족이합례 이물족이화의 정고족이간사
君子 行此四德者 故曰 乾元亨利貞
군자 행차사덕자 고왈 건원형이정

문언왈, 元은 善의 으뜸이요, 亨은 嘉(아름다움)의 모임이며, 利는 義(옳음)의 화함이요, 貞은 事(일, 사물)의 근간(根幹)이로다. 군자는 仁을 체득하여 족히 만물을 기르고, 모임을 아름답게 함은 족히 禮에 합하는 것이며, 만물을 이롭게 함은 족히 義에 화합하는 것이고, 바름을 견고하게 함으로 족히 事를 주간한다. 군자는 이 네 가지 德을 행하는 자로다. 고로 가로되 乾을 元亨利貞이라 한다.

乾元者 始而亨者也 利貞者 性情也 乾始能以美利 利天下
건원자 시이형자야 이정자 성정야 건시능이미리 이천하
不言所利 大矣哉 大哉乾乎
불언소리 대의재 대재건호

剛健中正 純粹精也 六爻發揮 旁通情也

강건중정 순수정야 육효발휘 방통정야

時乘六龍 以御天也 雲行雨施 天下平也

시승육룡 이어천야 운행우시 천하평야

乾元은 시작이며 형통함이다. 利貞은 性情이다. 乾의 시작은 능히 利를
아름답게 함으로써 천하를 이롭게 한다. 이로운 바를 말로 형언할 수 없
으니 위대하도다, 위대한 乾이로다. 강건중정은 순수의 극치(精)이니, 六爻
가 발휘하여 두루 뜻(情)에 통한다. 때를 따라 六龍(六爻)을 타고 천하를
통솔한다. 구름을 행하여 비를 베푸니 천하가 평안하도다.

▷원형이정(元亨利貞)의 이치에 따라

춘하추동(春夏秋冬), 생장수장(生長收藏), 인의예지(仁義禮智)의 원리가 철
학적 의미를 갖게 된다.

≫**원(元):** 乾道(양)가 이끄는 만물이 시작(元)하는 봄(春)에는 사랑(仁)으로
써 생명을 태동시키고(生),

≫**형(亨):** 만물이 왕성(亨)한 여름(夏)에는 만물이 서로를 공경(禮)함으로써
질서를 세우며(長),

≫**이(利):** 乾道(양)를 이어 坤道(음)가 이끄는 가을(秋)에는 서릿발 같은 의
로움(義)으로써 이로움(利)을 거두어 드리고(收),

≫**정(貞):** 겨울(冬)에는 지혜(智)로써 바르게(貞) 저장하여 후세에 전한다
(藏).

중화적 작용을 하는 중토(中土)가 신(信)이 되는 것은 순환의 법도가 서로
믿음을 바탕으로 하기 때문이다. 법도가 신(信)을 바탕으로 서지 않는다면

사시(四時)가 제각기 자기 주장을 하여 순환의 질서가 흐트러지고 말 것이다.

이것이 원형이정(元亨利貞), 인의예지(仁義禮智), 생장수장(生長收藏), 춘하추동(春夏秋冬)를 목화토금수(木火土金水) 오행작용의 원리에 따라 지구역 문왕팔괘도에 펼쳐 놓은 성인의 뜻이로다.

						亨						
						禮						
						長						
						夏						
						火						
					卦	卦	卦					
元	仁	生	春	木	卦	土	卦	金	秋	收	義	利
					卦	卦	卦					
						水						
						冬						
						藏						
						智						
						貞						

▶乾道相剋 시대(양의 시대)

원(元)은 만물의 바탕이요, 시작을 의미한다. 봄(春)에 생명이 생(生)하니 이는 사랑(仁)이 없으면 가능한 일이 아니다. 동북의 간토≡≡가 수≡≡를 극하고, 목≡≡이 간토≡≡를 극하면서 곤도(음)가 지배하는 상생의 시대가 종하고 건도(양)가 지배하는 상극의 시대가 시작된다. 사랑(仁)이란 애증 관계이니 음양이 서로 다투고 화합하면서 만물의 잉태가 이루어진다. 이에 군자는 "仁을 체득하여 만물(人)을 기른다(體仁足以長人)"라고 하였다.

형(亨)은 아름다움≡≡(麗려)의 모임이니 이는 생명이 자라 천하에 완성된 만물로 가득 채워짐을 말한다(亨者 嘉之會也). 만물이 모이면 공존하기 위하여 서로를 존중하여 질서≡≡를 세워야 하니 이를 예(禮)라 한다. 그래서 "모임을 아름답게 함은 족히 예(禮)에 합하는 것이다(嘉會足以合禮)"라고 하였다. 만물이 장성(長)하여 가장 극성한 계절은 여름(夏≡≡)이다.

▶坤道相生 시대(음의 시대)

이(利)는 상극의 원리가 지배하는 건도(양)를 마치고 상생의 원리가 지배하는 곤도(음)가 시작되는 곳이다. 西南의 坤土≡≡가 火≡≡와 金≡≡의 상극관계를 중재함으로써 坤道로 넘어갈 수 있도록 한다. 토의 성정은 직방(直方)으로 방정(方正)함이다(중지곤괘 六二효사). 토(土)의 반듯한 성정이 극한으로 치달은 火氣≡≡를 중화시킴으로써(火生土, 土生金), 상생의 기운으로 전환시킨다. 그래서 태금≡≡은 중토(中土)≡≡의 성정인 바름(正)을 담아 의로움(義)으로써 이(利)를 취하게 된다(利者 義之和也). 의(義)로써 이(利)을 취한다는 것은 이롭지 않은 쭉정이는 버리고 알갱이를 담는다는 가을 추수의 논리가 적용된다. 그러므로 만물을 이롭게 함은 족히 의에 화합하는 것이라 하는 것이다(利物足以和義).

정(貞)은 정(正)이다. 태금≡≡이 거두어 수렴한 利(≡≡생명)를 바르게 저장(藏)하여 그 지혜(智)를 다음 세대에 전할 수 있도록 한다. 추수한 알갱이(利)를 만물이 쉬는 겨울에 바르게 저장해 두지 않으면 다음 세대로 그 지혜를 전할 수가 없다. 그러므로 정(貞)이란 만사(萬事)의 근간(根幹)이다(貞者 事之

幹也). 바름을 견고하게 함으로써 족히 사(事)를 주간(主幹)해야 하는 것이다 (貞固足以幹事).

☞ 嘉: 아름다울 가/ 幹: 줄기 간, 주간(主幹)하다, 주관(主管)하다/ 粹: 순수할 수/ 揮: 빛날 휘/ 旁: 곁 방, (널리, 두루 방)

象曰 大哉乾元 萬物資始 乃統天 雲行雨施 品物流形
단왈 대재건원 만물자시 내통천 운행우시 품물유형
大明終始 六位時成 時乘六龍以御天
대명종시 육위시성 시승육룡이어천
乾道變化 各正性命 保合太和 乃利貞 首出庶物 萬國咸寧
건도변화 각정성명 보합태화 내이정 수출서물 만국함장

단전에 가로되, 위대하다. 건원(乾元)이여, 만물이 이를 바탕으로 비롯되니 이에 하늘에 통하다. 구름이 행하니 비를 베풀고, 시간이 흐르니 만물이 형상을 갖춘다. 천지의 시작부터 끝을 크게 밝히며 여섯 개의 효가 때를 이루니, 때를 따라 육룡(六龍)을 타고 하늘에 오른다. 건도(乾道)가 천지의 변화를 이끌어 천성(天性)과 천명(天命)을 바르게 하며, 큰 조화로움을 보합하니 이에 바름이 이롭다. 뭇 만물로부터 으뜸(六爻)이 모습을 드러내니 천하만국이 모두 안녕하노라.

건(乾☰)은 강건한 생명지기(生命至氣)로 천지만물을 생장수장(生長수(收)藏)의 이치로 순환시키는 천지지도(天地之道)이다. 천도(天道)를 따라 곤(坤☷)이 유순함으로 건(乾☰)에 순응하여 만물을 품어 길러낸다(天行健). 만물(人)은 乾(父)과 坤(母)의 자녀이다.

大明終始 六位時成 時乘六龍以御天

리(理)는 乾☰天으로 空(體)을 뜻한다. 시간의 흐름에 따라 변하지 않는 영원불변의 이치이다. 기(氣)는 시용(時用)에 따라 변한다. 변화란 시간이 흐르면서 리(理)의 이치에 따라 형상을 갖추는 것을 말한다. 시간이 흐른다는 것은 결국 음과 양이 상호작용하는 것이다. 즉, 음양(用)이 서로 작용하면서 리(理)에다 상(象)을 입히는 것이다.

강유가 서로 상생과 상극을 거듭하면서 변화를 일으킨다(剛柔相推而生變化也/계사전). 天一地一人一이 각각 음양(二)의 작용으로 만물의 생육에 참여하니 天二三 地二三 人二三이 된다. 二는 음양이요 三은 만물이다. 이것을 효(爻)로 그리면 여섯 개의 효가 되며, 이 육효(六爻)가 시간의 흐름을 타고 날며 천지만물의 종시(終始)과 작용과 변화를 그려내니 단전에서는 이를 신물(神物)인 육룡(六龍)으로 노래한다(大明終始 六位時成 時乘六龍以御天). 뭇 만물로부터 으뜸인 六爻(六龍)가 모습을 드러내니 천하만국이 모두 안녕하노라(首出庶物 萬國咸寧). 천하가 순리대로 돌아간다는 뜻이다.

象曰 天行健 君子以 自强不息
단월 천행건 군자이 자강불식

하늘의 운행은 강건하며 항구하니, 군자는 이로써 스스로를 강하게 하며 쉬지 않는다.

하늘의 운행은 한치의 흔들림도 없고 어긋남도 없다. 강건하고 굳세며 그 움직임은 항구하다. 군자는 이러한 천지운행의 이치를 통해 스스로를 강건하게 하며, 끊임없이 몸과 마음을 수련하고 힘써 행함에 게으르지 않아야 한다. 건도(乾道)는 스스로 앞장서 나아가 행하며 만물을 생(生)하고 장(長)하며,

곤도(坤道)는 건도를 따라 이루며 수렴(收)하고 저장(藏)한다. 대상전(大象傳)은 괘상을 통해 천지자연의 움직임을 관찰하여 최고의 가치를 끌어내 인문(人文)을 밝힌다.

4. 효사(爻辭)

　　괘사(卦辭)를 바탕으로 괘상(卦象)과 효변(爻變)을 통해 스토리텔링 (storytelling) 방식으로 인문(人文)을 밝히며, 인사의 길흉득실을 풀이한다. 다른 괘·효사를 해석하는 바탕이 된다.

효	명칭	핵심의미	효상사 / 문언전
초구(初九)	잠룡 潛龍	潛龍勿用 은둔하는 용	象曰 陽在下也 潛龍勿用 下也 潛龍勿用 陽氣潛藏
구이(九二)	현룡 見龍	見龍在田 출사하는 용	象曰 見龍在田 德施普也 見龍在田 時舍也 見龍在田 天下文明
구삼(九三)	건룡 乾龍	終日乾乾 분투하는 용	象曰 終日乾乾 反復道也 終日乾乾 行事也 終日乾乾 與時偕行
구사(九四)	약룡 躍龍	或躍在淵 도약하는 용	象曰 或躍在淵 進无咎也 或躍在淵 自試也 或躍在淵 乾道乃革
구오(九五)	비룡 飛龍	飛龍在天 비상하는 용	象曰 飛龍在天 大人造也 飛龍在天 上治也 飛龍在天 乃位乎天德
상구(上九)	항룡 亢龍	亢龍有悔 후회하는 용	象曰 亢龍有悔 盈不可久也 亢龍有悔 窮之災也 亢龍有悔 與時偕極
용구(用九)	군룡 羣龍	見羣龍无首吉 머리다툼이 없음 이상향(理想鄕)	象曰 用九 天德不可爲首也 用九 天德 不可爲首也 乾元用九 天下治也

初九　潛龍勿用
초구　잠룡물용

초구, 잠룡(潛龍)이니 쓰지 마라.

초구는 맨 아래에 위치한 양으로 자리는 바르나 아래에 처하여 힘이 미약하다. 소상전에서 공자가 '잠겨 있는 용은 쓰지 마라' 함은 양이 맨 아래에 처해있기 때문이다(象曰 潛龍勿用 陽在下也)'라고 하였다. 용은 하늘을 나는 신물(神物)이니, 아래에 위치한 초구는 아직 연못 깊은 곳에 숨어있는 이무기에 불과하거나, 또는 용덕(龍德)을 지녔으나 세상에 뜻을 두지 않고 은둔하여 자신을 드러내지 않는 잠룡을 의미한다(潛龍勿用 陽氣潛藏). 잠룡(潛龍)이란 반드시 못 안에 숨어있는 용의 모습을 가리키는 것이 아니라 속세를 떠나 은둔하고 있는 모습을 비유하는 말이기도 하다. 그러므로 잠룡이란 스스로 용덕을 숨기고 은둔하고 있는 자로서 세상을 바꿀 뜻도 없고 의지도 없으며 공명을 이루고자 함도 없는 자를 가리킨다(龍德而隱者也 不易乎世 不成乎名). 천하의 일에 관여하여 바꾸고자 함이 없는 은둔자이거나, 또는 무능력한 이무기에 불과한 자를 비유하는 것이니, 잠룡물용(潛龍勿用)이라 함은 '이런 자는 쓰지 마라'는 의미가 된다.

초구가 본인인 경우, '뜻이 없으면 나서지 말며, 능력이 되지 않으면서 섣불리 작용하지 마라'는 의미로 점단할 수 있다. 즉, 물용(勿用)이라 함은 초구가 사용자의 입장이라면 쓰지 않음이요, 당사자라면 스스로 나서지 않음을 의미한다.

문언전에서 공자는 초구를 다음과 같이 풀이하고 있다.

初九曰 潛龍勿用 何謂也
초구왈 잠룡물용 하위야

子曰 龍德而隱者也 不易乎世 不成乎名 遯世无悶 不見是而无悶

자왈 용덕이은자야 불역호세 불성호명 둔세무민 불견시이무민

樂則行之 憂則違之 確乎其不可拔 潛龍也

약즉행지 우즉위지 확호기불가발 잠룡야

초구왈, 잠룡물용은 무엇을 말함인가?

공자가 이르길, 용덕(龍德)은 있으나 은둔하고 있는 자다. 세상을 고치려 하지 않으며 공명을 이루려 하지도 않는다. 세상을 피해 있어 근심하지 않으며, 옳고 그름(是非)을 보지 않아 번민하지 않는다. 즐거우면 행하고, 근심이 되면 행하지 않으니 그 뜻이 확고하여 뽑아 쓸 수 있는 자가 아니다. 용덕은 있으나 스스로를 감추고 은둔하는 용이다.

君子以 成德爲行 日可見之行也

군자이 성덕위행 일가견지행야

潛之爲言也 隱而未見 行而未成 是以君子弗用也

잠지위언야 은이미견 행이미성 시이군자불용야

군자는 덕(德)을 이룸으로써 행(行)을 삼으니 날로 자신을 드러낼 수 있는 것이 행(行)이다. 잠겨 있다는 말은 은거하여 스스로를 드러내지 않음이니, 그러므로 행하나 뜻을 이루려 하지 않는다. 이런 까닭에 군자는 (뜻도 없고 이루려는 의지도 없는) 잠룡을 쓰지 않는다.

　　용덕을 갖추었으나 맨 아래에 잠겨 있고 때가 이르지 않아 세상에 나서지 않는 자이다. 역량을 갖추었으나 뜻이 없는 자로서 세상에 무관심하여 정의와 불의에 대한 번민이 없고 자신의 공명을 이루고자 함도 없다. 다만 좋으

면 행하고 싫으면 행하지 않는 자로 이러한 처신이 확고하여 설득될 수 있는 자가 아니니 가히 쓸 수 있는 자가 아니다. 초구가 효변하면 천풍구(天風姤☰)가 되니, 강퍅하고 고집이 센 여인을 뜻한다. 구(姤)의 괘사에 "姤 女壯 勿用取女"라 하여 그러한 여인을 취하지 말라 했으니 잠룡물용(潛龍勿用)의 뜻과 상통된다.

☞ 潛: 잠길 잠/ 隱: 숨을 은/ 遯: 피할 둔, 달아날 둔/ 悶: 번민할 민/ 憂: 근심 우/ 違: 어긋날 위/ 確: 견고할 확, 확실할 확/ 拔: 뽑을 발/ 是: 이 시, 옳을 시

九二 見龍在田 利見大人
구이 현룡재전 이견대인

구이, 현룡(見龍)이 세상에 모습을 드러내니, 대인을 만나 봄이 이로우리라.

용이 사냥터(田)에 모습을 드러내다. 중(中)의 자리를 지키고 있으나 부정위(不正位)로서 자리가 바르지 않으므로 아직은 천하에 나서지 않고 중앙에서 떨어진 변두리에서 힘을 기르며 중원을 들여다보는 은자(隱者)의 모습이다. 전(田)이란 사람의 손길이 닿은 곳이긴 하지만 정착하기에는 거친 곳으로 인적이 드문 변두리 지역을 상징한다. 이러한 곳에서 힘을 기르며 때를 기다리는 모습을 현룡재전(見龍在田)에 비유한다. 세상에 모습을 드러냈으나 아직은 본격적으로 나설 때가 아니다.

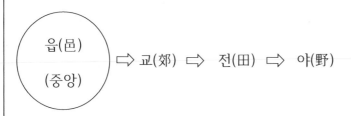

-읍(邑): 중심지, 중원, 중앙
-교(郊): 성 외곽, 읍을 벗어난 촌락지
-전(田): 사냥터, 교(郊)에서 벗어난 변두리 지역, 인적이 드문 곳
-야(野): 들, 야생지, 인적이 닿지 않는 곳

　잠룡이 깊은 잠을 깨고 뭍으로 나왔으니 용덕이 천하(田)에 그 모습을 드러낸 것이다(象曰 見龍在田 德施普也). 용덕을 갖춘 군왕으로서의 덕을 널리 펼치기 위해 천하에 나왔으니 믿고 따르며 지지해줄 많은 현인들이 필요하다(見龍在田 利見大人 君德也). 이제 천하를 도모하려면 나를 믿고 따르는 자(大人)를 모아야 한다.

　용은 하늘을 나는 신물(神物)이지만, 현룡(見龍)이란 전(田)으로 표현되는 땅(地)을 벗어나지 못하는 지룡(地龍)을 뜻한다. 현룡이 전(田)에 나타났다는 것은 용덕은 있으나 아직 임금의 지위를 얻지는 못하였으니 때에 맞춰 쓰임이 되지 못함을 의미한다(見龍在田 時舍也). 하늘을 비상하며 천하문명(天下文明)을 도모하는 비룡(飛龍)이 되기 위해서는 뜻을 함께하는 무리(朋友)가 있어야 한다(見龍在田 天下文明). 중앙무대에 등장하여 군덕(君德)의 뜻을 펼치기 위해서는 많은 현인(賢人)의 지지가 필요한 법이니 이견대인(利見大人)이란 바로 이 뜻이다. 현대사회에서 대인의 의미는 투표권을 가진 민중으로 풀이할 수도 있다.

　지룡(地龍)인 현룡(見龍)은 잠룡(潛龍)에서 깨어나 땅으로 나왔으나 아직 군덕(君德)을 펼칠 수 있는 비룡(飛龍)이 되기 위해서는 힘이 턱없이 부족한 상태이다. 그러므로 많은 대인을 접촉하면서 중앙에서 멀리 떨어진 곳에서 힘을 기르며 때를 기다리는 '공부하며 준비하는 용'이다.

문언전에서 공자는 九二효를 다음과 같이 풀이하고 있다.

九二曰 見龍在田 利見大人 何謂也
구이왈 현룡재전 이견대인 하위야
子曰 龍德而正中者也 庸言之信 庸行之謹 閑邪存其誠
자왈 용덕이정중자야 용언지신 용행지근 한사존기성
善世而不伐 德博而和 易曰 見龍在田 利見大人 君德也
선세이불벌 덕박이화 역왈 현룡재전 이견대인 군덕야

구이왈, 見龍在田 利見大人은 무엇을 말함인가?
공자께서 말씀하시길 '용덕은 중정(中正)한 것이다. 말에 신(信)이 있고 행(行)을 삼가며 사악함을 막아 성(誠)을 보존한다. 세상에 선(善)을 행해도 자랑하지 않으며 덕(德)을 널리 펼쳐 교화하니, 역(易)에 이르길, 見龍在田 利見大人이라 함은 인군의 덕을 말함이다.

君子 學以聚之 問以辯之 寬以居之 仁以行之
군자 학이취지 문이변지 관이거지 인이행지
易曰 見龍在田 利見大人 君德也
역왈 현룡재전 이견대인 군덕야

군자는 배움으로 모으고, 물어서 분별하며, 너그러움으로 거하고, 인(仁)으로써 행한다. 역에 이르길 見龍在田 利見大人이라 함은 인군의 덕을 말함이다.

九二는 군자의 덕을 갖춘 자이나 아직 천하의 주인은 아니다. 그러므로 군자의 덕을 닦기 위하여 끊임없이 배움으로 모으고, 모르면 물어서 분별하며, 너그러움으로 거하며 인(仁)으로써 행하여야 한다. 九二는 세상에 모습을 드러낸 현룡(見龍)이지만 아직 천하를 나는 비룡(飛龍)이 아니니 자신을 가르치고 이끌어줄 대인(九五)을 만나야 한다. 九三에서 종일건건(終日乾乾)하며, 九四에서 끊임없이 자신을 시험함으로써 군자로서의 역량을 키워 나간다. 九五인군이 될 덕을 갖춘 자이기 때문이다.

▶見龍在田 天下文明
현룡재전 천하문명

九二가 효변하면 동인(同人)괘가 된다. 동인괘를 음미하며 문언전 九二 효사에 대한 해석인 見龍在田 天下文明의 의미와 利見大人의 뜻을 이해하라.

▷천화동인(天火同人) 괘사
同人于野 亨 利涉大川 利君子貞
동인우야 형 이섭대천 이군자정

거친 광야(野)에서 동지들과 뜻을 함께 하니 형통하고 대천을 건너니 이롭다. 지도자(군자)는 바름으로 이끌어야 이로우리라.

天☰
火☲(文明)
  同人

명분이 바로 선다면 무리(同志)가 뜻을 같이하여 따를 것이며, 동지들이 뜻을 함께 한다면 아무리 거친 들도 함께 건너갈 수가 있다(同人于野 亨 利涉大川 利君子貞). 六二는 음의 자리에 음으로써 바르게 있고 내괘의 中을 얻어 외괘 하늘(九五中正)에 응하니, 中正한 六二대인이 中正한 九五 천명의 뜻을 따르는 것이다(柔得位 得中而應乎乾).

☞ 田: 밭 전, 사냥할 전/ 庸: 떳떳할 용, 평소 용, 고용할 용/ 謹: 삼갈 근/ 閑: 한가할 한/ 邪: 간사할 사, 사악할 사/ 伐: 칠 벌, 자랑할 벌/ 博: 넓을 박, 클 박, 깊을박/ 聚: 모을 취/ 辯: 말씀 변/ 寬: 너그러울 관

九三 君子終日乾乾 夕惕若 厲无咎
구삼 군자종일건건 석척약 려무구

구삼, 군자는 종일 갈고 닦으며 힘쓰고 또 힘쓴다. 저녁(어둠)에 이르러 두려움 마음으로 돌아보며, 위태로움으로 깨어 있으니 무탈하리라.

천하에 모습을 드러낸 현룡(見龍)이 중앙에서 떨어진 변두리에서 은자로 지내다 드디어 용덕을 펼치기 위하여 중원으로 나아간다. 현자를 모으며 은둔의 시간을 보내면서 힘을 기르고 드디어 천하에 출사표를 던지고 나아가는 것이다. 九三은 군자로서 변두리가 아닌 중원으로 나가 강건한 기운으로 쉼 없이 천하의 일을 주도한다(終日乾乾 行事也).

九三은 강중한 자리를 벗어나 삶의 전쟁터에 나가 세상과 부딪히면서 싸우는 건룡(乾龍)을 상징한다. 인생이란 원하든 원하지 않든 나아가야 하는 것, 수고로이 투쟁해야 한다. 그러나 중도를 잃지 않아야 하니 공자는 효상전 통해 [象曰 終日乾乾 反復道也]라고 했다. 九三은 세상의 시련과 도전

그리고 주어진 환경과 부딪히며 싸우니 종일건건(終日乾乾)하며 수고로운 효이다. 九三은 잘못 나아간 것일 수도 있고, 나갈 수밖에 없는 것일 수도 있다. 상황에 따라 끊임없이 선택을 해야 하는 효이다. 그러나 어쨌든 누구나 삼효의 상황에 처하게 되는 것이 만물의 이치이다. 구삼건룡(九三乾龍)은 부딪히고 싸우며 헤치고 나아가 하늘로 향하는 투룡(鬪龍)의 뜻을 품고 있다. 九三이 효변하면 천택리(天澤履☰)이니, 하괘 못☱이 하늘☰을 가득 담으며 하늘을 따라가는 뜻이 있다.

하늘을 나는 비룡(飛龍)이 되기 위해서는 九三이 어떻게 하느냐에 달려있다. 구삼은 하괘의 중(中)을 지나 맨 위에 처한 자리로서 상괘로 넘어가기 위해 고군분투하는 자리이다. 그러므로 九三은 하괘의 정점으로 양강(陽剛)한 자리이므로 교만으로 무너지기 쉬운 위치이기도 하다. 그러므로 군자는 종일 자신을 갈고 닦으며(終日乾乾 與時偕行), 하루를 정리하는 저녁에 이르러 자신을 돌아보며 스스로를 두려워하면 설사 위태로움에 처할 수 있을지언정 허물은 없다고 했다. '두려워하며 위태롭게 여긴다' 함은 천명을 두려워하며 무너질까 위태롭게 여기는 마음으로 항상 깨어 있음을 의미한다. 또한 저녁에 이른다 함은 어두운 시기나 어려운 때가 다다를 수 있음을 비유함이니, 이럴 때일수록 우환의식(憂患意識)으로 스스로를 돌아보며 깨어 있는다면 설사 위태로움에 처할 수 있을지 언정 허물이 있다 할 수는 없는 것이다. 九三이 효변하면 태(兌☱)가 되니 서쪽으로 해가 지는 저녁(夕)의 뜻이 된다. 그러므로 군자는 오늘도 갈고 닦으며, 힘쓰고 또 힘쓴다(象曰 終日乾乾 反復道也).

문언전에서 공자는 九三효를 다음과 같이 풀이하고 있다.

> 九三曰 君子終日乾乾夕惕若厲无咎 何謂也
> 구삼왈 군자종일건건석척약려무구 하위야
> 子曰 君子進德脩業 忠信 所以進德也 脩辭立其誠 所以居業也

자왈 군자진덕수업 충신 소이진덕야 수사입기성 소이거업야

知至至之 可與言幾也 知終終之 可與存義也 是故居上位而不驕

지지지지 가여언기야 지종종야 가여존의야 시고거상위이불교

在下位而不憂 故乾乾因其時而惕 雖危无咎矣

재하위이불우 고건건인기시이척 수위우구야

구삼왈, 君子終日乾乾夕惕若厲无咎은 무슨 말인가?

공자께서 이르길, 군자가 덕(德)에 나아가 업(業)을 닦으니 충(忠)과 신(信)이다. 그런고로 덕에 나아가는 것이다. 문체(文體)를 닦아 그 성(誠)을 세우니 그런 까닭에 업(業)에 거한다. 이를 줄 알고 이르니 더불어 기미(幾微)할 수 있으며, 마칠 줄 알고 마치니 가히 더불어 의(義)를 보존할 수 있다. 이런 까닭에 위에 거하여도 교만하지 않으며, 아래에 거하여도 근심하지 않는다. 그러므로 乾乾하게 나아가면서도 때(時)를 (따라 일어나는 일을) 두려워하면 비록 위태로우나 허물은 없다.

九三重剛而不中 上不在天 下不在田 故乾乾因其時而惕 雖危无咎矣

구삼중강이부중 상부재천 하부재전 고건건인기시이척 수위무구야

구삼은 거듭하여 강(剛)하면도 중(中)을 벗어나 위로는 하늘에 있지 않고 아래로는 밭에 있지 않으니, 그러므로 乾乾하게 나아가면서도 때(時)를 (따라 일어나는 일을) 두려워하면 비록 위태로우나 허물은 없다.

九三건룡은 중(中)을 벗어나 본격적으로 대천을 건너 상괘로 올라서기 위하여 자신을 갈고 닦고, 부딪히고 싸우며 나아가는 고군분투하는 용을 상징

한다. 아래로는 전(田)을 벗어났으나 대천(大川)을 건너지 못한 상태이니 위로 나아가기 위해 끊임없이 투쟁한다.

九三건룡은 하괘의 위에 처하여 상괘로 나아가기 위하여 부단히 애쓰는 자로서 항상 조심하며 자신을 돌아보는 시기에 처해있다. 그러므로 九三은 때(時)가 흐름에 따라 이로 인하여 일어나는 일들을 항상 두려워하는 마음으로 대처하면서 나아가면 비록 위태로움에 처할 수는 있으나 허물은 없는 것이다.

☞ 惕: 두려워할 척/ 若: 만약 약, 같을 약/ 厲: 위태로울 려/ 脩: 닦을 수/ 辭; 말씀 사/ 幾: 기미 기(징조, 낌새)/ 驕: 교만할 교/ 憂: 근심 우/ 雖: 비록 수

九四 或躍在淵 无咎
구사 혹약재연 무구

구사, 혹 하늘을 향해 뛰어오르더라도 못을 벗어나지 않으면 무탈하리라.

종일건건(終日乾乾)하던 九三이 드디어 못에서 하늘을 향해 뛰어보는 상황을 그린다. 용이란 땅에서는 물속에 있어야 하고, 위에서는 하늘을 나는 신물이다. 못 안에 있으니(在淵), 용이 물을 제대로 만난 격이다. 그러나 천하를 꿈꾸는 용이 언제까지 한 못에 머무를 것인가? 한번쯤 도약해 봄 직하지 않은가(象曰 或躍在淵 進无咎也)? 구사약룡(九四躍龍)은 못을 벗어나 하늘(九五中正)로의 비상을 위해 뛰어보며 '자신을 시험하며 수련하는 용'이다(或躍在淵 自試也). 그러나 양으로서 음의 자리가 마땅치 않으니 못을 잘못 벗어나면 하늘에 오르다 떨어져 이무기가 되기 십상이다. 그러므로 어디까지나 자신의 본분(在淵)을 지키며 끊임없이 시도하며 자신의 능력을 키운다. 본분

을 지킨다 함은 용으로서 못을 벗어나지 않음을 의미한다. 九四의 진(進)과 퇴(退)는 본분을 벗어나지 않으면 무구(无咎)하다.

문언전에서 공자는 '進退无恒 非離羣也진퇴무항 비리군야'라고 풀이하고 있다. 군자는 비록 뜻을 이루지는 못하더라도 난세에 뛰어드는 것이 바른 자세이며, 혹 실패하여 못으로 되돌아오더라도 허물이 없음을 말한다. 군자에게 있어 진퇴는 언제든 있는 것이나, 물러서더라도 본분을 잃어버리지 않는다.

못을 벗어나 하늘에 오르는 것은 괘상으로 보면 하괘에서 상괘로의 큰 변화를 의미한다(或躍在淵 乾道乃革). 그러나 경거망동으로 뛰어오르다가 연못이라는 자신의 근거지를 잃어버리면 뒤 돌아설 곳이 없다. 그러므로 구오비룡(九五飛龍)이 되어 날기 위해서는 먼저 하늘을 향해 뛰어보는 시도를 함으로써 자신을 단련시켜야 한다. 그런데 비약을 하기위해 뛰어오르더라도 연못이라는 근거지를 벗어나서는 안된다. 구사약룡(九四躍龍)은 자신을 끊임없이 시험하며 단련하는 용이다(或躍在淵 自試也).

九四는 돌이킬 수 없는 상황까지 나아간 효를 상징한다. 이미 하괘에서 상괘로 대천(大川)을 건넌 것이니, 하괘로 되돌아가기에는 이미 때가 늦어버렸다. 그러므로 하괘를 지나 대천을 건너 상괘에 진지를 구축한 상황에서 전진하다 후퇴하는 경우, 자칫 진지를 잃어버리게 되면 되돌아서서 머물 곳이 없게 된다. 九四는 후방의 도움을 받기에는 이미 멀리 나와 있다. 그러므로 홀로라도 나아가야 한다. 만일 실수라도 한다면 나락으로 떨어질 수가 있으니 도약을 위해서는 먼저 뛰어보는 연습을 해야 한다. 어차피 강을 건넜으니 앞으로 나아가야 살 수 있다. 구오비룡(九五飛龍)을 행해 나아가는 것이 무탈한 것이다(或躍在淵 進无咎也).

九四가 효변하면 풍천소축(風天小畜☴)이다. 음 하나가 하괘 세 개의 양을 축적하고, 밖으로는 두 개의 양이 나아가 활동하고 있으니 소축의 뜻이다. 구사는 하괘를 넘어와 상괘의 아래에 처해 있으므로 九五中正을 넘어설 수 있는 자가 아니니 조금 쌓을 수 있는 자이다.

참고로 산천대축(山天大畜䷙)은 四爻와 五爻 음 두 개가 두껍게 아래에 있는 세 개의 양을 축적하고, 밖으로는 하나의 양 만을 내보냈으니 많이 쌓은 뜻이 있다. 九五中正이 효변하면 화천대유(火天大有䷍)가 되어 천하를 소유한 인군의 자리가 된다.

문언전에서 공자는 九四 효를 다음과 같이 풀이하고 있다.

九四曰 或躍在淵无咎 何謂也
구사왈 혹약재연무구 하위야
子曰 上下无常 非爲邪也 進退无恒 非離羣也
자왈 상하무상 비위사야 진퇴무항 비리군야
君子進德修業 欲及時也 故无咎
군자진덕수업 욕급시야 고무구

九四왈, 或躍在淵无咎란 무엇을 말하는가?
공자께서 말씀하시길, 위아래가 항상 함이 없으나 사악함이 되고자 함이 아니다. 진퇴에 항상 함이 없으나 무리를 떠나려 함이 아니다.
군자는 덕(德)에 나아가 업(業)을 닦으니 때를 따르고자 함이다. 고로 허물이 없다.

九四重剛而不中 上不在天 下不在田 中不在人 故或之 或之者 疑之也
구사중강이부중 상불재전 하불재전 중부재인 고혹야 호지자 의지야
故无咎
고무구

> 九四는 거듭 강하면서도 중(中)을 얻지 못했으니, 위로는 하늘(天)에 있지
> 않고 아래로는 밭(田)에 있지 않으며 가운데로는 인간에 있지 않으니, 고
> 로 의혹하니 의혹하는 것은 의심함이다. 고로 허물이 없다.

　九四는 하괘에서 부단한 노력으로 홀로 대천을 건너 상괘로 넘어온 자이
다. 상괘의 중(中)을 얻지 못한 상태로 九三과 마찬가지로 아래로는 이미 밭
(田)을 벗어났고, 위로는 구오중정(九五中正)의 자리에 미치지 못했으니 끊임
없이 자신을 시험하며 九五의 자리에 뛰어오르기 위해 부단히 노력한다. 부
정위(不正位)로서 불안정한 자리이므로 위아래가 안정되지 못하고 진퇴가 쉼
없이 일어나지만 이는 사악하고자 함도 아니요, 무리를 배신하고 떠나고자
함도 아니다. 다만 때를 따라 진퇴를 거듭하면서도 스스로를 돌아보고 또 돌
아보며 九五비룡이 되기 위하여 앞으로 나아가고자 할 뿐이다. 의심한다는
것은 스스로를 돌아보고 수양하며 역량을 키워 나가는 것을 뜻한다. 자신의
역량을 의심하고 또 의심하면서 갈고 닦으며 위기의식을 갖고 끊임없이 시
도하니 허물이 없는 것이다.

　　　☞ 或: 혹시 혹/ 躍: 뛸 약/ 淵: 연못 연/ 羣: 무리 군/ 疑: 의심할 의

九五 飛龍在天 利見大人
구오 비룡재천 이견대인

구오, 비룡이 하늘에 있으니 대인을 봄이 이로우리라.

九五는 하늘을 나는 용을 상징한다. 용이란 원래 하늘을 나는 왕이다. 천하 대권을 얻은 신물(神物)이 신묘조화를 부리며 천지만물에 천덕(天德)을 시혜한다(飛龍在天 乃位乎天德).

九五는 군왕으로서 천하를 다스리는 대인을 상징한다(飛龍在天 上治也). 그래서 공자는 효상전을 통해 '대인이 용의 권능으로 천하에 신묘한 조화를 일으킨다(象曰 飛龍在天 大人造也)'라고 주석하고 있다.

문언전에서 공자는 九五효를 다음과 같이 풀이하고 있다.

> 九五曰 飛龍在天 利見大人 何謂也
> 구오왈 비룡재천 이견대인 하위야
> 子曰 同聲相應 同氣相求 水流濕 火就燥 雲從龍 風從虎
> 자왈 동성상응 동기상구 수류습 화취조 운종룡 풍종호
> 聖人作而萬物覩 本乎天者親上 本乎地者親下 則各從其類也
> 성인작이만물도 본호천자친상 본호자자친하 칙각종기류야
>
> 九五왈, 비룡재천 이견대인은 무엇을 말하는가?
> 공자께서 말씀하시길, 같은 소리는 서로 응하며, 같은 기운은 서로 구한다. 물은 젖은 대로 흐르고 불은 마른 데로 나아가며, 구름은 용을 따르며 바람은 범을 쫓는다. 성인이 나옴에 만물이 우러러본다. 하늘에 근본한 것은 위로 친하고, 땅에 근본한 것은 아래에 친하니 각기 그 류(類)를 따른다.

九五曰 飛龍在天 利見大人 何謂也

공자는 이 질문에 대한 대답을 시어(詩語)로 답을 하였는데, 이 문언전의 시어는 여덟 개의 괘가 서로 기운이 통하는 짝을 찾아 서로 응하며 작용하는 모습을 그리고 있다. 이것은 우주역인 선천복희팔괘와 지구역인 후천문왕 팔괘가 시로 기운이 통하는 천도(天道)의 이치를 설명한다. 전도의 이치란

천지인 삼극(三)의 근원인 태극(一)이 음양과 오행의 작용을 통해 우주 삼라만상을 펼쳐 냄을 뜻하는 것으로서, 그 천태만상의 근본은 결국 하나(一)의 기운으로 일통(一通)하고 있음을 가리킨다.

즉, 서로의 기운이 통하고 응하는 짝을 찾아 맺어진 괘상은 서로에게 대인이 됨을 인사적 표현으로 이견대인(利見大人)이라 비유한다. 우주가 서로 기운이 통하고 응하며 작용하는 관계를 팔괘의 괘상을 통하여 이견대인의 인사적 이치를 끌어낸 것이다. 괘사는 바로 우주를 표상한 괘상으로부터 최고의 인문적 가치인 도(道)와 리(理)를 이끌어낸다. 선천복희팔괘(天易)가 체(體)를 상징한다면 후천문왕팔괘(지구역)는 작용(用)을 표상한다. 즉, 우주의 틀 안에서 천도의 이치를 따라 지구가 운행하니 우주와 지구는 서로 하나(一)로써 통하는 것이다.

▷천역(복희팔괘도)와 지구역(문왕팔괘도)의 조합

선후천의 변화에 대한 비의(秘意)는 「문언전」九五에서 찾을 수 있다. 이 선후천의 변화를 독창적으로 풀이한 也山선사의 「구오변도설」을 통하여 지기(至氣)의 흐름을 살펴보자. 선천역인 복희팔괘는 우주역으로서 체(體)가 되고, 후천역인 문왕팔괘는 지구역으로서 용(用)이 된다.

<內: 복희팔괘도(천역)/外: 문왕팔괘도(지구역)>

1) 동성상응(同聲相應): ䷔ 火雷噬嗑(화뢰서합)

번개☲가 치면 우레☳가 따라 울고

2) 동기상구(同氣相求): ䷵ 水澤節(수택절)

물☵이 흐르다 보면 마침내 큰 못☱을 이룬다.

3) 수류습(水流濕): ䷆ 地水師(지수사)

땅☷ 속으로 물☵이 스며듦과 같이

4) 화취조(火就燥): ䷌ 天火同人(천화동인)

마른 하늘☰로 불☲이 타오름과 같이

5) 운종룡(雲從龍): ䷽ 雷山小過(뇌산소과)

용☳이 비상하면 구름☶이 따라 일어나듯

6) 풍종호(風從虎): ䷛ 澤風大過(택풍대과)

범☱이 치달리면 바람☴이 따라 일어나듯

7) 본호친자친상(本乎天者親上): ䷠ 天山遯(천산돈)

하늘의 기운이 산에 먼저 도달함과 같이 하늘☰을 근본한 것은 산☶과 같은 높은 데와 친함이니

8) 본호지자친하(本乎地者親下): ䷓ 風地觀(풍지관)

땅☷을 근본한 것은 아래로 부는 바람☴과 같이 낮은 데를 친한다.

구오비룡(九五飛龍)의 신묘한 권능을 표현한 [飛龍在天 大人造也]를 문언전은 다음처럼 웅장한 시어로 표현한다. 이것은 선천팔괘인 복희역(천역)에서 후천팔괘인 문왕역(지구역)로의 괘상의 배열변화를 천지대권을 얻은 九五비룡의 신묘한 조화 권능으로 설명하기도 한다.

夫大人者 與天地合其德 與日月合其明 與四時合其序 與鬼神合其吉凶
부대인자 여천지합기덕 여일월합기명 여사시합기서 여귀신합기길흉
先天而天弗違 後天而奉天時 天且弗違 而況於人乎 況於鬼神乎
선천이천불위 후천이봉천시 천차불위 이황어인호 황어귀신호

무릇 대인이라 함은 천지와 더불어 그 덕을 합하며, 일월과 더불어 그 밝음을 합하고, 사시와 더불어 질서를 합하며, 귀신과 더불어 길흉을 합하니 가히 천지조화를 일으키는 신묘한 자라. (대인이) 하늘을 앞서도 하늘이 어기지 않으니 하늘을 뒤따라 하늘의 때를 받든다. (대인의 도는) 하늘이 어기지 않으니 하물며 사람이 어길 수 있으랴, 하물며 귀신이 어길 수 있으랴.

위 글은 대인에 대하여 정의를 내리고 있다. 무릇 대인이라 함은 천지가 합하여 하나된 자리에 있는 자로서 천지의 이치에 통달하여 그 천덕을 지닌 군자를 말한다. 일(日)과 월(月)이 합하면 밝은 명(明)이 된다. 이는 '빛에 오르라. 내(人)에서 天地가 하나(一)되리라' 라는 천부경의 [昴明 人中天地一]과 뜻이 통한다. 인중(人中)은 천지가 교합하여 생한 태극의 자리로 무릇 대인이란 이를 일통(一通)한 자를 가리킨다.

대인은 사계절의 순환 질서를 거스르지 않고 순리를 따르며 신명과도 통하니 어찌 길흉에 걸림이 있겠는가? 설사 하늘을 앞서도 하늘을 위배하지 않으며 하늘의 뒤에 있어도 천시(天時)를 받드니, 이는 하늘과 땅과 만물의

도를 하나로 일통하였음이라. 그러므로 대인의 도는 하늘도 거스르지 않으니 어찌 사람과 귀신이 거스를 수 있겠는가?

[비교] 중천건괘의 九二와 九五가 동(動)하면

同人　　大有

≡　⇨　☲明

☲明　　≡

▷**天與火 同人 천여화 동인**
하늘≡이 밝음(☲明)과 함께 하니, 하늘의 뜻을 함께 따르는 것이다.

동인(同人)의 괘사를 음미하라.
同人于野 亨 利涉大川 利君子貞
동안우야 형 이섭대천 이군자정

►광야를 건너기 위해서는 뜻을 함께 하는 무리들이 모여야 한다. 지도자인 見龍(六二)을 중심으로 천명을 따르며 문명을 밝히니(見龍在田 天下文明), 하늘의 뜻을 행하며 용덕을 베푸는 것이다(見龍在田 德施普也).

▷**火在天上 大有 화재천상 동인**
하늘≡ 위에 밝음(☲明)이 있으니 크게 성취하여 천하를 이롭게 하다(飛龍在天 大人造也).

대유(大有)의 괘사를 음미하라.
大有 元亨 대유 원형

> ►마침내 하늘에 높이 올라 천하를 비추고(飛龍在天 上治也), 천덕을 널리 펼치니 만백성이 따르고 크게 형통하다(飛龍在天 乃位乎天德).

上九 亢龍有悔
상구 항룡유회

상구, 항룡(亢龍)이니 후회가 있다.

　정상에 오르면 내려가는 길 밖에 없다. 인생은 과정이다. 후회한들 무슨 소용이랴. 막다른 곳에 다다르면 더 이상 나아갈 곳이 없다(亢龍有悔 窮之災也). 과도하게 나아간 것이고, 너무 나간 것이다. 이는 바로 上九가 처한 위치이니 후회(後悔)하고 통회(痛悔)한들 무슨 소용이랴. 때가 이르러 극에 달했으니 이제는 돌아서 내려가는 길 밖에 없음이라(亢龍有悔 與時偕極). 그래서 공자는 이 상황을 소상전을 통해 "극에 달하면 꺾이고 가득 차면 기우니 오래하지 못한다(象曰 亢龍有悔 盈不可久也)"라고 풀이하고 있다. 항(亢)은 지나침이 있다는 뜻으로 항룡(亢龍)이란 끝까지 올라간 용을 의미한다. 이 효를 받으면 가득 차면 기우는 보름달 같은 세상의 이치를 통감하여 과욕을 부리지 않으며, 현실을 받아드리고 스스로를 바르게 하며 흐트러지지 않는다.

　문언전에서 공자는 上九효사를 다음과 같이 풀이하고 있다.

上九曰 亢龍有悔 何謂也
상구왈 항룡유회 하위야
子曰 貴而无位 高而无民 賢人在下位而无輔 是以動而有悔也
자왈 귀이무위 고이무민 현인재하위이무보 시이동이유회야

상구왈, 항룡유회(亢龍有悔)는 무엇을 말함인가?

공자께서 말씀하시길, 귀해도 자리가 없으며, 높아도 백성이 없고, 현인을 아래에 두고 있어도 도움을 받지 못한다. 이로써 움직이면 회(悔)가 있을 뿐이다.

亢之爲言也 知進而不知退 知存而不知亡 知得而不知喪

항지위언야 지진이부지퇴 지존이부지망 지득이부지상

其唯聖人乎 知進退存亡 而不失其正者 其唯聖人乎

기유성인호 지진퇴존망 이부실기정자 기유성인호

항(亢)이란 말은 나아 감(進)은 알고 물러남(退)을 모르며, 있음(存)은 알고 없음(亡)은 모르며, 얻음(得)은 알면서도 잃음(喪)은 모르는 것을 뜻한다. 오직 성인이여, 진퇴존망(進退存亡)을 알고 바름을 잃지 않는 자는 오직 성인이라.

上九는 상괘의 중정(中正)을 벗어나 지나치게 나아간 자로서, 귀해도 자리가 없고 아무리 높아도 따르는 백성이 없으니 현인이 있어도 쓸모가 없다. 가만이 그쳐 경륜을 살려 덕을 베풀어야 한다. 움직이면 회(悔)만 있을 뿐이니 진퇴존망(進退存亡)을 알고 바름(正)을 잃지 말아야 한다. 상구가 효변하면 택천쾌(澤天夬䷪)가 되어 마침내 흉함이 있으니 진퇴를 절제하고 바름을 잃어서는 안 된다.

☞ 輔: 도울 보 / 亢: 높을 항

用九 見羣龍无首 吉

용구 현군룡무수 길

용구, 모습을 드러낸 군룡(羣龍)의 상이니 우두머리가 없으면 길하리라.

　　용구(用九)라 함은 구(九)를 모두 사용하는 것으로 여섯 효가 한번에 동(動)하여 효변하는 것을 말한다. 6개의 효가 모두 동하면 중지곤(重地坤)이다. 천덕을 갖춘 용이 그의 강건함을 땅의 유순함으로 모두 함께하니 머리가 없다(象曰 用九 天德不可爲首也). 여섯 개의 양효는 모두가 용덕을 지닌 조화옹(造化翁)이니 서로 나서 우두머리를 다툰다면 천하만물의 이치가 혼란해질 뿐이다. 건(乾)이 곤(坤)으로 동하여 모두 함께 하는 것이 천하문명을 다스리는 이치이니(乾元用九 天下治也), 그러므로 문언전에서 이르길 用九의 이치에서 하늘의 법도를 본다 하는 것이다(乾元用九 乃見天則).

☞ 羣: 무리 군

5. 소상전 / 문언전

다음은 공자가 소상전을 통해 건(乾)괘의 효사를 풀이한 효상사이다. 상왈(象曰)로 시작한다.

潛龍勿用 陽在下也   見龍在田 德施普也
잠룡물용 양재하야   현룡재전 덕시보야

≫潛龍勿用은 양이 아래에 있기 때문이요, 見龍在田은 덕을 널리 베풀고자 함이다.

終日乾乾 反復道也   或躍在淵 進无咎也
종일건건 반복도야   혹약재연 진무구야

≫終日乾乾는 도를 쉬지 않고 반복함이요, 或躍在淵은 나아 감에 허물이 없음이다.

飛龍在天 大人造也   亢龍有悔 盈不可久也
비룡재천 대인조야   항룡유회 영불가구야

≫飛龍在天은 대인의 조화요, 亢龍有悔는 가득차면 가히 오래가지 못함이다.

用九 天德 不可爲首也.
용구 천덕 불가위수야

≫用九, 천덕(天德)은 머리가 되어서는 안된다.

문언전에서 공자는 소상전을 다음과 같이 풀이한다. 소상전의 뜻을 재 해석한다(문언전 3 절).

潛龍勿用 下也　　　　見龍在田 時舍也
잠룡물용 하야　　　　현룡재전 시사야
≫潛龍勿用은 아래에 있기 때문이요, 見龍在田은 때를 기다림이다.

終日乾乾 行事也　　　　或躍在淵 自試也
종일건건 행사야　　　　혹약재연 자시야
≫終日乾乾은 일을 행함이요, 或躍在淵은 스스로를 시험함이다.

飛龍在天 上治也　　　　亢龍有悔 窮之災也
비룡재천 상치야　　　　항룡유회 궁지재야
≫飛龍在天은 위에서 다스림이요, 亢龍有悔는 궁극에 달하니 재앙이다.

乾元用九 天下治也.
건원용구 천하치야
≫乾元用九는 천하가 다스려 짐이다.

문언전에서 공자는 소상전을 다음과 같이 풀이한다. 소상전의 뜻을 재 해석하고 있다(문언전 4 절).

潛龍勿用 陽氣潛藏 見龍在田 天下文明
잠룡물용 양기잠장 현룡재전 천하문명
≫潛龍勿用은 양기가 잠기고 감추어져 있기 때문이요, 見龍在田은 천하가 문명함이다.

象曰 終日乾乾 與時偕行 或躍在淵 乾道乃革
상왈 종일건건 여시해행 혹약재연 건도 내혁
≫終日乾乾은 때를 따라 더불어 함께 행함이요, 或躍在淵은 건도(乾道)가 바뀜이다.

飛龍在天 乃位乎天德 亢龍有悔 與時偕極
비룡재천 내위호천덕 항룡유회 여시해극
≫飛龍在天은 천덕에 자리함이요, 亢龍有悔는 때와 더불어 궁극에 이름이다.

乾元用九 乃見天則
건원용구 내견천칙
≫乾元用九는 이에 하늘의 법칙을 볼 수 있음이다.

2.重地坤중지곤

地☷坤
地☷坤

▶효변(爻變)

과거	미래	현재
☷-7 ⟹	☷-7	☷-7
		☷-7

上下작용력: (-7)-(-7)=0

上下균형력: (-7)+(-7)= -14

坤 元亨利牝馬之貞 君子有攸往 先迷後得主利 西南得朋 東北喪朋 安貞吉

象曰 至哉坤元 萬物資生 乃順承天 坤厚載物 德合无疆 含弘光大 品物咸亨

牝馬地類 行地无疆 柔順利貞 君子攸行 先迷失道 後順得常 西南得朋

乃與類行 東北喪朋 乃終有慶 安貞之吉 應地无疆

象曰 地勢坤 君子以 厚德載物

初六 履霜 堅冰至

六二 直方大 不習无不利

六三 含章可貞 或從王事 无成有終

六四 括囊 无咎无譽

六五 黃裳 元吉

上六 龍戰于野 其血玄黃.

用六 利永貞

---

1. 괘상(卦象)

땅(地)의 성정을 곤(坤☷)이라 하며, 거듭하니 중지곤(重地坤)이라 한다. 곤은 땅의 성질로서 음이며, 양과의 작용으로 만물을 생한다. 우주는 천지인 삼극이며, 양☰은 건천(乾天)으로서 리(理)가 되고, 음☷은 곤지(坤地)로서 기(氣)를 뜻한다.

乾天☰이 체(體)로서 공(空)이라면, 坤地☷는 만물이 생성 변화해가는 시(時)로서 용(用)이 된다. 음양은 건곤의 작용이며, 리(理)와 기(氣)는 체용의 관계가 된다. 乾☰은 천지에 가득한 생명지기(理)이며, 坤☷은 지기(至氣)를 품고 기르는 질료로서 리(理)를 받아 음양(氣)의 작용으로 형상(物)을 생한다. 乾☰天은 아버지(陽)로서 생명을 주고, 坤☷地는 어머니(陰)로서 생명을 품고 형상으로 길러내니 만물(人)을 태우고 가는 수레가 된다.

무극으로 상징되는 카오스(chaos)는 무질서가 아니라 리(理)를 내포하고 있는 무형(無形)으로서 무질서처럼 보이지만 수학적 논리(理)를 부여하면 리(理)를 따라 질서가 잡히면서 형상으로 드러나고 생명으로 작동된다. 즉, 카오스(無)에는 리(理)가 내재되어 있으니 음양이 작용하면 질서(태극)가 서게 되고, 형상(象)이 만들어지면서 생명이 부여되어 작동하게 되는 것이다. 태극은 음양으로 분별되어 상호작용함으로써 물리학적 빅뱅(bigbang)으로 우주(cosmos)를 창조한다.

하나(一)의 속성은 천지인(三)이고, 그 작용성은 음양(二)이니 음양이 작용함에 따라 천지인(三)의 형상(物)이 일어난다. 하나(一)에서 양이 나오고, 음이 일어난다(一陽一陰之謂道). 양은 생명지기로서 乾(理)이며, 음은 만물의 형상을 이루는 질료로서 坤(氣)이 된다. 坤☷氣은 생명지기인 乾☰理을 받는 모태이며, 만물(人)을 생육하는 바탕이다(萬物資生).

천(天)은 만물의 이치를 뜻하는 도(道)가 되며, 지(地)는 이치를 품고 작용하는 덕(德)이 된다. 천도(天道)의 이치를 따라 지덕(地德)이 만물을 키운다. 사시사철 천도(天道)를 따라 지도(地道)가 만물을 생장수장(生長收藏)의 이치로써 순환시키니 바로 지덕의 작용을 의미한다. 천도가 체라면 지덕은 용이다. 천도가 강건한 부(父)라면 지덕은 유순함으로 만물을 품고 키우는 모(母)가 된다.

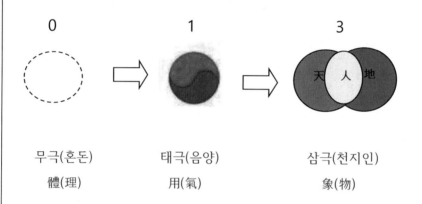

☞一始無始一析三極無盡本 일시무시일 석삼극무진본

하나(1)에서 천지인(3)이 시작된다. 太極(1)은 無(0)에서 시작되는 有(1)로서 음양(2)이 작용하며 만물(天地人)을 시생(始生)하는 자리이다.

0	1	3
무극(혼돈)	태극(음양)	삼극(천지인)
體(理)	用(氣)	象(物)

천(天)은 리(理)로서 생명이며, 지(地)는 기(氣)로서 질료이고, 인(人)은 물(物)로서 천지교합으로 생한 만물(象)이 되니, 천지인은 본시 하나(一)의 체로서, 살아있는 생명 본체가 된다.

坤☷(陰)는 모든 만물의 형상을 키워내는 모태로서 생명을 품는다. 乾☰(陽)은 생명지기로서 곤☷에 생명을 부여하고 작용하며 만물(物)을 기르니, 인(人)을 가리킨다. 坤☷(氣)은 時(用)에 따라 만물의 변화를 만들어내는 질료가 된다.

하나(一)는 음양(二)의 작용으로 형상(三)을 내어놓으니 천지인 만물만상이다. 만상(萬象)은 만왕만래(萬往萬來)하며 용변(用變)하고, 생장수장(生長收藏)의 이치로써 순환하며 일시일종(一始一終)한다.

坤≡≡괘 아래(下)에서 일어나는 작용은 보이지 않는 곳에서의 작용이다. 坤≡≡은 아래에 있는 이들을 포용하는 유순한 성질이 있다. 복(復), 임(臨), 사(師), 겸(謙), 승(升), 명이(明夷) 등은 모두 곤괘≡≡ 아래에서의 작용이며, 坤≡≡은 이를 품고 포용하는 성질이 있다. 반대로 坤괘≡≡ 위(上)에서 일어나는 작용은 坤≡≡이 이들을 받쳐주는 역할을 한다. 즉, 아래는 포용하고, 위는 받쳐주는 것이 坤≡≡地의 덕이다.

2. 괘변(卦變)

▷호괘, 착종괘, 도전괘 – 重地坤

坤   坤

☷-7 ⟹ ☷-7

☷-7   ☷-7

0   0

땅은 내부를 보아도 같고 외부를 보아도 똑같다. 거꾸로 보아도 같으며, 앞뒤를 바꾸어도 똑같다. 만물을 품어 길러내는 땅의 성정은 변함이 없다.

▷배합괘 – 重天乾

坤   乾

☷-7 ⟹ ☰+7

☷-7   ☰+7

0   0

지기(地氣)는 천기(天氣)를 품어 만물을 낳아 기른다. 배합하면 중천건(重天乾)이다.

3. 괘사(卦辭)

坤 元亨利牝馬之貞 君子有攸往 先迷後得主利

곤 원형이빈마지정 군자유유왕 선미후득주리

西南得朋 東北喪朋 安貞吉

서남득붕 동북상붕 안정길

坤은 元하고 亨하며 利하니, 牝馬(암말)의 바름(貞)이다. 군자는 나아가는
바가 있으니 앞서면 미혹되고 뒤따르면 얻으리니 만물의 利를 주관한다.
西南은 벗을 얻고, 東北은 벗을 잃으니 안정되고 길하리라.

　　하늘의 지기(至氣)를 받아 만물을 품는 중지곤(重地坤)괘도 중천건(重天乾)
괘와 마찬가지로 원형이정(元亨利貞)의 사덕(四德)을 갖추고 있다. 건(乾)은
양의 도로서 공간(空)을 의미하며 강건함으로 모든 만물을 살아 움직이게 하
는 생명지기(理)가 된다(萬物資始). 곤(坤)은 음의 도로서 생명지기를 받아 만
물의 형상을 만드는 기(氣)가 되며, 공간을 채우는 질료를 가리킨다(萬物資
生). 질료(氣)는 리(理)를 바탕으로 시간이 흐르면서 형상을 만들어내니 또한
시(時)가 된다. 시공(時空)이란 천지의 또 다른 이름이다. 곤은 건이 돌리는
원형이정의 도를 따라 춘하추동 사시를 돌며 생장수장의 이치를 펼쳐낸다.
음이 생육하는 천지만물은 양이 주관하는 천도를 따라 생장성쇠를 반복하며
순환하는 것이니, 곤(坤)은 천도에 순응하는 순응지도(順應之道)를 지덕(地德)
으로 한다. 이것을 빈마지정(牝馬之貞)이라 하여 유순하지만 곤은 암말의 바
른 덕으로 상징하여 비유한다.

牝馬之貞

곤(坤)은 천도에 순응하는 순응지도를 상징하는데, 괘사는 이것을 암말로 상징하여 비유하고 있다. 복희팔괘 소성괘에서 ☷는 소를 상징하는데 이는 곤괘의 성정을 의미한다. 소는 순하고 순응적이며, 강인하고 느리다. 이는 작용적 측면이 아니라 본체적인 관점에서 坤☷의 성정을 비유한 것이다.

상하괘로 구성된 중지곤(重地坤☷☷)의 성정은 암말에 비유된다. 암말은 강하고 빠르며 대지 위를 거침없이 달리는 무한한 힘을 상징한다(牝馬地類 行地无疆). 또한 암말은 수말(陽)에 순종하고 따르는 성정이 있으니, 천리(天理)에 순응하는 음의 도(地道)를 상징한다. 그러므로 곤의 작용성을 암말의 순종함에 비유하는 것이다. 군자의 나아갈 바가 있으니 이는 바로 수말(陽)을 따르는 암말(陰)의 유순함을 이정(利貞)으로 하는 빈마지정처럼 천리에 순응하며 나아가는 군자지도를 말한다(柔順利貞 君子攸行). 곤괘의 성질은 빈마지정의 의미 속에 함유되어 있다. 그러므로 강건하고 바른 수말을 따르는 유순하고 순종적인 암말의 성정처럼 앞장서서 나서지 않고 뒤따르면 봄에 뿌려놓은 씨앗을 가을에 만물의 이로움으로 수렴하듯 이(利)를 주장하여 얻게 된다. 봄과 여름에 생장(生長)하는 乾☰陽의 생명지기(元亨)를 문왕팔괘도(지구역)의 서남방에 위치해 있는 坤☷☷陰이 방정(方正)함으로 품어 줌으로써 가을과 겨울에 수장(收藏)하는 坤(陰)의 利貞을 주관하여 주는 것이다(先迷後得主利).

君子有攸往 先迷後得主利

천도(양)를 따르고 순응하는 암말(음)의 빈마지정은 천리에 순응하는 군자의 나아갈 바가 된다. 양의 기운이 만물을 생장(生長)하고, 음의 기운이 이를 수장(收藏)하여 바르게 함이 원형이정의 이치이니, 양이 앞서고 음이 뒤따르는 것은 천지의 바른 도다. 만일 음이 양을 앞서면 천지가 순환하는 이치가 혼란하게 된다. 그러므로 음의 관점에서 보면 음이 양을 앞서게 되면 미혹되어 질서가 혼란스럽게 되며, 음이 양을 뒤따르면 가을(후천)의 이로움을 주관하게 되니 이는 음이 양을 따름으로써 천지순환의 질서가 바르게 서게 되고, 또한 인사(人事)가 혼란스럽지 않고 순리대로 풀려나가게 됨을 뜻한다. 건도(양)이 주관하는 선천은 상극 세상이라면, 후천은 곤도(음)가 주관하는 상생 세상이다. 건양(乾陽)이 먼저 봄, 여름(선천)에 씨앗을 뿌리고 키우며(生長), 음(坤)이 나중에 가을과 겨울(후천)의 이로움(利)을 주관하여 바름(貞)으로써 저장하고, 그 지혜(智)를 후세를 위해 전하니(收藏), 이는 천지가 순환하는 원형이정의 질서를 말함이다.

西南得朋 東北喪朋 安貞吉

음이 주관하기 시작하는 서남(西南)은 坤☷괘가 있고, 유순한 지세(地勢)에 음의 무리(巽☴, 離☲, 坤☷, 兌☱)가 모여있으니 벗과 더불어 행함을 의미한다(西南得朋 乃與類行). 양이 주관을 시작하는 동북(東北)은 艮☶괘가 있고 험한 지세에 양의 무리(震☳, 艮☶, 坎☵, 乾☰)가 있으니, 이는 음이 음의 벗을 잃었음을 비유한다. 동북에서 음의 벗을 잃었으나 동시에 양의 벗을 얻은 격이다. 艮山☶의 삼효는 하늘에서 양이 내려와 坤土☷를 터치하는 모습이니, 곤(坤)의 도가 다하고 건(乾)의 도가 시작된다는 의미이다. 艮土☶는 종시(終始)의 뜻이 있느니, 음의 시대(坤道)를 마무리 짓는 동시에 양의 시대(乾道)가 시작되었음을 알리는 것이다(東北喪朋 乃終有慶). 간토☶가 위치한 동북방에서는 토는 수를 극하고 목은 토를 극함으로써 양이 주관하는 선천 건도(봄, 여름)가 시작되고, 곤토☷가 위치한 서남방에서는 화가 토를 생하고, 토는 금을 생하으로써 음이 주관하는 후천 곤도(가을, 겨울)이 시작된다.

그러므로 서남방에서 벗을 얻고 동북방에서는 벗을 잃음은 만물이 원형이정의 도를 바탕으로 춘하추동 사시를 따라 순환하는 생장수장의 이치를 말하는 것이니, 안정되고 바르며 길하리라(西南得朋 東北喪朋 安貞吉).

문언전에서 공자는 곤(坤)의 성정을 다음과 같이 풀이한다.

文言曰 坤至柔而動也剛 至靜而德方 後得主(利)而有常 含萬物而化光

문언왈 곤지유이동야강 지정이덕방 후득주(리)이유상 함만물이화광

坤道其順乎 承天而時行

곤도기순호 승천이시행

문언왈, 곤(坤)은 지극히 유순하되 동(動)함이 강하고, 지극히 고요하되 덕(德)이 방정(方正)하다. 앞서지 않고 뒤를 따르면 얻게 되니 이(利)를 주장함이 항상함이 있다. 만물을 품어 조화로움으로 빛나니 곤도는 순(順)이다. 천도를 따라 사시를 행한다.

곤은 부드럽지만 그 움직임은 강하다. 지극히 고요하면서도 덕이 방정(方正)하다. 건이 생명을 뿌리고 곤이 곧고 반듯한 의(義)로써 이(利)를 거두니 이는 만물의 질서이다. 곤이 만물을 품고 화육하여 빛내니 곤의 도는 유순하다. 곤은 천도를 따라 사시를 순행하며 만물을 키운다.

곤의 성정은 六二효사에 나오는 것처럼 직방대(直方大)이니 내면은 곧으며 외면은 반듯함으로 드러나고 밖으로는 의(義)로써 이(利)를 주장한다(거두어 드린다). 그러나 유순하되 강(剛)한 곤의 성정은 천도를 앞서지 않고 천리(天理)를 따라 순행하니 때를 앞서지 않고 사시를 따라 만물을 조화로움으로 빛나게 한다. 곤도는 순리대로 천시(天時)를 받들어 행할 뿐이다.

☞ 坤: 땅 곤/ 牝: 암컷 빈/ 迷: 미혹할 미/ 喪: 잃을 상/ 含: 머금을 함 承: 이을 승, 받들 승

彖曰 至哉坤元 萬物資生 乃順承天 坤厚載物 德合无疆

단왈 지재곤원 만물자생 내순승천 곤후재물 덕합무강

含弘光大 品物咸亨 牝馬地類 行地无疆 柔順利貞 君子攸行

함홍광대 품물함형 빈마지류 행지무강 유순이정 군자유행

先迷失道 後順得常 西南得朋 乃與類行 東北喪朋 乃終有慶

선미후득 후순득상 서남득붕 내여유행 동북상붕 내종유경

安貞之吉 應地无疆

안정자길 응지무강

지극하다. 곤원(坤元)이여! 만물이 이를 바탕으로 생육하니 이에 순응하여 하늘을 받든다. 곤(坤)은 후덕(厚德)하여 만물을 싣고, 한없이 덕을 합하여 널리 품고 크게 빛나니 온갖 만물이 다 형통하다. 암말(음)은 땅의 무리이니 땅을 다님에 경계가 없고 무한하니, 유순으로 이정(利貞)함은 군자가 나아가야 할 바라. 앞서면 미혹되어 길을 잃고 뒤를 따르면 상도(常道)를 얻는다. 서남(西南)에서는 벗을 얻으니 이에 무리(同類)와 더불어 행한다. 동북에서는 벗을 잃으니 마침내 경사가 있음이라. 안정되고 곧으니 吉하여 땅의 응함이 무한하다.

▶시생(始生)의 원리

至哉坤元 萬物資生 乃順承天

乾 - 萬物資始: 시(始)는 생기(生氣)의 시작이요(생명이 부여됨).

坤 - 萬物資生: 생(生)은 형상(形象)의 완성이다(생명이 형질形質을 갖춤).

건(乾)이 만물에 양기를 부여하여 생기가 시작되고, 곤(坤)은 乾의 양기를 받아 만물을 生하여 형상을 갖춘다. 이는 하늘을 따르며 순응하는 지도(地道)를 말한다.

坤厚載物 德合无疆 含弘光大 品物咸亨

곤은 후덕함으로 천하만물을 모두 품고 기른다. 그 덕을 합하니 무한하며 천하만물을 널리 품어 크게 빛나게 하니 모두가 형통하다.

牝馬地類 行地无疆

중천건에서 건(乾)의 강건함은 용(龍)으로 상징하였다. 그리고 중지곤에서는 곤(坤)의 유순함을 암말로 상징하여 건도(乾道)를 따르는 곤의 순응지도(順應之道)를 표징하였다. 암말은 유순하고 순종적이지만 강인하고 빠르고 곧아서 무한히 땅을 다니며 앞서지 않고 뒤따른다. 암말은 유순한 음을 상징하는 지류(地類)로서 끝없는 대지를 가로질러 행한다.

柔順利貞 君子攸行 先迷失道 後順得常

유순은 음의 성정이며 이정(利貞)은 음기(陰氣)로써 양기(陽氣)를 바르게 수렴하는 것을 의미한다. 서남의 곤토가 방정함으로 화기(火氣)를 중화시켜 태금(兌金☱)에 수렴하니 태금은 서릿발 같은 의(義)로써 이(利)를 주장하여 거둬드린다. 이(利)를 주장하여 거두어 드린다 함은 이로운 것은 담고 이롭지 않은 것은 버린다 라는 가을 추수의 의미이다. 坤土☷의 성정이 방정함이니 곤토의 중재로 중화된 火氣(☷열매)를 태금☱에 담을 때 방정(方正)한 곤토☷에 반듯하게 담기는 것은 담고, 반듯함에 어긋나는 것은 버린다는 뜻이다.

하늘의 양기를 받아 생명으로 품어내는 것이 땅의 음기이니 음은 하늘을 따른다. 양기를 생명으로 받아 만물을 생육하는 것이 원형(元亨)이라면, 양기를 수렴하여 땅의 후덕(厚德)함으로 바르게 품어 저장하는 것은 음의 성정으로 이정(利貞)이 된다. 그러므로 군자는 행하는 바 천명을 앞서지 않고 뒤따른다. 봄을 따르는 것이 여름이고, 여름을 따르는 것이 가을이며, 가을을 따르는 것이 겨울로 다시 봄이 뒤따라 일어난다. 봄과 여름은 만물이 생(生)하고 장(長)하는 원형(元亨)이 되고, 가을과 겨울은 만물을 수(收)하고 장(藏)하는 이정(利貞)이 된다.

음이 양보다 앞서면 천도(天道)를 어기게 되며, 양보다 뒤에 하면 떳떳함을 얻는다. 이것은 자연의 순리로서 음이 양보다 앞서 나가듯 질서를 뒤집어 어긋나게 한다면 미혹함을 당하여 천도를 잃게 되는 것이다. 천리를 따라 순리대로 행한다면 도의 항상(恒常)함을 얻는다(君子攸行 先迷失道 後順得常).

西南得朋 乃與類行 東北喪朋 乃終有慶 安貞之吉 應地无疆

양이 주관하여 만물을 인(仁)으로써 生하게 하고, 예(禮)로써 질서를 세워 장(長)하게 하는 봄과 여름은 원형(元亨)을 이루고, 음이 주관하여 의(義)로써 만물의 이로움을 수렴(收)하고, 지혜(智)로써 바르게 저장(藏)하는 가을과 겨울은 이정(利貞)을 이룬다.

≫西南得朋 乃與類行: 서남(西南)은 곤괘가 있는 음의 지역으로 동류(同類)가 함께 한다. 곤괘의 동류란 [坤母≡≡, 巽長女≡≡, 離中女≡≡, 兌小女≡≡]로 음괘를 가리킨다.
≫利貞: 양기가 수렴되어 바르게 자리함을 이로움으로 하다. 의(義)로써 만물을 수렴하며, 지(智)로써 만물을 바르게 저장한다

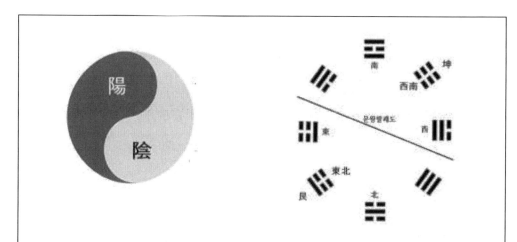

≫東北喪朋 乃終有慶: 東北은 음의 무리를 잃고 양을 얻어 만물을 생육하니 마침내 경사가 있다.

≫元亨: 원(元)을 바탕으로 만물이 형통(亨)함으로 펼쳐진다. 인(仁)으로써 만물을 태동시키고, 예(禮)로써 만물의 질서를 세운다.

▶종시(終始)와 교역(交易)

간토(艮土)(양)와 곤토(坤土)(음)를 축으로 일어나는 변혁의 원리

西南得朋 乃與類行 東北喪朋 乃終有慶 安貞之吉 應地无疆

중화(中和)적 성정의 중토(中土)가 상생과 상극을 중재하면서 우주적 변혁이 일어나는 원리를 설명한다. 곤토(음)☷는 상생의 원리가 지배하는 후천의 시작이 되고, 간토(양)☶는 상극의 원리가 지배하는 선천의 시작이 된다. 간토와 곤토는 지구의 자전축으로서, 사시의 변화를 일으켜 만물이 생장수장의 이치로 순환시키는 변혁의 축이다.

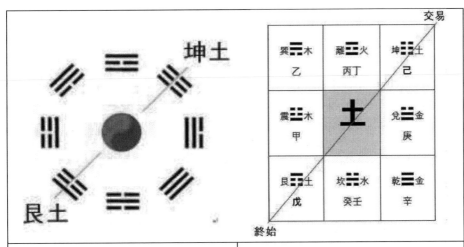

巽☴木 乙	離☲火 丙丁	坤☷土 己
震☳木 甲	土	兌☱金 庚
艮☶土 戊	坎☵水 癸壬	乾☰金 辛

交易

終始

西南得朋 乃與類行	東北喪朋 乃終有慶
▷곤도(坤道): 후천상생의 원리 화와 금의 상극관계에 坤土가 중재에 나섬으로써 火가 坤土(☷)를 생하고, 坤土(☷)가 金을 생하는 상생의 관계로 전환된다.	▷건도(乾道): 선천상극의 원리 수와 목의 상생관계에 艮土가 중재에 나섬으로써 艮土(☶)가 水를 극하고(終), 木이 艮土(☶)를 극하면서 만물이 시작하는 상극관계로 전환된다(始).

▶금화교역(金火交易): 坤道(음)의 시작, 후천 상생

西南得朋 乃與類行

지구(earth)역인 문왕팔괘도를 보면 서남(西南)은 곤☷괘가 있는 음의 영역으로 극성한 양기가 중화되기 시작하는 곳이다. 양이 극성한 정남(正南)에서 음이 시작하는 서남에 이르러 함께 더불어 행하는 음의 동류(同類)를 얻으니 함께 더불어 행한다. 이정(利貞)은 음의 성정으로 유순함을 뜻하니, 천리(天理)에 순응하는 군자가 나아갈 바른 도가 된다(柔順利貞 君子攸行).

서남은 상극으로 시작한 건도(乾道)의 양기가 점차 극한으로 치달으면서 곤토(坤土)에 의해 양기가 중화되기 시작하는 자리이다. 서남은 곤토☷가 위치한 자리로 극성한 火☲의 기운을 중화시켜 金☱의 기운으로 넘어갈 수 있도록 중재하는 역할을 한다(火生土, 土生金). 만물을 수렴하는 금기(金氣)는 화기(火氣)와는 상극관계에 있으므로 토기(土氣)의 중재적 역할이 없으면 화기를 직접 수렴할 수가 없다. 서로 상극관계가 되어 자연스럽게 사시순환으로 이어질 수가 없는 것이다. 곤토는 직방(直方)으로서 반듯한 성정이므로 태금(兌金☱)이 정의롭게(義) 이로움(利)을 취할 수 있도록 돕는다. 서남방의 중토가 극한으로 치달은 정남방의 양기☲를 중화시켜 태금☱에 자연스럽게 수렴되도록 하는 것이다. 火☲와 金☱의 상극을 중재하는 土☷로 인하여 금화교역이 일어남으로써 상생(相生)의 기운이 만들어지고(火生土, 土生金), 토의 성정인 방정(方正)함이 밖으로 드러나 의(義)가 됨으로써 이(利)를 주장(收)할 수 있게 되는 것이다. 그러므로 이(利)는 곧 인문학적 개념으로 의(義)가 되고, 가을의 서릿발 같은 공의(義)로써 거두어 드린 양기를 바름(貞)으로 저장(藏)하는 것은 다음 세대를 위한 지혜이니 곧 정(貞)은 지(智)가 된다. 선천 상극의 기운이 만들어온 乾道(양)가 서남방에서 중토의 중화적 성정의 중재에 의해 후천상생의 기운인 坤道(음)로의 변혁이 이루어지는 것이다.

▶ 종시(終始): 乾道(양)의 시작, 선천 상극

東北喪朋 乃終有慶

동북(東北)에 이르러 벗(同類)을 잃는다 함은 함께한 음의 무리를 잃고 음의 시대를 끝마친다(終)는 것을 뜻한다. 그러나 마침은 곧 새로운 시작(始)를 의미하니 동북인 艮☶山에서 만물이 다시 시작한다(乾道). ☶은 하늘☰(양)이 땅☷(음)을 처음 터치하는 모습이니 양이 처음 시작되는 것이다. 그러므로 마침내 만물의 생장(生長)이 시작되는 경사(慶)가 있는 것이니, 이는 건도가 새롭게 시작됨을 의미한다. 동북은 문왕팔괘도의 艮☶山이 있는 자리로서 음을 마치고 양이 시작하는 종시(終始)의 원리가 작동하는 자리이다. 그 곳에서 곤도가 이끄는 상생의 기운이 극에 달하면서 건도가 이끄는 상극의 시대로 지구적 차원의 변혁이 이루어진다. 水氣☵는 木氣☳와 상생관계에 있으나, 艮土☶가 간섭함으로써 건도의 상극이 주재하는 양(陽)의 생장(生長)의 시대로 전환되는 것이다(土克水, 木克土).

음이 양을 따르고 땅이 하늘을 따르며, 사계절이 질서를 갖추어 순환하듯, 군자가 천명에 순응하여 따르는 것은 안정되고 길함이니 온 천하만물이 땅의 두터움과 무한함에 응한다(安貞之吉 應地无疆).

건도(乾道)는 상극의 원리가 지배하는 세상으로 양이 서로 경쟁하며 생장하는 시대이다. 숨어 지내던 잠룡이 힘을 길러 현룡으로 나서고, 종일건건(終日乾乾)하며 고군분투하는 건룡, 그리고 하늘에 날아오르기를 끊임없이 시도하는 약룡, 군왕의 자리인 비룡을 거쳐 항룡유회에 이르기까지 건도는 무한히 생장(生長)하는 양의 기운이 지배하는 시대이다.

곤도(坤道)는 상생의 원리가 지배하는 세상으로 음이 극성한 양을 수렴하여 감싸 안는 시대이다. 추상(秋霜)같은 정의(正義)로써 쭉정이와 알갱이를 가려 거둬드리고 바르게 저장하여 그 지혜를 후세에 전하려는 모성애(母性愛)를 가진 시대이다. 유순하지만 천도에 순응하며 만물을 싣고 만물을 낳아 기르는 모토(母土)이다. 부드러운 것이 강함을 이기듯이, 음은 극성한 양기를 부드럽게 품어 잠재운다. 음에 의해 바르게 저장된 양기(생명)는 때가 이르면 다시 생명으로 나와 후세를 이어간다. 음이 양을 낳으니 음은 어머니요, 양은 아들이다. 양을 수렴하는 것은 서남의 坤土☷가 되고, 양을 낳아 생명을 시작하는 것은 동북의 艮土☶가 된다. 토(土)는 양을 수렴하고 낳아 기르는 변혁의 축이다.

동양철학의 관점에서 보면 지구가 공전과 자전을 하는 지축은 축토(丑土)와 미토(未土)로 음이 되고, 진토(辰土)와 술토(戌土)는 지축을 기준으로 회전시키는 양의 기운이 된다.

☞ 資: 바탕 자, 재물 자/ 厚: 두터울 후/ 載: 실을 재/ 德: 덕 덕/ 疆: 지경 강, 한계 강/ 숨: 머금을 함/ 弘: 넓을 홍, 클 홍/ 咸: 다 함, 모두 함/ 類: 무리 류/ 常: 항상 할 상, 떳떳할 상, 영원할 상

象曰 地勢坤 君子以 厚德載物
상왈 지세곤 군자이 후덕재물

단에 이르길, 땅의 형세가 곤(坤)이니 군자는 이러한 상을 보고 덕을 두터이 하여 만물을 포용한다.

땅은 천하의 삼라만상이 생장성쇠(生長盛衰)를 반복하며 살아가는 삶의 터전이다. 땅은 그 성정이 직방대(直方大)이니, 그 덕은 곧고 방정(方正)하며, 두텁고 무한하여 천하만물을 품어 생육한다. 군자는 이러한 땅의 형세를 보고 아름다운 덕을 두터이 하여 천하만물을 품에 안는다.

4. 효사(爻辭)

初六 履霜 堅冰至
초육 이상 견빙지

초육, 서리를 밟으니 단단한 얼음에 이른다.

중지곤괘의 초육은 64괘의 첫 번째 음효이다. 음의 시작을 땅 속에 숨겨져 서서히 일어나는 서리의 기운으로 표현했다. 추위가 다가오면 땅 속 표면 밑이 서서히 서리기운이 응결되면서 땅 표면을 들어올린다. 이것을 밟으면 서리기운이 뭉쳐지며 얼음처럼 단단해진다. 중천건괘에 이은 중지곤괘에서 초육은 음의 시작을 알리는 첫 번째 초음이다. 음의 시작을 서리가 시작되어 얼음이 얼어가는 과정으로 비유한 것이다.

음양은 서로 귀천이 없이 동등하다. 양이 홀로 설 수 없듯이 음 또한 홀로 존재할 수 없다. 상대의 존재는 내가 존재하기 위한 필수적 전제조건이다. 대립(對立)하면서도 대대(對待)하며 서로 밀고 당기며 상호작용함으로써 존재한다. 양이 빛이라면 음은 어둠으로 비유되고, 양이 남(男)이면 음은 그 뜻에 따라 여(女)로 비유된다. 이것은 옳고 그름, 선과 악에 따라 구분하는 귀천(貴賤)의 의미가 아니라 성정(性情)으로서의 비유이다. 그러므로 곤괘의 초육을 좋지 않은 기운이 시작되는 것으로 보아 이를 분별하여 선함으로 인도하여야 한다라는 식으로 곡해하는 것은 음에 대한 좁은 선입관 때문에 일어나는 편견이다. 초육을 바라보는 관점 중의 하나일 따름이다.

음의 서늘한 기운이 서리가 되면 머지않아 얼음이 꽁꽁 얼게 될 것을 안다 (履霜 堅冰至). 그러므로 곤괘의 초효사는 봄이 오면 여름이 오고, 여름이 가면 가을이 오는 천지 순환의 관점에서 세상의 흐름에 순응하는 것을 비유하고 있다.

서리가 보이기 시작하면 곧 겨울이 다가온다는 것은 천지만물의 이치가 아닌가? 서리가 내리는 작은 변화에서 겨울로 넘어가는 큰 변화의 흐름을 인지하고 추위에 대비하는 교훈적 의미가 담겨있다. 순리의 흐름에 순응하라는 뜻이 있으니 점단(占斷)은 은미한 변화의 인지를 통해 큰 흐름에 대비하라는 교훈적인 뜻으로 판단한다. 길흉은 음양이 서로 부딪히며 밀고 당기면서 중화를 이루는 과정 속에서 일어난다. 좋은 일이든 나쁜 일이든 작은 것에서 시작하여 점차 자라 커가는 것이니 장차 자라나는 것을 경계한다. 서리를 밟았으니 머지않아 얼음이 꽁꽁 어는 때가 오리라(履霜 堅冰至). 서리를 밟으니 굳은 얼음에 이른다. 이는 곤괘의 첫 음이 비로소 엉기어 시작됨을 비유한다. 음(陰)의 도는 순(順)이니 처음 시작하는 음도(陰道)를 순하게 이루어 단단한 얼음에 이르게 한다. 상에 이르길 '리상견빙(履霜堅冰)는 음이 시작하여 처음 엉김이로다. 그 도를 순하게 길들여 이루듯 단단한 얼음에 이른다(象曰 履霜堅冰 陰始凝也 馴致其道 至堅冰也)'라고 하였다.

문언전에서 공자는 다음과 같이 初六효를 풀이한다.

積善之家 必有餘慶 積不善之家 必有餘殃
적선지가 필유여경 적불선지가 필유여앙
臣弒其君 子弒其父 非一 朝一夕之故
신시기군 자시기부 비일조일석지고
其所由來者 漸矣 由辯之不早辯也
기소유래자 점의 유변지부조변야
易曰 履霜堅冰至 蓋言順也
열왈 이상견빙지 개언순야

善을 쌓은 집안은 반드시 경사가 넘쳐나고, 不善을 쌓은 집안은 반드시 재앙이 넘쳐난다. 신하가 자기 군주를 시해하고 자식이 지아비를 시해하는 것은 하루 아침, 하루 저녁의 연고가 아니다. 그 유래하는 바가 점진적으로 커져 온 것이니 판별할 것을 일찍 판별해내지 않음에서 말미암은 것이다. 역에 이르길, 서리를 밟으면 단단한 얼음에 이른다 함은 대개 순차적으로 이루어져 감을 말하는 것이다.

'서리를 밟으면 얼음이 된다(霜堅冰)'라는 뜻은 선을 쌓으면 선으로 보답받고, 악을 쌓으면 악으로써 보답 받음을 말한다. 콩 심은 데 콩 나고, 팥 심은 데 팥 난다. 땅의 성정을 말하는 것이니, 땅은 심은 대로 길러낸다. 결과에는 반드시 원인이 있는 법, 작은 겨자 씨앗도 땅에 뿌리를 내리면 거대한 나무로 성장한다. 만물의 이치는 뿌린 대로 거두는 법이다. 선이든 악이든 겨자씨 만한 작은 것에서 시작하여 점차 자라 커가는 것이니 모든 일에는 그 연고가 있다. 하루 아침, 하루 저녁에 형성되는 것이 아니므로 일의 처음을 잘 살펴 그 원인을 판별해내야 한다. 은미한 변화의 인지를 통해 큰 흐름에 대비하라는 교훈이다. 또한 바늘도둑이 소도둑이 되는 것처럼 모든 결과에는 작은 것이 점차 쌓이고 쌓여 마침내 누적되어 크게 자라게 된다는 만물의 이치가 들어있다. 초효는 이러한 만물의 당연한 이치를 '서리를 밟고 또 밟으면 결국은 얼음으로 변하고 만다'라는 비유를 들어 설명하고 있다.

☞ 履: 밟을 리, 신 리/ 霜: 서리 상/ 堅: 굳을 견/ 冰: 얼음 빙/ 凝: 엉길 응/ 馴: 길들일 순, 순할 순, 익숙하게 할 순, 따를 순/ 致: 이를 치, 도달할 치, 다할 치, 이룰 치/ 至: 이를 지, 도달할 지/ 積: 쌓을 적/ 餘: 남을 여/ 慶: 경사 경/ 餘: 남을 여/ 殃: 재앙 앙/ 弑: 죽일 시/ 漸: 점점 점/ 辯: 말씀 변/ 蓋: 덮을 개

六二 直方大 不習无不利

육이 직방대 불습무불리

육이, 곧고 방정(方正)하며 크다. 익히지 않아도 저절로 이루어지니 이롭지 않음이 없다.

▷六二효사는 땅의 성정(性情)을 설명한다.
　직(直): 곧고 바름(貞正)
　방(方): 방정(方正), 반듯함(義)
　대(大): 땅의 덕(德)이 무한함

　직선으로 만든 도형 중에 최소한의 직선으로 바르게 설 수 있는 것이 삼각형이다. 또한 직선은 사면을 둘러 사각형(方正)을 만든다. 그러므로 직(直)은 각(角)과 통하고, 방(方)은 네모(正)와 통하고, 대(大)는 무한을 상징하는 원(圓)과 통한다. 직(直)은 곧고 바른 것이다. 땅은 반듯하고, 하늘은 둥글고 원만하다. 그러므로 직방대(直方大)는 각방원(角方圓), 즉 일반적으로 표현하는 원방각(圓方角)을 의미한다. 원방각은 천지인의 속성을 상징하는 도형이다.
　직(直)은 곧은 선이므로 바름(正), 곧음이 되고, 방(方)은 방정(方正)함, 반듯함을 의미하며, 대(大)는 덕(德)의 무한함을 상징한다. 그러므로 내면이 곧고 바르면 그 모습은 외면에 방정(方正)함으로 드러나고, 그 아름다운 덕이 밖으로 무한대(無限大)로 퍼져 나가니 바로 직방대(直方大)가 품은 뜻이다.

내면	외면	밖	▷원방각(圓方角)
직(直)	방(方)	대(大)	
각(角)	방(方)	원(圓)	
인(人)	지(地)	천(天)	
곧음, 바름	반듯함, 方正	위대함	
경(敬)	의(義)	덕(德)	
人 (삼각형)	地 (사각형)	天 (원)	
直線(直)	方正(方)	無限(大)	

　양의 원기로써 원(元)을 근본으로 하여 만물을 생육(亨)하며, 음의 성정으로 만물을 수렴(利)하고 바름(貞)으로 쉰다(元亨利貞). 쉼(終)이 바르지 않으면 원(元)으로 다시 시작(始)할 수 없다(終始). 바르게 저장하고 바르게 시작한다. 땅이 곧고 방정(方正)하지 않으면 만물을 바르게 저장하지 못하고, 바르게 저장하지 못하면 씨앗이 바르지 못하여 양(陽)으로 생하지 못하니 만물의 마침이 없다. 만물이 수렴되고 바르게 저장되어야 다시 만물이 생육할 수 있는 것이다.

　땅은 곧고 바르며 방정하다. 지덕(地德)이 무한히 크니 천하의 모든 만물을 포용한다(直方大). 땅은 씨앗을 바르게 품고 방정하게 키워내 그 덕을 땅 위에 무한히 펼쳐낸다. 이는 배우지 않아도 저절로 이뤄내는 땅의 성정이다.

　六二가 동하니 바르게 품은 씨앗(利貞)이 바르게 생하고 육(育)한다(元亨). 六二가 동하면 지괘(之卦)는 지수사(地水師☷☵)가 되어 만물을 기르는 상이 되고, 호괘는 지뢰복(地雷復☷☳)이 되어 만물의 생(生)함이 된다(萬物資生).

　원형이정의 도는 가르치지 않아도, 배우지 않고 익히지 않아도 저절로 이룬다. 음양의 작용은 배우고 익히지 않아도 저절로 작용하니 이롭지 않음이 없다(不習无不利). 남녀의 음양교합이 어찌 가르침이 없다 하여 생(生)하고 육(育)함이 없겠는가? 그러므로 공자는 소상전을 통해서 "六二가 움직이니 곧 음으로써 반듯하게 한다(직선으로 네모를 만들다). 익히지 않아도 절로 이루어지니 이롭지 않음이 없고 땅의 도가 아름다움으로 빛난다(象曰 六二之動 直以方也 不習无不利 地道光也)."라고 노래하였다.

문언전에서 공자는 다음과 같이 六二효를 풀이한다.

> 直其正也 方其義也 君子敬以直內 義以方外 敬義立而德不孤
> 직기정야 방기의야 군자경이직내 의이방외 경의입이덕불고
> 直方大 不習无不利 則不疑其所行也
> 지방대 불습무불리 즉불의기소행야
>
>
> 直은 正이요, 方은 義로다. 군자는 敬으로써 안을 곧게 하고,
> 義로써 밖을 方正하게 한다. 敬과 義가 바로 서니 德이 외롭지 않다.
> 直方大 不習无不利는 그 행하는 바를 의심치 않는 것이다.

땅의 성정은 직방대(直方大)이다. 내면은 곧고 바르며, 밖은 방정(方正)하니, 곧음은 경(敬)으로 드러나고 방정함은 의(義)로 드러난다. 내면의 바름(直)은 외면의 방정함으로 드러나고(方), 그 덕은 무한하다(大)라는 직방대의 의미를 인간의 도리에 적용하고 있다. 그러므로 대인은 땅의 성정을 본받아 경(敬)으로써 내면을 바르게 하고, 의(義)로써 외면을 방정하게 하여 그 덕이 무한이 퍼져 나가게 하니 그 행하는 바 저절로 도의에 부합하여 의심할 바가 없게 되는 것이다.

☞ 孤: 외로울 고/ 疑: 의심할 의

六三 含章可貞 或從王事 无成有終
육삼 함장가정 혹종왕사 무성유종

육삼, 품은 뜻이 가히 바르니, 혹여 왕사(王事)를 따른다면 앞장서 이뤄 냄은 없어도 유종(有終)의 미(美)는 있으리라.

六三이 동하여 효변하면 호괘가 뇌수해(雷水解☵)가 된다. 이는 모태☷ 속에서 보호받던 태아☵가 때가 이르러 산문(産門)을 열고 나아가는 모습, 열 달이라는 시간을 감내하며 때를 기다려 나아가는 것을 말한다. 태아는 때가 이르면 장차 품은 꿈을 밝히기 위해 밖으로 나아간다. 모태 속의 태아☵는 아름다운 꿈의 잉태(含章可貞)를 상징하며, 상괘인 진괘(震☳)는 그 속에서 열 달(時)을 기다린 끝에 산문을 열고 품은 꿈을 펼치기 위해 앞으로 나아가는 진(進)의 의미가 있다(含章可貞 以時發也). 어린아이에 불과하여 당장 스스로 나아가 이룸은 없어도 장차 커가며 꿈을 이루며 나아갈 것이니 마침내 유종(有終)의 미(美)를 거두리라(无成有終). 含章可貞이란 '빛남을 머금으니 가히 바르다'라는 의미로서 아름다운 꿈(뜻)을 상징한다. 以時發也는 충분한 때를 기다려 순리대로 나아가 이루어 내는 것(☷)을 의미한다.

그러므로 或從王事 无成有終는 '혹 왕사의 일을 따르면(대망을 품으면) 미리 앞서 나아가 적극적으로 행하지 않아도 때를 기다려 순리대로 나아가면 유종의 미를 거두리라'라는 뜻이다. 성(成)은 적극적으로 나아가 성취하는 것을 의미하는데 牝馬之貞처럼 곤도(坤道)는 천도(天道)를 순리대로 따라가야 마침이 있는 것이다.

六三은 인생이라는 마당, 전쟁터, 일의 본격적인 장터를 의미한다. 하괘의 상효로서 아직 상괘로 나아가지 않은 상태, 즉 강을 건널 지 말지, 진퇴를 선택할 수 있는 자리이기도 하다. 일의 선택, 강을 건널 지 말지를 결정할 수 있는 선택의 여지가 있으니 "혹(惑)"이라 표현한 것이다 혹종왕사(或從王事)란 '혹여 六三이 왕의 일을 따른다면' 이라는 뜻이다. 六三은 중도를 벗어나 본격적인 삶의 마당으로 나서 종일건건(終日乾乾)하며 고군분투 노력하는 자리로서 작은 일을 하는 소인배가 될 수도 있고, 대인으로서 왕사(王事)을 선택할 수도 있다. 王事란 곧 대사(大事)를 말한다.

六五의 황상(黃裳)이란 황제의 하의(下衣)를 뜻하는 말로 곤음(坤陰)이 가지는 가장 큰 뜻을 상징하며 아름다운 꿈, 대망을 표징한다. 六三은 음으로서 양을 품고 있으니 그 품은 뜻이 참으로 크다. 그러나 지금 당장의 성취는 없을지라도 혹여 황상(黃裳), 즉, 왕사(王事)를 선택하여 강을 건너 상괘로 나아간다면 장차 광대하게 되리라는 것을 알 수 있다(或從王事 知光大也). 六三은 뜻을 품고 있는 상이니(☷), 혹여 그의 선택이 王事(六五黃裳)라면, 품은 뜻은 때를 기다려 빛을 발하게 된다(以時發也). 그러므로 대망을 시작하는 아이의 미래는 장차 그 찬란함(光)이 커질 것(大)을 미리 점단(知)할 수가 있으니 바로 六三의 자리를 말한다.

사람의 꿈 중에서 제일 큰 것은 천하 대권(大權)이다. 하늘이 내리는 천명이니 그것을 쥐는 자는 천명을 얻은 것이다. 양을 따르는 음, 하늘을 따르는 땅, 인군(人君)을 따르는 신하, 즉 천도(天道)를 순리대로 따르는 지도(地道)를 말함이니, 중지곤(重地坤☷☷)의 六三이 품은 뜻은 황상(黃裳)의 위치에서 왕사(王事)를 행하는 것이다.

5효는 군왕의 자리이다. 땅에서 사는 무리 중의 최고를 상징하는 것이 왕이 아닌가? 六三은 양의 자리에 음으로 와 자리가 바르지 않고(不正位), 이미 중도를 벗어난 자이니 그의 꿈이 쉽게 이루어지기는 어렵다. 다만 육삼으로서 품은 뜻이 있으니 바로 왕사를 행하는 것이다. 왕사란 현대적 의미로 보면 대사(大事)이고 대망(大望)이다. 六三이 효변하면 지산겸(地山謙☷☶)이니, 저녁(어둠)에 이르러도 겸손한 자세로 항상 자신을 돌아보며 뜻을 잃지 않는 중천건괘 九三효처럼 "終日乾乾 反復道也"한다면 끝내 유종의 미를 거두리

라. 六三이 효변한 지산겸 九三효사를 보면 "겸양(謙讓)하려 애쓰니 군자의 일은 마침이 있도다. 길하리라(九三 勞謙 君子有終吉)"이다. 그래서 공자는 소상전을 통해 '六三은 품은 뜻이 가히 바르니 때가 이르면 그 빛을 발하리라, 혹여 그의 선택이 왕사를 행하는 것이라면, 비록 당장의 성사는 없을 지라도 마침은 있을 것이니 장차 광대해짐을 알 수 있으리라(象曰 含章可貞 以時發也 或從王事 知光大也)'라고 주석하고 있다.

문언전에서 공자는 육삼(六三)효를 다음과 같이 풀이한다.

> 陰雖有美含之 以從王事 弗敢成也 地道也 妻道也 臣道也
> 음수방미함지 이종왕사 불감성야 지도야 처도야 신도야
> 地道無成 而代有終也
> 지도무성 이대유종야
>
> 음(陰)이 비록 미(美)를 머금고 있어 왕사(王事)를 따르지만 감히 앞장서 이루어 내지는 않으니, 땅의 도로다. 부인의 도로다. 신하의 도로다. 땅의 도는 당장의 이룸은 없으나 대신 유종의 미을 얻으리라.

하늘은 행하고, 땅은 하늘의 도를 이어 마친다. 건(乾)이 이루고 곤(坤)이 마치는 것이다. 그러나 성공은 하늘이 주장하니 땅의 도는 자신을 내세우지 않는다. 곤도(坤道)는 건도(乾道)를 따르지 감히 앞장서 행하지 않는다. 앞서면 질서가 무너져 길을 잃게 될 뿐이다. 성(成)은 앞으로 나서 적극적으로 행하여 이루어 내는 것을 의미한다. 괘사를 해설하는 문언전에 "坤道其順乎 承天而時行"라 하여 "곤도는 순리대로 천도를 받들어 사시를 따라 행한다"라고 하였다.

☞ 章: 밝을 장, 아름다울 장, 글 장/ 雖: 비록 수/ 敢: 감히 감

六四 括囊 无咎无譽
육사 괄낭 무구무예

육사, 주머니의 입을 매니 허물은 없으나 명예도 없다.

중지곤(重地坤)의 四爻가 동하면 뇌지예(雷地豫☷☳)괘가 되는데, 그 호괘는 수산건(水山蹇☵☶)이 된다. 산☶이 물☵에 빠져 있는 상으로 험함(險陷☵)에 빠져 꼼짝없이 묶여 있는 모습이니, 대인이 구설(口舌)에 휘말려 모함에 빠진 상이 된다. 또한 예(豫)괘는 겨우내 땅 속에 있던 씨앗이 터져 나오며 내는 뇌성(雷聲)으로, 천하에 널리 소리가 퍼져 나가는 뜻이 있으니 이 또한 구설(口舌)의 뜻이 만들어진다. 감(坎☵)은 어지러움, 혼란, 함정, 어두움, 모략, 구설수, 구덩이에 빠짐 등을 뜻하니, 온갖 구설수와 모함 등에 빠져 앞으로 전진하지 못하고 있는 것이다. 六四는 九五왕의 주변으로 정치꾼들이 모여드는 정치판을 말함이니, 험한 말이 오가는 곳이다. 험함☵에 휘말리는 것은 곧 말(言)에서 비롯된다. 뇌지예는 어두운 땅 속을 뚫고 밖으로 나온 양이 우레 같은 소리를 내는 상이다. 이러한 때에 뇌지예(雷地豫☷☳)의 호괘가 수산건(水山蹇☵☶)이 되니 설화(舌禍)로 인하여 스스로 험함에 빠질 수 있음을 경계하여 주는 것이다.

六三에서 왕사(王事)를 따르기로 하고 상괘인 六四로 건너온 것이니 더는 물러날 자리가 없다. 4효는 상괘의 아래에 처하여 강에 배수진을 친 것과 같으니 혼란에 미혹됨 없이 움직여 전진(☳進)해야 한다. 구설수에 휘말려 설화를 자초하기 쉬우니 자루의 입을 묶어버리듯이 입(口)을 삼가면 허물할 것이 없으니 해로움이 없다. 소인의 입을 경계함은 설화를 피하여 자신을 지키고자 함이니 딱히 명예를 얻음은 아니다. 六四가 처한 상황은 험한 모사꾼들의 정글과 같으니 소인배들의 모략에 휘말려 화를 당하지 않음이 곧 명예를 지키는 일이다. 六四는 음의 자리에 음으로 와서 자리가 바르다. 그래서 공자는 소상전에서 "입(口)을 닫고 행동을 삼가면 허물은 없으니, 신중히 행하면 해(害)가 없으리라(象曰 括囊无咎 愼不害也)"라고 풀이하였다.

문언전에서 공자는 다음과 같이 육사(六四)를 풀이하고 있다.

天地變化 草木蕃 天地閉 賢人隱 易曰 括囊 无咎无譽 蓋言謹也
천지변화 초목번 천지폐 현인은 역왈 활낭 무구무예 개언근야

천지가 변화하면 초목이 번성하고, 천지가 폐하면 현인이 은둔한다. 역에 이르길, 주머니를 매면 허물할 것이 없으니 명예도 없다. 대개 삼가는 것을 말한다.

六四가 변하면 지괘가 뇌지예(䷏)이니 땅을 박차고 일어남이다. 땅 속에 숨어있던 양기가 밖으로 뛰쳐나가 뇌성으로 천지를 울리는 것이니 천지가 변화하는 기운으로 초목이 무성하게 일어난다. 이때 예(豫䷏)의 호괘가 건(蹇䷦)이니 험함(險陷)에 빠진 상으로 천지가 닫힘을 뜻하니 현인이 숨어든다. 일이 흥하고 변혁이 일어날 때 이익을 탐하는 소인배들이 편승하여 벌떼처럼 일어나니, 이럴 때일수록 군자는 오히려 입을 닫고 처신을 삼가 한다면 비록 명예로움은 얻을 수 없을 지라도 허물이 없으니 해를 당함은 없다.

六四는 하괘와 상괘를 이어주는 자로, 백성과 인군을 이어주는 대신의 자리이다. 그러므로 그 처신이 바르고 균형이 있어야 하니, 이러한 위치에서는 입을 주머니 묶듯이 삼간다면 딱히 명예로움은 없을 지라도 무탈함을 얻을 것이다. 따라서 六四효의 단계에서 일을 할 때에는 각별히 신중해야 하고 스스로 삼가함으로써 조심스럽게 처신해야 한다. 六四는 상괘에서 하괘로 강을 건너 상괘의 아래에 처한 자리이니, 이러한 변혁의 때에 앞에 나서서 처신을 가벼이 한다면 위태로워 지리라.

▶무성유종(無成有終)과 무구무예(無咎無譽)

六三: 無成有終

곤(坤)의 도를 적극적으로 행하여 큰 뜻을 이루고자 함이 성(成)이다. 그러나 육삼이 비록 아름다운 뜻을 품고 있어(含章可貞) 왕사(王事)를 행하지만 건(乾)의 도를 무시하고 앞서 나가 감히 이루려 하지 않는다. 아름다운 뜻을 품은 六三이 땅의 도, 부인의 도, 신하의 도로써 지산겸(地山謙☶☷)의 낮은 자세로 나아가니 당장의 성취는 감히 이루어 내지 않을지라도 마침내는 유종의 미를 이루니 그 뜻이 광대해지리라. 바로 무성유종(無成有終)이 말하고자 하는 뜻이다. 무성(無成)은 六三을 설명하는 문언전에 "음은 비록 아름다운 뜻을 머금고 있어 왕사를 따르더라도 감히 앞장서 이뤄내지 않는다(陰雖有美含之 以從王事 弗敢成也). 곤도는 바로 건도를 따르는 지도(地道)요, 지아비를 따르는 부인의 도요, 임금을 따르는 신하의 도이기 때문이다(地道也 妻道也 臣道也)"라고 하였다.

六四: 無咎無譽

괄낭(括囊)은 '욕심을 묶어 드러냄을 삼가다'라는 의미이다. 적극적 이룸을 의미하는 성(成)이 아니라 욕심이 담긴 주머니를 묶어 이를 자제하는 소극적인 자기방어를 의미한다. 그러므로 허물이나 이로 인한 해를 당하는 일은 없으나 딱히 명예를 얻음도 없는 것이다. 즉, 六三은 무성유종(無成有終)이지만 六四는 무구무예(無咎無譽)의 자리이다.

☞ 括: 묶을 괄/ 囊: 주머니 낭/ 无: 없을 무/ 咎: 허물 구, 근심거리구/ 譽: 기릴 예, 명예 예/ 愼: 삼가할 신/ 蕃: 번성할 번, 우거질 번/ 隱: 숨을 은/ 謹: 삼갈 근

六五 黃裳 元吉
육오 황상 원길

육오, 황색 치마로다. 크게 길하리라.

황색은 오행에서 토를 의미하며 중(中)을 상징하는 색깔이다. 六五는 군왕의 자리로서 중도를 의미하므로 색으로는 황색이 되며 왕을 상징한다. 의상(衣裳)에서 의(衣)는 윗옷을 가리키고, 아래옷은 상(裳)이 된다. 그러므로 황상(黃裳)이란 황색치마로 군왕의 치마가 되니, 황색의 성정을 지닌 군왕을 상징한다. 즉, 황상(黃裳)은 군왕의 권위가 주어진 인덕(仁德)을 갖춘 성현 같은 군왕을 가리킨다. 五는 군주의 자리로 땅에서 제일 존귀한 자이다. 황(黃)은 중토(中土)의 색이요, 중도(中道)를 의미하며, 상(裳)은 아래에 입는 옷이다. 그러므로 황상(黃裳)이란 황색치마의 뜻이 되니, 인군으로써 중도(中道)를 지키며 아래에 처신하여 자신을 낮추는 유순함이 되고, 내면적 아름다움을 지닌 존위를 상징하는 것이다(美在其中).

六五는 양의 자리에 음으로 와서 자리가 바르지 않다(不正位). 그러므로 정위(正位)에 놓인 중천건괘의 강건중정(剛健中正)한 九五와 달리 중지곤괘는 그 품성이 유순(柔順)하다.

건(乾☰)괘의 九五가 동하여 효변하면 지괘는 화천대유(火天大有☲)가 된다. 그러므로 六五는 유(柔)함이 되고, 유(柔)는 다섯 양의 강건한 기운을 묶어 만천하를 비추는 광명(光明)이 된다.

곤(☷)괘의 六五가 동하여 효변하면 지괘는 수지비(水地比☵)가 된다. 물이 대지로 스며들어가 만물을 기름지게 하듯 만백성을 기르는 친밀한 인군의 상이다. 건괘와 곤괘는 서로 응하는 관계에 있다. 건괘의 九五는 천도(天道), 천리(天理), 강건중정(剛健中正)의 도리를 말하는 반면, 곤괘의 六五는 지도(地道), 지리(地理), 유순(柔順)함으로 중(中)에 거하면서도 아래에 처하는 도리를 말한다.

　원길(元吉)은 인덕(仁德)을 조건으로 하여 크게 길하다는 의미이다 (元은 善之長으로, 善의 으뜸인 仁德을 의미한다. 건괘의 문언전에 "元이라는 것은 善의 으뜸이다, 군자가 仁을 체득하니 족히 사람을 기른다(元者 善之長也, 君子 體仁足以長人)"라는 표현이 나온다. 황상(黃裳)의 자리에 거하면서도 자신을 낮추니, 스스로 아래에 처하면 크게 길하다. 그러므로 공자는 소상전의 풀이를 통해 "황색 치마가 크게 길한 것은 문식(文飾)이 중(中)에 있기 때문이다(象曰 黃裳元吉 文在中也)"라고 하였다. 文在中也란 육오황상(六五黃裳)의 내면적 아름다움, 즉 인덕(仁德)이 안에서 빛을 발함을 뜻한다. 六三소상전에서는 知光大也라 하여 "아름다움(美)이 빛나니 광대함을 알리라"라고 하였다.

　육오황상(六五黃裳)의 내면적 아름다움의 지극함을 공자는 문언전에서 다음처럼 시적으로 노래한다.

君子黃中通理 正位居體 美在其中 而暢於四支 發於事業 美之至也
군자황중통리 정위거체 미재기중 이창어사지 발어사업 미지지야

군자가 黃中(中道)으로 리(理)에 통하고, 바른 자리에 몸을 두니, 아름다움(美)이 그 안(中)에 있어 사지(四支)를 통달하며 더 나아가 천하사업에서도 그 덕(德)을 발하니 이것이 바로 아름다움의 극치이다.

　　　　☞ 黃: 누를 황/ 裳: 치마 상/ 暢: 통할 창, 막힘이 없을 창, 화창할 창

上六 龍戰于野 其血玄黃
상육 용전우야 기혈현황

상육, 용이 들에서 다투니 그 피가 검고 누렇다.

음이 극해지니 양과 서로 다툰다. 다툰다 함은 음양이 서로 당기고 밀며 서로 교감 작용하는 것을 말한다. 사물의 기운이 극에 달하면 변하는 물극필반(物極必反)의 이치에 따라 上六의 기운이 극에 달하여 효변하니 지뢰복(地雷復☳)이 된다. 음기(陰氣)가 극에 달하면서 넓은 들판(☷野)에 龍(☳初九)이 모습을 드러내기 시작하는 것이다.

▷12개월 순환도(12벽괘도)

≫12벽괘도는 춘하추동 사시의 순환에 따라 기운이 극에 달하면 반드시 변하는 물극필반(物極必反)의 원리를 보여준다.

양이 음과 다투는 상으로서, 들(野)은 음이 되고 용(龍)은 양이 된다. 하늘은 현(玄)이고 땅은 황(黃)이니(天地玄黃), 그 피가 검고 누렇다 함은 서로 섞이며 작용하는 모습을 비유한다(天地之雜也, 天玄而地黃). 공자는 이를 보고 "들에서 용이 다투는 것은 그 도가 궁하기 때문이다(象曰 龍戰于野 其道窮也)"라고 하였는데, 上六은 가장 높은 지위에 올라 음기(陰氣)가 극에 달한 반면 양기(陽氣)가 없으니, 음의 도가 궁해지면서 양이 나타나 시비를 거는 것을 의미한다. 이는 땅(음)과 하늘(양)이 교합하며 상호작용하는 모습을 나타낸다.

음기가 극에 다다르면 생존을 위해 양기를 불러 드림으로써 음양의 화합을 이루는 것이니, 이는 천지만물이 만왕만래용변(萬往萬來用變)하며 영원하도록 순환하는 이치라 할 수 있다. 한민족의 위대한 경전인 천부경은 "하나(一)에서 묘리(妙理)로써 천지인이 나와 끝없이 오고 가며 그 모습을 달리하지만 태극(一)이라는 근본은 변함이 없다(一妙衍萬往萬來用變不動本)"라고 했다. 태극(太極)이란 만물이 비롯되는 하나(一)의 또 다른 이름이다.

一妙衍萬往萬來用變不動本
일묘연만왕만래용변부동본

하나(一)가 시작하여 묘리(妙理)를 한없이 펼쳐내니
삼라만상이 가고 오며 무수히 쓰임을 달리하지만
본(本)이 되는 하나(一)는 변함이 없다.

문언전에서 공자는 다음과 같이 上六효를 풀이한다.

陰疑於陽必戰 爲其嫌於无陽也 故稱龍焉 猶未離其類也
음의어양필전 위기혐어무양야 고칭룡언 유미리기류야
故稱血焉 夫玄黃者 天地之雜也 天玄而地黃
고칭혈언 부현황자 천지지잡야 천현이지황

음이 극에 달해 도가 궁해지면 양을 의심하게 되고 반드시 교합하니 양이 없음을 싫어함이다. 그러므로 양(陽)을 용(龍)이라 칭하니, 오히려 그 무리를 떠나지 못하는 고로 혈(血)이라 칭한다. 무릇 현황(玄黃)이라는 것은 천지가 섞인 것이니, 하늘은 검고 땅은 누렇다.

음이 극에 달하면 양으로 변한다. 上六은 음의 기운이 극에 달해 있어 양이 들어가려 엿보는 자리이다. 양(陽)은 용(龍)으로 비유된다. 음이 극에 달하면서 서서히 龍(陽)의 기운이 들어오기 시작하는 것이다. 처음에는 쉽지 않겠지만 반복적으로 다투다 보면 음의 기운도 점차 약해지며 어느새 양기가 교두보를 틀게 된다. 곤(坤)의 도에서 건(乾)의 도로 전환되기 시작하면서 양이 지배하는 세상으로의 우주적 전환이 이루어지는 것이다.

이것을 문왕팔괘도의 종시(終始)의 관점에서 보면 동북방의 간토(☶양괘)는 곤토(☷음괘)에 양기(3 효)가 터치한 상으로서, 음에서 양으로, 곤도(坤道)에서 건도(乾道)로, 상생에서 상극으로의 전환이 이뤄지는 것을 의미한다.

"음이 양을 의심하면 필히 싸운다" 함은 기운이 극에 달한 上六 음이 양[龍]과 대립(對立)하고 대대(對待)하며 상호작용하는 것을 비유한다. 음과 양이 서로 부딪히며 싸우니 그 검붉은 피가 뒤섞인다. 현황(玄黃)이라는 것은 검고 누런 색이니 하늘(양)은 검고 땅(음)은 누렇다. 천지가 서로 작용하고 음양이 교합하면서 서로 부딪히는 것을 검고 누런 피가 뒤섞이는 것으로 비유하고 있다. 음양이 교합하며 천지가 뒤섞이는 가운데 변화와 진전을 이루어가는 것이다. 계사전은 이를 "강유가 서로 밀고 당기며 변화를 이룬다(剛柔相推而生變化)"라고 표현하고 있다.

"무리를 떠나지 못하는 고로 피라 칭한다(猶未離其類也 故稱血焉)"라는 의미는 용[양]이 음과 교합하면서 뒤섞이는 검붉은 피는 음양이 하나(一)를 이룸으로써 서로에게 없어서는 안되는 일체(一體)의 관계라는 것을 비유한다. 음양은 상대적이면서도 상보적인 관계, 만났다 헤어지기를 반복하면서도 서로에게 없어서는 안되는 상호 의존적인 존재인 것이다. 생존하기 위해서 서로 다투면서도 교합하여야 하는 존재, 대립(對立)하면서도 대대(對待)하는 관계를 의미한다. 즉, 음과 양은 서로 대립하는 성질이지만 서로에게 없어서는 안되는 필수불가결한 존재인 것이다. 상대의 존재는 내가 존재하기 위한 필수적인 전제 조건이 된다. 그러므로 음이 극에 이르러 도가 궁해지면 양을 부르고, 양이 극에 달해 도가 궁해지면 음을 부르는 것은 우주 자연의 이치라 할 수 있다.

☞ 嫌: 싫어할 혐/ 稱: 일컬을 칭/ 猶: 오히려 유/ 雜: 섞일 잡

用六 利永貞
용육 이영정

용육, 오래 정고(貞固)함이 이롭다.

용육(用六)은 여섯 개의 음효를 전제로 판단하는 효사로서 천도(天道)를 따르는 지도(地道)를 설명한다. 지도(地道)가 바름을 영원히 하는 것이 이로움은 바로 천도를 따르기 때문이다. 땅은 곧고 바르며 방정(方正)하다. 이는 바르지 않다면 만물을 바르게 저장할 수가 없기 때문이다. 씨앗이 바르지 못하면 양(陽)으로 생할 수 없으니 만물이 바르게 마치지 못한다. 만물이 수렴되고 바르게 저장돼야만 다시 만물로 생육할 수 있는 것이니 땅의 바름(貞)은 영원하도록 항구해야만이 이로운 것이다. 이는 "내면이 곧고 바르면 외면에 방정(方正)함으로 드러나고, 곧고 방정함이 의(義)로써 나타나니 그 아름다운 덕(德)이 밖으로 무한이 퍼져 나간다"라는 六二 효사 직방대(直方大)의 뜻과도 상통한다.

중지곤(重地坤䷁)괘는 양을 받아 드리기 시작하여 천지를 한바퀴 순환하고 돌아와 한주기를 마무리하는 괘이다. 효상전의 위대한 마침(大終)이란 하늘로부터 순양의 에너지를 받아드려 여섯 개의 음효가 모두 양효로 변했다는 의미로서 마침내 땅 위에 억조창생이 이뤄짐을 의미한다. 그러므로 공자는 "用六이 오래 정고(貞固)하니 큰 마침이 있기 때문이다(象曰, 用六永貞 以大終也)"라고 풀이하고 있다.

3. 水雷屯_{수뢰둔}

水☵坎
雷☳震

▶효변(爻變)

과거	미래	현재
☳+1 ⇨	☵-3	☵-3
		☳+1

上下작용력: +1-(-3)=+4

上下균형력: +1+(-3)=-2

屯 元亨 利貞 勿用有攸往 利建侯

彖曰 屯 剛柔始交而難生 動乎險中 大亨貞 雷雨之動滿盈 天造草昧 宜建

侯而不寧

象曰 雲雷 屯 君子以經綸

初九 磐桓 利居貞 利建侯

六二 屯如 邅如 乘馬班如 匪寇婚媾 女子貞不字 十年乃字

六三 卽鹿无虞 惟入于林中 君子幾 不如舍 往吝

六四 乘馬班如 求婚媾 往吉 无不利

九五 屯其膏 小 貞吉 大 貞凶

上六 乘馬班如 泣血漣如

1. 괘상(卦象)

물(☵)에 뛰어들어 헤엄(☵)치고 있는 모습

　강을 건너가기 위해서는 강물 속으로 뛰어 들어가 헤엄을 쳐 건너가야 한다. 넋을 놓고 강을 바라만 보고 있다면 무슨 소용인가? 하괘 진(震☳)괘의 초양이 음(六二)을 뚫고 상향하니 감(坎☵)이 된다. 용(龍)☵이 순리대로 물에 뛰어들어 헤엄쳐☵ 건너가는 모습이다. 初九☵양효의 힘은 +4(내재에너지)로서 六二과 六三 2개의 음효를 한번에 흔들어댈 정도로 강력하다. 그래서 진(震☳)괘는 동(動)의 의미가 있다. 또한 상하괘가 서로 부딪히는 작용력도 +4로서 큰 어려움 없이 적당하다. 아직 물 속이라는 험함☵에 처해있으나 충분히 헤쳐 나갈 수 있다. 용☵(初九)이 물☵(險水)을 만난 격이니 처음에는 비록 어려움에 처할 수도 있겠지만 헤쳐 나가기 위해 스스로 물에 뛰어든 것이니 긍정적이다.

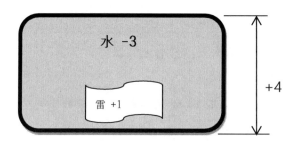

　괘상을 보면 九五와 六二는 中正의 자리를 지키고 서로 정응하니 험함에 빠져서도 굳건하다. 또한 初九와 九五가 대리(大離☲)의 상으로 대명(大明)을 만들고 있으니 험함☵에 빠져서도 믿음을 가지고 나아갈 길을 잃지 않는다.

새싹☰☰이 나무로 자라기 위해서는 땅☷☷(2,3,4효)을 뚫고 나오는 험한 과정(☵☵險)을 겪는다(動乎險中). 생명☰☰은 진통☳☳을 겪지 않고서는 태어나지 못한다. 결국 그 힘든 과정을 겪으며 싹은 두터운 땅을 뚫고 과실을 맺는 나무로 자랄 것이며, 생명은 세상에 모습을 드러낼 것이다. 생명☰☰은 고난☵☵을 견딤으로써 새로운 발전을 향해 나간다. ☳☳은 진(進)의 뜻이 있고, ☵☵는 험(險)의 뜻이 들어있다. 그러므로 어려움 속에서도 난관을 헤치며 나아가는 뜻이 들어 있는 것이다.

세상에 첫발을 내딛는 청년, 난관이 많은 사업 초기의 모습이다. 지금은 혼란과 어려움 속에 있지만 그렇다고 해서 성급하게 서둘러 나아가서는 안 된다. 철저한 준비와 능력을 갖추어 때를 기다려야 한다. 둔(屯)은 씨앗☵☵이 꽁꽁 언 땅 속에서 북방의 추운 겨울☵☵을 견디면서 힘을 기르며 봄을 기다리고 있는 모습이다. 겨우내 꽁꽁 얼어붙은 땅을 뚫고 나오는 식물이나 안간힘을 다해 좁은 산도(産道)를 통과해야 하는 탄생의 순간은 환희인 동시에 고통인 것이다. 지금은 험함(險陷☵☵)에 갇혀 힘이 들지만 싹을 틔울 씨앗☵☵을 품고 있기 때문에 어려우면서도 매우 희망적인 것이다.

하괘☳☳는 양기가 포태되어 태동하는 기운을 상징하고, 상괘☵☵는 앞으로 나아가는 길이 험난함을 의미한다. 태아가 어머니 자궁에서 자라는 모습이다. 언젠가 때가 되면 밖으로 나가겠지만 일이란 때가 있는 법이니 열 달이라는 적절한 기간 동안 어머니의 보살핌과 올바른 생육이 반드시 필요하다(勿用有攸往 利建侯). 그러므로 둔(屯)의 초기를 당하여 자중하지 않고 경박하게 나아가면 더 큰 어려움에 처하게 되니, 험함에 처하면 오히려 정도를 지켜 바름으로써 나아가는 것이 이로운 것이다(利居貞). 힘을 기르고 양기를 축적하여 적절한 시기가 되면 세상 밖으로 출사를 하게 되니, 배속에서는 어머니의 보살핌이 없어서는 안 되는 것이라 어려움에 처했을 때에는 도움을 주는 조력자(대인군자)를 두는 것이 스스로 어려움을 구제하는 길이다. 세상사로 본다면 어려운 시기에는 이끌어 줄 표상을 두는 것이 좋다(利建侯).

둔(屯)은 적의 진지에 전진기지를 구축하여 교두보를 마련하는 것을 의미한다. 둔(屯)은 주둔지(駐屯地)를 뜻한다. 불모지를 개척하여 거점을 마련하는 것이다. 셀 수 없을 정도로 수많은 정자 중에 단 하나만이 난자와의 교합에 성공하여 자궁에 착지한다. 이는 자궁에 주둔지를 구축하는 것을 의미한다. 머나먼 길을 달려 경쟁에서 이기는 자만이 누릴 수 있는 것이니 그 어려움은 말할 것이 없다. 나머지는 모두 폐기된다. 그래서 둔(屯)은 '어려울 준'으로도 읽힌다. 준은 둔의 속 뜻이다. 처음 생명을 내는 것도 결국 세상에 첫 교두보를 마련하는 것이다. 생명이란 천지와 음양이 처음 교합하면서 만들어지는 것이니 힘난한 과정을 거치며 나오는 것이다. 그러므로 둔의 괘상은 우레☵와 비바람☵으로 가득한 어려울 때로 상징된다.

어떤 일이든 첫발을 내딛을 때는 생명의 이치를 품고 있는 건괘의 원형이정이 바탕이 되어야 한다. 그래서 둔은 비록 어렵지만 시작부터 형통하고 바르게 함이 이로운 것이고 섣불리 나아가지 말며, 출산할 때 산파의 도움을 받듯이 조력자를 내세우는 것이 이롭다는 것을 알려준다(屯 元亨利貞 勿用有攸往 利建侯).

▶ **순행(順行)**

초양이 +4(위치에너지)의 힘으로 적극적으로 물에 뛰어들어(1), 헤엄쳐(2), 건넌 모습(3)

(1)		(2)		(3)
☵	⟹	☵	⟹	☵
+4(양) (A)		+2(양) (B)		+1(양)

≫양은 상향의 성질이 있으므로 자연스럽게 순리대로 풀려가는 모습이다.

(A) 수뢰둔(水雷屯): 물☵(險)에 뛰어들어 헤엄☳(動)치고 있는 모습

　　　☵-3
　　　☳+1

≫험함(險陷) 속에서도 유유히 헤엄치며 체력을 기르고 있다. 험수(險水)에 빠진 것이 아니라 나아가기 위해 스스로 뛰어든 것이다.

(B) 산수몽(山水夢): 물☵(險)에서 벗어나 서있는 모습☶(止)

　　　☶-5
　　　☵-3

≫물을 건넜으나 어찌할 바를 모르고 우두커니 서있는 어린아이의 모습이다. ☶는 소남(小男)의 뜻이 있다.

▶**산뢰이(山雷頤): (A)+(B) 전체 괘상**
　초구가 순리대로 건너가 맞은편에 도달하는 모습

　　山☶-5
　　雷☳+1
　　　頤

≫위의 진행 상황을 전체의 괘상으로 표현한 것이 산뢰이괘다. ☳의 初九가 장애물☵을 순리대로 건너가 맞은편에 도달☶하는 모습을 보여준다. 큰 ☲밝음(大離) 안에서 순리대로 생육되고 성장하는 모습이다. 산뢰이괘는 크게 보면 대리(大離)의 상이 된다. ☳의 초양이 험수(險水)☵에 뛰어들어 헤엄치며 밖으로 나갈 때를 기다리는 모습이 수뢰둔괘가 되고, 비록 험수(險水☵)를 건너기는 했으나 어찌할 바를 모르고 서 있는 어린아이의 모습☶(少男)이 산수몽 괘이다.

1. 괘변(卦變)

▷호괘 – 山地剝

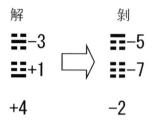

解   剝

☵-3   ☶-5

☳+1   ☷-7

+4   -2

　뇌성☳이 울리고 비☵가 쏟아지니 어려운 상황이지만 충분히 이겨 나갈 수가 있다. 그러나 너무 지나친 자신감은 오히려 만인의 시기와 질투의 대상이 될 수 있으니 겸손해야 한다. 호괘가 산지박괘이니 때를 기다리지 못하고 서둘러 높이 올라가면 끌어내림을 당하는 것이 세상의 인심이라는 것을 알 수 있다. 태아는 열 달이라는 긴 시간을 어머니의 자궁에서 자신을 키우며 기다려야 한다. 서둘러 나온들 팔삭둥이 밖에 더 되겠는가? 산이 제아무리 높다 한들 하늘☰ 아래 뫼☶이니 하늘을 찌르는 자신감은 오히려 교만인 것이다. 교만함이 내부의 적이니 그것으로 무너지기 쉽다.

▷착종 – 뇌수해(雷水解)

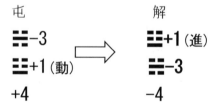

屯   解

☵-3   ☳+1 (進)

☳+1 (動)   ☵-3

+4   -4

▶둔(屯): 태동(胎動), 태 속(양수)에서 움직이며 자라고 있는 태아(動)
▶해(解): 해산(解産), 태 속(양수)에서 나와서 전진하고 있는 모습(進),
　　　　생명의 탄생

수뢰둔(水雷屯)을 착종하면 뇌수해(雷水解)가 된다. ☵의 初九가 물에 뛰어들어(☵) 건너편에 도달해 적극적으로 움직이며 행동☳하고 있는 모습이 뇌수해이다. 용(龍)이 물☵ 속을 헤엄쳐 드디어 건너편에 도달해 계속 나아가고 있는 모습☳(進)이다. 천지가 풀리니 뇌우(雷雨)를 부르고, 북방의 매섭고 추운 겨울☵(冬)을 견디어 낸 만물이 움트는 봄☳(春)을 맞이하여 뇌우가 대지를 흔들고 백과초목이 싹을 틔우니 해(解)의 때는 참으로 위대하다(天地 解而雷雨 作 雷雨 作而百果草木 皆甲坼 解之時 大矣哉).

屯 - 현재	解 - 미래
☵-3	☳+1
☳+1	☵-3
上下작용력: +1-(-3)= +4	上下작용력: -3-(+1)= -4
上下균형력: +1+(-3)= -2	上下균형력: -3+(+1)= -2
물에 뛰어들어가 헤엄치고 있는 모습으로 스스로 강을 건너고자 험함(險陷☵)에 뛰어들었다. 어려움 속에서도 양기를 축적하면서 정도를 바르게 행하며 때를 기다린다. 때가 이르러 절로 큰 뜻을 이루게 된다(초구효사: 象曰 雖磐桓 志行正也 以貴下賤 大得民也).	물을 건너간 모습으로 어려운 단계를 지나 계속 움직여 나아간다. 험함(險陷☵)에서 벗어나 새로운 미래를 향해 나아가는 모습이다(有攸往夙吉 往有功也).

▶생각을 바꾸면 미래(결과)가 바뀐다.

☵	상괘	上	外	後	결과	미래			
☳	하괘	下	內	前	원인	과거			

시간은 과거에서 미래로 흘러가면서 현재라는 시간을 만들어낸다. 과거와 미래가 서로 만나 하나의 상으로 만들어진 것이 대성괘로 현재를 나타낸다. 하괘의 효가 효변하면서 상괘가 만들어지고 그 뜻은 대성괘에 드러난다. 즉, 하괘☳의 초구(初九)가 육이(六二)를 뚫고 상향하면서 상괘☵가 만들어지고, 이것이 수뢰둔(水雷屯)괘가 되어 대성괘의 의미를 만들어 내는 것이다. 어려움☵ 속에서도 자신☳을 잃지 않고 꿋꿋하게 견디며 감내하는 수뢰둔의 적극적인 모습은 결국은 뇌수해(雷水解)를 만들어 내게 된다.

▷도전괘 - 山水蒙

屯　　　　　　　　蒙

☵-3　　⟹　　☶-5
☳+1　　　　　☵-3
+4　　　　　　+2

　　둔(屯)는 물에 갇혀 있는 상태에서도 움직이며 나아가는 모습이지만, 반대편에서 바라본 몽(蒙)은 물을 벗어나서도 나아가지 못하고 엉거주춤 서있는 모습을 나타낸다. 둔(屯)은 어머니 자궁 속에서 영양분을 섭취하며 움직이고 있는 태아의 모습이지만, 몽(蒙)은 자궁에서 나온 어린 아기로 스스로 움직이기 어려워 가만이 있는 모습으로 많은 계몽이 필요하다.

▷배합괘 - 火風鼎

屯　　　　　　　　鼎

☵-3　　⟹　　☲+3
☳+1　　　　　☴+5
+4　　　　　　+2

수뢰둔(水雷屯)은 씨앗이☵ 발아를 위해 어두운 땅☷ 속에서도 힘을 축적하며 양기를 기르고 있는 모습이고, 반대괘인 화풍정(火風鼎)은 천지의 기운 ☷을 받아가며 결실☲을 맺은 모습이다.

2. 괘사(卦辭)

屯 元亨利貞 勿用有攸往 利建侯
둔 원형이정 물용유유왕 이건후

둔은 크게 형통하고 바르게 거함이 이롭다. 나아가지 말고 때를 기다리라. 제후를 세움이 이로우리라.

둔(屯)은 천지가 처음 생명을 내는 모습으로 천지의 원형이정의 덕을 지닌다. 둔은 생명이 시작되는 초기이니 크게 형통하며(元亨), 창조의 초기에 바르게 자리하지 않으면 생명이 나오기 어려우니 정도로써 바르게 거함이 이롭다(利貞). 생명이 나오기 위해서는 하늘이 정기를 내리고, 땅의 기름을 받으며, 부여된 시간을 감내해야 한다.

지금은 험난==에 처해있으니 때를 기다리지 못하고 경거망동 나아가는 것은 무용한 일이다(勿用有攸往). 태아==는 모태의 보호가 필요하니, 어려움에 처해서는 조력자를 두어 도움을 받는 것이 이롭다(利建侯).

象曰 屯 剛柔始交而難生 動乎險中 大亨貞 雷雨之動 滿盈
단왈 둔 강유시교이난생 동호험중 대형정 뇌우지동 만영
天造草昧 宜建侯而不寧
천조초매 의건후이불녕

단전에 말하기를, 강유가 처음 만나 교합하니 생명이 난관을 이기며 나온다. 험한 가운데 움직이니 크게 형통하고 바르다. 천지창조의 초기, 뇌우의 움직임이 천하에 가득하고, 혼란하여 질서가 없으며, 생명의 기운이 아직 어둡고 밝지 못하니 마땅히 제후를 세워야 한다. 그러나 초기는 혼란스러우니 편안하지 못하다.

하늘☰이 부여한 생명☵이 대지☷를 파고드니 ☳가 된다. 둔은 모태☷ 속에서 머물며 자라고 있는 태아☳의 모습이고, 굳은 땅속에서 봄날을 기다리며 추운 겨울☵(冬)을 감내하는 씨앗☳(春)의 상이다. 이는 강☳과 유☵가 처음 사귀어 생명을 잉태하는 모습으로 둔의 상이 된다. 생명☵은 진통☵(險)을 겪지 않고는 나지 못하니 새싹☳은 험함☵을 뚫고 과실을 맺는 나무로 자란다(剛柔始交而難生).

험함☵(險) 가운데 움직여 나아가니☳(動·進)), 이는 천지가 내는 생명 본연의 모습이다(動乎險中). 생명을 낳는 천지의 도는 크게 형통하고 바르다(大亨貞). 우레가 치고 비가 내려 만물을 가득 채우니, 이는 하늘이 생명☵을 내리고 대지 가득히 비☵를 내려 만물을 풍요롭게 적시는 모습이다.

둔(屯)의 문자를 파자(破字)하면 새싹이 굳은 땅을 뚫고 힘겹게 나오는 모습으로, 강유(剛柔)가 처음 사귀어 생화하는 초기의 어려운 상태를 보여준다. 초기이니 시운이 약하고 혼란하며 질서가 없고, 생명의 기운이 아직은 어두워서 밝지 못하니 안정되지 못하다(天造草昧). 모태☷에서 태아☳가 밖으로 나온다는 것은 스스로의 힘보다는 산파의 도움이 필요하니, 이러한 때를 맞이하여 조력자(九五大人)를 세움이 이롭다.

지금은 우레가 치고 비가 내리는 험한 상황이다. 아직은 가야 할 길이 머니 감내하며 때를 기다려야 한다. 안녕을 누리는 때가 아니라 마땅히 걱정하고 조심하며, 힘써야 할 때이다(宜建侯而不寧).

象曰 雲雷屯 君子以 經綸

단왈 운뢰둔 군자이 경륜

상전에 말하길, 구름☵이 있고, 아래에 우레☳가 치니 둔(屯)의 상이다. 군자는 이를 보고 천하를 이끌어 간다.

상 가로되, 위에는 구름☵이 있고, 아래에는 우레☳가 치니 둔(屯)의 상이다. 군자는 이를 보고 천하를 이끌어 간다(經綸). 구름☵이 모이고 우레☳가 치니 비가 올 것을 예상한다. 천하만물의 이치는 하늘☰이 부여한 생명☳이 때를 기다려 험함☵을 이겨내며 과실을 맺는 나무로 성장하고, 또 다시 씨앗을 내려 생명을 잉태하는 것이니, 천하만물의 이치를 일통(一通)한 군자는 이를 보고 만물을 이롭게 하며 천하를 경륜해 나간다. 경륜(經綸)이란 씨줄과 날줄을 엮듯이 천하의 틀을 짜는 것이다.

☞ 滿: 가득찰 만/ 盈: 가득찰 영/ 昧: 어두울 매/ 寧: 편안할 녕/ 經: 다스릴 경, 날실 경(피륙에 세로 방향으로 놓여 있는 실)/ 綸: 다스릴 륜, 벼리 륜(그물 코를 꿴 굵은 줄, 일이나 글의 뼈대가 되는 줄거리), 낚싯줄 륜

4. 효사(爻辭)

대지를 뚫고 나오는 씨앗은 겨울이라는 동토(凍土)를 겪은 후에야 비로소 생명으로 피어난다. 생명≡≡은 진통≡≡(險難)을 겪지 않고는 나는 법이 없으니 새싹≡≡은 험난한 과정≡≡을 거쳐 비로소 과실을 맺는 나무로 자라는 것이다

初九 磐桓 利居貞 利建侯
초구 반환 이거정 이건후

초구, 나아가지 않고 제 자리에 머문다. 바르게 거하는 것이 이로우며 제후를 세우는 것이 이로우리라.

생명창조의 초기는 혼돈과 질서가 서로 상충하는 시기로 초기에 바르게 자리를 잡지 않으면 앞으로 나아가기 어렵다(磐桓 利居貞). 태반에 생명이 안착되는 것은 곧 생명의 시작이 됨을 의미한다. 반(磐)은 암반(岩盤)을 의미하고 환(桓)은 큰 나무(푯말목)의 뜻이 있다. 바위에 씨앗이 안착되어 나무로 자라는 과정은 곧 모태(母胎)의 태반(胎盤)에 생명의 씨앗이 안착되어 사람으로 자라가는 과정으로 비유된다. 반환(磐桓)은 '나아가지 않고 눌러 앉아 진을 치듯 머물다'라는 의미이다. 그러므로 초구는 이제 막 시작하는 단계로 처음에는 나아가기를 주저하더라도 단단한 암반에 뿌리박은 나무처럼 바른 자리에 거해야 이롭다 라는 뜻을 갖는다.

생명은 온 우주를 통틀어 제일 귀한 존재이다. 그 귀한 존재가 낮은 곳에 있으나 용덕(龍德)이 있으니, 비록 초기의 어려움에 처하여 나아가기 어려워

도 제자리에 머물러 지행(志行)을 바르게 하며 때를 기다리면 지위가 저절로 다가오니 천하를 얻게 된다. 초구는 비록 아래에 위치하지만 용덕을 지닌 귀한 신분이면서도 기꺼이 천한 자리로 몸을 낮춘 것이니 결국 천하민심을 얻는다. 그래서 공자는 "비록 아래에서 머물러 있지만 뜻을 바르게 행하며 귀함을 천하게 낮추니 천하민심을 크게 얻는다(象曰 雖磐桓 志行正也 以貴下賤 大得民也)"라고 하였다.

생명이 태궁에 머무는 시간은 이치로 정해진 것이니 바르게 거하며 때를 기다리면 절로 태문이 열리고 세상으로 나가게 된다. 둔은 생명이 안착하여 바르게 안정되기 위한 초기의 어려움(어려울 준屯)을 뜻하고, 또한 안착하고 안정되기 위하여 진(陣)을 치듯 머무는 것(진칠 둔屯)을 말하니 같은 뜻이다. 태아가 초기에 안정되게 자라는 것은 혼자의 힘으로는 어려운 것이니 생명은 지어미와 지아비를 통해 보호받으며 자란다. 병아리는 때가 되면 달걀의 껍질을 깨고 나온다. 이때 어미는 병아리가 나올 수 있게끔 동시에 밖에서 부리로 두꺼운 껍질을 깨트려 준다(啐啄同機줄탁동기). 병아리와 어미 닭이 동시에 알을 쪼기는 하지만, 어미 닭이 병아리를 세상 밖으로 나오게 하는 것이 아니다. 어미 닭은 다만 알을 깨고 나오는 데 작은 도움만 줄 뿐, 결국 알을 깨고 나오는 것은 병아리 자신이다. 이건후(利建侯)란 초구의 입장에서는 조력자를 뜻한다. 부모이고, 태어날 때 아이를 받아주는 산파이며, 수행자에게는 깨우침의 방법을 일러주는 스승이고, 국가의 틀을 세우는 초기에는 국가를 받쳐주는 제후이며, 전쟁에서는 적진에 교두보를 세워 전진을 위한 발판을 닦는 것이니 효(爻)로는 九五가 된다. 九五는 조력자로서의 지위를 갖는다.

☞ 磐: 머뭇거릴 반, 너럭바위 반/ 桓: 머뭇거릴 환, 굳셀 환, 푯말 환

六二 屯如邅如 乘馬班如 匪寇婚媾 女子貞不字 十年乃字

육이 둔여전여 승마반여 비구혼구 여자정부자 십년내자

육이, 서성거리며 머뭇거리네. 말을 타고도 제자리를 맴돌며 나아가지 못하네. 도적질이 아니라 구혼(求婚)함이니, 여자는 고집을 부려 허혼(許婚)하지 않는다. 10년이 다되어서야 비로소 정혼(定婚)하리라.

태아가 열 달만에 태궁을 나서 산문을 열고 세상을 향한 첫발을 내딛는 모습이다. 태궁에서 아늑하게 모태母胎의 보호를 받으며 지내던 초구의 안락함에 대한 미련 등이 복합적으로 작용하는 효이다. 사람이 되는 생명의 이치는 태궁에서 열 달을 바르게 거하니 때가 되면 절로 태문이 열린다. 10은 하도의 천도수로서 음과 양이 서로 교합하여 태극을 이루는 완성을 의미하는 수이다. 六二효사는 태문을 열고 험한 산도를 거쳐 열 달 만에 세상 밖으로 나아감을 여인이 10년을 품고 있는 정인에 대한 마음으로 설명한다.

둔여전여 승마반여(屯如邅如 乘馬班如)는 태문이 열리고, 그 문을 나서는 태아의 망설이는 마음을, 구오(九五)를 마음에 품고 있으나 가까이에 있는 초구에 대한 미련으로 망설이는 여인의 마음으로 표현된다. 10은 완성을 의미하는 수이다. 10을 채우지 않고 성급하게 서둘러 미리 나서면 팔삭둥이 밖에 더 되겠는가? 二가 동하면 지괘가 수택절(水澤節 ䷻)이니 절도를 잃고 경거망동하는 것을 경계한다. 섣불리 스스로 태문을 열고 나아가는 것보다는 어머니의 도움, 산파의 도움을 청하는 것이 좋다(匪寇婚媾).

六二는 유순중정(柔順中正)하지만 초구 양을 타고 있어 자리가 안정되지 못하다. 그래서 나아가지 못하고 말을 타고도 제자리를 빙빙 돈다. 그러나 二는 중(中)을 지키고 자리가 바르니 도적이 될 수는 없다. 자리가 안정되지 못한 상황에서 섣불리 나가 타인의 것을 빼앗는 도둑이 되기보다는 혼인을 청하는 것이 좋다(匪寇婚媾). 여기서 청혼이란 적과의 화친을 제안하는 것을 말한다.

육이는 그 성향이 유순하면서도 중정하니 남의 것을 빼앗는 도적질은 어울리지 않는다. 비구(匪寇)는 '(남의 것을) 침범하여 빼앗다'라는 의미로 이해할 수 있다. 여자가 지조를 지켜 허혼을 하지 않다가 10년이 되어야 정혼한다는 것은 화친동맹이 그 만큼 어렵다는 것을 은유한다. 자(字)를 '자식을 낳다'라는 의미로 보면 '여자가 고집을 부려 자식을 낳지 않다가 10년이 다 되어서야 자식을 낳는다'라는 말이 된다. 이것은 화친의 결과를 내는 것이 그만큼 어렵다 라는 것을 시사하는 것이다(女子貞不字 十年乃字). 초구의 유혹에 망설이던 六二가 고집을 부려 허혼하지 않다가 마침내 10년이 다되어서야 정응(正應)하고 있는 九五와 정혼(定婚)하니 비로소 떳떳함을 회복한다. 공자는 소상전에서 六二효사를 "육이의 어려움은 강(剛)을 타고 앉았음이라. 10년이 다되어서야 비로소 정혼하니 떳떳함을 회복함이다(象曰 六二之難 乘剛也 十年乃字 反常也)"라고 하였다.

☞ 遭: 머뭇거릴 전/ 班: 서성거릴 반/ 匪: 아닐 비(非)/ 寇: 도적 구/ 婚: 혼인할 혼/ 媾: 화친할 구, 사랑할 구/ 字: 정혼(定婚)할 자, (옛날) 여자들이 결혼을 승낙하다, 허혼(許婚)하다, (아이를) 낳다.

六三 卽鹿无虞 惟入于林中 君子幾不如舍 往吝
육삼 즉록무우 유입우임중 군자기불여사 왕린

육삼, 안내자 없이 사슴을 뒤쫓으니 오직 깊은 숲으로 들어갈 뿐이다. 군자라면 이런 상황에서 계속 산 속으로 들어가는 것은 사슴을 포기하는 것만 못함을 아니, 그대로 가면 처지가 궁색해 지리라.

태궁의 문이 열리고, 길을 나선 아이가 산파를 놓쳐 엉뚱한 길로 들어선다. 산☶의 지리를 잘 아는 안내자 없이 사슴의 뒤 만을 쫓아가다가 길을 잃고 점점 깊은 숲 속으로 들어서게 되는 사냥꾼의 모습으로 효사는 비유한다. 외호괘가 산☶이니 깊은 산속에 들어서게 됨이며, 六三은 양의 자리에 음으로서 자리가 바르지 않고, 또한 上六이 응해주지 않으니 안내자가 없는 것이 된다. 그러므로 六三은 안내자(九五)를 잃어버리고 산 속 깊은 곳으로 들어가 길을 잃어버린 모습이 되는 것이다. 동하면 내호괘가 坎水☵(險), 외괘도 坎水☵(險)이니 움직이면 움직일수록 곤궁에 빠져든다.

태아가 산도를 거쳐 나오며 겪는 어려움과 방황을 상징적으로 표현하고 있다. 사슴을 뒤쫓는데 산의 지리를 아는 안내자가 없다는 것은 허공을 나는 새라는 허상을 좇아가는 것과 같다. 그러므로 새를 쫓아간다는 것은 산파라는 안내자 없이 낯설고 험한 세상을 향해 나아가는 아기를 상징한다. 즉, 새는 고정된 것이 아니니 새를 쫓는다 함은 목적 없이 허상을 따라가는 의미가 되는 것이다. 그래서 공자는 '사냥을 위해 사슴을 쫓는데 산의 지리를 아는 안내자가 없다는 것은 허공을 나는 새(허상)를 쫓는 것과 같으니, 그러므로 군자는 이러한 기미를 잘 파악하여 더 나아가지 말고 그쳐야 한다'고 말한다. 그대로 가면 처지가 궁색해지기 때문이다.

군자라면 추구하는 것이 뜬 구름 같은 허상이라는 것을 안다면 미련 없이 그칠 때는 그칠 줄 알아야 한다. 상황에 따라 포기할 때는 포기하고, 버려야 할 때는 버려야 하는 것 또한 지혜로운 일이다. 도무지 얻는 것에만 몰두하다가 결국에는 모든 것을 버려야 하는 어리석음을 뒤늦게 깨달은 들 무엇하랴. 이에 공자는 소상전을 통해 六三효사를 "깊은 산속에서 안내자 없이 사슴을 쫓는 것은 날짐승(허상)을 쫓아가는 것과 같다. 군자는 버려야 할 때는 버려야 한다. 무시하고 계속 쫓아가면 부끄러움을 당하고 곤궁에 처할 수 있다(象曰 卽鹿无虞 以從禽也 君子舍之 往吝窮也)"라고 풀이하고 있다.

☞ 卽: 나아갈 즉/ 鹿: 사슴 록/ 虞: 산지기 우(귀족을 위해 등의 사냥을 관장하는

직책으로 귀족의 사냥을 위해 짐승의 뒤를 쫓는 일을 한다)/ 惟: 생각할 유/ 幾: 기미 기, 낌새 기/ 舍: 집(여관) 사, 버릴 사, 포기할 사

六四 乘馬班如 求婚媾往吉 无不利
육사 승마반여 구혼구왕길 무불리

육사, 말을 탈까 말까 망설인다. 그러나 구혼하러 가면 길하니 이롭지 않음이 없다.

막상 오매불망 꿈에 그리던 九五를 코앞에 두니 정응하고 있는 초구에 미련이 남는다. 그러나 두 개의 음(2,3효)에 길이 막혀 있으니 뒤돌아갈 수도 없다. 하괘에서 강을 건너 상괘로 왔으니 되돌리기에는 너무 멀리 나왔다. 다만 미련에 망설임이 있을 뿐이다. 결혼 전날 사랑하던 옛 애인이 갑자기 생각나는 격이다.

구혼하러 가는 것은 이롭지 않음이 없다 함은 목적이 있다는 의미이다(求婚媾 往吉 无不利). 九五는 청혼의 대상으로 상징되는 나아감의 목적이고, 깊은 산속을 안내하는 조력자의 깃발이며, 태아에게는 세상 길로 안내하는 산파이고, 밝은 빛(明)이 되는 것이다. 그러므로 처음 마음 그대로 앞으로 쭉 나아가는 것이 현명하다. 공자는 "구하러 나아가니 밝음으로 빛난다(象曰 求而往 明也)"라고 했다. 동하면 택뢰수(澤雷隨䷐)가 되니 순리를 따르는 것이다.

☞ 혼구(婚媾): 혼인(婚姻)

九五 屯其膏 小貞吉 大貞凶
구오 둔기고 소정길 대정흉

구오, 쌓아 두기만 한다. 작은 일에 처해서는 바름을 지키면 길하고, 큰
일에 처해서는 바르더라도 흉을 면치 못한다.

九五는 외괘에서 중정한 자리로서 인군을 상징하니, 드디어 태아가 세상
밖으로 나가 완전한 인간이 되었음을 비유한다. 그러나 수뢰둔괘의 때이니,
세상이란 그리 녹녹한 곳이 아니다. 첫발을 내딛는 아이의 세상은 험수(險水)
로 상징되는 험난한 곳이다. 그래서 내 것을 쌓아 두기만 할 뿐이니 큰 은덕
을 베풀기는 어렵다. 그러므로 험난(險難)☵을 만난 九五가 천하를 경륜하기
에는 때가 험하니 비록 빛이 나지 않는 작은 일이라 하더라도 바르게 하면
길하다고 하였다(小貞吉). 오히려 때에 맞지 않게 큰 역할을 고집하면 바르
게 처신하더라도 오히려 일을 그르치게 되니 흉하다(大貞凶). 그래서 공자는
"쌓아 두기만 하니 베풀더라도 빛이 나지 않는다(象曰 屯其膏 施未光也)"라고
하였다. 동하면 지뢰복(地雷復☷☳)이니 때를 기다리며 힘을 기른다.

둔기고(屯其膏)는 기름진 것을 쌓아둔 것, 재산축적을 의미한다. 재산을
축적하기만 하면 본인에게는 길할 수도 있겠지만 천하의 관점에서는 축적만
으로 은혜를 베풀기는 어렵다. 험☵(險)한 세상이라고 해서 나를 지키기 위
한 내 것 만을 쌓는 것에 몰두하면 베풂이 빛이 나지 않는다. 六三효에서
날짐승(허상)을 쫓아가는 것과 다를 바 없는 일이다. 험난한 세상에 처해서
내 것을 쌓고, 내 것을 지키기에 몰두하는 상황에서도 작은 일이나마 베풂을
바르게 하면 길하지만, 자신의 목적을 위해서 진심이 결여된 큰 베풂은 오히
려 흉하게 될 뿐이다.

☞ 膏: 기름 고, 은혜 고

上六 乘馬班如 泣血漣如
상육 승마반여 읍혈연여

상육, 말을 타고서 서성거린다. 오갈 데 없으니 비통함으로 피눈물이 흘러 내리는 듯하다.

기댈 곳이 없으니 어설프게 九五 양을 타고도 오도 갈 데도 없이 서성거린다. 끝에 처해있어 아무런 역할을 하지 못하니 자신의 처지를 한탄하며 피눈물을 흘린다. 六三이 응해주지 않으니 기댈 곳도 마음 둘 곳도 없다. 험난 ☵의 상극에 도달했으니 나아가도 갈 곳이 없음이며 해가 서산에 떨어진 격이다. 과도하게 나아간 것이고, 너무 나간 것이다.

상극(上極)에 처하여 비통함으로 피눈물을 흘리니 이 또한 부질없는 짓이다. 소상전에서는 "피눈물을 줄줄 흘리니 어찌 오래하겠는가? (象曰 泣血漣如 何可長也)"라고 했다. 달도 차면 기울듯 사물은 극에 달하면 변하는 것이 이치이니 이를 깨닫고 받아드린다면 천하의 이치를 알게 될 것이다.

☞ 泣: 울 읍/ 漣: 눈물 흘린 연

4. 山水蒙 산수몽

山☶艮
水☵坎

蒙 亨 匪我求童蒙 童蒙求我 初筮告 再三瀆 瀆則不告 利貞

象曰 蒙 山下有險 險而止 蒙 蒙 亨 以亨行時中也 匪我求童蒙 童蒙求我

志應也。 初筮告 以剛中也 再三瀆 瀆則不告 瀆蒙也 蒙以養正 聖功也

象曰 山下出泉 蒙 君子以果行育德

初六 發蒙 利用刑人 用說桎梏 以往吝

九二 包蒙 吉 納婦 吉 子克家

六三 勿用取女 見金夫 不有躬 无攸利

六四 困蒙 吝

六五 童蒙 吉

上九 擊蒙 不利爲寇 利禦寇

1. 괘상(卦象)

水☵의 구이(九二) 양효가 상향하여 山☶이 되니 산수몽(山水蒙)의 괘상이 만들어 진다. 물에서 갓 벗어나 서있는 상으로서 험난☵(險)에서 벗어났으나 갈 방향을 모르고 서있는 모습☶(止)이다. 물을 건너 서있는 모습, 물을 건넜으나 어찌할 바를 모르고 서있는 어린 아이의 모습. 아직은 발목이 물에 잠겨 있는 모습이니 모든 것이 서툰 상태이다.

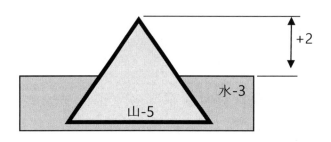

아래 괘상을 보면 九二가 험난☵ 속에서도 강중의 도로써 상향하면서 계속하여 험난☵을 만나는 것을 알 수 있다. 바다에 도달하기 위해서는 내와 강을 거치지 않고서는 도달할 수가 없다. 九二는 중도를 의미하니 비록 바다로 가는 길은 험하지만 그 험함을 포용하며 나아간다. 도랑물이 바다에 도달하는 과정에서 보고 배우며 습득하고 경험해가면서 점차 큰 물로 성장해 가는 것이다(九二 象曰 包蒙吉 納婦吉 子克家 剛柔接也).

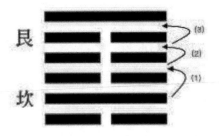

작은 도랑이 점점 내가 되고 강이 되며 커가듯이, 아이가 경험과 학습을 통해 어른으로 커가는 모습을 보여준다. ☵는 산에서 흘러내려온 물길, 작은 물이 모이고 모여 합류한 강, 사람으로 치면 집을 떠나 구도의 길을 가고 있는 구도자(인생노정)이다. 완성을 향하여 배우고 헤치며 나아갈 길이 멀다.

작용으로 보면 산에서 흘러내린 작은 물길☵에 불과한 九二 양효가 첫 번째 내☵를 지나고, 두 번째 강☵을 지나며 갈 길을 찾아 헤매는 지류와 합류하며 몸을 불리고, 세 번째 모든 흐름이 멈추고 완성된 넓은 바다를 의미하는 세상으로 나오며 어른으로 성장해가는 과정을 보여준다. 상괘 艮☶은 끝, 완성, 도착을 의미하는 그침(止)의 뜻이니 물은 바다를 목적지로 흐르며, 아이는 어른을 지향점으로 커간다.

상(象)으로 보면 산☶에서 흘러내리는 물☵이 갈 길을 잃어버리고 이리저리 헤매는 모습, 어린 아이(☵)가 길을 몰라 어쩔 줄 모르고 서있는 모습☶이니 괘명이 몽(蒙)이다. 성인은 이 상을 보고 계몽(啓蒙)을 읽어내니, 어리석고 유치함은 계몽으로 깨우쳐야 함을 가르친다. 인습☵에 젖어 제 자리에 머물러 있는 사람☶을 가르쳐서 깨우치는 것도 계몽이다.

어린 아이(☵)와 같은 유치한 상태에서 배움을 통해 어른☶으로 성장해 나가는 모습, 서울을 가로 지르는 한강도 그 근원을 찾아가면 발원지인 작은 샘물을 만나게 되니, 모든 만물의 시작은 맑고 순수한 어린 아이☵와 같은 것이다.

六五는 산중턱에 생긴 작은 샘물로 힘이 미약하여 흐르지도 못하는 조그만 샘터이다. 사람으로 치면 아직 몽매(蒙昧)함에서 깨지 못한 간난아기라고 할 수 있다. 때묻지 않아 순수하지만 아직은 어려서 스스로 걷지 못한다. 물이 조금씩 모이면서 산 아래 비탈길로 흐르기 시작하니, 처음에는 길을 찾지 못하고 이리저리 헤매는 동몽(童蒙)의 상이다. 그러나 六五는 완성을 향한 출발점이면서 시작이고, 인간 본원(本源)으로서 자아의 자리이며, 유순하지만 군왕으로서의 위엄을 갖춘 자리이기도 하다. 九二 양과 서로 응하니 九二를 푯대 삼아 나아간다. 자아(自我)를 찾아 나선 구아(求我)의 길은 결국 자기자신의 본(本)을 찾는 것이고, 나를 찾아 나선 구도(求道)의 길이니 결국 길을 나선 자기 본래의 자리로 돌아가는 것이다.

산에서 물이 흘러 작은 내를 만들고 강으로 흘러서 마침내 바다로 향하는 것처럼, 어린아이(童蒙)가 어머니의 품을 벗어나서 세상으로 나아가 청년기 ☲를 거치며 어른☲으로 성장해 나간다. 샘터를 떠난 물☵이 물줄기를 찾아 떠나는 모습, 작은 내부터 시작하여 강을 거쳐 바다로 향하듯, 엄마 품을 떠난 동몽(童蒙)이 자아(自我)를 찾아 여정을 떠나는 모습이다.

九二는 깊은 산속☵ 작은 샘터를 떠나 길을 찾아 나선 구도자☵의 모습, 나아가는 목적과 방향은 뚜렷하다. 비록 목적지인 바다에는 도달하지 못하고 여전히 길을 찾아 험난한 구도의 길을 가는 상태이지만 넓은 바다에 도착하여 모든 것을 내려놓고자 하는 물☵의 모습인 것이다. ☵은 이미 샘터를 떠난 구도자의 상이니, 괘상으로 보면 동몽(六五)의 스승이자 푯대이다. 중도로서 힘(陰)을 포용하며 바른 길을 향해 나아가니 九二는 포몽(包蒙)의 상이 된다.

2. 괘변(卦變)

▷호괘 – 地雷復

蒙 　　　復

䷃-5　⟹　䷗-7
　-3　　　+1

+2　　　+8

　험난(險難)에서 벗어나는 것은 쉬운 일이 아니니 마음을 가다듬고 하나부터 차근차근 시작해야 한다. 물에 빠지면 급히 나오려다 오히려 깊은 곳으로 빠져들어간다. 몸에 힘을 빼고 정신을 집중하여 기(氣)을 모으는 것도 좋은 방법이다.

▷착종괘 – 水山蹇

蒙 　　　蹇

-5　⟹　-3
-3　　　-5

+2　　　-2

　몽(蒙)은 험수☵에서 벗어났으나 멈춰선 모습☶(止), 간신히 물에서 벗어나기는 했으나 지쳐서 방향을 정하지 못하고 멍하니 서 있는 상이다. 이에 반하여 건(蹇)은 험수☵에 빠져 꼼짝 못하고 있는 모습, 九三양이 +1(양)의 작은 힘으로 아래 九二자리로 뛰어드는 격이니 소극적이다. 결국 힘이 부족하여 물☵에 빠지는 격이니 건(蹇)은 물속에서 오도가도 꼼짝 못하고 있는 모습이다.

▷도전괘 - 水雷屯

蒙   屯

☶-5 ⟹ ☵-3

☵-3   ☳+1

+2   +4

　둔(屯)은 아직 어머니의 모태 속에서 자라고 있는 태아를 의미한다. 아직은 어려움 속에서 힘을 기르며 때를 기다리고 있는 모습이다. 몽(蒙)은 모태에서 갓 벗어난 어린아이의 모습으로 몽매(蒙昧)한 상태를 의미, 자아(自我)를 찾기 위한 구도(求道)의 길을 떠나게 된다(童蒙求我).

▷배합괘 - 澤火革

蒙   革

☶-5 ⟹ ☱-1

☵-3   ☲+3

+2   +4

　몽(蒙)은 산☶에서 내려온 작은 물☵이 갈 길을 찾아 흘러내리듯 구도(求道)의 길을 찾아 떠나는 방랑자의 모습, 혁(革)은 바다☱ 속에 있는 태양☲이 그 안을 벗어나려 하는 모습을 보여준다.

3. 괘사(卦辭)

蒙 亨 匪我求童蒙 童蒙求我 初筮告 再三瀆 瀆則不告 利貞

몽 형 비아구동몽 동몽구아 초서고 재삼독 독칙불고 이정

몽은 형통하다. 내가 동몽(童蒙)을 구함이 아니라 동몽이 나(自我)를 찾아 나선다. 처음 점을 치거든 알려주고, 두 번 세 번하면 초심이 더럽혀 짐이니, 더럽혀진 즉 알려줌이 무슨 의미가 있겠는가? 곧고 바르게 함이 이롭다.

蒙 亨

사물 초기의 유치한 상태가 몽(蒙)이니 사람으로 치면 어미 품을 갓 벗어난 어린아이로 산 속의 조그만 샘터에서 흘러나온 물이 갈 길을 찾아 헤매는 모습이 바로 인생 행로를 시작하는 어린아이(童蒙)의 모습이다. 어린아이는 시간이 흐름에 따라 배움과 경험, 그리고 학습을 통해 점점 자아를 키워나간다. 물은 자신의 길을 찾아 나서 내를 이루고 강을 따르며 바다를 향한다. 이렇듯 동몽(童蒙)은 인생 행로를 따라 자아를 찾아가며 어른으로 성장해가니, 그러므로 몽(蒙)이란 형통(亨通)한 것이다.

匪我求童蒙 童蒙求我

구아(求我)란 나(我)를 찾는 구도(求道)를 의미한다. 몽매(蒙昧)한 동몽(童蒙)에 그대로 머물러 있다면 어찌 도(道)가 스스로 나(我)를 찾아와 문을 두드릴 수 있겠는가? 도란 무위자연이니, 스스로 문을 열고 나아가 깨우치지 않는다면 동몽을 면치 못한다. 산☵에서 샘터의 물은 어느덧 흘러 넘치게 되

고, 마침내 흘러내리는 물줄기☵는 스스로 길을 찾아 떠나가듯, 동몽이 스스로 깨우쳐 자아를 찾아 구도의 길을 떠나니 몽(蒙)은 형통하다. 미몽을 벗어나지 못한 동몽이 자신의 울타리를 깨고 나와 아(我)를 구함은 곧 나를 찾는 구도의 여정을 나서는 것이니 바로 몽괘(蒙卦)의 본뜻이다. 아(我)란 자아(自我)가 되고 몽매함을 깨우쳐주고 도와주는 스승이 된다.

조그만 샘터에 물이 가득차면 저절로 흘러내리듯이, 미몽을 벗어나지 못한 동몽이 때가 되면 스스로 앎을 구하고자 할 때가 있으니, 그때 계몽을 받은 것이 좋다. 굳이 앎을 구하지 않을 때 가르침은 효과가 없음이니 몽매함을 일깨우는 계몽교육은 때가 중요하다.

▷내재에너지 (위치에너지)

| +4 | +2 | +1 |
| 태아 | 어린이(동몽) | 어른 |

► ☳(進)은 태동된 생명으로 +4(양)의 강한 생명력으로 부딪히고 싸우며 나아간다. 음효인 2효와 3효 2개를 뒤흔드는 강한 힘이다.

► 혼돈(☵)은 질서가 잡히지 않은 무질서 속에서도 양기(二)가 중심(中)을 잡고 있는 모습을 보여준다. 자아를 자각하지 못한 어린아이, 구도의 길을 떠난 순례자, 세상에서 아직 자리잡지 못한 청년기, 아직 사물의 이치가 질서를 잡지 못한 유치한 단계를 의미하며, 완성을 향해 나아간다.

► ☶(止)은 인생의 여정을 통해 자아를 깨닫고 일치를 이룬 어른의 상이니 세상과 다투지 않는다. 음효 2개가 떠받치고 있는 안정된 모습으로서, 양(陽)은 +1로 모든 것을 그치고 가부좌를 틀고 앉아있는 고요한 모습이다.

▷동몽구아(童蒙求我): 동몽(童蒙)이 나(我)를 찾아 떠나는 여정

몽(蒙): -엄마 품을 벗어난 어린이(童蒙),

－자아(自我)를 자각하지 못한 유치한 단계

► 구아자(求我者☵)

둔(屯): -만물이 생김,

－태아(자궁 속의 생명)

► 동몽(九二)이 자아(六五)를 찾아 험난☵을 거쳐 바다(완성)로 나아가 그치는(☶止) 순례의 여정을 보여준다(童蒙求我). 동몽이란 샘물이 아직 흐르기도 전인 작은 샘터, 어려서 아직 사리를 모르는 간난아이가 되고, 어른이란 자아를 깨달아 일치를 이룬 대인을 말한다. 구아(求我)란 자아(自我)를 추구하는 구도(求道)를 뜻한다.

또한 六五는 내가 나온 본원이면서, 中을 지킨 음(陰)으로 순례 여정을 거치며 강하고 날카로움이 닳아 없어지고 대지(외호괘☷)의 유순함을 이룬 인군의 상이다.

바다에 도착함은 자기완성을 이룸이니, 인생의 치열한 싸움을 그치는 것이다(☶止). ☷는 ☵가 오랜 여행을 끝내고 바다에 도착함을 의미하며 자기완성을 뜻하니 인생의 치열한 싸움을 그치는 것이다. 모든 험난한 내와 강을 거치고 바다에 이른 인생의 정점에서 어찌 날카로움이 남아 있겠는가? 아이가 자라 진정한 어른이 되었으니 인간으로서 완성을 이룬 모습이요, 대자유의 경지에 든 해탈의 모습이

니 모든 것이 그친 경지(止)를 말한다. 바다는 모든 것을 포용한 대지의 모습과 닮았다(외호괘☶).

▶몽(蒙)의 九二는 中의 자리에서 正하지 않으니 아(我)를 찾아 순례 길을 떠나 구도자(求道者)의 모습, 음의 자리에 양으로서 자리가 바르지 않으니 정(正)함을 찾아 길을 떠난다. 강양(剛陽)으로서 생명의 강한 의지를 가지고 치열하게 학습하며, 나를 찾기 위해(求我) 구도(求道)의 길로 나아가 六五(本原)와 서로 응한다(童蒙求我 志應也). 물은 처음에는 어린아이처럼 갈 바를 모르지만, 반드시 흐르는 물건이니 바른 길을 찾아 헤매는 온갖 지류를 포용하며 바다를 향해 구도의 길을 떠나게 되는 것이다(九二 包蒙吉 納婦吉 子克家). 그래서 공자는 포몽(包蒙)이 길(吉)함을 九二가 음의 험난함을 극복하고 포용하며 나아가는 것이라 풀이했다(九二효사: 象曰 子克家 剛柔接也). 九二가 동몽(童蒙), 六五가 아(我)가 된다.

初筮告 再三瀆 瀆則不告 利貞

아이가 세상에 나와 처음 인생길을 선택할 때처럼 막막한 일은 없다. 그러므로 이를 "처음 점을 친다(初筮告)"라고 표현하였고, 점을 알려준다 함은 부모가 백지같이 순수하고 유치한 단계인 어린아이(童蒙)에게 인생이라는 길을 가르쳐주듯, 아(我)를 찾아 인생길을 떠나는 동몽(童蒙)을 가르치고 깨우치는 초기의 계몽(啓蒙)을 뜻한다(童蒙求我 志應也).

교육에는 2 가지가 있으니 고기를 직접 잡아주는 것과 고기를 잡는 법을 알려주는 것이다. 아이가 처음 점을 친다는 것은 처음 나서는 인생길을 스스로의 선택과 결정을 통해 찾아 나섬을 의미한다. 서(筮)를 점대로 보면 점을 치는 데에 쓰는 댓가지가 되니, 고기를 잡아주는 것이 아니라 고기를 잡는 법, 즉 아이에게 낚시대를 쥐어 주는 것을 뜻한다.

구아(求我)를 행함에 있어 너무 망설이고, 한곳에 집착하여 머물게 된다면 몽(蒙)의 뜻에 어긋나게 된다. 처음 점을 본다는 것은 동몽이 자아를 알고자 시도함을 말한다. 즉, 몽매(蒙昧)의 틀을 깨고 천지가 세상에 나를 낸 뜻을 찾아 처음으로 길을 나섬을 말함이니(初筮告), 험난으로 인하여 망설이게 되어 초심을 잃어버린 채 두 번 세 번 몽매(蒙昧)함에 그대로 머물고 타협하면서 자신의 초심을 반복하게 된다면 이는 몽(蒙)의 의미를 더럽히는 것이 된다(再三瀆). 더럽혀 진다는 것은 아직도 동몽(童蒙)이 미몽을 벗어나지 못한 채 길을 나서지 못하고 계속하여 점을 치며 이리저리 헤매고 있음을 뜻하는 것이니, 마음의 눈이 닫힌 장님에게 천지가 뜻을 보여 준들 무슨 의미가 있겠는가(瀆則不告)? 재삼독(再三瀆)한다고 함은 인생의 항로를 정하지 못하고 계속하여 망설이며 여전히 미몽 속을 헤매고 있음을 의미하는 것이다.

初筮告 再三瀆 瀆則不告 利貞는 인생은 딱 한번 뿐이라는 것을 의미한다. 선택을 잘못하였다 하여 반복할 수 없는 것이 인생이다. 그러므로 인생의 첫발을 뗄 때 처음 한번의 선택이 얼마나 중요한지를 강조하는 것이며, 올바른 선택이 자신의 인생을 얼마나 이롭게 하는 것인지를 설명하고 있는 것이다. 동몽(童蒙)이 미몽에서 깨어 아(我)를 찾아 떠나는 구도의 길은 항상 곧고 바르게 함이 옳은 것이며(利貞), 실행은 과감하게 결단하고 행하며, 덕을 길러야 하는 것이다(象曰 山下出泉蒙 君子以 果行育德).

象曰 蒙 山下有險 險而止蒙 蒙亨 以亨行 時中也
단왈 몽 산하유험 험이지몽 몽형 이형행 시중야
匪我求童蒙童蒙求我 志應也
비아구동몽동몽구아 지응야
初筮告 以剛中也 再三瀆瀆則不告 瀆蒙也 蒙以養正 聖功也
초서고 이강중야 재삼독독즉불곡 독몽야 몽이양정 성공야

단에 이르길, 몽(蒙)은 산 아래 험(險)이 있고, 험해서 그치는 것이 몽이다. 몽형(蒙亨)은 형통함으로 행하는 것이니 때를 따라 중도를 행한다. 匪

我求童蒙童蒙求我는 서로 뜻이 응함을 말한다. 初筮告는 강중(剛中)으로써 함이요, 再三瀆瀆則不告는 몽의 초심이 더럽혀 졌음이라. 몽은 바름(正)을 기르는 것이니 성스러운 공(功)을 이룸이로다.

蒙山下有險 險而止蒙

산☷ 아래 험(險)☵이 있는 것이 몽(蒙)의 상이다. ☵의 양이 두 개의 음에 둘러 쌓여 있음은 몽매(蒙昧)함에 빠져 질서를 바로 잡지 못함을 뜻하는 것이니 사물의 초기 상태가 그러하다. 가운데 양☵(九二)이 상향하여 ☶(止)이 되면 험난(險難☵)에서 빠져나와 그치는 것이다(險而止蒙). 두 개의 음이 안정된 모습으로 바탕을 굳건히 하고, 삼효인 양이 내재에너지 +1(양)로 나아감을 그치니, 해탈의 경지에서 고요히 가부좌를 틀고 앉은 군자의 상이다.

蒙亨 以亨行 時中也 匪我求童蒙童蒙求我 志應也

동몽(童蒙)이란 산 속의 샘물이 길을 만들고 강을 이루며 바다를 향해 나아가듯, 인생행로를 따라 자아(自我)를 찾아가며 어른으로 성장해가는 어린 아이를 말하는 것이니, 몽(蒙)은 형통(亨通)하다. 동몽은 초기의 시작을 의미하는 것이니 처음은 누구나 어리고 유치하다. 그러므로 소인처럼 중도를 잃고 거리낌 없이 행하기 쉬우니, 그리하면 무지몽매(無知蒙昧)함으로 인하여 중도를 벗어나 멀리 돌고 돌아서 힘들게 바다에 도달하게 된다. 그러므로 동몽(童蒙)은 몽매(蒙昧)함을 재삼(再三) 반복하지 말고 형통함으로 때에 따라 중도를 행하여야 한다(蒙亨 以亨行 時中也).

산속의 샘물은 초기에는 정해진 길이 없어도 스스로 길을 떠나 다른 지류와 합치며 도랑을 이루고 강을 만들며 스스로 바다를 찾아 나선다. 여기에서 아(我)란 천지만물의 뜻에 일통(一通)한 완성된 자아(自我)를 말하는 것으로 샘물의 목적지인 바다를 상징한다. 바다가 샘물을 찾지 않듯이 천지만물의 근원이 나를 찾아 나서지 않는다(匪我求童蒙). 샘물이 스스로 길을 개척하며 바다를 찾아 나서듯, 동몽(童蒙)이 스스로 나를 세상에 낸 천지의 뜻에 응해 자아를 찾아 진리를 향한 구도의 길을 떠나야 하는 것이다(匪我求童蒙童蒙求我 志應也).

初筮告 以剛中也 再三瀆瀆則不告 瀆蒙也

초기 계몽(啓蒙)의 중요성을 말한다. 동몽은 초기의 어린 시절부터 교육을 통해 바르게 잡아야 한다. 샘물이 바다로 가는 길을 잘못 잡으면 가는 길이 험난하듯, 초기 계몽교육에 실패하면 아이가 바르게 성장하기는 쉽지 않다.

구도의 길을 떠난 순례자 구이(九二)는 음의 자리에 양으로 와서 자리가 바르지 않으나 강중(剛中)으로서 호괘가 지뢰복(地雷復☷☳)이다. 초구(初九)인 양(陽)은 비록 처음은 미약하지만 초기의 험함으로부터 잘 보호하고 계몽하여 바르게 기르면 장차 창대함으로 커 나갈 것이다(初筮告 以剛中也).

그러나 샘물(六五)이 처음부터 길을 잘못 들게 되면 바다로 나아가는 길이 순탄하지 않듯, 동몽이 몽매(蒙昧)함을 반복하여 벗어나지 못한다면 아이의 백지 같은 순수함과 새싹 같은 유치함이 더럽혀지게 된다(再三瀆瀆則不告 瀆蒙也). 샘물이 초기에 갈 길을 바로잡아야 하듯, 동몽도 초기에 올바르게 계몽하여 바르게 기른다면 진정한 어른으로 성장하게 될 것이다(蒙以養正 聖功也).

蒙以養正 聖功也

바다로 향하는 바른 길을 찾는다는 것은 무지몽매함을 깨우쳐 바르게 양육되는 것을 뜻한다. 동몽은 처음부터 바르게 양육해야 한다(蒙以養正). 이것은 몽매함을 계몽하여 바르게 하는 것을 의미하는 것이니, 이는 자아를 찾는 성스러운 공적이 된다(聖功也).

象曰 山下出泉蒙 君子以果行育德

상왈 산하출천몽 군자이과행육덕

상에 이르길, 산 아래 샘이 나는 것이 몽(蒙)이니 군자는 이로써 과감하게 결단하고 행하며 덕을 기른다.

산 아래 샘이 나는 것이 몽(蒙)의 상이니, 샘에서 나온 물은 처음에는 그 힘이 어리고 미약하지만, 그럼에도 산 아래로 흘러내려가야 하는 것은 거부할 수 없는 운명이다. 그러므로 초기에는 갈 길을 찾아 헤매도 결국은 힘을 모으고 배우며 길을 찾아가게 된다. 마찬가지로 아이도 엄마 배속에서 세상으로 나오게 되면, 샘물이 갈 길을 모르고 또 원하지 않아도 흘러내려가야 하듯 스스로 성장해간다. 반드시 흘러 나아가야 하는 것이 샘물의 운명이고, 또 그것이 아이에게 선택의 여지가 없는 운명이라면 때에 따라 과감히 행을 하지 않으면 오히려 갈 길이 꼬여 헤매게 될 수도 있다(果行育德). 어린 샘물이 산 아래로 흘러내려가면서 길을 찾아 헤매며 온갖 지류와 힘을 합하며 배우고 익혀 넓은 바다로 향해가듯, 동몽은 뜻을 찾아 스스로 배우고 익히며 덕을 길러 진정한 어른으로 성장해 나간다(童蒙求我).

☞ 蒙: 어두울 몽, 어리석을 몽/ 匪: 아닐 비/ 筮: 점 서/ 瀆: 더럽힐 독/ 養: 기를 양/ 聖: 성스러울 성/ 泉: 샘 천

4. 효사(爻辭)

初六 發蒙발몽	몽매(蒙昧)함을 드러내다.
九二 包蒙포몽	몽(蒙)을 포용하다.
六三 昏蒙혼몽	혼몽(昏蒙)은 취하지 않는다.
六四 困蒙곤몽	곤궁에 빠진 몽(蒙)
六五 童蒙동몽	맑고 순수한 어린 몽(蒙)
上九 擊蒙격몽	몽(蒙)을 쳐서 깨우치다.

初六 發蒙 利用刑人 用說桎梏 以往吝
초육 발몽 이용형인 용탈질곡 이왕린

초육, 몽매(蒙昧)함을 드러내다. 형인(刑人)을 이용하여 미몽(迷蒙)의 질곡(桎梏)을 벗겨내다. 그대로 가면 궁색하리라.

초육은 맨 아래에 음으로 거하는 하민(下民)으로 미몽(迷蒙)한 단계에 있는 어린 몽(蒙)이다. 발몽(發蒙)은 몽매(蒙昧)함을 일깨워 개발하기 시작하는 초기의 계몽단계로 형인(刑人)으로 비유되는 교육으로 질곡(桎梏)을 벗겨내고자 한다.

형인이라 함은 감옥에 갇혀 있는 죄인이다. 이용형인(利用刑人)은 형인을 이용하는 교육방식을 말한다. 즉, 옥에 갇혀 있는 형인을 직접 대면하는 방식으로 수준에 따라 규칙을 만들어 상벌을 내리는 직접교육을 의미한다.

초육은 스스로 깨우쳐 알기에 너무 어리고 아직 몽매함에 갇혀 있는 미숙한 몽의 단계에 있다. 양의 자리에 음으로 와서 자리도 바르지 않다. 그러므로 발몽은 스스로 깨우치기 어려운 어린 몽(蒙)을 가르쳐 몽매함에 갇혀 있는 자신을 스스로 깨닫게 하는 교육방식을 의미한다. 갇혀 있다는 의미에서 보면 감옥에 갇힌 죄인과 몽매함이라는 질곡에 묶인 어린 몽은 공통점이 있다. 그래서 형인이라는 비유를 들어 계몽을 설명하는 것이다.

　발몽(發蒙)이란 어리고 미숙한 몽(蒙)을 당근(상)과 회초리(벌)를 통해 무지 몽매함을 깨닫게 함으로써 몽매(蒙昧)라는 질곡을 벗어버리고 자신을 가둔 감옥에서 스스로 벗어나올 수 있도록 하는 교육방식이다. 당근과 회초리라는 상벌을 병행함으로써 발몽하게 하여 자기주도학습이 가능하도록 하는 교육의 필요성을 말한다. 형인에게 규칙에 따른 상벌을 내리듯, 당근(상)을 이용하여 발몽하게 함으로써 깨닫게 하는 이로움과 회초리(벌)로써 발몽(發蒙)하게 하여 깨닫게 하는 이로움은 그 목적이 같으니, 그것은 초기에 법도를 바르게 세우기 위함이다(象曰 利用刑人 以正法也)라고 공자는 말한다.

　그러나 형인(刑人)으로 상징되는 강제성은 어린 몽이 다만 두려워 따를 수도 있다. 그러므로 감옥에 갇혀 있는 형인에게 하는 직접 교육방식이 초육을 벗어나 다음 단계에서도 그대로 지속된다면 교육은 오히려 그 폭이 옹색하여 질 수가 있음을 명심해야 한다.

☞ 說: 벗을 탈/ 말씀 설/ 기쁠 열, 桎: 차꼬 질(죄수를 가두어 둘 때 쓰던 형구刑具), 梏: 수갑 곡/ 묶을 곡, 질곡(桎梏): 형벌도구/ 족쇄와 쇠고랑/ 사람을 속박하는 사물

九二 包蒙吉 納婦吉 子克家
구이 포몽길 납부길 자극가

구이, 몽매함을 포용함이 길하니 부인(陰)을 받아 드림이 길하다. 아들이
어려움을 이겨내며 집안을 다스리리라.

九二는 먼저 구도의 길을 떠난 선각자로 六五가 푯대가 된다. 구도의 길
을 떠난 순례자, 먼저 앞선 자이니 선생이다. 九二는 강중의 덕으로 험난☵
속에서도 구도자로서 길을 가며 다른 지류(음효)를 포용한다(納婦吉). 여기에
서 부(婦)는 음효를 의미하며, 구도자(九二)를 상징하는 물☵이 바다(완성)를
향해 가면서 만나는 다른 물길을 뜻한다. 구이가 가면서 받아드리는 물길(陰)
은 서로에게 도움이 되는 존재이다. 그래서 구도의 길을 함께 가는 인생의
동반자인 부인(婦)으로 표현한 것이고, 도움이 되지 않는 음(陰)은 3 효에서
여(女)로 표현을 달리했다.

물은 처음에는 갈 바를 모르지만 반드시 흐르는 물건이니 바른 길을 찾아
헤매는 다른 온갖 지류(婦)를 포용(包容)하며 바다를 향해 구도의 길을 떠난
다(包蒙吉 納婦吉). 구이가 큰 바다를 향해 나아가면서 만나는 온갖 지류(陰)
를 받아드리니 점차 그 크기를 키워 나간다. 그래서 공자는 포몽(包蒙)이 길
함을 九二가 음의 험난함을 극복하고 음을 포용하며 나아가는 것이라 했다.
소상전은 "九二가 자신을 극복해 가며 일가를 이루어 감은 강(剛)이 나아가
며 柔(陰)를 받아드려 합하는 것이다(象曰 子克家 剛柔接也)"라고 했다.

九二는 호괘가 지뢰복(地雷復)으로 내호괘가 진(震☳)이니 장남(長男)을 의
미한다. 부모의 품을 떠나 인생이라는 구도의 길을 떠난 장남이 六五의 뜻
에 응하며 어려움을 극복해가며 점차 성장해간다. 장남이 아버지를 대신하여
집안(家)을 다스리는 모습은 스스로를 극복해가며 길을 가는 구도자의 모습
으로 비유한다. 가(家)란 자기 자신이며, 집이며, 사회이며, 국가를 의미한다.

六三 勿用取女 見金夫 不有躬 无攸利
육삼 물용취녀 견금부 불유궁 무유리

육삼, 여자를 취하지 마라. 돈 있은 사내를 보면 몸을 가만이 두지 않으니 이로울 바가 없다.

물이 도랑을 지나 내를 가면서 여러 물길을 받아드리니 온갖 종류의 지류를 접하게 된다. 즉, 구도자가 순례 중에 만나는 유혹이나 불순한 사상이나 풍습을 접하게 됨을 비유한다. 六三은 중도를 벗어나 음으로서 양의 자리에 있으니 그 자리가 바르지 않으며, 上九와 응하면서도 九二양을 타고 앉았으니 금부(金夫)의 유혹에 몸을 던지는 행실이 바르지 않은 여인에 비유한다. 혼몽(昏蒙)에 빠진 자이다. 금부란 돈이 많거나 힘이 있는 자, 권력이 있는 자를 말한다. 물이 바다를 향해 흐르면서 만나는 불순한 지류(支流), 구도자가 순례 길에서 유혹에 빠져 어려움을 겪게 되는 상황을 비유한다. 이러한 유혹에 넘어가는 것이 이롭지 않다는 것을 금부의 유혹에 몸을 던지는 불순한 여자(女)로 비유한 것이다. 강한 자를 보면 자신의 개성을 버리고 모방하며 따르고 숭배하는 노예근성을 가진 자이다. 공자는 소상전을 통해 "여자를 취하지 말라 행실이 순하지 않음이다(象曰 勿用取女 行不順也)"라고 하여 혼몽(昏蒙)한 자를 취하지 말라 경계하였다. 깨끗한 지류는 받아드리고(納婦吉), 불순한 지류는 거부(勿用取女)하는 지혜로운 선택이 필요함을 강조한다.

☞ 躬: 몸 궁, 昏: 어두울 혼

六四 困蒙 吝
육사 곤몽 린

육사, 곤궁에 빠진 몽(蒙)이니 부끄럽다.

바다를 향해 나아가던 물길이 엉뚱한 곳으로 빠져버려 길을 벗어났다. 길을 잘못 들었으니 곤란한 상태에 빠진 것이다. 바름을 벗어났으니 어찌할꼬? 도움을 받기에는 양(九二, 上九)과 너무 멀어졌다. 하괘를 지나 강을 건너 상괘로 왔으나 실(實)함과는 멀리 떨어져 버린 것이다. 되돌아가기에는 이미 늦었으니 어차피 홀로 나아가야 한다. 실(實)은 양강한 덕을 지닌 九二와 上九를 가리킨다. 입지가 궁색해졌다. 六四는 두 음의 사이에 있고, 양강한 실(實)함과 떨어져 있어 계몽해줄 사람이 없으니 부끄럽고 아쉬움이 있다. 교육의 혜택을 받기가 어려우니 독학하거나 고학을 해서라도 가야 하는 곤궁한 처지이다. 소상전은 "곤몽(困蒙)이 부끄러움은 홀로 실(實)함과 떨어져 있기 때문이다(象曰 困蒙之吝 獨遠實也)"라고 하였다.

六五 童蒙 吉
육오 동몽 길

육오, 동몽이 길하다.

六五는 산중턱에 생긴 작은 샘물로, 힘이 미약하여 흐르지도 못하는 조그만 샘터이다. 사람으로 치면 아직 몽매한 아기이니 스스로 서지도 걷지도 못한다. 물이 조금씩 모이면서 산 아래 비탈길로 흐르기 시작하니 처음에는 길을 제대로 찾지도 못하고 이리저리 헤매는 동몽(童蒙)이다. 그러나 六五는 완성을 향한 출발점이면서 시작이고, 본원(本源)이니, 유순(柔順)하지만 군왕으로서의 위엄을 갖춘 자리이기도 하다. 九二 양과 서로 응하니 九二를 스승으로 푯대 삼아 아(我)를 찾아 구도의 길로 나아가며 성장해 가니 동몽은 길하다.

六五는 부당위(不當位)에 유약한 음이지만 중도를 견지하고 강중(剛中)한 九二에 순응한다. 존위에 있으면서 아직 개발되지 않은 어리지만 맑고 순수한 동몽으로서 조력자의 도움이 필요한 존재이다. 六五동몽은 이미 구도의 길을 떠난 스승, 포몽(包蒙)의 九二에 응한다. 그래서 공자는 "동몽이 길한 것은 九二를 푯대 삼아 거스르지 않고 순응하며 겸손하게 도리를 따르기 때문이다(象曰 童蒙之吉 順以巽也)"라고 했다. 자기(六五)를 낮추고 양강(陽剛)한 현자(九二)의 지혜와 자문을 경청하고 도움을 청하니 동몽이란 배우는 사람의 올바른 자세이다. 그러므로 동몽이 길하다는 것은 다른 말로 하면 무지하고 몽매함이 두려운 것이 아니라 이를 깨닫지 못하고 애써 배우려 하지 않음을 두려워해야 한다는 것을 가리킨다.

上九 擊蒙 不利爲寇 利禦寇
상구 격몽 불리위구 이어구

상구, 몽매함을 쳐서 깨우치다. 격몽은 도적을 기르는 데 있는 것이 아니라 도적을 막는 데 있다.

격몽(擊蒙)이란 몽매함을 쳐서 깨우치는 것을 말한다. 어리석음을 깨우치는 격몽의 목적은 도둑이 되는 것을 막는데 있다(不利爲寇). 도둑이란 남의 것을 침범하여 빼앗는 자이다. 또한 격몽은 도둑을 막는 지혜로움을 기르는

데 목적이 있다(利禦寇). 자신을 지키지 못하고 도둑에게 내 것을 강탈당한다면 이 또한 어리석음의 소치이리라.

上九는 양이 상향하다 끝에 다다라 멈춘 상이니 지나치게 나아간 것이고, 더 이상 나아갈 곳이 없으니 막다른 곳에 이른 것이다. 上九의 격몽은 몽매함을 쳐서 깨우침이 과도할 수 있음을 암시한다. 교육이 과열이 되어 참 목적을 잃어버리면 자신들의 욕망을 성취하기 위한 수단으로 변질되어버린다. 그러나 격몽의 목적은 어디까지나 계몽에 있으니 도둑을 기르는 것이 아니고, 도둑을 막는데 있다. 오로지 서울권의 명문대만을 목적으로 하는 속칭 강남교육은 인성을 무시한 채 목적만을 위한 가르침이 되어 버림으로써 괴물을 양성하는 교육이 되었다는 평가를 받는다. 인문(人文)을 저버린 과열된 교육의 결과는 참담하다. 본 효사는 몽매(蒙昧)함을 깨우쳐 계몽(啓蒙)함에 있어서 방법에 따라 결과가 얼마든지 달라질 수 있음을 보여준다.

몽을 깨우치는 방법에는 포몽(包蒙)과 격몽(擊蒙)이 있다. 계몽이 지나치게 양극에 치우쳐 균형을 잃게 되면 오히려 도적을 기르는 우(愚)를 범하게 된다. 도적이란 사회에 해를 끼치는 바르지 않은 자를 비유하니 반사회적이고 비도덕적인 불순한 사람을 뜻한다. 몽매함을 계몽을 함에 있어 도적을 만들고 만들지 않고는 격몽(擊蒙)과 포몽(包蒙)을 어떻게 사용하느냐에 달려 있다. 교육은 백년지대계로서 두서없이 하는 것이 아니다. 잘못하면 도적을 막는 지혜를 알려주는 것이 아니라 오히려 도적을 기르는 꼴이 될 수도 있기 때문이다. 공자는 소상전에서 "도적을 막는 것의 이로움은 위아래가 서로 도리를 따르는 것이다(象曰 利用禦寇 上下順也)"라고 하여 인간사회가 안정된 질서를 유지하는 것은 바른 교육이 그 바탕이 된다는 것을 애써 강조하고 있다.

☞ 擊: 칠 격, 禦: 막을 어, 寇: 도적 구, 침략하다.

5. 水天需_{수천수}

水☵坎
天☰乾

▶효변(爻變)

과거		미래		현재
☰+7	⇨	☵-3		☵-3
				☰+7

上下작용력: (+7)-(-3)=+10

上下균형력: (-3)-(+7)=+4

需 有孚 光亨 貞吉 利涉大川

象曰 需須也 險在前也 剛健而不陷 其義不困窮矣 需 有孚 光亨 貞吉

位乎天位 以正中也 利涉大川 往有功也

象曰 雲上于天 需 君子以飮食宴樂

初九 需于郊 利用恒 无咎

九二 需于沙 小有言 終吉

九三 需于泥 致寇至

六四 需于血 出自穴

九五 需于酒食 貞吉

上六 入于穴 有不速之客三人來 敬之 終吉

1. 괘상(卦象)

기체☰가 액체☵가 되는 상으로서 때가 되면 물이 되어 아래로 떨어진다. 수증기가 점차 액체가 되니 때가 되면 떨어지는 것이다. 아직은 비가 되지 않은 구름이니 외호괘가 화(火☲)인 까닭이다. 강한 건양(乾陽☰) 위에 있는 물☵은 뜨거운 솥뚜껑☲ 위의 물☵과 같으니 제자리를 잡지 못하고 이리저리 움직이며 불안하다. 하늘☰ 위의 구름☵이 이와 같으니 자리를 잡지 못하고 이리저리 움직이다 때를 가다리다 비가 되어 아래로 떨어지게 된다.

건양(乾陽☰)은 강건하니 우주에 가득한 생명지기이다. 天☰ 위에 水☵가 위치하니 비를 부르는 구름이 하늘 위에서 노니는 상이다. 하늘 위의 구름이 비바람을 부르며 서로 이합집산하는 가운데 때가 되면 비가 되어 내리니 수(需)는 때를 기다림을 의미한다.

강건한 군자☰ 앞에 험난☵이 놓여있으니 믿음을 가지고 건너야 이롭다. 험난함 때문에 갑자기 나아갈 수가 없으니 기다렸다 때를 만나 건너야 험난☵에 빠지지 않고 곤궁에 처하지 않는다(需須也 險在前也 剛健而不陷 其義不困窮矣). 수(需☵)는 험한 때의 도를 의미한다. 아무리 험한 위험☵이 앞에 놓여 있어도 군자☰는 때를 알기 때문에 낙천지명(樂天知命)의 마음으로 술과 음식을 즐기면서 붕우들과 믿음을 다지며 때가 열리기를 기다린다.

험수(險水☵)가 앞에 놓여있지만 건양(乾陽☰)의 강건함이 임하였으니 장차 험(險)☵을 건너되 경솔하게 나아가지 않는다. 건(乾)☰은 강건한 대인의 상으로 경솔하게 움직이지 않고 기다릴 줄 아니 곤궁함에 빠지지 않으며, 대천(大川☵)을 건너는 것이 이로움은 건너가면 공(功)을 이루기 때문이다(利涉大川 往有功也).

수(需)는 때가 되면 구름☵이 비가 되어 하늘☰ 아래로 떨어져 그릇☵(내호괘)에 담기니 만물을 키우는 음식이 된다. 음식을 담은 그릇☰은 주변에 있는 만물의 젖줄이니 음식을 먹으며 기뻐한다(飮食宴樂).

2. 괘변(卦變)

▷호괘 – 火澤睽

需   睽

☷ -3   ☲ +3

☰ +7   ⟹   ☱ -1

+10   -4

    때가 오기를 기다렸다가 대천(大川)을 건너는 것은 바다☷에서 태양☲이 떠오르듯 과단성이 있어야 한다. 需(䷄)괘 내부에 睽 (䷥)가 들어있음은 때가 되면 태양이 떠올라 천하를 밝게 비추듯, 때를 기다려 대천☷을 건너 공(功)을 이루는 군자☰의 강건(剛健)함이 있음을 뜻한다. 불가항력적인 험난에 처했을 때에 경솔하게 나아가면 오히려 험난(險難)☵에 갇히게 되니 이때에는 군자의 넉넉함으로 때를 기다리는 것이 중요하다.

▷착종괘 – 天水訟

需   訟

☵ -3   ☰ +7

☰ +7   ⟹   ☵ -3

+10   -10

    수(需)는 강건☰함으로 때를 기다려 험난☵을 건너는 것이니 이섭대천(利涉大川)의 상이다. 험난과 부딪히니 그 힘이 +10이다. 송(訟)은 이미 강건☰이 험난☵을 건넌 상으로 쟁송(爭訟)하는 바가 이미 판결이 난 것이다(-10).

▷도전괘 - 天水訟

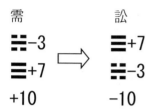

需

☵-3
☰+7
+10

訟

☰+7
☵-3
-10

수(需)는 하늘 위의 비구름이 모여 때를 기다리는 상이고, 송(訟)은 하늘에서 비가 내리는 상이니 결론이 난 것이다.

▷배합괘 - 火地晉

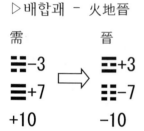

需

☵-3
☰+7
+10

晉

☲+3
☷-7
-10

수(需)는 때가 되면 구름이 비가 되어 하늘 아래로 떨어져 못☱(그릇, 내호괘)에 담기니 만물을 키우는 음식이 된다. 음식을 담은 그릇☱(못)은 주변 만물의 젖줄이니 만물이 음식을 먹으며 기뻐한다(飮食宴樂). 반대인 배합괘는 火地晉(䷢)으로 밝은 해가 땅 위로 나와서 중천에 떠 있는 형상이다. 땅에서 밝은 해가 떠오르니 광명이 대지 위를 비추며 만물에 생기(生氣)를 준다.

3. 괘사(卦辭)

需 有孚 光亨貞吉 利涉大川

수 유부 광형정길 이섭대천

수(需)는 기다림에 믿음이 있는 것이라. 크게 밝아 형통하니 바르고 길하다. 큰 내를 건너니 이로우리라.

수(需)란 뜻을 가지고 기다리는 믿음(孚)이다. 믿음이 없다면 막연하게 기다리는 것이고, 믿음에 뜻이 없다면 대천을 건넌 들 무엇이 이로우랴. 생명 ☰가 다음 생의 순환을 위하여 감수(坎水☵)괘 九二에 저장되는 것은 우주만물의 이치이니, 乾☰(생명)이 다음 생의 순환을 위하여 대천(大川☵)를 건너가는 것은 만물을 위해 이로운 것이다.

뜻을 가지고 믿음으로써 기다린다면 크고 밝게 형통하며, 바르고 길하니 바로 수(需)가 말하고자 하는 바이다. 믿음이라는 배를 타고 큰 내를 건너니 이로움이 있다. 나를 지지하고 믿음으로써 따르는 무리와 함께 하니 유부(有孚)의 뜻이다. 그 무리가 함께 추구하는 뜻이 광명하고 형통하며, 바르고 길하니 아무리 어려운 험한 대천이라 할 지라도 건널 수 있는 것이다.

☞ 需: 기다릴 수, 필요로 하는 물건(음식)수/ 孚: 미더울 부

象曰 需須也 險在前也 剛健而不陷 其義不困窮矣

단왈 수수야 험재전야 강건이불함 기의불곤궁의

需有孚光亨貞吉 位乎天位 以正中也 利涉大川 往有功也

수유부광형정길 위호처위 이정중야 이섭대천 왕유공야

단에 이르길, 수는 기다림이라. 앞에 험함이 놓여있으나 강건하여 빠지지 않으니 그 뜻이 곤궁하지 않음이라. 수(需)는 기다림에 믿음을 두니 크게 광명하고 형통하며 바르고 길하다. 천위(天位)에 거하여 중앙에서 바르기 때문이다. 큰 내를 건넘이 이로우니 나아가 공을 이루리라.

需須也 險在前也 剛健而不陷 其義不困窮矣

수(需)는 기다리는 것이다. 비록 험함☵이 앞에 있어도 강건(剛健)☰함을 잃지 않는다면 결코 수렁에 빠지지 않으니 그 뜻이 곤궁하지 않기 때문이다. 강태공이 낚시를 드리우고 세월을 낚으며 기다린 것은 생각☵(뜻)이 있었기 때문이고, 그 뜻에 대한 믿음이 강건☰했기 때문이다. 어려움☵ 앞에서 자신에 대한 믿음☰을 잃고 경거망동하여 가벼이 움직인다면 이는 대인으로서 그 뜻을 잃었음이다.

需有孚光亨貞吉 位乎天位 以正中也 利涉大川 往有功也

수(需)는 뜻을 같이 하며 나를 믿고 따르는 무리와 함께 기다릴 줄 아는 믿음이다. 유부(有孚)는 광형정길(光亨貞吉)하니, 천자의 지위에 자리하여 중앙에서 바르기 때문이다. 九五中正의 도로써 큰 내를 건너 공을 이루게 되니 이롭다. 천위에 자리한다 함은 그 뜻이 강건☰하여 광형정길(光亨貞吉)함을 말하는 것이고, 중앙에서 바르다 함은 九五中正☵를 말함이니 큰일을 도모하여 공을 이루리라.

象曰 雲上於天 需 君子以 飲食宴樂
상왈 운상어천 수 군자이 음식연락

구름이 하늘로 오르는 것이 수(需)이니, 군자는 이러한 상을 보고 먹고 마시며 잔치를 즐기노라.

구름이 하늘로 오르는 것이 수(需)이니, 이로써 먹고 마시며 잔치를 즐긴다. 이는 때가 되면 구름이 비가 되어 하늘 아래로 떨어져 못≡≡(내호괘)에 담기고 만물을 키우는 음식이 되니, 때를 기다릴 줄 아는 미학을 설명한다. 험함(險陷)이 앞에 있으나 건너는 때가 있음을 아니, 뜻을 함께하는 붕우들과 음식을 나누며 기다릴 줄 아는 군자의 넉넉한 여유가 보인다.

내괘는 乾≡天이고 외괘는 坎≡≡水이며 외호괘가 離≡≡火이다. 습기≡≡는 하늘 위로 오르지만 火≡의 작용으로 비는 오지 않고 구름만 있는 상이다. 군자는 이러한 상을 보고 아직 때가 이르지 않았음을 알고 낙천지명(樂天知命)의 마음으로 때를 기다리는 것이다.

음식을 담은 못≡≡은 주변의 젖줄로서, 그 음식을 먹으며 성장하니 만물이 기뻐한다(飲食宴樂). 水≡≡는 천지가 만물에 베푸는 음식이다. 만물은 천지가 음식을 내려주는 때를 아니 기다릴 줄 안다. 천지는 때가 이르면 음식≡≡을 내려 만물을 생장수장(生長收藏)의 이치로써 생육하니 이 어찌 감사하고 기쁘지 아니한가?

☞ 飲: 마실 음, 음식물의 총칭/ 食: 먹을 식, 밥 식 / 宴: 잔치 연, 술자리 베풀 연/ 樂: 즐길 락, 노래 악

4. 효사(爻辭)

수(需)는 '기다리는 도'를 설명한다. 험수(險水)☵가 앞에 가로막고 있다면 어떤 선택을 하겠는가? 소인배는 경거망동하여 만용으로 뛰어들어 스스로 해를 자초한다. 그러나 대인은 시류(時流)를 아니 가볍게 움직이지 않고 벗을 불러 함께 음식을 나누며 때를 기다린다. 험수☵는 험한 시류(時流)를 말함이니 낚시를 드리우고 때를 기다리는 강태공의 낙천지명(樂天知命)의 지혜를 알려준다.

初九 需于郊 利用恒 无咎

초구 수우교 이용항 무구

초구, 교(郊)에서 기다린다. 항상(恒常)함이 이로우니 무구하리라.

교(郊)에서 기다린다 함은 험지☵에서 멀리 떨어져 있음을 말한다. 교(郊)는 읍에서 떨어진 외곽지역이다. 비록 중심지인 읍의 외곽이긴 하지만 아주 먼 험지는 아니다. 그러므로 어려움을 범하면서까지 행하지 않아도 된다. 군자의 거주지는 중앙을 상징하는 읍(邑)이다. 그러나 현재 읍(邑)의 외곽인 교(郊)에 머물러 기다리는 것이니, 이는 군자가 어떤 어려움에 처해 밀려나 있는 상황임을 말해준다.

초구는 아래에 처하여 아직 어리고 중도를 알지 못하니 진득하게 기다리지 못하고 양강함으로 경망스럽게 움직일 수가 있다. 그래서 공자는 '항상심을 지켜야 떳떳함을 잃지 않는다'라고 경계한다. 소상전에서 "교(郊)에서 기

다리니 어려움을 범하면서까지 행하지 않는다. 항상하면 무구하니 평상심을
잃지 않는다(象曰 需于郊 不犯難行也 利用恒无咎 未失常也)"라고 풀이하고 있다.
효변하면 손풍(巽風)으로 나무☴(木)의 상이 되니 교(郊)의 뜻이 나온다.

☞ 郊: 들 교, 성(城)밖 교/ 犯: 범할 범/ 難: 어려울 난

九二 需于沙 小有言 終吉
구이 수우사 소유언 종길

구이, 모래 밭에서 기다린다. 구설수가 있으나 끝내는 길하리라.

  모래밭은 험(險)을 상징하는 대천(大川☵)에 못 미친 지점이다. 그러나 교
(郊)에서 야(野)를 지나 험수(險水) 가까이에 이른 것이니 많이 밀려나 있는
상황이다. 치욕적이기는 하지만 시류를 알고 때를 읽을 줄 아는 군자로서는
불가항력적인 상황에 처할 때 경망하게 나아가기보다는 때를 기다릴 줄 안
다. 이를 모르는 소인배들의 말이 있을 것이나 개의치 않는다.
  모래밭에서 기다린다 함은 험수☵로부터 어느 정도 거리를 두고 기다리고
있는 것이다. 험수의 인접한 거리에서 기다리고 있는 것을 의미하므로 위험
에 대한 다양한 의견들이 존재하고, 이로 인한 다소의 논쟁거리가 있을 수
있다(需于沙 小有言). 내호괘가 태(兌☱)이니 입(口)이 되고, 효변하면 감수(坎
水☵)가 되니 구설(口舌)의 상이 된다. 이런 시기에는 소인배들이 권력욕을
추구하며 군중의 심리를 이용하여 불안감을 조성하고, 서로에게 책임을 전가
하며 비난하기 시작한다. 그러나 九二가 내괘 乾(☰)괘의 중(中)을 지키고 있
으니, 중도를 지키고 중심을 잡으면 끝내는 길하게 된다.

그래서 공자는 "모래밭에서 기다린다는 것은 시야가 넓은 곳에서 중(中)을 잡고 있는 것이니 비록 말은 있을지 언정 길흉하게 끝나리라(象曰 需于沙 衍在中也 雖小有言 以吉終也)"라고 하였다. 비록 험한 대천==의 근처까지 밀려 왔으나 그래도 적을 쉽게 발견하여 대처할 수 있는 넓은 모래 밭에서 기다리고 있으니 비록 조급한 소인배의 말은 있을지 언 정 군자는 넉넉함으로 중(中)을 잃지 않는다.

☞ 沙: 모래 사/ 衍: 넓을 연, 흐를 연, 넉넉할 연/ 雖: 비록 수

九三 需于泥 致寇至
구삼 수우니 지구지

구삼, 진흙 뻘에서 기다린다. 도적을 불러들이는 격이다.

험한 물==이 바로 코앞에 있다. 九三은 너무 많이 나아간 것이다. 외괘의 험수== 가까이에 있는 진흙 뻘까지 밀려났으니 위험에 노출이 되어 있는 상황, 험수==에 근접하여 수렁에 빠지기 쉬운 진흙 뻘에서 기다리는 상이다. 군자로서는 치명적인 위험에 노출되어 있는 상황을 맞이한 것이다.

효변하면 연못==(澤)이니 3효는 물가가 된다. 바로 위에 도적==(상괘)에 모습을 드러내 보이는 격이니 도적을 불러드리는 것이 된다(致寇至). 험한 파도 ==가 도적 떼처럼 물가==에 넘실댄다. 많이 나아갔다는 것은 고단한 삶의 현장에서 험(險)에 직접 부대끼며 살아가고 있는 것을 의미한다. 오도가도 못 하는 곤궁함에 처한 것이다 그런데 九三은 양의 자리에 양으로 있어 자리는 바르지만 중(中)을 벗어나 있어 양강하기만 하고 중도를 잃어 지나치게 행동 하다가는 오히려 위험을 초래하게 된다.

양강함을 누그러트리고 유순함으로 동하면 외호괘는 간산(艮山☶止)이 되어 그치게 된다. 그러므로 공자는 양강하게 나아감을 그치고 삼가며, 상대방을 공경으로 대하면 패배하지 않는다고 하였다. 소상전은 "진흙 뻘에서 기다리니 재앙☵이 밖에 있음이다. 자신이 도적☵을 이르게 하였음이니 공경하는 마음으로 신중하게 삼가면 패하지는 않으리라(象曰 需于泥 災在外也 自我致寇 敬愼不敗也)"라고 경계하였다.

☞ 于: 어조사(語助辭) 우(~에서, ~부터, ~까지, ~에게)/ 泥: 진흙 니(이)/ 致: 이를 치 (어떤 장소나 시간에 닿다, 도달하다)/ 寇: 도적 구/ 至: 이룰 지/ 災: 재앙 재/ 敬: 공경할 경/ 愼: 삼가할 신(몸가짐, 언행)/ 敗: 패할 패

六四 需于血 出自穴
육사 수우혈 출자혈

구사, 피 밭에서 기다린다. 혈에서 나오리라.

六三에서 적을 불러드린 상황, 밀려드는 적에게 쫓겨 험수☵를 건너야 하는 상황에 처하고 만다. 피가 강물이 되어 흐르니 군자로서는 어찌할 수 없는 치욕적인 상황에 처한 것이다. 혈(穴)이란 험한 상황에 몰린 궁지(窮地)를 의미한다.

六四는 너무 나아간 것이다. 너무 멀리 나아가 있는 것이니 유혈(☵血)이 낭자한 피비린내 나는 전쟁터의 영향권에 들어가게 된 것이다. 되돌아 나오기에는 이미 하괘에서 상괘로 강을 건너 버린 상황, 궁지(穴)에 들어가 곤궁에 처해있는 상황이다.

내호괘가 연못☱이니 혈(穴)의 상으로 궁지가 되고, 외호괘가 火☲(明)이니 밝은 지혜의 상이 나온다. 六四는 내호괘☱의 3효로 구멍(穴)이 되며, 동시에 외호괘 ☲(明)의 중(中)이 되니 밝은 빛을 받는 위치에 있다. 그러므로 위험에 처한 군자가 궁지☱(穴)를 벗어나기 위해서는 현자☲(明)의 목소리를 들어야 한다.

육사가 효변하면 외호괘가 乾☰이 되니 혈에서 벗어나는 상이 나온다. 육사는 음위(陰位)에 유음(柔陰)으로 자리가 마땅하므로, 곤궁하고 급박하며, 피비린내 나는 험한 상황에 처해서도 유순(柔順)함으로 현자의 지혜☲(明)를 들음으로써 궁지에서 벗어날 수가 있는 것이다. 호괘가 화택규(火澤睽☲☱)이다. 바다☱ 속에서 해☲가 떠오르듯 곤궁함에서 벗어나는 것이니 출자혈(出自穴)의 뜻이다. 공자는 소상전에서 "유혈이 낭자한 곳에서 기다리니 현자의 소리를 따르라(象曰 需于血 順以聽也)"라고 충언하고 있다.

☞自: 스스로 자, ~로 부터/ 穴: 구멍 혈, 굴 혈, 구덩이 혈/ 聽: 들을 청

九五 需于酒食 貞吉
구오 수우주식 정길

구오, 술과 음식을 들면서 기다린다. 바르고 길하리라.

군자는 험함☵ 속에서도 九五의 중정(中正)함으로 붕우(朋友)들과 주연을 베풀며 내괘 乾☰을 기다린다. 비가 내릴 때를 아니 아무리 어려움 속에서도 군자의 여유를 잃지 않고, 좋은 술과 음식을 들면서 뜻을 함께하는 붕우들과 우의를 다지며 강건(剛健)하고 중정(中正)함으로 때를 기다린다(象曰 酒食貞吉 以中正也). 水☵는 술과 음식을 상징하며, 주연을 베푼다는 것은 믿음

을 가지고 때를 기다리는 낙천지명(樂天知命)의 여유를 의미한다. 九五는 험함☵ 속에서도 중정함으로 믿음과 여유를 잃지 않고 대인으로 상징되는 하괘의 세 양효☰를 기다린다. 효변하면 지천태(地天泰䷊)이니 드디어 때가 이른 것이다.

上六 入于穴 有不速之客三人來 敬之 終吉
상육 입우혈 유불속지객삼인래 경지 종길

상육, 혈에 들어가 있다. 뜻하지 않은 손님 셋이 찾아오니, 공경하여 대접하면 마침내 길하리라.

上六은 험수☵의 위에 처하여 있으니 험함(險陷☵)을 의미하는 혈(穴)에 들어가 있는 상이다(入于穴). 上六은 갈 데까지 간 것이고 끝까지 나아간 것이니 더 이상 갈 곳이 없다. 다시 위험에 빠진 것이다.

수(需)는 기다림이다. 상육이 동하면 손괘(☴入)이니, 손순(巽順)☴함으로 혈(穴)☵에 들어가 기다리면 뜻밖에 세 명의 귀인☰이 찾아 든다. 上六이 동하면 외괘가 손(巽)☴이 되니 그 의미가 입(入)의 뜻이다(巽入也).

이 효사는 숭나라 제후인 호의 참소로 인하여 문왕이 유리옥에 갇혔을 때 찾아온 세 명의 현인의 도움으로 옥에서 벗어난 고사를 인용한다(황태연, 실증주역). 수감 중에 강태공, 산의생, 굉요 등 은나라 전직관리 세 명이 기주를 찾아 몸을 의탁하니 기주 사람들은 이들을 공경하며 받아드린다. 세 명의 귀인은 폭군인 주왕에게 구명활동을 함으로써 문왕을 구해낸다. 문왕은 이 세 명을 참모로 삼아 결국 주왕을 몰아내고 왕위에 올라 바른 정치를 폄으로써 성인군자의 자리에 오른다. 비록 감옥(穴)에 갇혀 제후의 자리를 잃게 되었으나 끝내는 길하게 된 것이다.

上六은 음으로써 음위(陰位)에 처하여 자리가 마땅하다. 그러나 상육은 험함(險陷)☵의 위에 처하여 혈(穴)☵에 들어가는 상이니 순순히 제후자리에서 물러나 감옥에 갇히게 된다. 상육은 혈(穴)에 처하여서도 자리가 마땅하니, 비록 감옥(穴)에 들어가서도 세 명의 귀인☰을 받들고 공경한다. 그리하여 귀인☰의 도움을 받아 혈(穴)☵(감옥)에서 나오게 되니 마침내 길하게 된다. 곤궁에 처해서도 세 명의 현인을 공경하고 받듦으로써 감옥(穴)에서 벗어나게 된 것이다. 다시 말하면 비록 감옥에 갇혔으나 자리가 바른 당위(當位)로서 손순(巽順)하게 기다리니 뜻밖의 귀인이 찾아와 곤궁에서 벗어나게 된 것이다. 효변으로 보면 험(險)☵에서 上六이 동하여 손풍(巽風)☴(流)이 되는 것이니 곤궁(감옥)에서 벗어나 자유롭게 되는 것을 의미한다. 상육은 비록 다시 곤궁에 처하는 상황에 부딪히게 되지만 끝내는 길한 상황으로 끝나는 효이다.

그래서 공자는 "청하지 않은 손님이 찾아 오리니 공경하면 마침내 길하리라. 비록 위(位)는 마땅치 않으나 크게 잃지는 않으리라(象曰 不速之客來 敬之 終吉 雖不當位 未大失也)"라고 하였다. 위(位)가 마땅치 않다(雖不當位)함은 乾괘와 坎괘의 위치를 말하는 것으로 보인다. 乾괘 (☰대인)이 험수(險水)☵ 아래에 있음을 의미하는 것으로 '비록 아래에 처해있으나 때를 기다려 험수를 건너와 구해주니 크게 잃는 것은 없다'라는 의미로 이해할 수 있다.

☞ 速: 청할 속, 부를 속/ 客: 손 객, 나그네 객

6. 天水訟 천수송

天三乾
水☵坎

訟 有孚窒惕 中吉 終凶 利見大人 不利涉大川

象曰 訟 上剛下險 險而健 訟 訟 有孚窒惕 中吉 剛來而得中也 終凶 訟不

可成也 利見大人 尚中正也 不利涉大川 入于淵也

象曰 天與水違行 訟 君子以 作事謀始

初六 不永所事 小有言 終吉

九二 不克訟 歸而逋 其邑人三百戶 无眚

六三 食舊德 貞厲 終吉 或從王事 无成

九四 不克訟 復卽命 渝 安貞吉

九五 訟 元吉

上九 或錫之鞶帶 終朝三褫之

1. 괘상(卦象)

　물☵이 기체☰가 되는 상으로 수증기가 증발되어 사라지는 모습이다. 구름이 비가 되어 떨어지니 하늘☰을 가리던 구름☵이 걷힌다. 양강(陽剛☰)한 기운이 음유(陰柔☵)의 시비를 물리치고 결단을 내니 태양이 천하를 비춘다. 쟁송(爭訟)이 판결이 나고 모든 시비가 사라진다.

　乾☰은 우주에 가득한 대양(大陽)으로 강건하고 정의롭고 바르며 모든 생명의 바탕이 되는 지기(至氣)이다. 九五(☰)는 양의 자리에 양으로 와 자리가 바른 존위(尊位), 九五大人으로서 강건중정하며, 九二(☵)는 음의 자리에 양으로 와서 자리가 바르지 않은 양강함으로 아래에서 하늘☰(正)을 가리고 왜곡하며 비겁하게 시비를 거는 소인의 상이다. 부정(不正)한 九二小人이 중정(中正)한 九五大人에게 시비를 걸지만 강건중정한 구오대인은 미동도 하지 않는다. 감수(坎水)☵는 안개처럼 흐리고 험함을 뜻하니 하늘☰의 맑음을 가리며 쟁송을 하는 자이다.

　소인☵(九二)이 노골적으로 하늘☰(九五)에 시비를 걸며 진실을 왜곡시키고 쟁송을 시작하니 九五大人☰은 중정함으로써 이를 꾸짖어 시비를 가린다. 악함☵이 하늘을 찌르고 하늘아래 대지를 더럽히니 대인☰이 천하를 굽어볼 수가 없다. 그러나 乾☰의 강건함과 맑고 밝음으로 천하를 비추니 어둠☵(險)이 물러가고 안개☵가 걷히며, 물☵은 증발되고, 비☵는 대지에 내려 더러움을 씻어준다. 하늘☰ 아래 떠있는 구름☵이 사라지니 문제가 해결되는 것이다.

　소인이 이길 수 없는 시비를 거는 것이지만, 대인☰은 소인☵과의 다툼 그 자체가 흉이니 가급적 피하고 멈추는 것이 좋다. 이긴다 한들 덕이 못되니 더러움은 밟을수록 냄새가 나는 법이다. 피하는 것이 상수요, 멈추는 것이 차수요, 이기는 것이 후수이다. 하늘☰이 구름☵에 가려 천하가 어두워지

니 소인잡배들이 서로 쟁송하며 들끓는다. 강건(☰)함이 보이지 않으니 소인
배☷들이 저마다 교언영색으로 천하를 논한다. 그러나 하늘은 이미 결단을
내리고 있으니 태양이 뜨면 구름은 곧 걷히기 마련인 것이다.

2. 괘변(卦變)

▷호괘 - 風火家人

訟		家人
☰+7	⇒	☲+5
☵-3		☴+3
-10		-2

　천하만물은 본시 하나(一)에서 시작하였으니 한 뿌리의 나무에서 나온 가지와 열매들이다. 일상에서는 피아(彼我)를 구분하고 분별하나 삼라만상의 근저를 들여다보면 그 궁극은 하나(一)이니 일즉삼(一即三)이요 삼즉일(三即一)인 것이다. 분별함에서 다툼이 일어나고 바름을 가리며 시비를 일으키는 것이니 본시 하나(一)임을 자각하는 것이야 말로 모든 시비의 근원을 제거하는 일이다.

▷착종괘 - 水天需

訟		需
☰+7	⇒	☵-3
☵-3		☰+7
-10		+10

　송(訟)은 天☰이 상향하고 水☵는 하향하므로 서로 다툼이 종결되고 해결되는 모습으로 작용력은 -10이다. 그러나 수(需)는 험수☵가 앞에서 대인☰을 가는 길을 가로 막고 시비를 거는 모습이니 서로 부딪히는 힘이 +10이 된다.

▷도전괘 - 水天需

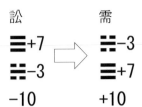

訟   需

☰+7   ☵-3

☵-3   ☰+7

-10   +10

　송(訟)괘는 강건☰이 하늘을 가린 구름☵(險)을 걷어내어 시비를 종결시키는 상이지만, 괘상을 거꾸로 본 수(需)괘는 하늘 위에 먹구름이 모이니 군자☰ 앞을 소인☵이 가로막아서는 상이다.

▷배합괘 - 地火明夷

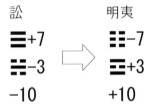

訟   明夷

☰+7   ☷-7

☵-3   ☲+3

-10   +10

　송(訟)은 구름☵이 하늘☰에 시비를 거는 모습, 소인배가 하룻강아지 범 무서운 줄 모르고 대인과 다투는 상이다. 그러나 이미 판결은 결정이 되어 있으니 소인의 때가 멀지 않다. 명이(明夷)는 밝음☲이 어둠☷에 갇혀 있는 모습으로서, 군자가 때를 만나지 못해 자신을 낮추어 어둠 속에 몸을 감추고 있는 상이다.

3. 괘사(卦辭)

訟 有孚窒惕 中吉終凶 利見大人 不利涉大川

송 유부질척 중길정길 이견대인 불이섭대천

송(訟)은 이기리라는 믿음으로 두려움을 막아서는 것이다. (대의가 없는 송사는 끝내 이길 수 없음이니) 중반에는 길하나, 고집을 부려 끝까지 밀어 부친다면 끝내는 흉함을 면치 못하리라.

天☰은 상향하고 水☵는 하향하니, 天의 강건☰함이 水의 험함☵을 물리치리라는 믿음이 있다. 송사는 옳고 그름에 대한 믿음이 있을 때 진행한다. 내가 옳지 않으면서 옳음을 막아서서 쟁송을 하는 것만큼 두려운 일은 없다. 그 동안 살아오면서 쌓은 덕이 있고, 부모의 은덕이 있으니 나를 믿고 지지하는 붕우가 있어 그들의 믿음과 도움으로 두려움을 막아선다(六三, 食舊德).

그러나 어둠☵이 하늘☰을 가로막고 서서 시비를 거는 상이니, 결국은 승산이 없는 싸움이다. 붕우의 도움으로 두려움에 맞서 싸우니 중반쯤에는 길해 보이나 결국은 승산이 없으니 중도라도 중지하는 것이 길하다(九三, 食舊德 貞厲 終吉). 명분 없이 끝까지 밀어 부친다면 이익은 없고 흉하다. 九五 중정대인(☰)이 九二 양강소인(☵)의 시비를 꾸짖으니 하늘을 가리던 먹구름이 걷히듯, 마침내 쟁송은 끝나고 九二의 모습은 끝내 흉해지리라.

쟁송은 구오대인의 강건중정의 리더십이 중요하다. 水☵는 때가 되면 아래로 떨어지는 것이 정해진 운명이다. 그러므로 하늘☰이 아래로 구름☵을 상대로 대적함은 이로움이 없으니 오히려 대천☵의 험함에 빠질 수가 있다.

☞ 窒: 막힐 질, 막을 질/ 惕: 두려워할 척

彖曰 訟上剛下險 險而健訟 訟有孚窒惕中吉 剛來而得中也

단왈 송상강하험 험이건송 송유부질척중길 강래이득중야

終凶 訟不可成也 利見大人 尙中正也 不利涉大川 入于淵也

종흉 송불가성야 이견대인 상중정야 불이섭대천 임우연야

단에 이르길, 송이란 위는 강건(☰)하고 아래는 험함(☵)이니, 험☵이 건(乾)☰에게 송사하는 것이다. 믿음으로 두려움에 맞서니 중도에는 길해 보인다. 이는 강(剛)이 내려와 九二 중(中)을 얻었음이다. 그러나 九二가 양강함을 과신하여 구오대인에게 맞서니 끝내는 흉하게 되리라. 구이소인의 시비가 구오대인의 중정함을 이길 수는 없다. 대인을 봄이 이로움은 중정함을 받드는 것이다. 대인☰이 큰 내☵를 건너는 것이 이롭지 않음은 심연(深淵)에 빠질 우려가 있음이다.

송(訟)은 위가 강하고 아래는 험한 모습, 九二소인의 험함☵이 九五大人의 강건☰에 시비함이 천수송(天水訟☰)이다.

쟁송은 옳음에 대한 믿음이 있을 때 하는 것이요, 그렇지 않음에 옳음을 막아서는 것은 두려운 일이다. 대의와 명분이 있을 때 믿음을 가지고 두려움에 맞설 수 있는 것이다. 강이 와서 중을 얻으니 九二이다. 九二는 음의 자리에 양으로 와서 자리가 바르지 않으니, 양강함을 과신하여 구오대인에 맞선다. 그러므로 종국에 송사는 흉하게 되리니, 명분없이 양강함을 과신한 구이소인의 시비가 대의가 바른 구오대인의 중정함을 이길 수 없음이다.

대인을 봄이 이롭다 함은 구오대인의 중정을 숭상함을 가리킨다. 송사나 다툼에서 판단의 기준이 되는 것은 바로 중정(中正)이다. 송사란 험한 내를 건너는 것과 같다. 잘못된 판단으로 인해 곤궁에 빠지게 되는 일은 주변에 허다하다. 구오대인의 강건☰이 아래에서 위로 시비를 거는 구이소인의 험함

☰에 대적하려 함은 오히려 그 심연☵의 험한 소용돌이에 휘말려 깊이 감겨 들어가게 될 수도 있는 것이니 이롭지 않은 일이다.

☞ 淵: 못 연, 깊을 연

象曰 天與水違行訟 君子以 作事謀始
상왈 천여수위행송 군자이 작사모시

상에 이르길, 하늘과 물이 서로 어긋나게 가는 것이 송이니, 군자는 이러한 상을 보고 일을 시작할 때는 처음을 잘 도모해야 하리라.

하늘☰은 위로 가고 물☵은 아래로 흘러 서로 어긋나게 가는 것이 송(訟)의 상이니, 일을 꾸밀 때에는 처음을 잘 도모해서 분쟁의 발단을 없게 한다.

☞ 與: 더불 여, 줄 여/ 違: 어긋날 위/ 謀: 꾀 모, 도모할 모

4. 효사(爻辭)

송괘는 九二소인(下)이 九五대인(上)에게 대의명분이 없는 송사를 거는 상이다. 이미 결단이 나고 승패가 예상이 되는 쟁訟이니 다투는 것보다는 다툼을 피하여 자신과 일가를 보전하고 패가망신하지 않는 것이 길이다. 쟁송은 최후의 선택이니 오래할수록 잃는 것이 많다. 밝게 분별하여 판단하는 것이 현명하다.

初六 不永所事 小有言 終吉
초육 불영소사 소유언 종길

초육, 송사가 오래가지 않는다. 다소간에 이런저런 말은 있으나 끝내는 길하리라.

아래에 거하여 힘이 미약하고 어리석어 송사(訟事)를 길게 하는 것은 피해야 한다. 양의 자리에 음으로 와서 자리도 바르지 않다. 그러므로 쟁송(爭訟)을 해봐야 패할 것이 분명하고 실익이 없다. 다소간에 이런저런 말은 일을 것이나 그에 대한 판단과 분별은 현실적이고 지혜로워야 한다. 소상전에서 공자는 "쟁송은 오래 끌지 않으니 송사란 오래가서는 안되기 때문이다. 비록 이런저런 말이 있겠으나 사리분별은 밝아야 한다(象曰 不永所事 訟不可長也 雖小有言 其辯明也)"라고 하였다. 초육이 변하여 양이 되면 내괘가 태(兌)☱가 되니 입(口)이 되고 말(言)이 된다. 또한 태괘는 소(小)이니 소유언小有言의 상이 나온다.

☞ 辯: 말씀 변, 분별할 변

九二 不克訟 歸而逋 其邑人三百戶 无眚
구이 불극송 귀이포 기읍인삼백호 무생

구이, 송사를 이기지 못한다. 포기하고 돌아와 은둔하면 일가一家를 보전하리라.

九二는 음의 자리에 양으로 와서 내괘의 중(中)을 얻었으나 자리가 바르지 않으니, 자신의 양강(陽剛)함을 과신하여 九五의 강건중정함에 대적하려 하지만 승산이 없다. 포기하고 돌아와 몸을 숨기면 패가망신은 면하리라. 삼백호(三百戶)란 자기가 일군 일가(一家)를 말한다. 쟁송을 포기하여 일가식구를 보전하고, 재앙과 환란을 모면하라. 그래서 공자는 "송사를 이길 수 없으니 마음을 돌려 달아나 숨으라. 九二소인이 九五대인을 상대로 대의명분 없는 송사를 벌이니 근심만 쌓인다(象曰 不克訟 歸逋竄也 自下訟上 患至掇也)"라고 하였다. 九二가 효변하면 천지비(天地否☷☰)가 되니 송사를 이길 수가 없다.

☞ 逋: 도망갈 포/ 竄: 숨을 찬/眚: 재앙 생/ 掇: 주워 모을 철

六三 食舊德 貞厲 終吉 或從王事 无成
육삼 식구덕 정려 종길 혹종왕사 무성

육삼, 그 동안 쌓은 덕을 본다. 쟁송(爭訟)을 고집하여 나아가면 위태롭다. 타협하여 쟁송을 멈추면 길하다. 혹여 九五대인(王)을 추종하여 섬겨도 이룸은 없으리라.

식구덕(食舊德)이란 그 동안 쌓은 덕을 보는 것을 말하니 송사가 일어나 이해관계가 얽히고 어려움에 닥칠 때 그 동안 쌓은 덕으로 인하여 주변의 도움을 받아 두려움에 맞선다(有孚窒惕). 六三은 본격적인 쟁송에 뛰어들어 송사의 한 복판에 있는 상황이다. 그러나 양의 자리에 음으로 있어 자리가 바르지 않으니 대의가 없다. 태양이 뜨면 구름이 걷히듯 하늘은 이미 그 승패를 결단하고 있다.

내호괘가 이화(離火)==가 되어 밝음(明)의 뜻이 되니 六三은 스스로를 밝혀 자기의 분수를 아는 자이다. 또한 외호괘가 손(巽)==이 되니 손순(巽順)하게 대의(大義)를 따른다. 그러므로 공자는 "그 동안 쌓은 덕이 있으니 자기 분수를 알고 九五대인(上)의 중정지덕(中正之德)을 따르면 길하리라(象曰 食舊德 從上吉也)"라고 효사를 풀이하고 있다. 고지식하게 고집하여 쟁송을 계속하여 나아가면 위태로워진다(貞厲). 상황을 판단하여 진퇴를 결정하라. 적과 타협을 시도하라. 대의를 따르라(從上), 송사를 끝내면 길하리라(終吉). 그러나 타협하고 쟁송을 끝냈다 하여도 다만 명분 없는 싸움을 멈추었을 뿐이니 대의(大義)를 얻은 것은 아니다. 그러므로 九五中正(王)을 추종하여 섬겨도 인정을 받지 못하니 이룸은 없을 것이다.

☞ 舊: 오랠 구/ 厲: 위태로울 려

九四 不克訟 復卽命渝 安貞吉
구사 불극송 복즉명유 안정길

구사, 송사를 이길 수 없다. 마음을 돌이키고 나아가 九五의 명(命)을 따르라. 안정되고 바르니 길하리라.

九四는 너무 나아간 상황이다. 전장에 너무 깊이 나아갔으니 다툼을 피할 수 없다. 음의 자리에서 양강함으로 자신의 힘을 과신하니 대의 없이 전장에 나아가 홀로 곤궁함에 처한 것이다. 九五외에는 모두 자리가 바르지 않으니 서로 응해도 도움이 되지 않는다. 하괘에서 상괘로 강을 건너 배수진을 쳤으나 혼자서는 승산이 없다.

공자는 주석하기를 "마음을 돌이키고 나아가 九五의 명을 받고 대의에 승복하라. 쟁송하는 강경한 마음을 고쳐먹으면 안정되고 바른 길이니 도를 잃지 않는다(象曰 復卽命渝安貞 不失也)"라고 했다. 마음을 돌이키고(復) 나아가(卽), 투항하라, 명을 따르라(命), 차라리 명분 없는 고집을 바꾸어 九五의 中正함을 따르라(渝). 그것이 안정되고 바른 길이니(安貞), 오히려 잃는 것이 없으리라(不失也). 명(命)이란 대의(大義)를 말한다. 자리가 바르지 않는 구사가 양강한 힘 만을 믿고 대의 없는 쟁송을 벌이면 결국 손실을 입을 수밖에 없다. 그러므로 스스로 강경하기만 마음을 변화시켜 편안히 거하는 것이 바른 선택이니 오히려 잃는 것이 없다.

☞ 卽: 나아갈 즉, 곧 즉/ 渝: 변할 유

九五 訟 元吉
구오 송 원길

구오, 송사는 대의가 마땅하니 크게 길하리라.

九五의 송사는 대의가 마땅하니 크게 길하다. 九五는 존위로서 양의 자리에 양으로 왔으니 중정(中正)하여 대적할 자가 없다. 여섯 개의 효 중에서 九五 홀로 강건중정(剛健中正)하니 대적할 자가 없는 것이다. 소상전에서 말하길 "송(訟)은 크게 길하니 중도로써 바르게 하기 때문이다(象曰 訟 元吉 以中正也)"라고 하였다.

上九 或錫之鞶帶 終朝三褫之

상구 혹석지반대 종조삼치지

상구, 혹여 허리띠를 하사 받더라도 아침이 되니 세 번 그것을 빼앗기리라.

송사로 승복을 받아낸다. 허리띠(반대)를 하사함은 송사를 통해 승복을 받아 냈음을 의미한다. 그러나 상구(上九)는 음의 자리에 양이 와서 그 자리가 바르지 않다. 이는 대의가 없으면서도 양강함으로 무리하게 끝까지 몰아 부쳐 이긴 것을 뜻한다 그러나 밝은 아침이 되면 모든 사실이 명명백백하게 밝혀지니, 끝내는 대의와 명분, 그리고 명예와 승리, 모든 것이 송두리째 빼앗기는 결과를 초래한다. 이긴 것 같았지만 마침내 뿌리째 뽑혀버리는 것이다. 반대(鞶帶)를 하사 받았지만 세 번 모두 도로 빼앗기니 무슨 소용이랴. 그러므로 설사 이겼다 하더라도 대의를 잃은 것이니 공경할만한 것이 못된다. 이겼으나 대의가 없으니 진 것이나 다름없는 것이다. 그러므로 존중받지 못한다. 공자는 "송사로써 승복을 받아내나 또한 공경할 만한 것은 아니다 (象曰 以訟受服 亦不足敬也)"라고 하였다.

하급법원, 고등법원, 대법원을 거쳐 삼세번의 쟁송을 통해 승복을 받아냈지만 대의 없이 쟁송을 통해 이긴 것이니 명분이 서지 않고, 그러므로 공경 받지 못하는 것이다. 승소에 대하여 존중받지 못하니 결국 상괘 건(乾)☰의 3효로 상징되는 쟁송이 뿌리째 뽑히는 결과를 가져오는 것이다. 上九가 효변하면 태(兌)☱가 되니 건(乾)☰(大義)이 훼손되는 것을 뜻하고, 지괘가 택수곤(澤水坤)이니 그 뜻이 곤궁하다.

☞ 錫: 줄 석/ 鞶: 큰 띠 반/ 帶: 띠 대/ 褫: 빼앗을 치

7. 地水師 지수사

地☷坤
水☵坎

▶효변(爻變)

과거　　　　　　미래　　　　　현재

☷-3　⟹　☷-7　　☷-7

☷-3

上下작용력: (-3)-(-7)=+4

上下균형력: (-3)+(-7)=-10

師 貞 丈人吉 无咎

象曰 師衆也 貞正也 能以衆正 可以王矣 剛中而應 行險而順 以此毒天下
而民從之 吉又何咎矣

象曰 地中有水師 君子以 容民畜衆

初六 師出以律 否臧凶

九二 在師中吉 无咎 王三錫命

六三 師或輿尸 凶

六四 師左次 无咎

六五 田有禽 利執言 无咎 長子帥師 弟子輿尸 貞凶

上六 大君有命 開國承家 小人勿用

1. 괘상(卦象)

　九二 양(陽)이 동하여 음(陰)으로 효변하니 물☵이 대지☷로 스며드는 상이 된다. 보이지 않는 곳에 많이 모여드는 모습이다(師衆也). 땅 아래는 보이지 않으나 물에 잠겨 있는 것이다.

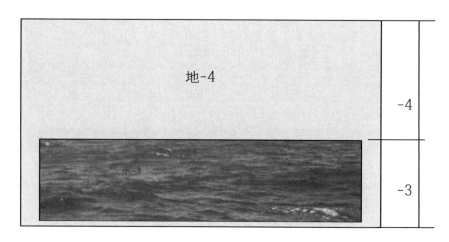

　九二가 후방에 진지를 구축하고 군사를 모으고 있는 모습으로 전쟁을 준비하고 있다. 九二는 내호괘가 진(震)☳으로 그 의미는 진(進)이 되는데 북을 울리며 진군의 태세를 갖춘 모습이다. 六五의 왕명(王命)이 떨어지면 대의명분을 갖추어 전진한다. 九二대장이 무리를 지휘함에 있어 정도(正道)로 하지 않으면 무리가 따르지 않으니 바르게 통솔하여야 가히 왕(지도자)이 될 자격이 있다(能以衆正 可以王矣).

　그릇이 작은 소인배가 무리 앞에 나서면 분란만 일으키게 되어 앞으로 나아갈 수 없으니 이는 장인(丈人)의 자리이기 때문이다. 초육(初六)과 3,4,5,6효는 군사이니 九二는 군대를 지휘하는 장군으로 강한 동적인 성질을 가진 우레(☳내호괘)로 표현된다.

九二가 효변하면 땅☷이 되니 물☵이 땅☷ 속으로 스며들어가는 모습으로 적진을 향해 진군하는 상이 된다. 九二와 六五가 중(中)의 자리에서 상응하니, 강건중정한 九二가 대장이 되어 六五왕의 호응을 받으며 군대를 이끌고 적진☷에 스며든다(剛中而應 行險而順).

2. 괘변(卦變)

▷호괘 - 地雷復

```
師                  復
☷-7        ⟹      ☷-7
☷-3                ☳+1
+4                 +8
```

어둠 깊은 곳에서 양의 기운이 움트니 천하를 도모할 기운이 모인다. 시작은 미미하나 서서히 힘을 기르니 끝은 창대하리라. 티끌 같은 무화과 씨앗이 거대한 나무로 성장하니 대업의 도모는 시작이 반이다. 초구☳가 어둠☷을 뚫고 상향하니 마침내 견고하기만 하던 성문이 열리고 九二대장의 기치 아래 백성과 군사가 구름처럼 몰려든다(師).

▷착종 - 水地比

```
師                  比
☷-7        ⟹      ☵-3
☷-3                ☷-7
+4                 -4
```

九二장군☵이 마침내 적진을 돌파하고 천하☷에 모습을 드러내니, 마침내 전쟁에서 승리하고 백성을 다독인다. 인군인 九五☵는 힘과 권위를 내세워 백성☷을 강제하고 통제하는 것이 아니라 아래로 내려가 백성과 하나되니 모두가 화합한다. 九五와 六二는 중정(中正)하니, 상하가 정응함으로써 서로 하나가 된다. 물☵은 새는 틈 없이 모든 땅☷을 골고루 적시니, 九五인군은 비(比)의 괘상을 보고 나라의 도덕과 법치를 세우고, 백성☷ 속으로 들어가 덕을 베푸니 비(比)의 가르치는 바가 매우 크다.

▷도전괘 – 水地比

師　　　　　比

☷-7　　　　☵-3
☵-3　　　⟹　☷-7
+4　　　　　-4

　사(師)와 비(比)는 하나의 양이 여러 음의 주장이 되어 여러 사람을 통솔하는 상이다. 사(師)는 하나의 양(九二)으로써 여러 음의 주장이 되어 아래에 있으니 장사(將師)의 상이 되고, 비(比)는 하나의 양(九五)으로써 여러 음의 주장이 되어 위에 있으니 군주(君主)의 상이 된다. 사(師)는 물이 땅 아래에 모이는 모습으로 九二대장의 기치아래 군사가 모이는 형상이고(象曰 地中有水師 君子以 容民畜衆), 비(比)는 물이 땅 위에 솟아 올라있는 모습으로 九五 인군이 천하에 제후를 세워 백성을 윤택하게 품고 기르는 형상이다(象曰 地上有水比 先王以 建萬國親諸侯).

▷배합괘 – 天火同人

師　　　　　同人

☷-7　　　　☰+7
☵-3　　　⟹　☲+3
+4　　　　　-4

　사(師)는 땅 아래 물이 모이는 상으로 물☵이 땅☷으로 스며들어가니 적진을 향해 군사가 진군하는 상이다(師衆也). 동인(同人)은 하늘을 향해 태양이

떠 오르는 모습으로 천명을 받은 대인☳이 뜻을 펼치기 위해 천하☰를 향해
나아가는 상이다(乾行也).

3. 괘사(卦辭)

師 貞 丈人吉 無咎
사 정 장인길 무구

사(師)는 곧 바른 장인(丈人)이라야 길하고 허물이 없다.

대지☷ 아래 물☵이 모이는 상이니, 사(師)란 무리를 의미한다(師衆也). 개성이 다른 물건이 모이면 분열과 분쟁이 일어나게 마련이니 바름(正)이 기준이 되지 않으면 결국 흩어지게 된다(貞正也 能以衆正). 대지의 순한 덕(德)이 물의 험난(險難)을 흡수해 사납지 않게 하듯(行險而順), 대지의 본성은 바로 정(貞)이니 만물이 음양의 이치에 따라 바르게 생장성쇠(生長盛衰)하는 이유이다(貞正也). 인간사회에서 물의 험함을 순함으로 누그러뜨려 하나가 되게 하는 대지의 역할은 그릇이 작은 소인이 할 수 있는 일이 아니다. 생명을 품고 낳아 기르며 아무리 험하고 거침도 품어버리는 대지의 속성은 장인(丈人)과 닮았다. 큰 어른(丈人)으로서 존엄을 항상함으로 하는 대장부(大丈夫)라야 대지의 순(順)☷한 덕으로 무리☵를 포용할 수 있으니 길하고 허물이 없는 것이다(丈人吉無咎). 아무리 거친 비바람☵도 받아드리고 결국은 순하게 하니 대지☷의 크기는 한량이 없다(容民畜衆).

사(師)는 스승이라는 뜻 외에 군대단위를 가리키는 말이다. 고대에는 2,500명 단위를 사(師)라 하였고, 12,500명을 군(軍)이라 표현했다. 사(師)는 무리를 의미하기도 하고 군대를 이끄는 대장을 의미하기도 한다. 지도자를 중심으로 조직을 갖춘 무리(군대와 같은 조직으로 상징되는 일반 사회조직이나 기업조직 등)와 그 무리를 지도하며 이끄는 스승은 그 뜻이 상통한다. 하괘의 九二가 대장이 되어 다섯 개의 음효로 상징되는 군사(무리)를 이끄는 리더십과 지혜를 강조한다.

象曰 師衆也 貞正也 能以衆正 可以王矣
단왈 사중야 정정야 능이중정 가이왕의

剛中而應 行險而順 以此毒天下而民從之 吉 又何咎矣
강중이응 행험이순 이차독천하이민종지 길 우하구의

단에 이르길, 사(師)는 무리이고, 정(正)은 바름이니 능히 무리를 바르게 하면 왕이라 할 수 있으리라. 강중(剛中)이 응하며 험(險)을 행하나 순(順)함으로 하니, 이렇게 함으로써 천하를 혹독하게 하지만 백성이 따른다. 길하다. 또 무슨 허물이 있으리오.

사(師)란 무리(衆)를 의미하고(師衆也), 정(貞)이란 바름(正)을 말한다(貞正也). 물건이 모여 무리를 이룰 때에는 반드시 다툼이 있으니 바름(正)으로써 무리를 이끈다면 가히 천하를 지도하는 군왕이라 할 수 있다(能以衆正 可以王矣). 한 양(陽)이 하괘의 중(中)의 자리에서 다섯 개의 음(陰)을 이끄니, 무리를 바르게 이끈다면 가히 왕이 될 수 있으리라.

양강한 九二(☵)가 중도를 지키면서 六五(☷)에 응하니, 거칠고 험난☵(險)한 길을 행하여도 유순☷(順)함으로 다스려진다(剛中而應 行險而順). 이로써 천하를 괴롭혀도 백성이 따르고 길하니 또 무슨 허물이 있겠는가?

군사를 일으키면 많은 인명피해와 재물의 손실을 감수해야 한다. 이처럼 전쟁이란 천하를 혹독하게 하는 것이다. 그래서 대의명분이라는 정당성 확보는 필수적이다. 올바른 명분이 없다면 무리가 손실을 감수하면서까지 뒤따르지 않는다. 비록 천하를 혹독하게 하지만 오히려 백성이 목숨을 바쳐 따르니 이는 장부(丈夫)로서 중(中)의 도리를 다했기 때문이다(以此毒天下 而民從之).

☞ 師: 군사 사, 스승 사, 眾: 무리 중/ 應: 응할 응/ 此: 이 차/ 毒: 독 독, 해악 독(비참하고 참혹한 방법)/ 又: 또 우/ 何: 어찌 하(어느, 언제, 얼마, 무엇)

象曰 地中有水師 君子以 容民畜眾

상왈 지중유수사 군자이 용민휵중

상에 이르길, 땅 가운데에 물이 있는 것이 사(師)이니, 군자는 이로써 백성을 포용하고 무리를 기른다.

대지≡≡ 아래 물≡≡이 모여드는 상이 사(師)이니, 대지가 만물을 싣고 생육한다(坤厚載物). 곤(坤)≡≡이 순(順)한 덕으로써 감(坎)≡≡의 험난을 포용하고 있는 모습에서 군자는 백성을 포용하고, 무리를 모으고 기르는 도를 배운다.

☞ 容: 용납할 용, 받아드릴 용/ 畜: 기를 휵, 짐승 축, 쌓을 축

4. 효사(爻辭)

九二(☵)가 효변하면 곤(坤)☷이 되니 물이 땅속으로 스며들어가는 상이다. 이는 군대가 적진 속으로 전진해 들어가는 상이니, 군대(무리)를 이끄는 九二대장의 지혜로운 판단과 올바른 지도력을 필요로 한다. 단전에 "사(師)는 무리(衆)이고, 정(貞)은 바름(正)이니 능히 무리를 바르게 하면 가히 왕이라 할 수 있으리라(師衆也 貞正也 能以衆正 可以王矣)"라고 하였다.

> **初六 師出以律 否臧凶**
> 초육 사출이율 부장흉
>
> 초육, 군대는 율령(律令)으로써 출전한다. (令을 어기고) 군대가 모습을 드러내면 흉하리라.

맨 아래에 거하고 양의 자리에 음으로 와서 자리가 바르지 않으며, 아직 어려 중도를 모르니 규율이 없다. 무리가 모이면 질서가 필요하고 규율이 정해져야 한다. 사(師)는 九二장군을 중심으로 모인 군대를 상징하니 나아갈 때는 군령(軍令)으로써 한다. 장인(丈人)이란 어른, 지도자, 대장부 등을 의미하니 군대에서는 장군이다. 군대는 평상시에는 백성에게 보이지 않는 곳에 주둔한다. 그런데 이러한 규정을 무시하고 백성에게 모습을 드러낸다면(否臧凶), 즉 율령을 거부하고 함부로 출전한다는 것은 반역으로 밖에 설명될 수 없는 것이니 흉하다. 부장흉(否臧凶)은 율령이 서지 않는 것을 의미한다. 영(令)을 따르지 않고 군대를 지휘하여 나서는 것이다. 그러므로 공자는 소상전에서 "군대는 율령(律令)으로써 출전하는 것이니 영(令)을 잃으면 흉하리라(象曰 師出以律 失律凶也)"라고 주석하였다.

☞ 臧: 감출 장, 숨을 장, 착할 장

九二 在師中吉 无咎 王三錫命
구이 재사중길 무구 왕삼석명

구이, 九二가 무리(☷)의 중심에서 중도를 지키고 있으니 길하고 무구하다. 王三(☷)이 명(命)을 내리다.

九二대장이 중도(中道)에 있으니 길(吉)하고 무구(无咎)하다. 이는 무리 중에 중심을 지키고 있는 것을 말하니 천하민심의 중심에 서있음을 의미한다. 九二는 내괘의 중(中)으로 있고, 내호괘가 진(震)☳이니 장자(長子)의 상으로 무리(군대)를 이끄는 장군의 상이다. 九二가 하늘의 은총을 잇는다는 것은 천명(天命)과 대의명분(大義名分)이 그에게 있음을 말한다(在師中吉 承天寵也).

왕(王)은 대지☷를 의미하고 삼(三)은 3개의 효를 의미하며, 명(命)을 내린다 함은 구이(九二)와 육오(六五)가 서로 응하고 있음을 의미한다. 九二가 변하면 곤(坤)이 되니 물☵이 대지☷에 흡수되는 상이다. ☷은 무리, 군대, 백성 등을 의미하니, 왕☷(柔順)이 九二에게 영을 내려 유순한 덕으로 이를 품는다. 왕이 세 번의 명을 내린다는 의미도 되며 이는 九二에 대한 신임의 표현이 된다. 대지가 험한 물을 흡수하여 만물을 키우고 만방을 포용하듯, 대지의 성질을 가진 왕삼王三☷이 천명을 따르는 九二장군☷에게 만국(萬國), 만인(萬人)을 널리 포용할 것을 명(命)한다(王三錫命 懷萬邦也).

공자는 소상전에서 九二효사를 다음과 같이 풀이하고 있다.

"상에 이르길, 구이가 무리(☵)의 중심에서 중도를 지키고 있으니 길함은 하늘의 은총을 잇는 것이라. 王三(☷)이 명(命)을 내려 만방을 품게 하다(象曰 在師中吉 承天寵也 王三錫命 懷萬邦也)."

≫在師中吉 承天寵也는 하괘 九二(☵)를 설명하고, 王三錫命 懷萬邦也는 상괘 坤(☷)을 설명한다.

☞중지곤(重地坤)괘의 六二효사와 공자가 해석한 소상전을 음미하라.

六二 直方大 不習无不利

육이, 곧고 방정하고 커서 익히지 않아도 이롭지 않음이 없다.

象曰 六二之動 直以方也 不習无不利 地道光也

상에 이르길, 六二의 움직임은 곧고 방정(方正)하니 익히지 않아도 이롭지 않음이 없음은 땅의 도가 광명임이라.

☞ 錫: 줄 석/ 承: 이을 승, 받들 승, 寵: 사랑할 총/ 懷: 품을 회, 임신할 회/ 邦: 나라 방

六三 師或輿尸 凶

육삼 사혹여시 흉

육삼, 군대가 혹여 신주(神主)를 싣고 출전하면 흉하리라.

六三은 중정(中正)을 벗어나 종일건건(終日乾乾)하는 전쟁의 한 복판에 자리하고 있으나 양의 자리에 음으로 와서 자리가 바르지 않은 자이다. 시신(屍身)를 수레에 싣고 있다는 것은 도리에 어긋나고, 또한 무리한 전쟁을 수

행하고 있음을 비유한다. 전쟁의 한 복판에서 시신을 수레에 싣고 전투를 벌인다 함은 부모의 상중(喪中)에 신주(神主)를 모시고 전쟁을 수행하는 것을 의미한다. 부모의 신주를 수레에 싣고 나선 것은 전쟁의 정당성 확보를 위함이다. 신주는 천명을 대신하는 것으로 대의명분이 있음을 천하에 선포하고자 함에 목적으로 하는 것이다. 이는 문왕이 죽은 후 그의 장남인 무왕이 상중에 신주를 수레에 싣고 포악한 주왕을 정벌하러 나선 것을 말하는데, 백이(伯夷) 숙제(叔齊)의 충언을 받고 천명이 없음을 이유로 후퇴한 고사를 인용한 것이다. 도리에 어긋나는 무리한 출전을 의미한다. 그러므로 공자는 소상전에서 "師或輿尸는 크게 공을 이루지 못한다(象曰 師或輿尸 大无功也)"라고 하였다. 옳고 그름에 대한 상황판단을 잘하여 진퇴를 결정하라.

☞ 輿: 수레 여/ 尸: 신주(神主) 시, 주검 시

六四 師左次 无咎
육사 사재차 무구

육사, 군대가 잠시 물러나 막사에 머무니 허물이 없다.

이미 하괘에서 상괘로 강을 건너와 배수진을 쳤다. 六四는 음효로서 자리가 바르나 응하는 효가 없고 위아래가 모두 음으로 도움을 받을 길이 없다. 전장에 너무 깊숙이 들어와 곤궁에 빠진 것이다. 후퇴하기에는 이미 늦었다. 그렇다고 무조건 전진하는 것은 오히려 더 위험하니 임시주둔지에 막사를 마련하여 정열을 다듬을 필요가 있다. 이것은 백보전진을 위한 일보후퇴 전략으로 떳떳함을 잃은 것이 아니니 부끄러워할 일이 아니다. 공자는 소상전에서 "좌차무구(左次无咎)는 떳떳함을 잃지 않음이다(象曰 左次无咎 未失常也)"

라고 하였다. 좌(左)는 물러나는 것이고 우(右)는 나아가는 것이다. 六四가 변하면 내호괘가 ☲(明)이 된다. 이는 자신이 처한 곤궁함을 제대로 분별하여 잠시 전진을 멈추고 물러나는 것을 의미하니 무탈하다.

☞ 左: 왼쪽 좌, 낮추다, 멀리하다/ 次: 머무를 차/ 常: 떳떳할 상

六五 田有禽 利執言 无咎 長子帥師 弟子輿尸 貞凶
육오 전유금 이집언 무구 장자솔사 제자여시 정길

육오, 밭에 짐승이 있으니 대의명분을 세워 이를 사냥하니 허물이 없다. 장자(丈人)는 군대를 잘 이끌었다. 그러나 아우(小人)는 상중(喪中)에 신주를 싣고 출전하여 도리를 벗어났으니 이를 고집하면 흉하리라.

　六五는 존위(尊位)로서 군왕의 자리이다. 그런데 양의 자리에 음으로 와서 자리가 바르지 않으니 유약한 왕이다. 유약한 왕은 자신의 자리가 항시 위태롭다는 것을 알고 스스로 포악한 정치를 하게 된다. 이는 주왕(紂王)을 상징하는 것으로서, 밭 한가운데 짐승이 있다는 표현으로 은유된다(田有禽). 영토 안에 적(不義한 자)이 들어와 있음을 의미한다. 장자(長子)인 무왕은 문왕 서거 후 삼년상을 마치고 나서 주왕의 패륜이 극에 달하자 그를 정벌한다. 효사에서는 이것을 장자(長子)인 九二장군이 천명을 받아 이를 집행하는 것으로 풀이한다(利執言). 장자(長子)는 정당한 왕위 계승자로서, 여기에서는 합당한 천명을 받은 자를 상징한다. 명분을 가지고 있는 장자가 군대를 이끌고 밭(나라)에 있는 짐승(주왕)을 사냥하니 허물이 없는 것이다. 왕을 처벌하는 것은 반역이지만, 천명을 받아 백성을 위해 집행하는 것이니 허물이 없다. 전(田)은 '밭, 사냥하다'라는 의미가 있고, 언(言)은 명령, 천명(天命) 또는

서언(誓言)의 뜻이 있어 대의명분이 따르는 행위이며, 집(執)은 '집행하다. 받들다'의 의미이니, 이를 집행하는 것은 이로운 행위라 풀이한다.

九二로 상징되는 장자(내호괘☲)인 무왕은 군대를 잘 이끌어 주왕을 멸했다. 무왕이 죽은 후 그의 어린 아들(성왕)이 즉위하고 주공이 섭정을 하자 관숙과 채숙은 주왕의 아들 무경을 내세워 무왕의 상중에 난을 일으킨다. 관숙과 채숙은 무왕의 동생으로서, 무왕의 아들인 성왕(정당한 왕위계승자)을 상대로 난을 일으킨 것이다. 무왕의 상중에 신주를 싣고 출병을 하였으니(신주는 천명을 받았음을 주장하는 상징물이다), 이는 인륜에 반하고 도리에 어긋나는 행위로 천명을 받지 못하였음을 뜻한다. 천명을 받지 못했다는 것은 백성과 군대가 따르지 않음을 의미한다. 결국 성왕에게 진압당하게 되니 도리에 어긋나는 것을 고집하는 것은 흉이 되기 때문이다(황태연, 실증주역).

공자는 소상전에서 "長子帥師는 중도로써 행한 것이고, 弟子輿尸는 군사를 부림이 마땅하지 않음이다(象曰 以中行也 弟子輿尸 使不當也)"라고 하였다. 장자(長子)는 장인(丈人)을 의미하고, 아우(弟子)는 소인(小人)을 상징한다.

☞ 禽: 새 금, 짐승 금/ 執: 잡을 집/ 帥: 장수 수, 거느릴 솔, 앞장서다, 거느리다. 인도하다/ 師: 군사 사, 군대 사, 스승 사/ 輿: 수레 여

上六 大君有命 開國承家 小人勿用
상육 대군유명 개국승가 소인물용

상육, 대군이 명을 내려 나라를 열고 가문을 이음에 소인은 쓰지 마라.

이제 모든 전쟁이 끝났다. 새로운 나라를 열었으니 개국공신들에 대한 논공행상이 이어진다. 공신들을 제후로 임명하여 영지를 내려주고 가문을 잇게

하니 개국승가(開國承家)의 뜻이다. 대군유명(大君有命)이란 임금이 명을 내려 공신들에게 논공에 따라 정당하게 행상(行賞)을 하는 것을 말한다. 즉, 바름(正)으로써 공(功)을 치사해야 하는 것이다. 아무리 개국의 공이 큰 자라 할 지라도 소인에 불과하면 개국승가에 참여하도록 해서는 안 된다. 이런 자는 반드시 나라를 혼란에 빠트리기 때문이다. 공자는 소상전에서 "대군유명(大君有命)은 대군(임금)이 명을 내려 바르게 논공행상하는 것을 이름이요, 소인물용(小人勿用)이라 함은 소인은 반드시 나라를 어지럽히기 때문이다(象曰 大君有命 以正功也 小人勿用 必亂邦也)"라고 하였다.

☞ 承: 이을 승, 받들 승/ 亂: 어지러울 난/ 邦: 나라 방

8.水地比 수지비

水 ☵ 坎
地 ☷ 坤

▶효변(爻變)

미래		과거	현재
☷-7	⇨	☷-3	☷-3
			☷-7

上下작용력: (-7)-(-3)=-4

上下균형력: (-7)+(-3)=-10

比 吉 原筮 元永貞 无咎 不寧方來 後夫凶

象曰 比 吉也 比 輔也 下順從也 原筮 元永貞 无咎 以剛中也 不寧方來 上下應也 後夫凶 其道窮也

象曰 地上有水 比 先王以建萬國 親諸侯

初六 有孚比之 无咎 有孚盈缶 終來有它 吉

六二 比之自內 貞吉

六三 比之匪人

六四 外比之 貞吉

九五 顯比 王用三驅 失前禽 邑人不誡 吉

上六 比之无首 凶

1. 괘상(卦象)

　六二가 동하여 효변하니 대지☷가 물렁해지고 대지☷가 품고 있던 물☵을 쏟아놓는다. 굳어 있는 땅이 촉촉히 젖어오는 모습으로 양기가 음 사이로 들어가 땅을 물렁하게 수분이 있는 대지로 만든다. 양이 파고들어 굳고 경직된 땅을 물렁하게 하는 것이다.

九五☵ 양은 중정한 인군의 자리이니 전쟁(地水師)을 승리로 이끌면서 화합형 리더십으로 천하의 백성☷을 이끈다. 강건함으로써 六二의 중정함과 정응하니, 백성☷을 강제하고 통치하며 앞에서 소의 고삐를 잡아 이끌듯이 이끌려는 소인(독재자, 剝☶)이 아니라 자연스럽고 친밀하게 스며들어가 백성☷과 하나 되어 화합하는 친비(親比)형 대인(인군, 比☵)이다(比吉也 比輔也 下順從也).

　대지☷ 위의 물☵은 대지에 스며들어가 서로 하나가 되는 친밀성이 있다. 물은 땅의 모난 곳을 메우며 땅 위를 흐른다(不寧方來 上下應也). 사(師)는 땅 속에 물이 모여 있는 것이고, 비(比)는 땅 위에 올라와 흐르는 것이다.
　또한 위로 올라온 물☵이 땅 위에 모이고 고이면 웅덩이가 되고 못☱이 되는 것이니 땅 위의 생명이 모여들어 함께 하는 장소가 된다(澤地萃䷬). 물은 연못이 되고 호수가 되니, 대지 위를 흐르며 만물을 생육하고 문명을 일으키는 기원이 된다.

2. 괘변(卦變)

▷호괘 – 山地剝

比   剝

☷-3   ☶-5

☷-7   ☷-7

-4   -2

산☶이 대지☷에 붙어있는 것이 박(剝)이니, 소인이 자라 마지막 남은 하나의 양을 끌어내리는 모습이다(剝剝也). 上九(☶)가 얼마 남지 않은 힘(+1)을 믿고 선두에 서서 5개의 음(-31)인 백성☷을 이끌려 한다면 곧 끌어내림(剝)을 당하게 된다. 그러므로 九五인군☷은 백성을 다스림에 있어서 아래로 내려가 백성☷과 서로 하나가 되는 합일의 도를 따른다.

▷착종괘 – 地水師

比   師

☷-3   ☷-7

☷-7   ☵-3

-4   +4

비(比)는 九五인군이 주효(主爻)로서 六二와 서로 중정함으로써 정응하니, 九五(☵)의 강건함이 백성☷을 포용하고 기르며, 백성은 이를 따르니 태평성대를 구가하는 평화의 시대를 의미한다. 사(師)는 민심의 중심에 서있는 九二대장이 六五인군의 명을 받아 군사를 이끌고 진군하는 모습으로 전쟁을 상기시킨다.

▷도전괘 - 地水師

比   師

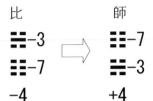

▨-3   ⇨   ▨-7

▨-7   ▨-3

-4   +4

► 地上有水比 先王以 建萬國親諸侯

대지 위에 물이 흐르는 것이 비(比)이니,

강건중정한 九五인군의 덕으로 천하를 다스린다.

► 地中有水師 君子以容民畜衆

대지 아래 물이 모여 있는 것이 사(師)이니,

군자는 이를 본받아 백성을 품고 기른다.

▷배합괘 - 火天大有

比   大有

▨-3   ⇨   ☲+3

▨-7   ☰+7

-4   +4

　　비(比)는 양효 하나가 다섯 음을 이끄는 모습이다. 물은 대지와 친밀하니 대지와 하나되는 모습으로 九五☵의 중정함이 백성☷을 포용하고 기른다(以剛中也 不寧方來 上下應也). 대유(大有)는 음효 하나가 다섯 양효를 이끄는 모습이다. 해가 하늘 가운데 걸려 천하를 비추니, 六五☲의 유(柔)함이 다섯 양의 강건(剛健)함을 묶는 결정체가 된다(柔得尊位大中 而上下應之曰大有). 물은 대지를 이롭게 하고, 태양은 천하를 밝게 비춘다.

3. 괘사(卦辭)

比 吉 原筮 元永貞無咎 不寧方來 後夫凶
비 길 원서 원영정무구 불녕방래 후부흉

비(比)는 길하다. 근원적으로 서(筮)는 원(元)하고 영(永)하고 정(貞)하니 허물이 없다. 대지의 불편한 요철에 흘러 들어 부족한 곳을 메운다. 그러나 때에 늦으면 아무리 장부라 할지라도 흉하다.

물☵과 대지☷는 서로 하나가 될 때 비로소 만물을 키울 수 있으니, 근본적으로 비(比)의 상은 길하다. 물☵은 위에서 아래를 향하고, 대지☷는 이를 품어 하나가 된다.

대지가 만물을 내는 것은 물과 대지가 일체를 이루고 태양의 양기가 주어질 때 가능하듯, 점을 낸다는 것은 천지 감응을 통해 천지와 일통(一通)함으로써 이루어 진다. 즉, 천지인 삼신이 일체를 이루어 하나가 되었을 때 비로소 점이 나오는 것이다. 천지인 삼신의 하나(一)됨을 자각하니 여기와 저기가 서로 하나되고, 어제와 내일이 오늘이 되고, 시공(時空)이 하나되어 우주가 된다.

만왕만래(萬往萬來)하는 만물만상이 비록 변화무쌍하지만 결국은 하나(一)에서 비롯된 것이니, 우주의 크기는 무한하지만 항시 이 자리이고, 시간은 영원하지만 항시 지금이다. 순자(荀子)가 "天地始者 今日是也천지시자 금일시야"라 했듯이, 삼신일체를 각(覺)한 자에게 "하늘과 땅이 시작되는 것은 항상 오늘, 지금 이 자리"인 것이다. 하나에서 비롯되고 하나로 돌아가니(一始一

終), 하나는 서로 비교됨이 없고, 또한 기울어짐이 없으니 항상 바름 그 자체이다(元永貞無咎).

불녕(不寧)이란 물이 불균형한 대지 위에 흩어져 있어 편안하지 않은 모습을 비유하고, 방래(方來)란 각지에서 시나브로 모여들어 편안하지 않은 곳을 채우는 모습을 말한다. 기운 곳은 균형을 맞추고 부족한 곳을 채우며 요철을 메우니, 땅 위에 여기저기 흩어져 있는 백성이 대지의 순함으로 포용되어 서로 하나됨을 비유한다.

만물을 생하는 천지성사(天地成事)의 때를 맞이하여 사시를 따르지 않는다면 존재할 수 없으니 천지운행 열차에 제때 올라타야 한다. 때에 늦어 기회를 놓친다면 장부(丈夫)라 한들 이 어찌 흉하다 하지 않겠는가(後夫凶)?

☞ 原: 근원 원/ 筮: 점 서/ 比: 친할 비, 친숙할 비, 이웃 비(두 사람이 나란히 있는 형상으로 서로 친하고 서로 돕는다는 뜻)/ 寧: 편안할 녕/ 方: 바야흐로 방

象曰 比吉也 比輔也 下順從也 原筮元永貞無咎 以剛中也
단왈 비길야 비보야 하순종야 원서원영정무구 이강중야
不寧方來 上下應也 後夫凶 其道窮也
불녕방래 상하응야 후부흉 기도궁야

단에 이르길, 비(比)는 길하다. 비(比)는 서로 보완함이다. 아래로 흘러 들어가 순히 따른다. 原筮元永貞無咎는 강건하고 중정하기 때문이요, 不寧方來는 상하가 서로 응하기 때문이다. 後夫凶은 그 도가 궁함을 이른다.

대지 위에 흩어져 있는 물이 땅 속에 스며들어 만물의 생명수가 되니 근본적으로 비(比)는 길(吉)의 상이다. 물의 속성은 아래로 흐르는 것이니 대지의 불균형한 부분을 찾아 균형을 맞추어 주고, 또한 부족한 부분을 메우고 보충해준다. 이는 물이 가지는 근원적 속성이니 생명을 품고 있는 대지는 물을 받아 생명을 키워내고 순종하며 따른다. 九五는 양의 자리에 양으로 와서 자리가 바르고 중정(中正)하며, 六二는 음의 자리에 음으로 와서 자리가 바르고 중정(中正)하여 정응(正應)하니, 서로 돕고 따르는 것이다(比輔也 下順從也). 九五(☵)와 六二(☷)가 서로 중정함으로써 정응하는 것은 임금(☵)이 바른 도로써 백성(☷)을 도우니(比輔也), 백성이 순종하고 따르는 것을 말한다(下順從也). 그러므로 九五의 강건중정(剛健中正)함이 백성의 유순중정(柔順中正)을 포용하고 기르는 모습이 되는 것이다.

처음 점을 친다 함은 우주와 하나를 이뤄 성통광명(性通光明)으로 거듭남을 말한다. 만물의 뜻은 삼신일체의 자리에서 내가 천지의 중심이 될 때 비로소 그 뜻을 드러내는 것이니, 점치는 자는 오직 군자만이 할 수 있는 일이다. 천지가 하나되는 인중(人中)의 자리에서 만물과 일치를 이루니, 도의 크기는 태극으로 무한이며, 시간의 길이는 끝이 없는 영원이다. 이는 시공(時空)이 본래 하나(一)임을 뜻하니, 우주만물은 하나에서 비롯되는 것으로 기울어짐이 없고 바름 그 자체로서 흠이 없는 것이다(元永貞無咎).

대지는 순함으로 모든 생명을 품은 모태이며, 대지 위의 생명을 지탱하는 근본이다. 물이 대지의 모난 부분이나 불균형한 부분을 찾아 들어 메우고 도우니, 그렇게 함으로써 대지와 만물이 서로 균형을 맞추고 생존한다. 대지는 물을 필요로 하고, 물은 대지를 바탕으로 하니 이는 서로가 하나가 될 때 생명을 낼 수 있기 때문이다. 이것이 천지의 도이니 근본적으로 비(比)의 상은 길한 것이다(比吉也 比輔也 下順從也). 그러므로 천지를 이룸에 있어 九五가 강건한 중정의 도로써 찾아 들고(以剛中也), 상하가 서로 응하는 이때(不寧方

來 上下應也), 때를 놓치면 장부(丈夫)라 한들 어찌 흉하다 하지 않겠는가(後夫凶)?

도를 따르는 것은 천하의 근본 이치이니, 천지의 이룸에 중도를 넘어 극에 달해서는 결코 살아남을 수 없으니 이는 도가 궁해지기 때문이다(後夫凶 其道窮也). 우주가 만왕만래(萬往萬來) 운행하고, 이를 따라 천하만물이 춘하추동(春夏秋冬) 사시를 따라 생장수장(生長收藏)하는 것이 자연의 이치이니, 어찌 나 홀로 도를 벗어나 우주의 오케스트라 합주에 참여하지 않을 수 있겠는가?

☞ 輔: 도울 보

象曰 地上有水比 先王以 建萬國親諸侯
상왈 지상유수비 선왕이 건만국친제후

상에 이르길, 땅 위에 물이 있는 것이 비(比)이니, 선왕은 이로써 만국을 세우고 제후를 친애(親愛)한다.

땅 위에 있는 물이 있는 것이 비(比)이니, 물은 땅과 친하다. 각지에 흩어져 있는 물==이 하나로 모여 땅 위에 연못==을 이루듯, 군자(九五)는 이러한 상을 통해 백성을 이끌어 각지에 삶의 터를 만든다. 크게는 불안정한 천하에 나라를 이루고 제후를 세워 물이 땅에 골고루 스며들듯 백성을 친애(親愛)한다.

比　　　萃

[比] 以剛中也 不寧方來 上下應也

[萃] 順以說 剛中而應 故聚也

　땅은 백성의 바탕이요, 물은 불균형한 땅에 흩어져 있는 백성으로 볼 수 있으니, 군자는 이로써 백성을 모아 만국을 세우고 친히 아래로 내려가 백성과 하나가 되어 다스린다(建萬國親諸侯). 九五와 六二가 서로 中正함으로써 응(應)하니 물과 땅이 서로 하나로 젖어 드는 모습이며, 서로 도우며 보완하고 따르니 수지비(水地比) 괘상은 근원적으로 길하다(比吉也 比輔也 下順從也).

4. 효사(爻辭)

물이 땅 위의 불안정한 부분을 균형있게 메우고 채우며 아래로 스며들어 서로 하나가 되어가듯, 九五(☵)의 강건중정이 아래로 친밀하게 다가가 친애하는 모습, 또한 백성☷이 九五에 응하며 다가가 일치하는 모습을 효(爻)로써 풀이한다.

初六 有孚比之 无咎 有孚盈缶 終來有他吉
초육 유뷰비지 무구 유부영부 종래유타길

초육, 믿음이 서로를 친밀하게 하니 무탈하다. 믿음이 물동이에 차오르듯 가득하면, 마침내 여타 주변에서 도움의 손길이 일어나 길하리라.

초육(初六)은 가장 아래에 위치한 유약한 백성이다. 구오중정(九五中正)과 멀리 떨어져 직접적인 관계를 맺기도 어렵다. 또한 양의 자리에 음으로 있어 자리가 바르지도 않으니 스스로 나아가기가 쉽지 않다. 그러므로 구오중정에 대한 믿음을 굳건히 하게 되면 마침내 그 믿음으로 인해 주변에서 많은 도움의 손길이 일어나 길하다. 공자는 소상전에서 "비(比)의 초육은 타인의 도움이 있으니 길하다(象曰, 比之初六 有他吉也)"라고 하였다. 믿음이 그릇에 가득하여 넘쳐 흐르면 그 믿음으로 인해 주변과 더욱 친밀하게 되고 신뢰가 쌓이니 마침내는 도움의 손길이 일어나 길하게 되는 것이다.

☞ 盈: 가득 찰 영/ 缶: 두레박 관, 물동이 관

六二 比之自內 貞吉

육이 비지자내 정길

육이, 안으로부터 친애하니 바르면 길하리라.

六二는 내괘의 중을 얻고 음의 자리에 음으로 와서 자리가 바르니 중정(中正)하며, 외괘의 구오중정(九五中正)과도 서로 정응한다. 六二는 하괘인 백성☷의 중심으로 중도를 지키며 九五와 응하는 자리이다. 친비(親比)함이 안으로부터 이루어져야 한다는 것은 六二가 중정지도(中正之道)를 잃지 않고 九五에 응해야 함을 뜻한다.

구오존위(九五尊位)의 친애(親愛)를 구하는데 급급하는 것은 군자의 자중지도(自重之道)가 아니니 오히려 六二 본연의 모습을 잃게 되는 결과를 초래한다. 그래서 공자는 "안으로부터 친애한다 함은 스스로를 잃어버려서는 안 된다(象曰 比之自內 不自失也)"라는 것이라고 소상전에서 말하고 있다.

비괘(比卦)는 九五의 강건중정한 인군의 도가 아래 백성에게 흘러 들어가 친애함으로 하나가 됨을 의미하는 괘이다. 그러므로 六二는 먼저 나서 九五에게 친애를 구하지 않으며 매달리는 구차함을 보이지 않는다. 六二는 九五의 부름에 응하면서도 정도를 지키며 스스로를 잃지 않는다.

☞ 自: 스스로 자, ~로부터

六三 比之匪人

육삼 비지비인

육삼, 비인(匪人)을 친애(親愛)하다.

중도를 벗어나 많이 나아갔으나 아직은 상괘로 건너가지는 않은 상황, 양의 자리에 음으로 왔으며 자리가 바르지 않으니 비인(匪人)의 처지이다. 존위인 九五의 강건중정에 순(順)하면 살고 역(易)하면 죽는다. 九五의 친애를 구하든(順), 구하지 않든(逆), 스스로 선택을 해야 하는 전장의 한 복판이다. 六三효사는 길(吉) 또는 흉(凶)에 대한 점사가 없다. 이는 중도를 벗어나 순(順)과 역(逆)을 선택해야 하는 처지에 있음을 말한다. 부정위(不正位)한 음효로서 자리를 바르게 양으로 효변하면 수산건(水山蹇䷦)이 되니 이 또한 상하여 다리를 저는 상이다. 이도 저도 아닌 곤혹스러운 상황이니 비인(匪人)이다.

六三은 부중부정(不中不正)하고, 上六과 응(應)이 없으며, 이웃인 六四도 부중(不中)하다. 六二는 九五와 정응하고 있어 六三을 돕지 않으니 비인(匪人)이다. 그래서 공자는 "비인(匪人)을 친애하면 역시 손상을 입지 않겠는가? (象曰 比之匪人 不亦傷乎)"라고 했다. 그러므로 비인은 그 자체로서 흉하며 바르지 않은 사람을 뜻하니 이들과 친밀하면 스스로 손상을 입게 된다. 역(逆)하면 죽고 순(順)하면 상하게 되니 六三의 처지가 한탄스럽다.

☞ 匪: 비적 비, 아닐 비

六四 外比之 貞吉
육사 외비지 정길

육사, 친비(親比)함이 밖으로 드러나니 바르고 길하리라.

상으로 보면 이미 강을 건너 九五에 다가간 모습이다. 강을 건너 외괘에 위치한 구오존위(九五尊位)의 아래에 위치한 상으로서 九五와의 친밀함이 외부로 드러난다. 친애함이 외부로 확장된 모습으로 九五현자와의 친밀을 강조한다. 六四는 음의 자리에 음으로 자리가 바르니 九五의 중정(中正)을 선택하고 유순(柔順)함으로 이를 따르는 것이다. 강건중정한 구오존위를 따르니 바르고 길하다. 이에 공자는 소상전을 통해 "밖으로 어진이를 가까이 함은(外比於賢)은 위를 따름이다(象曰 外比於賢 以從上也)"라고 풀이하고 있다.

☞ 於: 어조사 어(~에, ~에서)/ 賢: 어질 현

九五 顯比 王用三驅 失前禽 邑人不誡 吉
구오 현비 왕용삼구 실전금 읍인불계 길

구오, 친비(親比)를 천하에 드러내다. 구오왕이 짐승을 삼면에서 모는 삼구(三驅)의 법을 쓰니 역행하는 자는 버리고 순행하는 자는 받아드리니, 왕의 마당으로 들어오는 짐승은 사냥하지 않고 나가는 짐승은 놓아준다. 백성이 경계하지 않음은 왕의 다스림이 중정(中正)하기 때문이다.

九五는 존위에 거하고 중(中)에 자리하여 정(正)을 얻었으니 중정(中正)한 도로써 천하에 친비(親比)를 드러낸다. 사역취순(舍逆取順)이란 왕이 중앙에 서고 좌우 삼면에서 짐승을 모니 왕을 영접하듯 순행하여 마당으로 들어오는 짐승은 받아드리고 (一, 二, 三, 四 효), 울타리를 벗어나 거슬러 달아나는 짐승(上六)은 놓아준다는 뜻이다. 놓아준다 함은 '버린다' '사냥하다'라는 뜻이니 왕의 나라에서 배제되어 왕의 백성으로 살지 못함을 뜻한다(舍逆). 스스로 왕의 마당으로 들어와 순종하는 짐승은 사냥에서 제외되니 읍인(백성)으로 받아드림을 비유한다(取順).

삼구법(三驅法)을 써서 살고자 순종하는 짐승은 받아드리고 나가는 짐승은 놓아주니 읍인(왕의 백성)들도 경계를 푼다. 이는 왕의 다스림이 중도(中道)로써 행하는 것임을 알기 때문이다. 단전에 이르길 "비(比)는 길(吉)하니 九五인군의 친애(親愛)함은 아래 백성을 도와줌을 이름이요, 아래 백성은 九五仁君을 믿음으로 순종함을 이른다(象曰 比吉也 比輔也 下順從也)"라고 하였다.

九五효사를 공자는 왕용삼구(王用三驅)라는 사냥법을 인용하여 다음처럼 주석하고 있다.

"상에서 말하길, 친비(親比)를 만천하에 드러내니 길하다. 자리가 바르고 중도로서 친애한다. 나가는 자는 놓아주고 들어오는 자는 받아주니, 왕의 집에서 나가고자 앞서는 자는 취하지 않고 버린다. 백성은 이러한 인군의 덕을 아니 근심하고 경계하지 않는다. 왕의 다스림이 중도를 벗어나지 않음을 알기 때문이다(象曰 顯比之吉 位正中也 舍逆取順 失前禽也 邑人不誡 上使中也)."

九五인군의 친비(親比)를 만천하에 드러낸다. 자리가 바르고 중도로서 친애하니 길하다. 이러한 강명중정(剛明中正)한 인군의 덕을 공자는 왕용삼구(王用三驅)라는 사냥법으로 주석한다.

왕용삼구가 만든 삼면으로 포위한 포위망은 왕의 집을 상징한다. 사면을 막은 포위망은 원하든 원하지 않든 모두를 가두어 버리는 것이니, 이는 인군의 덕이 아니다. 왕용삼구의 집은 한쪽이 열려 있어 원하면 언제든지 달아날 수가 있는 집이다. 예로부터 집으로 들어오는 짐승은 잡지 않는다 라고 하였다. 역행하는 자는 버린다 함은 원하지 않는 자는 강제로 가두지 않고 길을 열어주어 스스로 나갈 수 있도록 한다는 의미로 왕의 집에서 보면 '도망가도록 놓아버린 짐승, 보호받지 못하는 자, 버림받은 자'가 되는 것이니 사역

(舍逆)의 뜻이다. 실전금야(失前禽也)란 왕의 집을 거부하고 미리 앞서 도망가는 짐승은 나가도록 놓아줌을 뜻한다.

그러나 도망가지 않고 왕용삼구의 집으로 들어오는 자는 받아드리니 취순(取順)의 뜻이다. 활을 쏘아 죽이지 않고도 사냥하는 사냥법이니, 강명중정(剛明中正)한 인군의 덕에 감응하여 순종하고 마당으로 들어오는 자는 용납하여 백성(읍인)으로 받아드리고, 역행하여 울타리를 나가는 자는 잡지 않고 놓아주는 것이다.

읍인(邑人)이라 함은 임금의 마당에 사는 백성을 뜻하니 친애(親愛)의 대상이다. 왕의 백성인 읍인은 한쪽 면을 열어놓은 왕용삼구의 덕을 아니 근심하지 않고 경계하지 않는다. 인군의 다스림은 힘이 아니라 덕으로써 다스림이니 오히려 그 덕에 감응하여 인심을 얻으니, 사냥(정벌)을 하지 않고도 읍인의 기반은 더욱 넓어진다. 비(比)괘의 상은 윗사람이 아랫사람을 부리고 아래는 위에 순종하며 나라를 다스리는 중도의 이치를 설명한다.

☞ 驅: 내몰아낼 구/ 顯: 나타날 현/ 舍: 버릴 사, 집사/ 逆: 거스를 역/ 禽: 새 금, 짐승 금/ 誡: 경계할 계/ 使: 시킬 사, 부릴 사

上六 比之无首 凶
상육 비지무수 흉

상육, 친비(親比)함에 머리가 없으니 (마치는 바가 없어) 흉하리라.

九五를 친비(親比)함에 도가 지나쳐 극에 달했으니 역(逆)이다. 친애(親愛)는 九五인군이 백성에게 내려가 친밀(親密)로 서로 하나가 됨을 이름이나, 上六은 九五中正을 넘어서 지나쳐 뒤로 갔으니 머리(九五)가 없어진 것이다.

왕용삼구(王用三驅)의 울타리를 벗어났으니 사냥감이다. 머리가 없음은 주인 (리더, 지도자, 우두머리, 강건중정이 없음이며 중도를 잃었음이니 흉(凶)하 다. 고로 바르게 일을 마치지 못하니 끝마침이 좋지 않다. 친비(親比)가 중 정(中正)의 도를 넘어섰으니 그 중심을 잡아줄 머리가 없음이고, 바르게 마 칠 수가 없으니 흉한 모습이 되는 것이다.

上六는 친비가 九五中正를 넘어 지나치게 나아가 도를 넘어선 것을 뜻한 다. 친비의 경계를 넘어서니 아부, 아첨이 되고, 이것이 극에 달하니 흉하게 되는 것이다. 머리가 없음은 친비의 주효(主爻)인 구오중정(九五中正)이 없 음을 말한다. 친비(親比)의 주체인 강명중정(剛明中正)한 九五존위를 넘어버 렸으니 九五와 친밀함을 힘(권력)으로 여겨 그 오만함이 극에 달하는 것이다. 이제 九五 없이도 스스로 왕인 양하니, 머리 없이도 스스로 머리인 양하는 것이다. 上六은 친애를 이용하여 반역하는 자로서 왕용삼구가 만든 왕의 집 을 벗어나 역행하는 짐승을 말함이니, 결국 사냥감이 되어 왕의 집에서 버림 받는 흉한 꼴이 된다(失前禽). 바르게 중심을 잡아줄 강명(剛明)한 머리가 없 으니 흉함을 면치 못하는 것이다. 그래서 공자는 "머리(지도자, 리더, 인군) 가 없으니 바른 끝마침을 보지 못한다(象曰 比之无首 无所終也)"라고 주석하 였다.

9.風天小畜_{풍천소축}

風☴巽
天☰乾

▶효변(爻變)

과거	미래	현재
☴+7 ⇨	☷+5	☷+5
		☰+7

上下작용력: (+7)-(+5)=+2

上下균형력: (+7)+(+5)=+12

小畜 亨 密雲不雨 自我西郊

象曰 小畜 柔得位而上下應之 曰小畜 健而巽 剛中而志行 乃亨 密雲不雨

尚往也 自我西郊 施未行也

象曰 風行天上 小畜 君子以懿文德

初九 復自道 何其咎 吉

九二 牽復 吉

九三 輿說輻 夫妻反目

六四 有孚 血去惕出 无咎

九五 有孚攣如 富以其鄰

上九 旣雨旣處 尚德載 婦貞厲 月幾望 君子征凶

1. 괘상(卦象)

천지에 가득한 순양(純陽)☰을 땅에 묶어두는 상으로 초구 양이 음으로 효변☶하면서 순양☰이 대지에 묶인 손풍(巽風)☴으로 축소되는 모습이다. 천지는 순양으로 가득 차 있으니 고요하나 동적인 성질이 있다. 초육 음이 양을 대지에 묶어버리면 땅 위의 바람이 된다. 동적이지만 대지에 국한된 작은 양이니 소축(小畜)이다. 바람은 자유롭고 유동적이지만 땅을 벗어나지는 않는다.

천지☰에 가득한 바람☴이 됨으로써 한 지역, 크게는 지구에 묶인 기운이 된다. 동적이지만 ☰는 천지에 꽉 찬 순양이며, ☴은 지구에 붙어있는 작은 양이다. 같은 양이지만 ☴은 바람이 되고, ☰은 흐름이 아니므로 바람이 될 수 없으니 우주에 가득한 지기(至氣)라고 할 수 있다. 바람은 어디든 갈 수 있으며, 어디든 존재하는 유동적 성질이 있다. 그러나 대지를 벗어나지 못하니 이는 초육(初六) 음이 두 개의 양을 붙잡고 있기 때문이다.

六四 음이 틀어 막고 있으나 풍선바람 빠지듯 두 개의 양기가 상향하여 나가 있으니 소축(小畜)이다. 양기가 서서히 상향하여 새어 나가 소진되는 모습이다. 구름이 가득하지만 비구름을 이루지 못하는 것은 새어 나가고 있기 때문이다(密雲不雨 尙往也). 열심히 일하고 벌어들이는 것 같은데 이상하게 쌓이지 않으니 어디선가 새고 있는 것이다. 콩쥐가 밑 빠진 독에 물을 붓고 있는 격이다.

아는 것이 병인 시대에 마음을 비우는 것이 어려우니 소축(小畜)에서 배우는 바가 크다. 적당이 흘러 보낼 줄 아는 것도 대인의 덕목이다. 六四 음은 물을 가득 머금고 있는 못이며(내호괘☱), 九五와 上九 양효는 못에서 흘러나오는 물☵이다. 못에서 흘러 나가는 물은 주변을 적시며 대지를 기름지게 해주니 주변의 생물들은 그 물을 먹고 생명을 유지한다. 대인의 덕(德)은 못의 물처럼 자연히 주변으로 흐르니 소축(小畜)은 그 의미하는 바가 크고 형통하다. 지혜의 샘은 끊임없이 흘러나와 주변을 이롭게 하지만 결코 마르는 법이 없다. 고로 쌓이지 않으니 상하지도 않는다.

샘은 끊임없이 솟아나지만 오히려 넘치지 않게 흘러 보낼 줄 안다. 항상 자신을 비우니 소축(小畜)이다. 온갖 지식으로 가득 채운 들 그것이 자신만을 위한 것이라면 상하게 되고, 결국은 썩은 냄새를 풍기게 되니 흉한 모습이 된다.

뜻(志)은 여기에 있는데 몸은 멀리 떨어진 서쪽 밖에 있으니 지행(志行)을 이루기 어렵다. 지식은 가득한데 행함이 없는 나약한 선비의 모습이다(自我西郊 施未行也).

▷소축(小畜)	▷대축(大畜)
☷+5 ☰+7	☷−5 ☰+7
上下작용력: (+7)−(+5)=+2 上下균형력: (+7)+(+5)=+12	上下작용력: (+7)−(−5)=+12 上下균형력: (+7)+(−5)=+2
六四 음효 혼자서 양이 새어 나가는 것을 막고 있으나 이미 2개가 빠져나가 바람☴이 되니 소축小畜(+2)이다.	六四와 六五 음효 2개가 양이 새어 나가는 것을 강하게 막고 있으니 대축大畜(+12)이다. 이미 빠져나간 양☵(上九)도 그 힘이 미약하여 2개의 음에 붙어있을 뿐이다.

2. 괘변(卦變)

▷호괘 - 火澤睽

小畜   睽

☰+5   ☲+3

☰+7 ⇨ ☱-1

+2   -4

   호괘가 바다☱에서 떠오르는 해☲의 상이니 세상을 밝히는 덕이요, 문명이다. 소축(小畜)의 내부에 문명을 밝히고자 하는 작용이 있음은 소축이 모든 것을 아낌없이 퍼주는 나무의 덕임을 말한다. 모든 용도에 쓰이고 마지막으로는 땔감으로 자신을 불사르는 나무의 모습은, 적게 소유하며 나머지는 타인을 위해 내어주는 대인이 갖추어야 하는 도리임을 말해준다. 소축의 내부에서 작용하는 화택규(火澤睽)는 바다(安)를 버리고 하늘에 올라 만천하를 비춤으로써 천하를 밝히는 상으로, 타인을 위해 자신을 내어주는 소축의 덕이 적극적임을 말한다. 자신을 세상의 속죄를 위하여 내어준 예수의 삶에서 소축을 본다(君子以懿文德).

▷착종괘 - 天風姤

小畜   姤

☰+5   ☰+7

☰+7 ⇨ ☴+5

+2   -2

▶효의 이동에 따른 괘명(卦名)의 이해

姤 ☰+7 ☷+5	同人 ☰+7 ☷+3	履 ☰+7 ☱−1	小畜 ☴+5 ☰+7	大有 ☲+3 ☰+7	夬 ☱−1 ☰+7
▶음이 양을 처음으로 만나니 구(姤)이다.	▶양이 4개가 위로 나가 있고 나머지 하나도 함께하겠다는 뜻이 있으니 동인(同人)이다.	▶상괘 3개의 양이 모두 밖으로 나가 1,2효도 이를 뒤따르니 이(履)가 된다.	▶양이 2개가 빠져나가니 소축(小畜)이다.	▶양이 하나가 나갔으나 4개를 비축하고 있으니 대유(大有)이다.	▶양을 모두 담아 터질 듯하니 쾌(夬)이다.

▷도전괘 - 天澤履

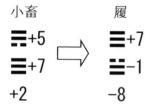

小畜　　　　　　履
☴+5　⟹　☰+7
☰+7　　　☱−1
+2　　　　　−8

　바람이 하늘 위에 행하는 것이 소축(小畜)의 상이니 양이 六四 음의 저지를 뚫고 위로 나아간다(風行天上小畜). 리(履)는 하늘 아래 못으로서 하늘을 담은 상이니 하늘을 따르는 모습이다. 양팔☱을 벌려 하늘☰의 양기를 수렴하고 따르니, 못☱이 담은 양의 비축에너지 크기는 +6으로 ☰의 크기인

+7(양)보다 +1(양)이 작을 뿐이다. 하늘을 있는 그대로 따르며 닮아가며 담는 것이다(上天下澤履).

▷배합괘 – 雷地豫

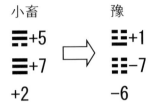

小畜

$\equiv$ +5
$\equiv$ +7
+2

豫

$\equiv$ +1
$\equiv$ −7
−6

건괘$\equiv$의 초구 양이 음으로 효변$\equiv$하면서 초육 음이 두 개의 양을 잡아 매어 놓은 상이 되니, 순양$\equiv$이 대지에 매여 땅 위의 바람$\equiv$으로 축소되는 모습이 소축(小畜)이다. 이에 반하여 예(豫)는 곤괘$\equiv$의 초육 음이 양으로 효변하면서 대지가 크게 들려 일어나는 모습$\equiv$이니, 대지$\equiv$를 깨우는 천둥소리$\equiv$(動)에 뭇 생명이 깨어난다.

3. 괘사(卦辭)

小畜亨 密雲不雨 自我西郊

소축형 밀운불우 자아서교

소축(小畜)은 적게 쌓으며 베푸는 상이니 형통하다. 내가 서변(西邊)을 바라보니 구름은 가득해도 비를 만들지는 못하니 멀리 떨어진 탓이다.

샘물은 끊임없이 솟아나지만 가두지 않고 흘러 보내 주변의 만물을 이롭게 한다. 이는 六四 음이 양을 저지하고 있지만 그 힘은 부드러워 두 개의 양이 새어 나가니 소축(小畜)이 되고, 소축은 베푸는 상이 되어 형통하다.

구름이 많음에도 불구하고 비구름이 만들어지지 못함은 구름이 새어 나가 바람에 흩어지기 때문이다. 六四 혼자서 양이 빠져나가는 것을 저지하고 있으나 힘이 부족하다. 결국 두 개의 양이 새어 나가 바람☰이 되어 흩어지니 소축의 형상이다. 소축으로서는 비(雨)를 이루지 못하니, 이는 문왕(我)이 멀리 유리지방에 있는 옥(羑里獄유리옥)에 갇혀 있어 생각은 있되 서쪽 변두리(西邊서변) 지역인 기주의 백성에게 선정을 베풀지 못함을 비유한다(密雲不雨 自我西郊). 뜻은 있되 몸과 동떨어져 있으니 생각과 행동이 일치하지 못함을 탓하는 것이다.

분위기는 무르익었는데 막상 행함은 없고, 비구름은 만들어져 바람은 불어오는데 막상 비는 내리지 않는다. 내호괘가 불☰이니 바람은 습기가 가득하고 후덥지근하지만 막상 시원한 비를 만들어내지 못하는 것이다. 주왕의 폭정 아래 백성은 문왕의 혁명을 목 빠지게 기다리고 있는데 막상 문왕은 유리옥에 갇혀 백성이 있는 서변 기주를 바라만 보고 있으니 답답하다. 변혁의 기운은 움트고 있는데 실제로는 아무 일도 일어나지 않는 답답한 현실을 가리킨다. 먹구름이 하늘을 뒤덮어오는데 뜨거운 습기만 가득할 뿐 기다리는 시원한 비는 내리지 않는다. 분위기는 무르익어가는데 혁명을 이끌어줄 지도자가 없으니 도화선에 불이 붙지 않는 격이다.

☞ 畜: 쌓을 축, 기를 휵/ 密: 빽빽할 밀, 촘촘할 말

象曰 小畜 柔得位 而上下應之曰小畜 健而巽 剛中而志行 乃亨
단왈 소축 유득위 이상하응지왈소축 건이손 강중이지행 내형
密雲不雨 尚往也 自我西郊 施未行也
밀운불우 상왕야 자아서교 시미행야

단에 이르길, 적게 쌓는다. 유(柔)가 지위를 얻고 상하가 서로 응하니 과연 소축이다. 강건하고 손순하다. 강(剛)이 중도로서 뜻을 행하니 이에 형통하리라. 먹구름이 하늘을 뒤덮지만 비는 오지 않는다. 오히려 위로 새어 나아가기 때문이다. 내게 먼 서교에 베풂을 행하지 못한다.

음이 四에 자리를 잡으니(柔得位), 위의 양 2개와 아래 양 3개가 서로 응한다(而上下應之). 이것은 六四 음효 혼자서 양을 저지하려 하나 2개가 이미 새어 나가 3개의 양이 남아있음을 말하는 것이니 소축(小畜)의 뜻이다. 그러므로 구름은 빽빽한 것 같아도 비구름을 만들지는 못하니 시원하게 내리지 못하는 것이다.

강건(剛健)☰하고 유순(柔順)☴하며, 강(剛)이 중(中)을 얻어 뜻을 행하니 마침내 형통하다. 二와 五가 中에 거하여 중도의 뜻을 행하니, 지행(志行)이란 소축(小畜)의 베품을 말한다(剛中而志行). 소축의 형상은 양☰이 음(六四)

을 뚫고 위로 조금씩 새어 나가 비구름이 되는 상이니, 주변에 흘러 만물을 이롭게 하는 샘물(내호괘☵)처럼 베푸는 상으로 마침내 형통한 것이다.

구름은 많은데 비가 내리지 않는다(密雲不雨). 이는 구름이 조금씩 위로 새어 나가고 있어 비구름을 이루지 못하기 때문이다(尚往也). 六四 음효 혼자서 양(陽)이 새어 나감을 저지하고 있으나 이미 2 개의 양☰이 빠져나가 있다. 또한 바람☴은 기운(氣)이 있으나 질(質)이 없으니 쌓이지만 오래가지 못하므로 또한 소축의 뜻이 된다.

내(문왕)가 유리옥에 갇혀 있으니 그곳에서는 멀리 떨어진 기주의 백성에게 선정을 베풀 수가 없다. 이는 서교(西郊)의 구름(문왕의 은덕)이 비를 이루지 못함을 말하는 것으로 만물에게 단비를 베풀지 못함을 의미한다. 멀리 떨어져 있으니 백성을 이롭게 하는 선정을 베풀 수가 없는 것이다(施未行也). 이는 문왕(文王)이 서백(西伯)으로 있을 때, 은나라 말 주왕의 폭정 때문에 백성들이 메마른 하늘에 비를 바라듯이 문왕의 혁명을 바라고 있었지만, 그 때 문왕은 유리옥에 갇혀 있어 백성의 뜻대로 행할 수가 없는 상황이었다. 제자리에 있지 못하고 엉뚱한 곳에 갇혀 있는 문왕 자신의 처지를 비가 내려야 할 때 내려주지 못함으로 비유한 것이다.

서교(西郊)란 서쪽 변두리(西邊)를 의미하며, 비구름이 모이는 곳이 아님을 상징한다. 마음은 고통받는 백성에게 가 있으나 몸은 멀리 떨어져 있으니, 지식은 많이 쌓아 놓았는데 현실성은 없고, 뜻은 있되 행함이 없는 것을 비유한다. 뜻(志)은 여기에 있는데 몸은 저 멀리 떨어진 서쪽 밖에 있으니 지행(志行)을 이루지 못하는 것이다. 지식은 가득한데 행함이 없는 나약한 선비의 모습을 가리킨다.

☞ 尚: 오히려 상/ 施: 베풀 시

象曰 風行天上小畜 君子以 懿文德

상왈 풍행천상소축 군자이 의문덕

상에서 이르길, 하늘 위에 바람이 행하는 것이 소축이니 군자는 이로써 문덕을 아름답게 한다.

바람이 하늘 위에 행하는 것이 소축(小畜)이니, 무조건 쌓지 않고 적절히 베푸는 소축의 상을 통해 군자는 문덕(文德)을 아름답게 하여 세상의 풍속(風俗)을 살핀다. 소축의 때는 은인자중하며 힘을 조금씩 기르면서, 학문과 덕을 닦는 문덕의 수양 시기이다. 문덕은 문인(文人)이 갖춘 위엄과 덕망을 뜻한다. 문왕(文王)은 본래 무인(武人)이었으나 문인(文人)의 덕을 쌓아 훗날 문왕이라는 시호로 불린다.

☞ 懿: 아름다울 의, 칭송할 의

4. 효사(爻辭)

문왕이 유리옥에 갇혀 7년 동안 절치부심하다 출옥하여 자신의 영지인 기주로 돌아와 뜻을 이루어가는 과정을 설명한다(황태연, 실증주역).

감옥에서 서쪽 변방인 기주(서교)를 바라보며 주왕의 폭정에서 백성을 구해내지 못하고 있는 자신의 심정을 괘사를 통해 토해낸다. 괘사는 문왕이 유리옥에 갇혀 있을 때 서술한 것이다. 구름은 빽빽하게 하늘을 덮어오고 습기를 가득 머금은 후덥지근한 바람은 불어대지만 정작 비는 만들어내지 못하듯, 혁명의 분위기는 비구름이 덮여가듯 고조되어가고 있는데 자신은 유리옥에 갇혀 있는 신세를 뜻을 행하지 못하는 답답한 심정으로 그리고 있다.

괘사는 문왕이 유리옥에서 자신의 상황을 그렸고, 효사는 출옥 후 힘을 축적해가며 뜻을 이루어가는 과정을 주공이 괘사를 풀어 서술한 것이다. 교(郊)는 도읍의 변두리인 변경(邊境) 지역을 뜻한다. 서교(西郊)는 서백(西伯) 문왕이 다스리던 서쪽 변경지방인 기주(岐周)를 가리킨다.

소축은 六四가 주효(主爻)로서 하괘 양효☰를 저지하는 상이다. 음효 하나가 3개의 양효를 가로막고 있으니 그 힘이 유(柔)하여 위로 새어 나가 구름을 만든다. 그러나 그 쌓임이 적으니 정작 비를 만들지는 못한다. 소축의 효사는 문왕이 기주로 돌아와 은인자중(隱忍自重)하며 잠룡으로서 비룡의 뜻을 품고 덕을 베풀면서 조금씩 힘을 쌓아가며, 양강(陽剛)☰한 기운을 자제시키며 혁명으로 나아가는 과정을 비유하고 있다.

初九 復自道 何其咎吉

초구 복자도 하기구야

초구, 제 길로 돌아오다. 그것이 어찌 허물이겠는가? 길하다.

문왕이 유리옥에서 7년을 갇혀 있다 출옥 후 자신의 영지인 서변(西邊) 기주(岐周)로 돌아온다. 중원(中原)에서 비껴선 변두리 지역인 기주에서 은인자중(隱忍自重), 절치부심(切齒腐心)하며 혁명의 씨앗을 잉태시킨다. 맨 아래 위치하여 처음에는 미약하고 어렵지만 양의 자리에 양으로 와서 자리가 바르니 자신을 낮추어 힘을 기르는 문왕(文王)의 모습이다. 그러므로 공자는 상전에서 말하길 "제 자리로 돌아오니 그 뜻이 길하다(象曰 復自道 其義吉也)"라고 했다. 어려움을 겪다 본래의 자리로 돌아와 큰 뜻을 품고 낮은 자세로 바르게 시작하니 허물이 없으며 길한 것이다. 중천건(中天乾)괘 초구효사에서는 초구를 잠룡(潛龍)이라 표현했으니 용덕(龍德)이 있으나 숨어있는 것이며(龍德而隱者也), 양의 기운을 감추고 있는 것이다(陽氣潛藏).

九二 牽復吉

구이 견복길

구이, 당겨서 돌아오게 하다. 길하다.

九二는 내괘의 중(中)에 자리하여 중도를 지키고 있다. 그러나 음의 자리에 양으로 와서 자리가 바르지 않으니 양강한 힘으로 섣부른 행동을 벌일 수 있다. 혁명의 씨앗이 활짝 피기도 전에 천하에 드러나면 낭패이다. 그러므로 본 효사는 중도의 힘으로 양강한 힘의 발산을 자제하게 하는 의미를 지닌다. 중(中)의 자리를 벗어난 자는 끌어당겨서 돌아오게 하며 본분(本分)을 지키게 한다. 그래야만 흉함을 면하고 길하게 된다 라는 뜻이 담겨 있다.

중천건(重天乾䷀)괘의 九二 효사를 보면, 비룡재전(飛龍在田)은 '용이 사냥터(田)에 모습을 드러내다'라는 의미로서, '중(中)의 자리를 지키나 자리가 바르지 않으니 아직은 천하에 나서지 않고 중앙 도읍(道邑)에서 떨어진 변두리 사냥터(邑外)에서 사냥을 하며 중원을 드려다 보는 은자(隱者)의 모습이다'라는 뜻을 가지고 있다.

용덕(龍德)을 갖춘 군왕으로서의 덕(德)을 펼치기 위해 천하에 나왔으니 믿고 따르며 지지해줄 많은 현인이 필요하다(見龍在田 利見大人 君德也). 그러므로 천하를 도모하려면 나를 믿고 따르는 자를 모아야 하니 양강(陽剛)한 힘을 믿고 섣불리 행동했다가는 대사를 그르칠 수가 있다. 공자는 상전에서 이를 "중(中)의 자리를 지키고 자중하게 하니 또한 스스로 실수하지 않는다(象曰 牽復在中 亦不自失也)"라고 풀이하고 있다.

☞ 牽: 이끌 견

九三 輿說輻 夫妻反目
구삼 여탈복 부처반목

구삼, 수레와 차축의 연결고리가 빠지다. 지아비와 아내가 서로 반목하리라.

九三은 중도를 벗어나 본격적으로 시작을 하는 효이다. 변두리에서 중도를 지키며 자중하던 혁명세력이 드디어 세상에 모습을 드러낸 것이다. 양의 자리에 양으로서 자리가 바르니 천하에 악인을 처단하기 위한 대의명분을 내걸고 출정한다. 그러나 중도를 벗어나 양강하니 자기 주장이 강하며 서로 의견이 부딪힌다. 강을 건너 적진 속으로 들어가자는 적극파와 중도파, 그리고 정작 출전하고서도 소극적으로 몸을 사리는 소극파 등이 서로 내부갈등을 겪으며 충돌하는 것도 이 효의 모습이다.

중천건괘의 九三효사를 보면 九三은 강중(剛中)한 자리를 벗어나 삶의 전쟁터에 나가 세상과 부딪히면서 싸우는 효라고 말한다. 인생이란 원하든 원하지 않든 나아가야 하는 것, 수고로이 투쟁해야 한다. 그러나 중도(中道)를 잃지 않아야 하니 공자는 효사를 통해 "종일건건 반복도야(終日乾乾 反復道也)"라고 한다. 九三은 세상의 시련과 도전 그리고 주어진 환경과 부딪히며 싸우니 수고로운 효이다. 九三는 잘못 나아간 것일 수도 있고, 나갈 수밖에 없는 것일 수도 있다. 상황에 따른 선택을 해야 하는 효이다. 그러나 어쨌든 누구나 三효의 위치에 처하게 되는 것이 만물의 이치이다.

여탈복(輿說輻)은 수레와 차축을 연결시키는 연결 쇠가 빠지는 것을 의미한다. 수레와 축은 서로 연결되어야만 그 역할을 할 수 있는 것인데, 혁명군의 내부갈등이 양분될 정도로 갈등이 크다는 것을 비유한다. 가정의 축은 부부이다. 그러므로 공자는 소상전을 통해 "지아비와 아내가 서로 반목하니 집안을 바르게 할 수 없다(象曰 夫妻反目 不能正室也)"라고 九三효사를 주석한다.

☞ 輿: 수레 여/ 說: 벗길 탈/ 輻: 차 축

六四 有孚 血去惕出 无咎.
육사 유부 혈거척출 무구

육사, 믿음으로 무리와 함께하니 피 바람이 지나가고 두려움이 사라지니
무탈하리라.

　드디어 주왕의 폭정으로부터 백성을 구하겠다는 대의와 믿음으로 뭉쳐진
혁명군이 강을 건너 적진으로 들어간다. 호괘가 화택규(火澤暌☲☱)이니 서교
(西郊) 기주에서 혁명군을 이끌고 공격하는 상이 나온다.
　규(暌)의 뜻은 어긋남이다. 해가 바다와 어긋나 중천에 떠오름은 만물을
이롭게 하기 위함이다. 이는 비구름을 만들어 천하만물에 단비를 내리게 하
고자 함과 비교된다. 태(兌)☱는 문왕팔괘도에서 서쪽을 의미하므로 서교(西
郊)의 상이 되고, 이(離)☲는 바다를 상징하는 태(兌)☱(활)에서 나와 하늘로
떠오른 붉은 태양☲(화살)이 되니 서교(☱西)를 떠나 공격☲하는 상이 나온
다. 또한 이(離)☲는 믿음이니 유부(有孚)의 뜻이 되며, 색으로는 붉은색이니
피(血)가 된다. 六四는 음의 자리에 음으로 와서 자리가 바르니 피바람이 지
나가고(血去), 공포가 사라진다(惕出). 공자는 이것을 "믿음으로 두려움을 몰
아내니 구오와 뜻을 합하기 때문이다(象曰 有孚惕出 上合志也)"라고 효사를
풀이한다.

☞ 惕: 두려워할 척

九五 有孚 攣如 富以其鄰
구오 유부 연여 부이기린

구오, 믿음으로 얽혀 하나가 되었으니 이웃과 더불어 부를 누리다.

九五는 혁명의 성공을 뜻한다. 즉, 시원한 단비가 내린 것이다. 九五는 존위(尊位)로서 중(中)을 지키며 양의 자리에 양으로 와서 자리가 바르니 무리를 잘 이끌어 하나로 묶는다. 혁명에 성공한 강명중정(剛明中正)한 군왕이다. 혁명의 성과를 백성들과 더불어 함께 골고루 누린다. 그러므로 공자는 "백성이 믿음으로 서로 얽혀 하나가 되어있으니 홀로 부(富)를 누리지 않는다(象曰 有孚攣如 不獨富也)"라고 하였다. 부(富)라 함은 혁명의 성공으로 이루어지는 결과물로서 새로운 문명세상을 백성들과 함께 누림을 의미한다.

☞ 攣: 걸릴 연, 연관될 연/ 如: 같을 여/ 富: 부유할 부/ 鄰: 이웃 린(인)

上九 旣雨旣處 尙德載 婦貞厲 月幾望 君子征凶
상구 시우기처 상덕재 부정려 월기망 군자정흉

상구, 이미 비는 내렸고, 이미 곳곳에 스며들어 적셨다. 덕을 숭상하니 높이 쌓여 가득하다. 부인(柔陰유음)이 완고하면 위태롭다. 만월(滿月)이 거의 되어가니 군자는 더 나아가면 흉하리라.

비는 이미 내렸고, 곳곳에 스며들어가 골고루 만물을 적셨다. 혁명이 성공하여 천하의 백성과 부를 함께하니 혁명의 혜택이 백성에게 골고루 내렸다는 뜻이다. 강명(剛明)하고 중정(中正)한 九五인군이 천하문명을 새롭게 열었으니 모두가 덕을 숭상하여 높이 가득 채운다.

上九가 변하면 수천수(水天需☵☰)괘가 되어 기다림을 의미한다. 이는 소축(小畜)이 의미하는 바가 미완의 상이라는 것을 뜻한다. 이미 九五에서 비가 내렸고, 혁명은 성공했다. 그러나 혁명이란 완성으로 끝나는 것이 아니라 지속적으로 개혁되어 가야 하는 미완의 완성을 뜻한다. 굳으면 쉽게 썩는다.

소축은 미완의 혁명이고, 그래서 지속적으로 개혁이 진행되어야 함을 상징한다. 이것은 六四가 음효로서 유(柔)하니 하괘 乾양효(1·2·3효)가 六四 음의 저지를 뚫고 지속적으로 5·6효로 올라가도록 해주어야 하는 것으로 은유된다. 부정려(婦貞厲)란 지속적인 개혁이 멈춤을 염려하는 뜻이다. 六四가 정고(貞固)해지면 양기의 공급이 막혀버려 혁명이 화석처럼 변해간다.

비는 내렸으나(혁명은 성공했으나) 혁명을 완성하기 위해 때를 기다리며, 또 지속적으로 개혁을 진행해 나아가야 한다. ☰는 장녀를 뜻하니 부(婦)의 뜻이 나왔다. ☰는 바람이니 유동적 흐름을 의미한다. 혁명은 살아있는 역동성이 기본인데 六四가 막혀 風☰이 굳어 버림은 바로 혁명의 역동성이 사라짐을 의미하고, 더 이상 六四를 통해 양(陽)의 공급이 끊어짐을 의미한다. 양(陽)이란 혁명의 정신이고 대의이다. 부정려(婦貞厲)란 바로 혁명의 정신이 막혀 대의가 위태롭게 됨을 염려하는 뜻이다.

만월(滿月)은 달이 가득 찬 시점인 음력15일, 월기망(月幾望)은 만월의 직전인 14일로 거의(幾) 보름달이 되기 직전이며, 월기망(月旣望)은 이미 보름달인 만월을 지나 어그러지기 시작하는 16일을 가리킨다.

소축(☴)은 완성을 향해 지속적으로 나아가야 하는 미완의 상이다. 이와 달리 대축(☶)은 음효 2개가 양효 3개(乾☰)를 완전히 막고 서니 더 이상 진전이 필요 없다. 소축(小畜)은 끊임없이 움직이며 양기를 지속적으로 공급하는 상이지만, 대축(大畜)은 산처럼 우뚝 서있는 모습으로 양기가 가로막혀 쌓이는 상이다.

소축(小畜)은 육사(婦)가 하괘 乾☰을 정고(貞固)하게 지키려 하면(대축처럼 꽉 틀어막으려 하면) 오히려 위태로워진다. 왜냐하면 혁명이란 완성이 아니라 끊임없이 완성을 향해 나아가야 하는 미완의 상태를 뜻하기 때문이다. 하괘 3개의 양효는 六四(婦, 柔, 陰)를 통해 계속 위로 조금씩 올라가 비구름을 만들어주어야 한다. 혁명이란 완성이 아니라 지속적으로 완성을 향해 나아가는 영원한 미완의 모습, 월기망(月幾望) 그 자체이기 때문이다. 그러므로 부정려(婦貞厲)는 六四의 저지를 완벽하게 하려는 정고(貞固)함을 경고하는 뜻이 된다.

군자왕흉(君子征凶)은 보름달처럼 가득 찬 완벽함, 만월(滿月)에 대한 희망은 과욕이며, 결국 월기망(月旣望)이라는 흉함을 초래하게 된다 라는 경고의 메시지를 전달한다. 월기망(月幾望)처럼 보름달을 향해가는 것이 혁명의 본래 뜻이기 때문이다.

혁명이란 완성이 아니라 완성을 향해 나아가는 진행형이며, 인생이 그렇듯 영원한 미완의 숙제로 남는다. 그래서 공자는 "메마른 땅에 이미 비는 내렸고, 이미 곳곳에 단비의 혜택이 젖어 들어갔으니 덕을 높이 쌓아 널리 베푼다. 보름달이란 곧 기울기 마련이니 완벽함(滿月)에 대한 과도한 집착은 오히려 그 대의를 의심스럽게 한다(象曰 旣雨旣處 德積載也 君子征凶 有所疑也)"라고 풀이하였다. 혁명의 완전성에 대한 집착은 과욕이며, 오히려 이것으로 인해 혁명의 대의를 잃고 독재라는 함정에 빠지는 결과를 초래하게 된다.

▷ 중천건(重天乾)괘의 上九효사와 비교해보자.
上九 亢龍有悔
상구, 항룡이니 아쉬움이 있다.

정상에 오르면 내려가는 길 밖에 없다. 극에 달하면 꺾이고 가득 차면 기운다(盈不可久也). 인생은 과정이다. 후회한들 무슨 소용이랴. 막다른 곳에 다다르면 더 이상 나아갈 곳이 없다(窮之災也). 과도하게 나아간 것이고, 너무 나간 것이다. 바로 上九가 처한 위치이니 후회하고 통회한 들 무슨 소용이랴. 때가 이르러 극에 달했으니 이제는 돌아서 내려가는 길 밖에 없음이다(與時偕極).

이 효를 받으면 가득 차면 기우는 보름달 같은 세상의 이치를 통감(痛感)하여 과욕을 부리지 말며, 현실을 받아드리고 스스로를 바르게 하여 흐트러지지 않는다.

☞ 旣: 이미 기/處: 곳 처, 머무를 처/ 尙載: 실을 재/ 婦: 며느리 부/ 厲: 위태로울 려/ 幾: 거의 기/ 望: 바랄 망

10. 天澤履_{천택리}

天☰乾
澤☱兌

▶효변(爻變)

과거	미래	현재
☵-1 ⇨	☰+7	☰+7
		☱-1

上下작용력: (-1)-(+7)=-8

上下균형력: (-1)+(+7)=+6

履虎尾 不咥人 亨

象曰 履柔履剛也 說而應乎乾 是以 履虎尾 不咥人 亨

剛中正 履帝位而不疚 光明也

象曰 上天下澤 履 君子以辯上下 定民志

初九 素履 往无咎

九二 履道坦坦 幽人貞吉

六三 眇能視 跛能履 履虎尾咥人 凶 武人爲于大君

九四 履虎尾 愬愬 終吉

九五 夬履 貞厲

上九 視履考祥 其旋元吉

1. 괘상(卦象)

六三(☱)이 양으로 효변하며 하늘(☰)을 따르는 상이 된다. 양팔☱을 벌려 하늘☰의 양기를 수렴하며 닮아간다. 못☱은 땅에서의 하늘로 하늘의 양기를 가득 담은 상이다. 못☱이 담은 양의 비축 에너지의 크기는 +6으로 하늘☰의 크기인 +7보다 +1이 작을 뿐이니 하늘을 있는 그대로 담고 따르며 닮아가는 것이다. 지(地)의 하늘(☱)은 결코 천(天)의 하늘(☰)보다 클 수가 없으니 천(天)을 몽땅 담고자 하는 마음은 과욕으로 큰 화를 불러오게 된다(澤天夬☱).

하늘☰을 못☱에 담는다는 것은 하늘의 뜻을 담는 것이다. 이는 천명(天命)을 따르는 것이니 순명(順命)하는 것이다. 하늘☰의 뜻이 땅☷에 내려와 담겼으니, 하늘의 뜻을 하나하나 밟아가며 이를 이행(履行)해 나가는 것이 이 괘(履卦)가 품은 뜻이다.

못☱은 땅☷에 하늘☰이 내려와 담긴 상이다. 택澤☱은 작용력이 -1 로서 고요하며 평화롭다. 바닥에서 샘은 끊임없이 솟아나고, 외부에서는 지속적으로 물이 유입되지만 결코 흘러 넘치지 않는다. 한쪽이 열려 있어 못의 크기보다 물이 많아지면 자연스럽게 흘러 내보내기 때문이다. 욕심을 내지 않는 못은 항시 고요하고 평화로움을 유지한다. 또한 못에는 수많은 생명이 살아가고 있으며, 주변 필요한 곳에는 언제든 물을 공급하니 과연 못은 모든 생명의 근원이며 천덕(天德)을 가득 담은 땅의 하늘이다.

못☱은 군자가 이루고자 하는 세상의 모습이다. 음☷으로 가득하여 하늘☰에 등을 돌린 불의한 세상에 하늘의 양기를 담고자, 하늘의 뜻을 이루고자 함을 효사로 풀이하고 있다.

2. 괘변(卦變)

▷호괘 – 風火家人

履   家人

☱+7   ⟹   ☲+5

☱−1   ☵+3

−8   −2

　　호괘가 가인(家人)이니, 이(履)괘 속에는 하늘을 따르고, 하늘과 하나되고자 하는 작용이 내재되어 있음을 알 수가 있다. 바람☴과 불☲은 뗄래야 뗄수 없는 하나로 일치된 형상이니 서로가 상생관계에 있다. 이것은 하늘의 모습을 그대로 담아 하늘☰의 양강함에 일치하고자 하는 못☱의 내적 활동이다.

▷착종 – 택천쾌(澤天夬)

履   夬

☰+7   ⟹   ☱−1

☱−1   ☰+7

−8   +8

　　하늘을 그대로 따르는 것이 천택리(天澤履)라면, 하늘을 막아서는 어리석음은 택천쾌(澤天夬)이다. 쾌(夬)는 하늘을 닮아가고자 하는 못이 자신의 크기를 무시하고 하늘을 몽땅 담아버린 상황을 보여준다. 하늘의 양이 모두 땅위의 작은 못 속에 깊이 들어가 있으니 못이 감당할 수 있는 크기가 아니다.

작은 연못(☱-1)이 하늘(☰+7)을 몽땅 삼켜버렸으니 배탈 설사를 하듯 둑이 터져버릴 것이다. 그렇게 되면 생명을 담고 키우는 못으로서의 기능을 다하지 못하게 됨이 당연하니 못☱의 뜻이 시사하는 바가 크다.

▷도전괘 – 風天小畜

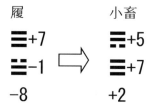

履   小畜
☰+7   ☴+5
☱−1   ⟹   ☰+7
−8   +2

► 上天下澤 履: 양(陽)이 축적되다. (비축에너지 +6)

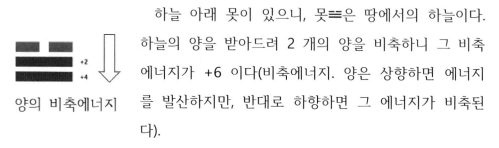

양의 비축에너지

하늘 아래 못이 있으니, 못☱은 땅에서의 하늘이다. 하늘의 양을 받아드려 2 개의 양을 비축하니 그 비축에너지가 +6 이다(비축에너지. 양은 상향하면 에너지를 발산하지만, 반대로 하향하면 그 에너지가 비축된다).

► 風行天上 小畜: 양(陽)이 발산되다. (소비에너지 +6)

양효 2 개가 육사(六四)를 뚫고 나아가니 하늘 위에서 부는 바람의 상이 된

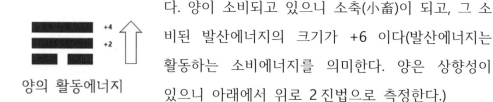

양의 활동에너지

다. 양이 소비되고 있으니 소축(小畜)이 되고, 그 소비된 발산에너지의 크기가 +6 이다(발산에너지는 활동하는 소비에너지를 의미한다. 양은 상향성이 있으니 아래에서 위로 2 진법으로 측정한다.)

▷배합괘 - 地山謙

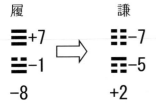

履 　　　　謙

☰+7　⇒　☷-7
☱-1　　　☶-5
-8　　　　+2

　못☱이 하늘☰을 받아드리고 그대로 따르니 이(履)가 되고, 산☶이 땅☷
아래 몸을 숨기고 납작 엎드려 있으니 겸(謙)이 된다.

3. 괘사(卦辭)

> **履虎尾 不咥人亨**
> 리호미 불질인형
>
> 범의 꼬리를 밟아도 사람을 물지 않으니 형통하리라.

'호랑이 꼬리☰(虎)를 밟아도 사람을 물지 않는다'함은 하늘☰(天命)이 하강하여 못☱(虎)을 밟고 그 안으로 들어가는 모습으로서, 하늘☰의 뜻이 땅☷에서 이루어지는 모습☷을 비유한다. 乾양☰이 坤음☷ 속으로 들어가 있는 모습이 바로 못☱의 상이 된다. 이는 널리 사람을 이롭게 하고자 하는 하늘의 뜻이며, 결코 사람을 해하고자 함이 아니니 형통하다 한 것이다.

☞ 履: 밟을 리, 신 리/ 虎: 범 호/ 尾: 꼬리 미/ 咥: 깨물을 질

> **象曰 履 柔履剛也 說而應乎乾 是以履虎尾 不咥人亨**
> 단왈 이 유리강야 열이응호건 시이리호미 부질인형
> **剛中正 履帝位而不疚 光明也**
> 강중정 이제위이불구 광명야
>
> 단에서 이르길, 이(履)는 유(柔)가 강(剛)에게 밟히는 것이라. 기쁨으로 하늘에 응하니 이로써 범의 꼬리를 밟아도 사람을 물지 않는다. 형통하리라. 강하고 중정함으로 제왕의 자리를 밟으니 흠이 없다. 광명하리라.

못≡≡이 하늘≡을 담아 하늘의 형상을 따라가며 닮아간다. 이는 하늘≡이 하강하여 못의 둑인 六三(≡≡)을 밟고 그 안으로 들어가는 모습이다. 그러므로 유(柔)≡≡가 강(剛)≡에게 밟힘의 상이 된다.

六三은 음으로 두 개의 양을 담은 못의 둑이다. 둑을 잘못 밟으면 둑은 터진다. 둑이 터지면 주변의 만물이 다친다. 또한 태(兌)≡≡는 호랑이(虎)를 상징한다. 그러므로 六三은 범의 꼬리(虎尾)가 된다. 六三의 입장에서 보면 꼬리를 밟히는 것이다. 꼬리가 사람을 밟는 것이 아니라 밟히는 것이다.

음유(陰柔)≡≡가 양강(陽剛)≡에게 밟히나, 기쁨≡≡(說)으로 乾≡에게 응한다(說而應乎乾). 이로써 호랑이가 꼬리(≡≡六三)를 밟혀도 밟은 자를 물지 않으니 형통한 일이다(是以履虎尾 不咥人亨). 연못≡≡이 하늘≡을 두 팔 벌려 담으며 따르니, 이는 기쁨≡≡(說)으로 하늘≡에 응하는 것이다. 호랑이 꼬리(≡≡六三)를 밟아도 물지 않아 형통하다 함은 하늘≡이 하강하여 못≡≡을 밟고 들어가는 상을 말하는 것이니 이는 못이 하늘의 뜻을 받아드리는 것을 의미한다. 하늘의 뜻이 땅에서 이루어지는 상이니 사람에게는 형통한 것이다.

九五는 강건하고 중정하다. 강건중정(剛健中正)한 九五를 따르니 하자가 없고 광명하다. 九五는 하늘이 품은 강건중정한 뜻으로 황제를 상징한다. 강건≡하고 중정함으로써 제위(帝位)≡를 밟는다 함은 九二가 하늘의 뜻(九五)을 받들고 따르는 것이니 하늘의 뜻이 땅에서도 광명하게 이루어지는 것을 뜻한다.

☞ 咥: 고질병 구, 병폐 구

象曰 上天下澤履 君子以 辯上下定民志

상왈 상천하택리 군자이 변상하정민지

상에서 이르길, 위가 하늘이고 아래가 못이 있으니 이(履)의 상이다. 군자는 이러한 상을 보고 상하를 분별하여 백성의 뜻을 안정시킨다.

이(履)는 위는 하늘☰이고 아래는 못☱이 있는 상이니, 이를 보고 위(天道☰)와 아래(人道☱)를 분별하여 예(禮)로써 만물을 대함을 읽는다. 음유(陰柔)한 연못☱이 양강(陽剛)한 하늘☰을 받아 드림은 그 뜻을 따름이니, 군자는 이로써 백성에게 그 뜻을 알려 하늘에서와 같이 땅에서도 그 뜻이 이루어지도록 힘써 이행(履行)한다.

☞ 辯: 말씀 변, 분별할 변, 변별할 변

4. 효사(爻辭)

▷**상(象):** 하늘☰이 못☱에 담기다. 천명(天命)☰을 마음☱에 품다.
하늘☰의 뜻이 땅☷에서 이루어진 모습이 못☱의 상이다.

天☰
澤☱ ⇩

▷효의 작용: 순차적으로 한발 자국씩 하늘의 뜻을 밟아가며 이행(履行)하는 과정을 표현한다.

天☰
澤☱ ⇧

천하에 악함이 가득하고 불의가 판을 치며 은나라 주왕의 폭정은 극에 달한다. 이에 문왕은 천명을 품고 혁명을 이행(履行)하고자 한다. 유리 옥에서 출옥한 후 은인자중(隱忍自重)하며, 하늘의 뜻을 받아 하늘의 뜻을 밟아가며 태(兌)☱(安)의 평화를 이행한다. 음(陰)으로 가득하여 하늘☰과 등을 돌리고 돌아선 불의한 세상☷에 하늘의 양기를 가득 담아 하늘의 뜻을 이루고자 하는 것이다.

이(履)괘의 효사는 문왕이 하늘의 뜻을 받아 대의를 세우고 혁명을 이행(履行)하는 과정, 하늘의 뜻을 따르며 한 발자국 한 발자국 밟아가는 이행의 과정을 풀이한다. 효사는 하늘의 뜻을 담은 태(兌)☱의 세상을 이루기 위해 군자가 이를 이행해가는 과정을 심리적 단계로 서술하고 있다.

初九 素履往 无咎

초구 소리왕 무구

초구, 하늘이 내린 천명을 소박하게 밟아 간다. 무탈하리라.

초구(初九)는 맨 아래에 처하고 있어 하늘에서 멀리 떨어져 힘은 비록 미약하나 하늘☰이 내려와 땅☷에 담긴 것으로서 내적인 힘은 양강하다. 양의 자리에 양으로 와서 자리가 바르니, 비록 아래에 처하여 비천하나 그 품은 뜻은 강건하다. 위치가 못의 맨 아래이니 누구의 도움을 받기도 어렵고 응하는 이도 없다. 그러나 개의치 않고 묵묵히 자신이 원하는 대로 홀로 이행(履行)하며 자신의 길을 밟아 간다. 공자는 "본분대로 소박하게 이행하여 감은 타인을 개의치 않고 오로지 자신이 원하는 대로 행하는 것이다(象曰 素履之往 獨行願也)"라고 이를 풀이한다.

굳이 자신을 드러내지 않으며, 하늘로부터 부여받은 초구의 본성대로 소박하게 하늘의 뜻을 밟아가니 무탈하다. 초구는 양의 자리에 양으로 와서 제자리를 바르게 지키니 비록 미약하지만 양강하며, 내면에는 강력한 추진력이 있다.

☞ 素: 본디 소, 소박할 소/ 獨: 홀로 독/ 願: 원할 원

九二 履道坦坦 幽人貞吉

구이 이도탄탄 유인정길

구이, 밟는 길이 탄탄하다. 은자(隱者)의 자세로 바르게 하면 길하리라.

九二의 성질은 양강하나 六三 아래 몸을 숨기고 스스로 강함을 드러내지 않는다. 천명을 품고 있으나 그 뜻을 드러내지 않고 스스로를 낮춘다. 양강하나 강중하여 스스로 몸을 낮추고 중도를 지키니 오히려 강건함이 크다

九二는 중(中)의 자리에서 양강하다. 하늘≡이 땅에 내려와 양강함으로 중(中)의 자리에 임하였으니 그 뜻이 강건하다. 못의 둑 안에 처해있으니 경박하게 그 모습을 드러내지 않으며, 은자(隱者)로서 꿋꿋하게 하늘의 뜻을 밟아가니 그 길이 탄탄하다. 하늘이 내려와 못 안에서 강중(剛中)하니 스스로를 드러내지 않고 제자리를 지킨다. 못 안에 자신을 낮추니 은자(隱者)처럼 자족하며 자기자신에 충실하게 탄탄대로를 밟아간다.

둑(六三) 안에 몸을 숨기고 세상에 모습을 드러내지 않으니, 공자는 이를 "유인(幽人)이 바르고 길한 것은 강중(剛中)하여 중도(中道)를 지키고 스스로를 어지럽히지 않기 때문이다(象曰 幽人貞吉 中不自亂也)"라고 하였다. 유인(幽人)이란 은자(隱者)를 말함이다.

初九에서는 소박하게 이행(履行)하나, 九二에서의 이행(履行)은 탄탄대로를 걸어가듯 거침이 없다. 다만 자신만만할 때에는 오히려 속세를 떠난 은자처럼 스스로 자중(自重)하라는 경계가 담겨있다.

☞ 坦: 평탄할 탄/ 幽: 피하여 숨을 유, 멀 유/ 亂: 어지러울 란

六三 眇能視 跛能履 履虎尾 咥人凶 武人爲于大君
육삼 묘능시 파능리 이호미 질인흉 무인위우대군

육삼, 외눈박이도 볼 수는 있고, 절름발이도 걸을 수는 있다. (섣부름으로) 호랑이 꼬리를 밟게 되면 사람을 물어 흉하리라. 무인이 대군을 위해 일하다.

괘사에서는 "履虎尾"라 하여 六三을 호미(虎尾)로 비유하였다. 태(兌)≡는 범(虎)이면서 입(口)을 상징하니, 六三은 꼬리이면서 호랑이의 입이 된다. 그러므로 바둑으로 보면 六三은 호구(虎口)가 되고, 꼬리를 밟는 순간 호랑이 입으로 들어가는 형국이 만들어진다. 꼬리를 밟는다는 것은 역린(逆鱗)을 건드리는 것이며, 섣부른 행동이 부르는 참극이며, 호랑이의 입으로 들어가는 흉한 상이 된다.

호랑이 꼬리를 밟는다는 것은 호구(虎口)로 스스로 기어들어가는 것과 같다. 六三을 호미(虎尾)로 비유한 까닭이다. 그러므로 전쟁에서는 순간적인 판단, 용맹, 냉철함이 요구되는 사자의 심장(용맹)과 뱀의 머리(교활)가 필요하다. 이는 호구(虎口) 앞에 놓인 호미(虎尾)를 보고 경계하고 판단해야 할 때 요구되는 지혜이자 덕목이다.

삼효(三爻)는 중(中)을 벗어나 본격적인 삶의 마당으로 나아가 이행(履行)을 시도하는 자리, 중도를 벗어나 많이 나아간 자리이다. 六三은 양의 자리에 음으로 와서 자리가 바르지 못하고 중(中)을 벗어났으니 경솔하고 섣부른 행동으로 호랑이의 꼬리를 밟는 실수를 범할 수 있다. 즉, 삼효는 본격적인 이도(履道)를 행하는 자리로서 호랑이 꼬리를 밟는 절대 절명의 순간에 맞닥트릴 수가 있으니 이행(履行)함에 신중하고 조심스럽게 경계해야 함을 말한다. 또한 상(象)으로 보면 六三은 물을 가득 담은 연못의 둑이 된다. 둑을 잘못 밟으면 연못이 터지게 되고 주변의 많은 것들이 다치게 된다.

외눈박이는 시야가 좁은 자를 비유한다. 좁은 시야를 가지고 볼 수는 있어도 두 눈보다 제대로 볼 수는 없다. 아무리 잘 본다 한들 밝음은 부족하다. 또한 절름발이가 아무리 잘 걸을 수 있다 해도 멀쩡한 두 다리를 가진 사람보다야 잘 걸을 수 있겠는가? 다른 사람들과 더불어 보조를 맞추며 걷기는 쉬운 일이 아니다.

좁은 시야를 가진 편벽됨과 절름발이의 무지한 용맹이 하룻강아지 범 무서운 줄 모르고 만용을 과시하다 결국 호랑이 꼬리를 밟을까 염려한다. 그러므로 무인이 자신의 본 모습을 감춘 채 포악한 군왕(대군)을 위해 일하는 것은 호랑이 꼬리를 밟아 화를 자초하지 않기 위함이고, 이는 자신의 뜻을 이루기 위한 의지가 강하기 때문이다.

공자는 소상전에서 이를 "眇能視는 밝음이 부족함을 말함이고, 跛能履는 함께 더불어 가기에 부족함을 말한다. 咥人之凶은 자리가 합당치 못함이고, 武人爲于大君은 품은 뜻이 강하기 때문이다(象曰 眇能視 不足以有明也 跛能履 不足以與行也 咥人之凶 位不當也 武人爲于大君 志剛也)"라고 풀이한다.

문왕은 원래 무인(武人)이었다. 그러나 그의 아비가 무인으로서 오랑캐와 은나라 제후들에 대한 정벌을 과감하게 이행하다 이에 위협을 느낀 은나라 황제 문정에게 죽임을 당하게 되는 것을 본다. 아비인 왕계의 일을 반면교사로 삼아 무력(武力)보다는 문덕(文德)을 내세우고, 주왕과 그 주변의 의심에서 벗어나 살아남기 위해서 주왕을 위해 일한다. 그의 아비는 호랑이의 꼬리를 밟아 호랑이에게 물려 죽은 흉한 꼴이 되었지만, 문왕은 호랑이 꼬리(虎尾)를 경계함으로써 호구(虎口)에 들어가는 위험천만한 일을 피한 것이다. "무인이 대군(주왕)을 위해 일했다(武人爲于大君)"라는 말은 자신의 발톱을 감추기 위한 일환으로서, 문왕의 감추고 있는 뜻이 그만큼 절실하고 강했다는 것을 은유한다.

☞ 眇: 애꾸눈 묘/ 跛: 절름거리 파/ 武: 무인 무/ 爲: 할 위/ 于: 어조사 우, (~에서, ~에게)/ 與: 더불어 여, 함께 할 여, 줄 여

九四 履虎尾 愬愬終吉

구사 리호미 삭삭종길

구사, 호랑이 꼬리를 밟는다. 두려워하고 경계하니 마침내 길하리라.

六三의 단계를 거쳐 九四에서는 상괘로 강을 건너가 본격적으로 하늘의 뜻을 밟아가는 모습, 자신의 뜻을 과감하게 이행하는 것을 말한다. 강을 건넜으니 돌이킬 수 없는 길을 밟은 것이다. 음의 자리에서 양으로 자리가 바르지 않고, 九四는 태兌≡(虎)의 六三 위에 있으니 호랑이 꼬리(六三)를 밟은 것이다.

九四에서 호랑이 꼬리(虎尾)를 밟았다는 것은 이미 조심하고 경계함을 거쳐 전략적으로 밟은 것을 뜻한다. 호랑이를 잡기 위해서는 호랑이의 굴로 들어갈 수밖에 없다. 스스로 꼬리를 밟음으로써 호랑이 입(虎口)에 접근했다는 것은 호랑이에게 물리기 위한 것이 아니라 호랑이를 잡기위한 전략이다. 九五의 도움을 받아 미리 사전에 작전을 짜고 이행한 것이니, 마침내 성공한다.

九五는 폭정을 일삼는 은나라 황제인 주왕(紂王)을 상징한다. 九四의 효사는 주왕의 꼬리 노릇을 하던 간신, 숭나라 제후 호(虎)를 주왕의 묵인 하에 제거한 고사를 인용한 것으로 보인다. 리호미(履虎尾)의 호(虎)는 숭나라 제후 호(虎)를 비유한다. 호(虎)는 주왕에게 문왕을 모함하여 유리감옥에 가두게 한 장본인이다. 제후 호(虎)는 주왕의 꼬리, 즉 호미(虎尾)라 할 수 있다. 문왕이 주왕의 제후인 호(虎)를 제거하기 위해 전략적으로 호미(虎尾)를 밟음으로써 출옥 후 마음에 품고 있던 강한 뜻을 비로소 이행한 것이다(志剛也). 공자는 소상전에서 "두려워하고 두려워한다는 것은 뜻을 이행함에 있어 경계하고 조심하는 것을 말함이니, 마침내 길하리라(象曰 愬愬終吉 志行也)"라고 효사를 주석하였다.

☞ 愬: 두려워할 색/ 愬愬: 놀라 두려워하는 모양

九五 夬履 貞厲
구오 결리 정려

구오, 강하게 결단하고 이행하라. 완고하면 위태로우리라.

쾌리(夬履)는 강하게 결단하여 이행하는 것을 의미한다. 문왕을 뒤 이은 그의 아들 무왕이 쾌리(夬履)로써 아비의 뜻을 이어 천하에 대의를 이루었음을 가리킨다. 단전에서 "강하고 중정함으로써 제위를 밟으니 흠이 없다"라고 함은 바로 九五를 가리킨다(剛中正 履帝位而不疚 光明也).

정려(貞厲)는 소극적인 태도를 말한다. 지금까지는 호랑이 꼬리를 밟듯이 조심하고 또 경계하라는 경고를 해왔다. 그러나 막상 이행하여야 하는 단계에서는 망설임없이 과감하게 실행하여야 한다. 바로 쾌리(夬履)의 뜻이다. 쾌리의 순간에도 결단하지 못하고 소극적으로 망설인다면 오히려 위태로운 상황에 직면하게 된다. 정려(貞厲)는 결행해야 하는 순간에 지나치게 소극적이고 완고하여 쾌리(夬履)하지 못함을 경계한다. 공자는 소상전을 통해 "결행해야 하는 순간에는 과감하고 신속하게 이행해야 한다. 결정적인 순간에 완고함을 고집하면 위태롭다. 구오의 위(位)는 중정(中正)하고 합당하다(象曰 夬履貞厲 位正當也)"라고 하였다.

上九 視履考祥 其旋元吉
상구 시리고상 기선원길

상구, 천명을 따라 밟아 온 길을 돌이켜 보며 상서로움을 생각하다. 대업의 성과가 백성에게 두루 돌아 미치니 크게 길하다.

건(乾)═의 상구(上九)가 효변하면 다시 태(兌)═가 된다. 上九는 태(兌)═를 돌이켜 보며 다짐하는 효이다. 오랜 시간을 추구하고 이행해왔던 건(乾)═의 세상이 이루어졌음을 의미한다. 그리고 처음 이행(履行)을 위해 첫발을 뗄 때부터 하나하나 바둑을 복기하듯 돌이켜보는 시간을 갖는다(視履 考祥). 평화로운 兌═(安定)의 세상을 이루기 위해 첫발을 내딛을 때부터 이력(履歷)을 돌이켜보고 새로운 다짐을 하는 것이다.

문왕이 주왕의 폭정 속에서 백성을 구하겠다는 대의(大義)═를 마음═에 품은 것은 천명을 받든 것을 의미한다. 하늘의 뜻을 따라 혁명대업을 완수한 지금, 천명을 마음에 품고 그 상서로운 조짐을 하나하나 이행(履行)하며 밟아가던 그 이력(履歷)을 돌이켜본다(視履). 상서로운 조짐(祥)이란 뜻을 품고 기대하는 마음의 상태를 의미한다. 고상(考祥)은 그 상서로운 조짐을 품은 초심(初心)을 돌이켜 생각함을 뜻한다.

문왕이 하늘의 뜻을 따라 그 길을 밟아갔으며, 그의 아들인 무왕이 또 그 뒤를 이어 그 뜻을 완성하니 이제 그 대업의 성과가 온 백성에게 두루 미친다. 기선(其旋)의 기(其)는 혁명 대업의 성취, 밟아온 이력(履歷)을 가리키는 말이고, 선(旋)은 두루 도는 것을 의미하니, 그 대업의 성과가 백성에게 두루두루 돌아 미치는 것을 뜻하는 것이다.

원길(元吉)은 혁명의 초심인 대의(大義)═를 지켜 길하게 하리라는 적극적인 다짐의 뜻이 들어있다. 원(元)은 乾═이 된다. 돌이켜보며, 하늘═(天命)을 못═에 담을 때의 초심으로 돌아가 앞으로 더 잘하겠다는 다짐을 하는 것이다. 그래서 공자는 "원길(元吉)이 위에 있다는 것은 상구(上九)가 대업을 마무리 짓고 평가하는 시점에 있음을 말함이고, 대의(大義)로 밟아 다진 탄탄한 길로 백성에게 대업(大業)의 성과가 두루두루 미치니 큰 경사가 있다(象曰 元吉在上 大有慶也)"라고 주석하고 있다. 원길재상(元吉在上)은 '乾═(天命)의 뜻이 兌═의 위에 있음이니, 처음에 받아드린 그 뜻을 굳게 지켜 나가면 크게 길하리라' 라는 뜻을 품고 있다.

☞ 考: 생각할 고, 헤아릴 고/ 祥: 상서로울 상/ 旋: 두루 선, 물이 돌며 흐를 선

11. 地天泰 지천태

地☷坤
天☰乾

▶효변(爻變)

과거	미래	현재
☰+7 ⟹	☷-7	☷-7
		☰+7

上下작용력: (+7)−(−7)=+14

上下균형력: (+7)+(−7)=0

泰 小往大來 吉 亨

象曰 泰 小往大來 吉 亨 則是天地交而萬物通也 上下交而其志同也

內陽而外陰 內健而外順 內君子而外小人 君子道長 小人道消也

象曰 天地交 泰 后以財成天地之道 輔相天地之宜 以左右民

初九 拔茅茹 以其彙 征吉

九二 包荒 用馮河 不遐遺 朋亡 得尚于中行

九三 无平不陂 无往不復 艱貞无咎 勿恤其孚 于食有福

六四 翩翩 不富 以其鄰不戒以孚

六五 帝乙歸妹 以祉元吉

上六 城復于隍 勿用師 自邑告命 貞吝

1. 괘상(卦象)

乾(양)과 坤(음)이 서로 자리를 바꾸어 앉아 坤은 아래로 향하고 乾은 위를 향하니 서로 만나 어우러지며 상호작용을 일으킨다. 상반된 성질의 음과 양이 서로 부딪히는 힘이 극에 달한 상태로서 천지창조가 시작되는 빅뱅의 순간으로 묘사된다. 음과 양은 서로 만나야 상호작용을 일으킨다. 泰는 상호작용 에너지가 +14로 모든 괘 중에 최고다. 泰괘에서 비로소 乾坤이 서로 섞이고 작용하며 천태만상을 생화하니 만물이 제각각 형상을 드러낸다(剛柔相推而生變化). 태극(一)에서 음양(二)이 작용하여 내재된 천지인(三)을 발현하니 물극필반(物極必反)의 이치로써 팔괘(八卦)가 펼쳐진다(天二三 地二三 人二三). 팔괘가 서로 상하 작용하며 64괘를 펼쳐내니 웅장한 오케스트라의 합주처럼 이 어찌 아름답지 아니한가?(剛柔相摩 八卦相蕩)

삼라만상 모든 생명은 음양으로 서로 통하고 교제하며, 상생과 상극작용으로 진화 발전해 나가며 만왕만래(萬往萬來) 순환한다. 乾☰은 생명의 근원이며 생명지기로서 만물에 생기를 부여하고, 坤☷은 모태로서 생명의 바탕이 된다. 乾괘의 단사에서는 이것을 "乾이 만물에 양기를 부여하여 생명을 시작하게 하니 만물자시(萬物資始)다"라 하였고, 坤괘의 단사에서는 "坤은 乾의 양기를 받아 만물을 생하여 형상을 만드니 만물자생(萬物資生)이다"라고 하였다.

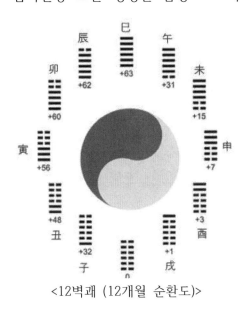

<12벽괘 (12개월 순환도)>

<12 벽괘 생성원리>

坤	復	臨	泰	大壯	夬	乾	姤	遯	否	觀	剝
䷀䷁											
10월	11월	12월	1월	2월	3월	4월	5월	6월	7월	8월	9월
亥	子	丑	寅	卯	辰	巳	午	未	申	酉	戌

기운이 극에 달한 상효가 아래로 내려오면서 물극필반(物極必反)의 이치로써 양효는 음효로, 음효는 양효로 효변한다.

☞ 비(否)괘와 태(泰)괘의 작용력

否 　　　　　 泰

☰ +7 　⇨　 ☷ -7

☷ -7 　　　 ☰ +7

-14 　　　　 +14

終(0) 　　　 始(1)

(無極) 　　 (太極)

▷상호작용력이 비(否)괘의 -14에서 태(泰)괘의 +14 사이를 만왕만래 용변(萬往萬來 用變)하며, 종시(終始)를 반복하면서 만물만상이라는 64괘를 펼쳐낸다.

天☰陽과 地☷陰은 서로 떨어져 있으면 어떤 작용도 일어나지 않는다(天地否). 이것이 서로 만나 통(通)하고 교제할 때 비로소 상호작용이 일어나 정보를 구현시키게 된다(地天泰). 人이란 物이다. 天地가 서로 합하여 하나가 된 것이 人이니 음양이 작용하여 생한 物(中)이 된다(人中天地一, 천부

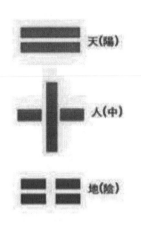

경). 태극(一)에서 음양(二)의 작용으로 천지인 만물(三)이 터져 나오니 天一地一人一이 된다. 이것은 天地人에 각각 일태극(一太極)이 내재되어 있음을 표현한 것이다. 하나(一)는 만물에 깃들여져 있는 우주적 본성으로 우주심(一)을 뜻한다.

天☰, 地☷가 서로 떨어져 있으면 무극(0)이다. 음양(2)이 작동하지 않으니 만물(3)이 생하지 않고 움직임도 없는 텅 빈 태허(太虛)가 된다. 무극에는 천지인의 정보(理)가 들어있으나 음☷과 양☰이 작용하지 않으니 움직임도 없고 보이지도 않으며 느껴지지도 않는다. 냄새도 없고 들리지도 않으니 진공즉묘유(眞空卽妙有)라 할 수 있다(天地否).

人中天地一
人은 中이니 天地가 하나(一)된 자리이다.

천지·음양의 교합 지점인 人中의 영역은 음효와 양효가 교차하는 지점으로서 종교와 철학, 그리고 과학이 추구하는 지고의 가치이자 깨달음의 목적지를 상징한다. 人中의 영역은 종교와 철학이 추구하는 가치의 상징물이 나오는 발생지이기도 하다.

음양이 작용하면 태극(1)이요, 작용을 멈추면 무극(0)이지만, 사실상 음양은 상호작용을 멈추는 바가 없으니 무극이란 논리적 이론전개를 위한 태극의 상대적 개념이라 할 수 있다. 곧 "무극이태극(無極而太極)"이라 할 수 있는 것이니, 무극과 태극을 함께 일러 텅 비어 있는 것 같지만 역동적인 氣로 가득한 태허라 하는 것이다.

그러나 어느 순간 無(0)가 극에 달하면서 음양(二)이 작용을 시작하면 내재하고 있는 천지인(三) 씨앗이 터져 나온다(地天泰). 무극(0)은 태극(1)의 본바탕이니 무극(0)에서 태극(1)이 시작되는 것이다. 정보로만 존재하던 天地人(理) 삼극이 음양의 작용(2)으로 태극(1)으로 전환되면서 만물(3)로 터져 나오는 것이니 공즉시색(空卽是色)이요, 색즉시공(色卽是空)이다.

그러므로 무극이 곧 태극이다(0=1). 음양이 작동하지 않으면 무극이요, 작용을 시작하면 태극이니, 유극(有極)으로서 태극의 본바탕은 본래 무극이다. 그러므로 무극은 공무(空無)이 아닌 묘한 있음, 즉 묘유(妙有)라 하는 것이다.

무극에는 천지인 삼극(理)이 내재되어 있으나 음양의 작용이 없으므로 정보(理)에 불과하지만 태극은 음양이 작용함으로써 천지인이 발화된다. 무극이 리(理)라면 태극은 작용하는 기운인 기(氣)가 된다. 그러므로 음양이 작용하면 무극은 태극으로 전환된다. 태극에서 천지인 삼극이 터져 나오지만 태극의 본바탕인 무극이라는 바다는 그 본(本)을 다하는 법이 없다(一始無始一析三極無盡本/천부경).

무극이란 태극의 영원한 샘물이요 본원이다. 그러므로 관점에 따라 무극이 곧 태극이 되며, 무(無) 또한 유(有)와 다르지 않으니 진공묘유(眞空妙有)로서 색즉시공(色卽是空)이요, 공즉시색(空卽是色)이다.

2. 괘변(卦變)

▷호괘 – 雷澤歸妹

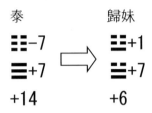

泰
☷ -7
☰ +7
+14

歸妹
☳ +1
☱ +7
+6

태(泰)의 호괘가 귀매(歸妹)이다. 하괘의 九三이 상향하여 나아가는 모습으로 九三과 六四가 서로 자리를 바꿈으로써 작용을 시작한다. 못☱ 안의 용(龍)☳이 드디어 휴식을 끝내고 기쁜 마음으로 천하로 나아가니, 이는 천지가 만물을 내는 상이다.

귀매 단사

象曰 歸妹 天地之大義也 天地不交而萬物不興
단왈 귀매 천지지대의야 천지부교이만물불흥

단에 이르길, 귀매는 천지의 큰 뜻이다. 천지가 서로 사귀지 않으면 만물이 일어나지 못한다.

"귀매(歸妹)는 천지의 큰 뜻이다"라고 함은 천지교합(天地交合)의 이치를 의미한다. 천지가 사귀지 않으면 만물이 일어날 수 없으니 귀매는 만물의 시작을 이끈다. 천지가 지속되는 원리는 양과 음이 만나 서로 작용하며 만물을 생화함으로써 이루어지는 것이니, 만일 천지가 서로 끌리지 않아 만나지 못하고, 그러므로 교감하지 않으면 만물이 나올 수가 없는 것이다.

▷착종괘, 도전괘, 배합괘 - 天地否

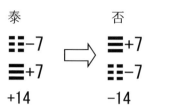

泰   否

$$\equiv\equiv -7 \Longrightarrow \equiv +7$$

$$\equiv +7 \qquad \equiv\equiv -7$$

+14   -14

　　天地가 서로 교합 작용하면서 천지만물을 펼쳐내니 태(泰)라 한다(天地交泰). 이에 반하여 양은 위로 향하고 음은 아래로 향하며 서로 등을 돌리는 모습은 비(否)가 되니, 우주가 작용을 멈추고 휴식하는 상이다(天地不交否). 수리적으로 보면 上下괘의 작용력이 +14(泰)에서 -14(否)사이를 오가면서 서로 밀고 당기며 만물의 작용이 일어나는 것이다.

3. 괘사(卦辭)

泰 小往大來 吉亨
태 소왕대래 길형

편안한 상이다. 작은 것이 가고 큰 것이 오니 길하고 형통하리라.

    시간은 아래에서 시작하여 위로 흘러 나간다. 상효는 아래로 내려와 다시 시작한다. 태는 작은 것(☷陰)이 가고, 큰 것(☰陽)이 오는 상이다. 작은 것이란 소인의 상이요, 큰 것이란 대인의 상이다. 그러므로 음☷이 가서 밖에 거하고, 양☰이 와서 안에 거하니 모든 것이 정상적이고 편안한 태(泰)의 상이 된다. 천지·음양의 작용은 天陽☰이 아래에 거하여 위로 향하고, 地陰☷이 위에 거하여 아래로 향할 때 수승화강(水昇火降) 작용이 일어나면 만물만상을 일구어 내는 것이다.

象曰 泰小往大來吉亨 則是天地交而萬物通也
단왈 태소왕대래길형 칙시천지교이만물통야
上下交而其志同也 內陽而外陰 內健而外順
상하교이기지동야 내양이외음 내건이외순
內君子而外小人 君子道長 小人道消也
내군자이외소인 군자도장 소인도소야

단에 이르길, 태는 작은 것이 가고 큰 것이 옴이니 길하고 형통하리라. 천지가 서로 사귀어 법도가 바로 서니 만물이 통하며, 상하가 서로 사귀니 그 뜻이 서로 같다. 양은 안에 거하고 음은 밖에 거하니 안은 강건하고 밖은 유순하다. 안은 군자가 거하며 밖은 소인이 거하니 군자의 도는 자라고 소인의 도는 사라진다.

小☷(음)가 밖에 나가 上에 거하고, 大☰(양)가 안에 들어와 下에 거하니, 음(陰)은 하향하고 양(陽)은 상향하면서 서로 통(通)한다. 천지가 바로 서고 천하의 법도가 정해지니 上下가 정상적으로 작동한다. 만물은 음양이 서로 통하며 작용함으로써 생하는 것이니 길하고 형통하다.

안에는 양(陽)☰이고, 밖에는 음(陰)☷이니, 안으로는 강건(剛健)☰하고 밖으로는 유순(柔順)☷하다. 안으로는 군자☰요, 밖으로는 소인☷이니, 군자의 도☰는 자라나고 소인의 도☷는 사라진다.

則是天地交而萬物通也

천지가 서로 사귀어 만물을 생하니 천하의 법도가 바로 서고 만물은 서로 통(通)한다. 이는 태극(一)에서 음양(二)이 서로 통하여 만물(三)을 생하니, 만물(萬物)은 만상(萬象)이지만 본질은 하나(一)로서 근본이 서로 통한다는 것을 뜻한다. 태(泰)는 음양이 서로 작용하여 만물을 생하는 시작을 나타내는 괘로서, 천지는 서로 사귀어 통하고, 음양은 서로 작용하여 만물을 생하니, 태(泰)는 통(通)하는 뜻이다(泰通也).

> 易 無思也 無爲也 寂然不動 感而遂通天下之故
> 역 무사야 무위야 적연부동 감이수통천하지고
>
> 역(易)이란 더 생각할 것도 없고 더 할 것도 없는 세계이다. 고요하고 고

요하여 움직이는 것이 없으니 일체에 감응하여 세상 만사에 두루 통한다. 천지인(天地人)은 삼신일체(三神一體)이니 하나의 체(體)로 서로 느끼며, 서로 통하는 것이다. [계사전]

上下交而其志同也

상하가 서로 사귀어 통(通)함으로써 만물을 생하니 그 뜻을 서로 같이 하는 것이다. 천지가 서로 뜻을 통하여 함께하고, 양과 음이 서로 뜻을 통하여 함께하며, 남녀가 서로 뜻을 통하여 함께하니 만물을 낳아 계속 이어간다. 만물(萬物)은 만상(萬象)으로 서로 모습을 달리하지만 그 본(本)은 하나(一)이니, 이는 서로 뜻을 함께하여 생(生)한 물건이기 때문이다.

一始無始一析三極無盡本 天一一 地一二 人一三 一積十鉅 無匱化三
일시무시일석삼극무진본 천일일 지일이 인일삼 일적십거 무궤화삼

하나(一)가 시작되다. 無에서 시작하는 하나(一)로서 天(陽) 地(陰) 人(中) 삼극을 포태하다. 하나에서 시작하지만 시작이 없는 무궁(無窮)이며, 그 하나(一)에서 天地人 삼극이 나오지만 근본은 다함이 없다. 天은 하나(一)로서 一이라 하고, 地는 하나(一)로서 二라 하고, 人은 하나(一)로서 三이라 한다. 하나(一)에서 시작하여 완성(十)으로 나아가니, 이는 無에서 다함 없이 만물(三)을 化함이라. [천부경]

태극(一)에서 태동한 음양(二)이 뜻을 통하여 생한 천지인(三)은 天一地一人一로 표현한다. 이는 천지인 삼극으로 나뉘지만 그 근본은 하나(一)라는 것을 의미한다. 천지인 만물(三)은 일즉삼(一即三)이자 삼즉일(三即一)이니, 서로 하나(一)로 통하는 것이다.

本心本太陽 昻明 人中天地一

본심본태양 앙명 인중천지일   [天符經]

▶마음은 본디 태양처럼 光明하니, 마음(本心)을 밝혀 빛(本太陽)에 오르면, 人은 中이니 天地가 하나(一)된 자리라. 天地相生의 도가 인간 존재 속에 구현되도다.

聲氣願禱 絶親見 自性求子 降在爾腦

성기원도 절친견 자성구자 강재이뇌   [三一神誥]

▶소리 내어 기운을 다하여 원하고 기도한다고 해서 하나(一)님을 친견할 수 있는 것이 아니다. 자성(自性)에서 하나(一)님의 씨를 구하라. 너희 머릿골에 내려와 계신다.

천부경의 本心(자아)과 本太陽(우주심)은 그 근본이 서로 같은 것임을 선포한다. 그리고 광명(宇宙心)으로 통하는 문은 바로 자아(自我)라고 선언한다. "나는 길이요 진리요 생명이니, 나를 통하지 않고는 하나(一)님의 나라에 들어갈 수 없다"라고 예수가 설파한 것도 바로 이 뜻이다.

象曰 天地交泰 后以財成天地之道 輔相天地之宜 以左右民

상왈 천지교태 후이재성천지지도 보상천지지의 이좌우민

상전에 이르길, 천지가 서로 사귐이 태(泰)이니, 인군이 이를 본받아 천시(天時)와 지리(地利)를 바로 세워 천지의 도를 이루며 천지의 마땅함을 도와 백성을 좌우하노라.

천지가 교감하고 음양이 서로 통하니 만물이 화생하여 천지에 가득하다. 음양이 사상(四象)을 낳고 오행(五行)을 돌리니 춘하추동 사시(四時)가 순환하며 천하에 질서가 바로 선다. 봄에 생(生)하여 여름에 장(長)하고 가을에 수렴(收)하여 겨울에 바르게 쉬니(藏), 생장수장(生長收藏)의 이치로써 원형이정(元亨利貞)의 도를 따라 천하의 운행도수(天時)가 정해지고, 만물은 이를 따라 순환한다. 군자는 이러한 천지통태(天地通泰)의 상을 보고 천하의 법칙을 세우니, 백성으로 하여금 천시(天時)의 이치를 깨달아 사용하게 하며, 땅의 조건에 따르는 이로움(地利)을 가르쳐 땅에서 화육하며 삶이 풍성하고 아름답게 한다(后以財成天地之道).

땅에서 생육하고 번성하기 위해서는 서로 지켜야 할 마땅함이 있다. 마땅함이란 천지에 생존하기 위해 서로에게 지켜야 할 도리(道理)와 도덕(道德), 규칙(規則)등 당위성을 가리킨다(天地之宜). 하늘과 땅이 만물을 낳아 이루며, 좋은 물건이 되도록 불급(不及)한 것을 메우고 도우니 이는 천지의 마땅함이라 할 수 있다(輔相天地之宜). 사람도 천지·음양의 이치를 따르니 이와 별반 다르지 않은 것이다.

군자는 이러한 통태(通泰)의 상을 보고 后以財成天地之道하고 輔相天地之宜하며 백성을 좌우(左右)하고 보조(輔助)한다. 백성을 좌우한다(左右民) 함은 군자가 천지통태(天地通泰)의 상을 보고 천시(天時)를 깨우치게 하며, 지리(地利)를 솔선하며 가르치고, 과하면 덜고 모자라면 채워주며 백성을 좌(左)하고 우(右)하면서 계도하고 보조하며 인도하는 것을 말한다(以左右民). 사람 인(人)변에 왼 좌(左)를 하면 도울 좌(佐)가 되고, 오른쪽 우(右)를 하면 도울 우(佑)가 되니, 여기에서 좌우민(左右民)하다 함은 백성(人民)에게 천시(天時)와 지리(地利)를 깨우쳐 밝게 하며, 좌우(左右)로 인도하고 보조하며 균형을 맞추도록 다방면으로 보살피는 것을 말하는 것이다.

4. 효사(爻辭)

初九 拔茅茹 以其彙 征吉
초구 발모여 이기휘 정길

초구, 띠 풀을 뽑으면 서로 얽혀 있는 뿌리가 줄줄이 얽혀 나오듯이 무리
와 함께 헤쳐 나아가면 길하리라.

태(泰)는 상하괘가 천지·음양의 작용을 위한 최적의 조건을 이룬 상태로
상하작용력이 최고 +14가 된다. 양은 올라가고 음은 아래로 내려오니 건곤
(乾坤)이 상하 작용하면서 만물을 생화하기 시작한다. 초양이 상향하며 처음
으로 전진을 시작하니 그 힘은 비록 양강하나 아래에 처하여 아직은 그 기
운이 미약하므로 동류와 함께 뜻을 하나로 뭉쳐 나아간다. 천지가 바로 서고
상하가 서로 태통(泰通)하니 아래의 세 양효가 서로 뜻을 합하여 위로 나아
간다.

아래의 세 양효가 동지(同志)가 되어 뜻을 함께 하는 것이다. 이는 서로
얽혀 있는 띠 풀의 뿌리처럼 동류(同類)와 함께 나아가는 상이 된다. 잔디
(띠풀)는 뿌리를 내리며 함께 나아간다. 그래서 잔디의 한 쪽을 뽑으면 하나
로 연결되어 있는 줄기가 줄줄이 얽혀 뽑혀 나오는 것처럼 양이 위로 나아
감에 세 양효가 뜻을 함께 하는 것에 비유한다. 동지들이 뭉쳐서 함께 나아
가면 길하다. 세 양효의 뜻이 밖에 있음은 양효가 함께 위로 나아가는 것을
뜻한다(象曰 拔茅征吉 志在外也).

☞ 拔: 뽑을 발/ 茅: 띠 모/ 茹: 뿌리 여/ 彙: 무리 휘/ 征: 칠 정(난관을 헤치며 바르게 나아 감)

九二 包荒 用馮河 不遐遺 朋亡 得尙于中行
구이 포황 용빙하 불하유 붕망 득상우중행

구이, 도와 상식을 벗어나는 거침을 포용하고 무모하게도 거친 황하를 걸어서 건넌다. 먼 곳을 버리지 못하고 가까운 벗은 잊어버린다. 그럼에도 中道를 지켜 中德을 행한다면 끝내 상을 얻으리라.

　도와 상식을 벗어나는 무괴한 무리조차 포용하는 것은 도리로서는 옳은 일이나 지혜롭지 못한 황당한 선택이 되기도 한다. 포황(包荒)의 황(荒)은 감당할 수 없는 것을 의미한다. 대인의 지혜는 뱀처럼 교활하고, 용기는 사자의 심장처럼 담대하여야 한다. 사악한 무리는 버릴 때는 버려야 하며, 정복할 때는 정복하고 순화시켜야 할 때는 그리하여야 한다. 무조건 포용(包容)하는 것만이 대의가 아니다. 또한 거친 황하를 걸어서 건넌다(馮河)는 것은 소인배의 무모한 만용에 불과하다. 홍수가 난 황하에 배를 띄우는 자를 어찌 용기 있는 자라 할 수 있겠는가?

　태평한 태(泰)의 세상에 가까운 벗은 버리고 멀리 있는 자를 찾는 것 또한 지혜롭지 못한 일이다. 건국초기와 같은 상황에서는 가까이에 있는 개국공신을 멀리 하고, 재야에 숨어있는 현인을 등용함은 붕당의 폐해를 막기 위함이니 이것은 특별한 상황이다. 나와 멀리 떨어진 사람들을 버리지 않고 챙기는 것이 어찌 어리석은 일이랴. 그러나 가까이에 있는 붕우(朋友)를 망각하고 멀리 있는 자를 챙긴다면 이 또한 과한 욕심에서 나온 어리석은 처사가 아닌가? 먼 곳까지 욕심 내어 가까운 곳을 소홀히 하는 것을 경계한다. 상식과 도리로서 판단할 일이다.

九二는 중(中)에 자리하고 있으나 음의 자리에 양으로 와서 자리가 부당하다. 그러므로 양강함 만을 믿고 중을 벗어나 경거망동하기 쉬우니, 천지가 서로 사귀며 상호작용함으로써 만물을 시생하는 태(泰)의 세상에서 양강함 만을 앞세운 소인 같은 망동을 경계하는 것이다.

그러나 이러한 경거망동에도 불구하고 끝내 중(中)의 자리를 지켜 중도로써 중덕을 행한다면 결국은 보상을 받으리라. 그래서 공자는 소상전에서 "포황(包荒)을 행하였음에도 끝내 중(中)을 행한다면 상을 얻으리니 광대하리라 (象曰 包荒得尙于中行 以光大也)"라고 하였다. 양강한 九二가 음으로 효변하면 화(火)☲(明)가 되니 광대(光大)의 뜻이 된다.

    ☞ 包: 쌀 포/ 荒: 거칠 황/ 馮: 걸어서 건널 빙/ 遐: 멀 하/ 遺: 버릴 유

九三 无平不陂 无往不復 艱貞无咎 勿恤 其孚于食 有福
구삼 무평불피 무왕불복 간정무구 물휼 기부우식 유복

구삼, 평평하기만 하고 비탈이 없는 것은 없고, 가서 돌아오지 않는 것이 없으니 어려운 일에 처해서도 바름을 지키면 무탈하리라. 천지순환의 이치를 믿고 따르는 자는 무엇을 먹을까 근심하지 마라. 복이 있으리라.

삼효는 강중(剛中)한 자리를 벗어나 삶의 전쟁터에 나가 세상과 부딪히면서 싸우는 효이다. 건(乾)의 九三효사에서 공자는 이를 "終日乾乾 反復道也"라 풀이했다. 태(泰)의 九三은 중도를 벗어난 본격적인 삶의 현장, 사시(四時)가 순환하며 만들어내는 세상의 이치를 그리고 있다. 우리가 사는 세상은 태어날 때부터 기울어져 있어 출발선부터가 달라 불공정해 보인다. 九三효사

는 과연 이 세상을 어떻게 그리고 있을까?

땅이 평평하기만 한 곳은 없다. 평평하면 반드시 비탈진 곳이 있으니 세상만사는 이렇듯 공평무사(公平無私)하다. 또한 가면 돌아오지 않음이 없으니 봄이 가면 여름이 오고 여름이 가면 가을이 오며 가을이 가면 겨울이 오고 다시 만물이 생하는 봄이 온다. 춘하추동 사시가 순환하니 생장수장(生長收藏)의 이치는 어느 누구에게나 공정하고 공평하게 적용되니 세상은 불편부당(不偏不黨)하다. 불편부당이란 어느 한 쪽으로 기울어짐 없이 중정(中正)하고 공평(公平)하며 늘 변함없는 자연지도(自然之道)의 본질을 말한다. 어떤 어려움에 처했더라도 늘 그렇듯 누구에게나 시간은 공평하게 흘러간다. 공평하지 않음은 본인의 인식일 뿐 자연의 공정함은 변함이 없으니 바름을 지킨다면 무탈하리라.

평지가 비탈이 되고 비탈이 평지가 되는 것이 세상의 이치이고, 세상만사는 돌고 도는 것이 무왕불복(无往不復)의 이치이니 이를 알면 무엇을 근심하랴. 사람이 먹고 사는 문제에만 집착한다면 짐승의 무리와 무엇이 다르겠는가? 천지자연이 반복 순환하는 이치를 안다면 '하늘을 나는 새도 먹을 것이 있다'라는 예수의 말이 무슨 뜻인지 드러난다. 무엇을 먹을까, 무엇을 입을까, 너무 근심하지 마라. 천지가 낸 만물은 천지가 알아서 기르니 복이 있으리라(勿恤 其孚于食 有福). 양이 가면 음이 오고, 음이 가면 양이 뒤따른다. 그래서 공자는 소상전을 통해 "가서 돌아오지 않음이 없으니 이는 천지가 서로 사귀는 것이다(象曰 无往不復 天地際也)"라고 반복 순환의 이치를 설명하고 있다.

☞ 陂: 언덕질 피/ 復: 돌아올 복/ 艱: 어려울 간/ 恤: 근심 휼/ 孚: 믿을 부/ 際: 사귈 제, 만날 제

六四 翩翩 不富以其鄰 不戒以孚

육사 편편 불복이기린 불계이부

육사, 날갯짓하며 힘차게 날다. 이웃으로 인하여 부유하지 않다. 믿으니 경계하지 않는다.

六四는 하괘에서 상괘로 강을 건너 최전선에서 직접 부딪히며 싸우는 효이다. 六四는 음의 자리에 음으로 와 자리가 바르다. 그리고 효변하면 진(震)☳이 되어 대장(大壯☳)괘가 되니 하늘을 향해 날아오르는 새, 하늘을 향해 비상하는 비행기, 대인이 뜻을 펼치고자 세상으로 출사를 하는 모습이 된다(翩翩). 편편(翩翩)은 하괘 건삼효(乾三爻)가 나란히 힘차게 날갯짓하며 위로 솟구쳐 날아오르는 모습을 나타낸다. 九三이 강을 건너 곤음(坤陰)☷을 정복하러 나아가는 상황을 묘사한다. 초구 효사에서는 이를 발모정길 지재외야(拔茅征吉 志在外也)라 하여 "힘을 합쳐 정복하러 나아가는 것이 길하니 뜻이 밖에 있는 것이다"라고 공자는 풀이했다.

건양(乾陽)☰이 곤음(坤陰)☷을 점차 밀고 들어가니 음의 세력은 양으로 인해 그 범위가 줄어든다. 기득권층(음)이 이웃인 양에 의해 힘의 균형이 오르락내리락하며 점차 세력을 잃어가는 것이다(翩翩 不富以其鄰). 백성들이 새 이웃인 건양을 믿고 경계하지 않으니 양이 몰려들어와 그들의 이웃이 되어간다. 점차 곤음☷이 설자리가 줄어들면서 음의 세력은 약해져 가고, 건양☰의 세력은 점차 부(富)해져 가는 것이다(不戒以孚).

본 효사는 하괘의 건양(乾陽)☰으로 표시되는 이웃 신흥세력인 문왕과 상괘의 곤음(坤陰)☷으로 표현되는 기존세력 은나라 주왕과의 세력다툼을 비유한다. 기주의 문왕에게 천하의 민심(民心)이 몰리면서, 은나라 주왕의 세력은 점차 이웃인 문왕에게 잠식되어 가는 상황을 묘사하고 있다.

공자는 이를 "하괘의 건3효와 상괘의 곤3효가 새가 날갯짓하듯 오르락내리락하면서 음의 세력이 부(富)해지지 않음은 알맹이(백성, 민심)를 다 잃어 버렸기 때문이다. 믿어 경계하지 않음은 마음이 진실로 원하는 것이 중(中)이기 때문이다(象曰 翩翩不富 皆失實也 不戒以孚 中心願也)"라고 풀이하고 있다. 중(中)이란 五爻의 中正인군의 자리를 의미하며, 백성은 강건중정(剛健中正)의 도로써 중덕(中德)이 베풀어 지기를 원하고 있음을 말한다.

☞ 翩: 날 편/ 隣: 이웃 린/ 戒: 경계할 계/ 願: 원할 원

六五 帝乙歸妹 以祉元吉
육오 제을귀매 이지원길

육오, 제을임금이 딸을 시집보내니 이로써 복을 받아 크게 길하리라.

오르락내리락(翩翩) 밀고 당기면서 양의 세력이 밀려들어오고 곤음(坤陰) ☷의 세력이 줄어드니 군왕인 육오(帝乙)는 특단의 대책을 마련한다. 바로 신흥세력인 건양(乾陽)☰에게 딸을 시집을 보냄으로써 서로 사돈관계를 맺는 것이다. 六五는 유순(柔順)함으로 중(中)의 자리를 지키고 있으나 양의 자리에 음으로 와서 자리가 바르지 않으니 그 힘이 유약하다. 그러므로 인사적으로 보면 결혼동맹은 멸망을 막기 위한 유약한 六五임금의 고육지책(苦肉之策)이라 할 수 있다. 은나라가 망할 무렵 은나라 마지막 왕인 주(紂)의 선왕(先王) 제을(帝乙)이 막내딸을 신분이 낮은 신하(문왕)와 혼인을 시킨 고사를 인용한 효사이다. 기주의 문왕은 떠오르는 신흥세력☰을 상징한다.

호괘가 뇌택귀매(雷澤歸妹☳☱)이고 내호괘는 태(兌)☱가 되니, 막내딸을 상징한다. 그러나 귀매(歸妹)는 물이 줄어드는 연못☱에서 잉어☳가 밖으로 뛰어나간 상으로, 안정된 못☱(靜)의 물(양기)이 줄어들면서 물고기☳(動)가 몸

부림치는 모습이 된다. 물이 점점 빠지는 못에서 밖으로 나온 잉어가 숨을 헐떡이며 몸부림친다. 그러므로 딸을 시집보내는 상황이 비정상적이라면 흉하다. 그러나 천하를 논하는 대인이 만백성의 안정과 만복을 위한 선택이라면 비록 그것이 정략적이라 할지라도 천하에는 크게 길하다고 할 수 있다. 대인은 자신의 사익을 통해 길함을 추구하지 않는다.

딸을 시집보내는 기득권자로서는 신흥세력을 배경으로 현상유지를 보장받을 수 있기 때문에 길하다. 신부를 받아들이는 신흥세력도 이 혼인으로 만인에게 공인받을 수 있으니 역시 길하다. 이를 통해 태평치세가 이어진다면 역시 백성도 길한 것이다. 대립자인 음양의 미묘한 대소·장단·강약(大小·長短·强弱)의 차이에 따른 상호작용으로써 다양한 중화를 이뤄내는 과정으로 이해할 수 있다.

六五가 동하여 효변하면 수천수(水天需☵☰)가 된다. 六五가 양이 됨은 상괘인 곤음(坤陰☷) 기존세력이 하괘인 건양(乾陽☰) 신흥세력을 사위☵로 받아드려 서로 가족이 됨을 상징한다. 사돈을 맺는 동맹이 성립되니 양가에 서로 도움(祉)이 되는 것이다(以祉元吉). 괘상으로 보면 水☵는 험함(險陷)이 되어 하괘인 건3효가 상향하는 것을 막아주는 방패가 된다. 즉, 험함(險陷)☵이 상징하는 것은 침략을 막기 위한 방패이다. 乾陽☰의 신흥세력이 坤陰☷의 기존세력을 공격하고자 한다면 이를 가로막아서는 險水☵(며느리와 사위)를 건너야만 가능할 것이다. 그럼으로 신흥세력☰과 결혼동맹을 함으로써 그 세력으로부터의 침략을 막을 수 있으니 백성의 안전과 국가의 존립(祉)을 보장받을 수 있어 크게 길한 것이다(以祉元吉).

다만 六五군왕이 중도(中道)로서 인덕(仁德)을 갖추어야 함은 물론이다. 인덕(仁德)이 전제되지 않는다면 소인에 불과하니 강건중정함을 상징하는 건양(乾陽)☰과 사돈동맹을 맺을 수 없을 것이다.

그럼으로 인덕(仁德)을 갖춘 대인에게 크게 길(吉)하나 소인에게는 오히려 흉(凶)이 된다. 원길(元吉)은 인덕(仁德)이 전제되는 길(吉)이요, 대길(大吉)은 무조건적인 길(吉)을 의미한다. 원(元)은 선지장(善之長)으로 선(善)의 으뜸을 뜻하니 인덕(仁德)이다. 그러므로 공자는 소상전을 통해 동맹은 "서로에게 복되고 크게 길하다. 이는 六五의 중도(中道)로서 원하는 바를 행하기 때문이다(象曰 以祉元吉 中以行願也)"라고 풀이하였다.

☞ 歸: 시집갈 귀/ 妹: 누이동생 매/ 祉: 복 지/ 願: 원할 원

上六 城復于隍 勿用師 自邑告命 貞吝
상육 성복우황 물용귀 자읍고명 정린

상육, 성이 무너져 해자(隍)로 돌아가도다. 군사를 움직이지 마라. 도읍에서 오는 명을 따르는 것이 비록 바르다 하여도 분별없이 그대로 고집하면 부끄러움을 당하리라.

성(城)은 둘레의 해자(隍)를 파서 성벽을 쌓아 만든다. 황(隍)은 물이 말라 버린 해자를 뜻한다. 성벽이 무너져 다시 황(隍)로 돌아갔다는 것은 나라의 천명(天命)이 다해 틀이 무너졌음을 의미한다. 시간이 좀더 흐르면 옛터의 흔적만이 남아 세월의 무상함을 알려주게 될 것이다.

해자의 흙을 파서 성벽을 쌓아 성(城)을 이루니 대축(大畜☰)의 상이다. 上六이 변하면 간산(艮山☶)이 되어 대축(大畜)의 상이 된다. 태(泰)가 극에 달하면 艮山☶이 모든 작용과 교류를 멈추게 하는 장벽으로 작용하게 된다. 만물은 음양이 서로 교류하면서 작용하는 가운데 순환하는 것이니 태(泰)가 극에 달하면서 교류를 그치게 하는 것이다. 艮山☶은 성벽을 상징하며, 음양의 교류와 작용을 막는 장벽이 되니, 乾陽☰의 전진을 저지하는 성벽이 되는 것이다.

성벽(☶)이 무너져 다시 해자(☷)가 돌아간다는 것은 六五임금(제흘)이 신흥세력의 제후(문왕)와 혼인동맹으로 명맥을 유지하다 태평성대의 정점을 지나 쇠락하는 은나라 말기의 모습을 말해준다.

艮山☶(성벽)으로 양강(陽剛)한 乾陽☰의 상승이 멈추니 태(泰)의 시대가 저물어간다. 오로지 나 만을 위하여 성벽을 쌓는다면 오히려 그것이 나를 그 안에 가두게 되는 결과를 초래하니 그로 인해 무너지게 되는 것이다. 세상은 돌고 도는 법, 성(城)이 무너져 해자로 돌아감(城復于隍)은 만사(萬事)가 무상(無常)한 것임을 알게 한다.

▷산천대축(山天大畜)

山☶-5
天☰+7
 +12

2개의 음(☷-5)이 하괘의 乾(☰+7)를 저지하니 양 하나가 겨우 빠져나갔으나 붙잡혀 꼼짝 못하고 있다. 그래서 쌓이니 대축(大畜)의 상이다. 대축이란 안에 양을 가두고 밖으로 빠져나간 양을 붙잡고 있는 상이니 상호교류가 없고 상하작용이 없음을 의미한다. 艮山☶(止)은 그치게 하는 것이니 나라가 양기를 잃고 고립되면서 점차 폐쇄되어가니, 운영 시스템이 붕괴되면서 무너지게 되는 것이다. 개인이나 사회, 국가도 서로 교류를 그치고 고립된다면 무너지는 것은 쉬운 일이다.
그러므로 대축(大畜)의 단사는 괘상으로부터 다음과 같은 지혜를 읽어낸다.

不家食吉 養賢也 利涉大川 應乎天也
부가식길 양현야 이섭대천 응호천야

不家食吉은 어진이를 기름이라. 大川을 건너는 것이 이로우니, 이는 하늘의 뜻에 응하는 것이다.

▶不家食吉(부가식길)은 어진 이를 기름이니, 내가 쌓은 것을 내 소유로만 그치지 말고 천하를 위해 베풀어야 한다는 뜻이다. 천하의 이로움을 위해 험함(險陷)을 건너는 利涉大川의 뜻은 하늘의 뜻에 응하라는 가르침이다.

▷[비교] 풍천소축(風天小畜)

風☲+5
天☰+7
　+2

소축(小畜)은 하나의 음(☴+5)이 하괘의 乾(☰+7)를 가로막고 있으나 힘이 약하여 2개의 양이 빠져나가 자유롭게 활동하고 있는 모습을 의미한다. 비록 쌓임이 작으나 상하가 서로 응하며 교류가 자유로우니 변화에 대한 적응이 빠르고 오래 지속될 수 있다.

小畜 柔得位 而上下應之曰小畜　　　[소축 단사]
적게 쌓는 도다. 유(柔)가 지위를 얻어 상하가 서로 응하니 소축이다.

　　공자는 소상전에서 "해자(隍)의 흙을 파서 성벽을 쌓는다. 성이 무너져 다시 해자로 돌아가니 무상(無常)이로다. 명(命)이 허공에 어지럽게 흩어질 뿐이다(象曰 城復于隍 其命亂也)"라고 풀이하였듯이 이 시기에 군사를 움직인다는 것은 현명한 처사가 아니다. 유연성이 굳어지며 붕괴되어가는 국가운영시스템에서 권력욕에 사로잡힌 자들에 의한 명(命)이 허공에 어지럽게 무수히 난무할 것이니 이를 분별하는 지혜없이 곧이곧대로 따르기만 한다면 천하에 이름을 더럽힐 수가 있으니 부끄러움을 당하리라(勿用師 自邑告命 貞吝). 이 시기에는 무너져 가는 시스템에서 누군가의 사악한 명(命)이 국가조직이라는 직책의 이름 뒤에 숨어 허공에 어지럽게 뿌려질 것이다. 그러므로 지휘계통이라 하여 이를 고지식하게 추종한다면 분별없이 명(命)에 따라 군사를 움직이는 것은 누군가의 권력욕과 사욕에 이용당하는 결과를 초래하니 현명치 못한 일이 된다.

자기 민족에게 총칼을 들이대는 참사는 광주 민주화 운동을 탄압한 전두환 군사정권의 예를 들지 않더라도 역사에는 흔한 일이다. 전두환 무리의 반역을 그린 영화 [서울의 봄]에서 거짓된 명령과 협박, 속임수, 그리고 부당한 명을 따르는 장면들이 그려진다.

무지한 판단으로 인해 역사에 죄인으로 기록되어 자자손손(子子孫孫) 부끄러움을 당하리라. 그래서 공자는 "나라의 틀이 무너져가는 상황(城復于隍)에서 명(命)을 따르는 것이 비록 바르다 하여도 이를 분별없이 고집하면 부끄러움을 당하리라(自邑告命 貞吝)함은 그 명(命)이 어지러운 것이기 때문이다(其命亂也)"라고 고언(苦言)한다. 명(命)이 어지럽다 함은 무너진 지휘계통으로 인하여 명(命)이 바르지 않을 수도 있음을 의미한다.

自邑告命 貞吝

호괘가 뇌택귀매(雷澤歸妹☳)이다. 내호괘가 택(澤☱)이니 '방, 집, 고을, 나라, 안정'을 의미한다. 외호괘가 뇌(雷☳)로서 '집을 떠나 수고로이 움직이는 모습, 집을 떠나 개 고생하는 모습, 물을 벗어나 숨을 헐떡이며 몸부림치는 잉어의 모습, 정상적이지 못한 혼인' 등을 뜻한다. 또한 뇌성(雷聲)이 되어 소리가 되니 명(命)의 뜻이 나오며, 나아가는 진(進), 움직이는 동(動)의 뜻이 들어있다.

그러므로 나라의 시스템이 무너지고 조직이 와해되는 상황(城復于隍)에서는 군사를 함부로 동원하지 마라(勿用師). 붕괴되어가는 시스템으로부터 명

(命)이 나와 허공에 질서 없이 흩어지며 내게 도달하지만(自邑告命), 그 명(命)은 계통 없는 어지러운 명이니(其命亂也), 비록 명(命)을 따르는 것이 바르다 하여도 오히려 부끄러움을 면치 못하리라(貞吝).

☞ 城: 성곽 성/ 隍: 해자 황, 터 황/ 師: 군사 사/ 自: ~부터 자/ 邑: 고을 읍

12. 天地否천지비

天≡乾
地☷坤

▶효변(爻變)

과거	미래	현재
☷-7 ⟹	☰+7	☰+7
		☷-7

上下작용력: (-7)-(+7)=-14

上下균형력: (-7)+(+7)=0

否之匪人 不利 君子貞 大往小來。

象曰 否之匪人 不利 君子貞 大往小來 則是天地不交而萬物不通也

上下不交而天下无邦也 內陰而外陽 內柔而外剛 內小人而外君子

小人道長 君子道消也

象曰 天地不交 否 君子以儉德辟難 不可榮以祿

初六 拔茅茹 以其彙 貞吉 亨

六二 包承 小人吉 大人否 亨

六三 包羞

九四 有命无咎 疇離祉

九五 休否 大人吉 其亡其亡 繫于苞桑

上九 傾否 先否後喜

1. 괘상(卦象)

乾≡이 상향하고 坤≡≡는 하향하니 천지가 서로 등을 돌리고 멀어져 간다. 음양이 서로 절교(絶交)하고 작용을 멈추니 상하괘의 작용에너지가 최대인 -14이다. 음양이 서로 불통(不通)이니 사상(四象)이 나오지 못하고 팔괘(八卦)가 펼쳐지지 않으니 육십사괘(六十四卦)가 일어나지 않는다. 상하작용력이 -14로서 모든 괘 중에 제일 작으니 모든 것이 멈춰선 우주의 휴식기이다. 우주의 천변만화(千變萬化)를 표현하는 64괘는 否≡≡≡(-14)에서 泰≡≡≡(+14)의 사이를 순환하며 천태만상(千態萬象)을 그려낸다.

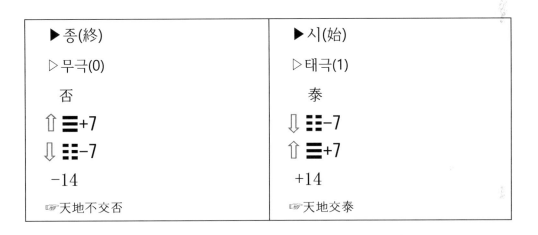

천지비(天地否)란 음양이 상호작용을 마친 상태로서 무극(無極)이라 한다. 무극은 천지인 삼극의 정보(DNA)를 품고 있으나 음양이 작용하지 않으니 만물만상이 펼쳐지지 않는다. 텅빈 태허(太虛)로서 어느 순간 기운이 극에 달하면서 음양으로 분별됨으로써 대립과 상호작용을 통해 천지인이 터져 나오니 태극(太極)이 된다. 그러므로 무극은 없음(空)이나 만물의 터져 나오는 바탕이 되니, 空無(공무)이 아닌 妙有(묘유), 즉 절대없음이 아닌 진공즉묘유(空卽妙有)라 할 수 있다. 음양의 작용은 멈추는 바가 없는 것이니 무극은 논리 전개상 필요한 태극의 상대적 개념일 뿐 무극이 곧 태극이라 할 수 있는 것이다.

삼일신고(三一神誥)의 제1장은 공즉묘유(空卽妙有)로서의 비(否)와 태(泰)의 모습을 잘 표현하고 있으며, 천부경의 일시무시일(一始無始一)과 그 의미를 같이 한다.

創創非天 玄玄非天

창창비천 현현비천

푸르고 푸른 것은 하늘이 아니며

검고 검은 것이 하늘이 아니다.

天 無形質 無端倪 無上下四方

천 무형질 무단예 무상하사방

하늘은 형태도 질량도 없으며

시작과 끝이 서로 맞닿지 않으며 위 아래 사방도 없다.

虛虛空空 無不在無不容

허허공공 무부재 무불용

텅 비어 있는 허공은 어디든 있지 않은 곳이 없고

그 무엇이든지 포용하지 않는 것이 없다.

비(否)는 음양미분(陰陽未分)으로 상호작용성이 없는 무극(無極)이 되고, 태(泰)는 음양이 분별되어 상호작용하는 태극(太極)이 된다. 그러므로 무극이 0이라면, 태극은 1이다. 태극은 음양(2)의 대립과 상호작용으로 무극이 품고 있는 天地人(3)이라는 씨앗을 펼쳐낸다.

2. 괘변(卦變)

▷호괘 - 風山漸

否   漸
☰+7 ⇒ ☴+5
☷-7   ☶-5
-14   -10

　천지가 나뉘고 멈춰서도 그 내부에서는 끊임없이 강유가 밀고 당기고 서로 부딪히며 변화를 만들어내니 음양은 실로 멈춤이 없다. 점(漸)은 음효와 양효가 서로 자리를 바꿔 상호작용이 시작됨을 의미한다. 모든 작용이 멈춘 비(否)괘 내부를 보면, 사실 보이지 않는 깊은 곳에서는 언제든 음과 양의 상호작용이 일어날 가능태가 잠재되어 있는 것이다.

▷착종괘, 도전괘, 배합괘 - 地天泰

否   泰
☰+7 ⇒ ☷-7
☷-7   ☰+7
-14   +14

　막히면 변하는 법(否), 점(漸)으로써 음양의 상호작용은 시나브로 시작된다. 변혁의 기운이 극에 달하는 순간(+14) 우주를 창조하는 빅뱅(泰)을 맞이하게 될 것이다.

3. 괘사(卦辭)

否之匪人 不利君子貞 大往小來
비지비인 불리군자정 대왕소래

天地(上下)가 막히니 비인(匪人)이로다.
군자의 바름이 이롭지 않으니, 大(陽)가 가고 小(陰)가 오도다.

양☰은 위에서 상향하고 음☷은 아래에서 하향하니 서로 만나지 못하고 통하지 못하니 상호작용이 없다. 음양이 서로 등을 돌리고 멀어지는 상으로 상호교감이 없으니 만물(人)이 나오지 못한다. 천지가 교감하지 않음에 천지지도(天地之道)가 바로 서지 않고, 음양이 작용하지 않음에 인도(人道)가 나오지 않는다.

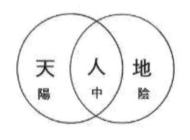

환존(環存)

人中天地一
人은 中이니 天地가 하나(一)된 자리이다.

[천부경]

►인(人)은 天地上下가 서로 통(通)하고 교류(交流)하며, 음양의 상호작용으로 생한 만물을 상징한다. 서로 통하지 못하고 사귀지 못하면 만물이 나오지 못하니 비인(匪人)이다. 유정란과 무정란의 차이로 이해하자. 음양이 교감하여 생한 것이 유정란(人)이라면, 무정란은 음양이 서로 교감하지 않은 小人(匪人)으로 비유할 수 있다.

인(人)은 만물을 상징한다. 그러므로 비인(匪人)은 음양이 서로 막혀 교류하지 못함으로 만물(人)이 생화하지 않음을 뜻하고, 하늘과 멀어진 소인을 상징한다(否之匪人). 인도(人道)라 함은 비(否)에서 태(泰)로, 태(泰)에서 비(否)를 오가며 생장수장(生長收藏)의 이치를 따라 만물이 순환하는 것을 의미한다. 그러므로 만물이 나오지 못함은 인도(人道)가 나오지 못함을 뜻하므로 인사적으로는 비인(匪人)이라는 소인을 의미한다.

▷ 否之匪人

사람이 추구하는 궁극적 가치의 완성은 도덕적 인간을 의미하지 않는다. 선악의 틀로 바라보는 지구적 문명의 관점은 태극에서 보면 극히 일부 표현에 지나지 않는다. 도(道)라 함은 지구문명을 이룬 인간문명의 상징적 산물이요, 우주천하를 놓고 본다면, 지구 외의 다른 외계문명에서는 인도(人道)의 표현하는 바가 다르게 나타날 수 있다. 천지가 서로 통하고 사귀어 만물을 내고, 또한 화생된 만물은 그 생존방식과 존재의 의미를 환경에 따라 각각 다른 방식으로 정의한다. 그러므로 인도(人道)의 크기와 범위는 지구적 문명 하에 있는 인간의 좁은 관점으로만 판단할 수 있는 것이 아니다. 지구의 문명적 가치를 넘어 우주로 나아가면 태극지도(太極之道)의 발현은 지구와 달리 다른 가치로 모습을 드러낼 수도 있다. 다만 음양이 서로 불통하면 사상(四象)이 나오지 못하고 팔괘(八卦)가 펼쳐지지 않으니 64괘가 일어나지 않는다. 비지비인(否之匪人)이란 이를 말함이다.

도(道)를 추구하는 자는 道의 의미에 갇히고, 선(仙)을 추구하는 자는 仙의 의미에 갇히게 되며, 불(佛)을 추구하는 자는 佛에 갇힌다 또한 신(神)을 쫓는 자는 神의 정의에 구속되니, 인간의 이성은 불완전한 과정이다. 그러한 용어는 태극이 만물을 내고, 문명이 형성되는 과정에서 태극이 드러내는 자신의 외관에 불과하다. 태극은 문명에 따라 드러내는 모습을 달리하니, 그 문명 속에서 사회적으로 공유하고, 문화적으로 합의되어 서로 녹아 든 가치, 상호 합의된 윤리적 장치의 틀을 넘어서지 못한다면 태극의 본(本)을 각(覺)할 수 없다. 태극이란 다듬어지지 않은 원석(原石)이니 그것을 道, 仙, 佛, 神, 理, 氣 등의 이름으로 한정하는 것은 오히려 그 의미에 자신을 가두는 결과를 초래하게 된다.

만물만상은 다양한 양태로 무수히 펼쳐져 있지만 근본은 전일적(全一的) 하나(一)라는 것을 깨달을 때 지구문명의 가치를 넘어 우주로 나아가는 정신세계, 환존(環存)의 가치가 열릴 것이다. 환존이란 천지인이 고리로 연결되어 상호 의존하며 존재하는 전일성을 의미한다.[35]

궁극적 의미의 해탈이란 태극이라는 있는 그대로 원석을 마주하는 것을 의미한다. 걸림이 없는 무극의 바다에 나(我)를 던지라.

不利君子貞 大往小來

군자정(君子貞)이란 천지의 바른 도를 의미한다. 上下가 서로 뜻을 통하고 음양이 작용하는 것이 천지지도(天地之道)이니, 인도(人道)로서 君子貞(君子正道)의 뜻이 된다. 이와 반대인 비(否)괘는 不利君子貞의 뜻이니 군자의 정도(正道)가 막힌 것이다. 양(大)☰이 위에 거하여 상향하고, 음(小)☷이 아래에 거하여 하향하니 양이 가고 음이 오는 것이다. 서로 등을 돌려 멀어지니, 만물이 생하지 않으니 인도가 나오지 않는다.

象曰 否之匪人 不利君子貞 大往小來
단왈 비지비인 불리군자정 대왕소래
則是天地不交而萬物不通也 上下不交而天下無邦也
칙시천지부교이만물불통야 상하부교이천하무방야
內陰而外陽 內柔而外剛 內小人而外君子 小人道長 君子道消也
내음이외양 내유이외강 내소인이외군자 소인도장 군자도소야

---

[35] 박규선, 『양자물리학과 주역』, 부크크, 2024.

상에 이르길, 비(否)는 사람의 도가 아니다. 군자의 바름이 이롭지 않으니, 하늘과 땅이 사귀지 못하고, 만물이 불통하며 상하가 사귀지 못하니 천하에 나라다운 나라가 없다. 안은 음이요 밖은 양이며, 안은 유하고 밖은 강하니, 안은 소인이요 밖은 군자라, 고로 소인의 도가 자라나고 군자의 도가 사라진다.

"否之匪人不利君子貞大往小來"는 천지가 서로 사귀지 못하니 만물이 통하지 아니하며, 상하(上下)가 서로 통하여 사귀지 못하니 천하에 만물이 자리하지 못하고, 사람은 정착함이 없으니 나라가 서지 못한다. 만물은 서로 상호교류와 작용을 통해서 환존(環存)하는 것이니 서로 통(通)함이 없다면 어찌 만물이 정착하며, 나라가 제대로 설 수 있겠는가?

안은 음(陰)≡≡(小)이고 밖은 양(陽)≡(大)이며, 안은 유순(柔順)≡≡하고 밖은 강건(剛健)≡하며, 안은 소인≡≡(小)이고 밖은 군자≡(大)이니, 소인의 도(음)가 자라고 군자의 도(양)는 사라지는 것이다.

象曰 天地不交否 君子以儉德辟難 不可榮以祿
상왈 천지불교부 군자이검덕벽난 불가영이록

상에 이르길, 천지가 서로 사귀지 않음이 비(否)이니, 군자는 이로써 검소한 덕으로 어려움을 피하고, 록(祿)을 받아 영화를 누리지 않는다.

천지가 서로 불통하여 사귀지 않음이 비(否)의 상이다. 천하의 도가 바로 서지 않았으니 군자는 스스로 자신을 낮추고 덕을 검소하게 하여 때의 어려움을 피한다. 천하에 소인≡≡의 도가 자라니 군자≡가 나아가 다칠까 염려한다. 소인이 천하를 호령하니 군자의 때가 이르지 않았음이다. 이때를 당하여 나라를 경륜(經綸)함에 녹(祿)을 받아 영화를 누리지 않는다.

☞ 否: 막힐 비/ 匪: 아닐 비/ 邦: 나라 방/ 儉: 검소할 검/ 避: 피할 피, 祿: 녹봉 록/ 榮: 영화 영/ 消: 사라질 소, 소멸할 소, 줄어들 소

4. 효사(爻辭)

서로 얽혀 하나의 뿌리를 형성하고 있는 잔디를 뽑으면 전체가 뽑혀 나오
므로 잘 뽑혀 나오지 않는다. 뿌리 하나를 뽑으면 줄줄이 뽑혀 나오고 서로
얽혀 있는 다른 동료 잔디도 힘을 합세하게 되므로 힘을 들이지 않고는 잘
뽑혀지지 않는다. 비(否)괘에서 초육은 소인의 시작을 상징한다. 아래에 처
하여 그 힘이 미약하므로 서로 연대하여 무리 지어 굳게 자리함이 길하다.
미약할 때 패거리 짓는 것은 소인의 분수이니 소인에게는 길하고 형통한 것
이다.

비괘는 천지 상하가 가로막혀 서로 통하지 않으므로 만물이 생(生)하지 않
아 소인이 흥성하는 시대를 상징한다. 역(易)은 소인이 아니라 대인의 삶으
로 안내한다. 그러므로 본 효사에서는 소인의 시대에 처해서도 대인이 나아
가야 할 길을 제시한다. 비록 소인에 의해 길이 막히고 뜻을 펼칠 수 없어도
뜻은 구오(九五)에 두라고 말한다. 九五인군이란 천하를 상징하고 그 뜻이
강건중정(剛健中正)하여 높음을 뜻한다.

소인의 힘이 미약할 때 서로 패거리 지어 자리를 굳게 하듯, 대인도 띠
풀의 뿌리처럼 굳게 하여 뜻을 높이 두라 한다. 그래서 공자는 소상전에서
"서로 얽혀 있는 띠 풀 뿌리가 쉽게 뽑히지 않듯 자리를 굳고 바르게 하면
길하다. 대인도 이와 같이 하며, 소인과 달리 뜻은 천하에 높이 둔다(象曰 拔

茅貞吉 志在君也)"라고 풀이하였다.

초육이 변하면 천뢰무망(天雷无妄☳)이다. 무망(无妄)은 청년☳이 청운의
꿈을 안고 천하☰로 나아가는 상으로 뜻을 높이 두는 것을 의미한다.

☞ 拔: 뽑을 발/ 茅: 띠 모/ 茹: 뿌리 모/ 彙: 무리 휘

六二 包承 小人吉 大人否亨
육이 포승 소인길 대인비형

육이, 무리 지으니 소인은 길하고 대인은 막혔다 뚫리리라.

소인이 세상에 모습을 드러내다. 모습을 드러냈으나 본격적으로 나서지
못하고 중원에서 떨어진 변두리에서 무리 지으며 중앙을 넘보고 있으니 아
직은 부끄러움을 알기 때문이다. 포승(包承)이란 六二가 중심이 되어 초육과
육삼을 이어 포용하는 것이니 함께 무리를 짓는 것을 뜻한다.

六二는 初六과 六三을 잇는 중심으로 소인들(음)의 패거리를 잇는 하괘의
중심이다. 하괘 坤☷은 소인의 무리를 뜻하고, 六二는 그 중심으로서 자리가
바르니 소인이 패거리를 짓는 중심이 되는 것이다. 六二는 九五존위와 정
응(正應)한다. 소인은 자신이 소인배라는 것을 안다. 그러므로 中正한 九五
존위에 응하면서 아첨하며 호의를 갖고 접근한다. 그럼으로써 자신은 안정된
입지를 얻고 길함을 누린다.

중천건(重天乾)괘 효사는 모든 괘의 기본이 된다. 비교하라.

▷중천건괘 九二효사
九二 見龍在田 利見大人

> 구이, 현룡(見龍)이 세상에 모습을 드러내니, 대인을 만나 봄이 이로우리라.

대인은 이러한 소인배들의 패거리에 동요되거나 휩쓸리지 않고 자신의 도리를 지켜 나간다. 그러므로 소인배에 의해 길이 막히지만 곧 풀리니 형통하리라. 공자는 "대인이 막혔다가 풀리는 것은 소인들과 무리 지어 어지러움에 섞이지 않음이라(象曰 大人否亨 不亂群也)"라고 주석했다. 六二가 변하면 水☵가 되니 천수송(天水訟☰)이다. 송(訟)이란 하늘☰을 가로막았던 구름☵이 비가 되어 사라지고, 태양이 대지를 비추니 막혔다가 풀리는 대인비형(大人否亨)의 뜻이 된다.

☞ 包: 쌀 포/ 承: 이을 승/ 亂: 어지러울 란/ 群: 무리 군

六三 包羞
육삼 포수

육삼, 부끄러움을 숨기다.

3효는 중(中)를 벗어나 본격적으로 세상에 나서는 자리로서, 옳고 그름. 선과 악. 길흉을 선택하고 판단하고 진퇴를 결정하는 자리이다. 六三은 소인이 천하에 적극적으로 나서며 자신의 본질을 드러내기 시작하는 효이다. 중도를 벗어나 양의 자리에 음으로 와서 자리가 바르지 않으니 도리를 알지 못하고 마음 속에 품고 있는 생각이 사특하여 사리사욕이 강하니 수치스러울 만하다.

그러나 수치심은 비록 소인이라 할지라도 스스로 아는 법이니 포수(包羞)

란 자신의 부끄러움을 가리는 것을 의미한다. 소인배가 스스로를 소인이라 칭하는가? 천하를 논함에 九五의 강건중정(剛健中正)을 추종하는 것은 대인과 다름없다. 다만 소인은 천하를 위하고자 하는 마음이 아니라 자신의 이익을 앞세울 뿐이다. 양의 자리에 음으로 와서 자리가 바르지 않으니 소인임을 드러낸다. 그래서 공자는 "부끄러움을 가리는 것은 자리가 합당치 않기 때문이다(象曰 包羞 位不當也)"라고 풀이한다.

六三이 효변하면 간산(艮山)☶으로 천산돈(天山遯☶)이 되니 소인☷이 하늘☰을 피해 숨는 모습이다. 부끄러움을 알고 숨는 것은 개선의 여지가 있지만, 사리사욕을 위해 자신의 마음을 감추고자 하는 위선이라면 어찌할 수 없는 소인배의 전형이다.

☞ 羞: 부끄러울 수

九四 有命无咎 疇離祉
구사 유명무구 주리지

구사, 천명(天命)을 취하니 무탈하다. 무리에게 복이 붙으리라.

九四는 하괘에서 상괘로 강을 건너 적진으로 들어간 효이다. 강을 건너 배수진을 쳤으니 되돌아설 수도 없고 나아가는 수밖에 없다. 존위인 九五中正한 인군의 자리 밑에 있으니 그 영향을 받는다.

九四가 동하면 손풍(巽風)☴이 되어 풍지관(風地觀☴)괘가 된다. 관(觀)은 九五인군☴이 中正함으로 아래 백성☷을 살피며 고무(鼓舞)시키는 상이다. 바람은 신바람이 되어 백성들을 고무진작 시킨다. 이는 성인의 교화가 세상에 행함에 백성이 이에 감화되는 모습으로 관(觀)이 품고 있는 뜻이다. 하괘에서 상괘로 강을 건너온 九四가 효변하여 지괘가 풍지관(風地觀)이 됨은 천명을 알아차리고 그 뜻을 행하였음을 뜻한다. 그리하여 九五인군의 일에 조력함으로써 천지의 순리에 참여하게 된다. 공자는 4효를 보고 "천명을 취했으니 무탈하리라 함은 뜻을 행하기 때문이다(象曰 有命无咎 志行也)"라고 했다. 九五의 중정한 뜻을 따르는 것이다. 풍(風)☴은 신(神)의 숨결. 신의 명령(天命)을 상징한다.

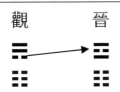

천지비괘의 九五가 변하면 火☲가 되어 지괘(之卦)가 화지진(火地晉䷢)이 된다. 이는 땅을 뚫고 밝은 기운이 솟아오름을 상징한다.

풍지관괘의 풀려나간 2개의 양☰을 六四 음(陰)이 상향하여 파고드니 ☲가 된다(柔進而上行). 자유로운 양기를 음이 파고들어 붙잡으니 하늘에 걸린 대명(大明)이 되는 것이다.

이는 바람☴이 대지☷ 위를 운행하며 어루만지듯 양기(九五)가 음(六四)을 파고든 모습이니 밝은 해☲가 천하☷를 어루만지며 이롭게 하는 상이 된다.

진(晉)은 진(進)이니 밝은 해☲가 땅☷ 위로 나아가 중천에 떠올라 천하를 밝게 비추니 밝고 평안한 세상이 되었음을 의미한다(晉進也).

비(否)의 호괘는 풍산점(風山漸䷴)이다. 이것은 천지가 등을 돌리고 서로 작용을 멈추고 있을지라도 때가 이르면 내부에서는 서서히 음양의 기운이 꿈틀대는 것을 의미한다. 음양이 서로 자리를 바꾸며 상호작용하는 기운이 움트기 시작한다. 이때를 당하여 막힘과 굳음이 서서히 풀리는 기운을 감지하고 뜻(命)을 취한다면 비록 소인일지라도 목숨을 부지하고 연명할 수 있다.

풍(風)≡은 천지의 도를 알리는 신의 뜻이니, 원형이정(元亨利貞)의 도를 알아 챈다면 비록 소인이라 할지라도 부끄러움을 아는 자이니 목숨과 자리를 보존하리라.

주리지(疇離祉)라 함은 대인 소인을 막론하고 천지가 바뀌고, 음양이 교차하며 개벽의 기운이 움트는 때를 바르게 읽을 줄 아는 지혜로운 자에게 복(福)이 걸린다는 것을 의미한다. 비(否)에서 태(泰)로 전환하는 기운이 움트는 시기에 처하여 하늘의 소리를 알아챈다면 비록 소인의 무리라 할지라도 九五인군의 은혜를 입을 것이니 바로 주리지(疇離祉)의 뜻이다. 부끄러움을 가리고 세상을 현혹하며 농락하던 소인이 때가 이르러 천명(天命)을 알고 그 뜻을 행한다면 목숨을 부지하리라.

☞ 疇: 무리 주/ 離: 걸릴 리/ 祉: 복 지

九五 休否 大人吉 其亡其亡 繫于苞桑
구오 휴비 대인길 기망기망 계우포상

구오, 막힘이 그치니 대인은 길하다. 위태위태하니 뽕나무 밑동에 매어둔다.

九五는 강건중정(剛健中正)한 왕의 자리로 양의 자리에 양으로 와서 자리가 바르다. 치올라오던 음의 세력이 4효에서 드디어 하늘을 알고 천명을 취하니 九五인군의 중정(中正)함을 따른다. 내부에서는 음(六三)과 양(九四)이 서로 자리를 바꿈으로써 상하작용이 시나브로 시작되고(漸☶), 九五에 이르러 막힘이 그친다. 막힘이 그친다 하여 막힘이 뚫렸다는 것이 아니라 굳음이 녹으면서 서서히 풀리기 시작한다는 의미이다. 그러므로 비(否)에서 태(泰)로 전환하는 때에 처하여 "九五大人이 吉함은 그 자리가 합당하기 때문이다(象曰 大人之吉 位正當也)"라고 공자는 풀이하고 있다.

그러나 겨울에서 봄으로 전화되는 시점은 겨울의 차가움과 봄의 따스한 기운이 서로 다투기 때문에 서로 위태롭다. 비(否)에서 태(泰)로 이동하는 우주의 전환기에 위태함은 말할 수 없이 크다. 내호괘 山☶은 땅에 굳세게 선 모습으로 뽕나무 밑동을 상징하고, 외호괘의 風☴은 바람에 흔들리는 나무를 상징한다. 그러므로 흔들림이 클 때에는 든든한 뽕나무 밑동에 매어두듯이 지행(志行)을 굳세게 한다.

☞ 休: 쉴 휴/ 繫: 맬 계/ 苞: 밑뿌리 포/ 桑: 뽕나무 상

上九 傾否 先否後喜
상구 사경 선비후희

상구, 비(否)가 기울다, 먼저 막혔으나 후에는 기쁘리라.

막힘이 극에 처하니 드디어 막힘도 기울어간다. 사물의 이치는 극에 처하면 반드시 변하는 법. 태(泰)가 극에 이르면 비(否)가 되어 막히고, 비(否)가 극에 이르면 태(泰)가 되어 통한다. 천지는 춘하추동 사시를 따라 생장수장의 이치로 순환하니 만물은 항상 새로운 상황으로의 변화를 시작한다.

막힘이 기울어진다는 것은 완전히 뚫렸다는 것을 의미하지는 않는다. 막혀 있지만 서서히 풀어지면서 뚫리고 있는 상황, 새로운 국면으로 전환이 시작되고 있는 것이다. 그러므로 공자는 "막힘이 끝나면 기우는 것이 만물의 이치이니 막힘이 어찌 오래 가겠는가?(象曰 否終則傾 何可長也)"라고 하였다.

괘의 내부(호괘)는 풍산점(風山漸☴☶)이니, 음양은 시나브로 상하작용을 시작한다. 비(否)의 상구(上九)가 변하면 태(兌)☱가 되니 지괘는 택지췌(澤地萃☱☷)이다. 대지 위에 양이 쌓이고 쌓여 머지않아 태(泰)로 전환될 것이니 소인이 득세하는 때는 가고 대인의 뜻이 행해지는 때가 오리라. 먼저는 막히나 후에는 기쁨이 오리니, 선비후희(先否後喜)란 바로 이 뜻이다.

☞ 傾: 기울 경/ 喜: 기쁠 희

13. 天火同人_{천화동인}

天☰乾
火☲離

▶효변(爻變)

과거	미래	현재
☷+3 ⟹	☳+7	☲+7
		☷+3

上下작용력: +3-(+7)=-4

上下균형력: (+3)+(+7)=+10

同人于野 亨 利涉大川 利君子貞

象曰 同人 柔得位得中而應乎乾 曰同人 同人于野亨利涉大川 乾行也 文明
以健

中正而應 君子正也 唯君子爲能通天下之志

象曰 天與火同人 君子以 類族辨物

初九 同人于門 无咎

六二 同人于宗 吝

九三 伏戎于莽 升其高陵 三歲不興

九四 乘其墉 弗克攻 吉

九五 同人 先號咷 而後笑 大師克相遇

上九 同人于郊 无悔

1. 괘상(卦象)

하괘 離火☲의 六二(음)가 양으로 효변하면서 乾天☰으로 동화되어 가는 모습이다. 어둠☷을 뚫고 떠오른 밝은 해☲가 거친 광야를 헤치며 계속 상향하여 하늘☰로 향한다. 대인(六二)이 천명(九五)을 받들고 대의명분을 따르는 모습이다.

☷ -7 ⟹ ☷ +3 ⟹ ☰ +7
☳ +3   ☶ -7   ☲ +3

明夷　　　晉　　　同人

모세(六二)가 광야에서 하느님(九五)의 부름을 받아 무리를 이끌고 거친 사막을 건너 40년 만에 가나안 땅에 입성하는 모습이다(同人于野 亨 利涉大川). 사막처럼 거친 환경에서는 나 홀로 생존하는 것이 불가능하다. 그러므로 거친 광야(들)에서는 대의명분이 뚜렷하고 바른 대인의 인도에 따라 뜻을 함께하는 동지들이 무리를 지어 협력하며 나아가는 것이 생존할 수 있는 올바른 길이다. 대인은 천명을 받아 명분이 올바로 서야 무리가 뜻을 같이하여 따를 것이며, 동지들이 뜻을 함께 한다면 아무리 거친 들도 함께 건너갈 수가 있다. 六二는 음의 자리에서 음으로 있고 내괘의 中을 얻어 외괘 하늘(九五)에 순응하니, 유순중정(柔順中正)한 六二(柔)가 강건중정(剛健中正)한 九五(乾)에 응하여 뜻을 따르는 것이다(柔得位 得中而應乎乾).

2. 괘변(卦變)

▷호괘 - 天風姤

同人　　　　　　姤

☰+7 　⇨　 ☰+7
☵+3 　　　 ☴+5
−4 　　　　 −2

　대인☰이 천명을 받들고 하늘☰을 따르는 것은 또한 음☵이 양☰을 처음 만나 새로운 변화를 시작하는 것과 다르지 않다. 사회의 변혁은 작은 기운의 태동으로 시작되니 대인이 천명을 따라 출사하는 것도 성통공완(性通功完)하고자 하는 대의명분이 있기 때문이다.

　☲의 九二가 初六을 파고드니 ☴이 된다. ☵은 땅에 근원을 두고 땅에 고정되어 있어 대지를 떠나지 못하지만, ☴은 땅에서 떨어져 나와 하늘☰로 향한다. 처음 만나 새로움을 접하고 새로운 문물을 배우고 익힌 다음 천명을 받들어 출사하는 모습이다.

▷착종 - 火天大有

同人　　　　　　大有

☰+7 　⇨　 ☲+3
☵+3 　　　 ☰+7
−4 　　　　 +4

　거친 광야를 건너기 위해서는 뜻을 함께 하는 무리들이 모여야 한다. 지도자를 중심으로 협력하고 뜻을 따르니 하늘의 뜻을 행하는 것이다(同人). 그리하여 하늘에 높이 올라 천하를 비추니 만백성이 따르고 크게 형통하다 (大有).

▷도전괘- 火天大有

同人   大有

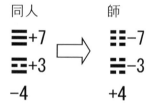

≫天與火 同人: 하늘이 불과 함께 하니, 하늘의 뜻을 함께 따르는 것이다. 함께 '하나가 되어가는 도'를 설명한다.

≫火在天上 大有: 하늘 위에 불이 있으니 크게 성취하여 천하를 이롭게 한다. 크게 이룬 것을 '함께 나누는 도'를 설명한다. 성취한 것을 나누지 않으면 오히려 夬(☱☰)가 되어 흉하다.

▷배합괘 - 地水師

同人   師

═+7   ☷-7
☷+3   ☵-3
-4   +4

　동인(同人)은 천명을 따르는 모습으로 하늘의 뜻을 천하에 드러내지만(乾 行也), 사(師)는 땅 아래 크게 쌓이는 모습이다(師衆也). 불☲은 위로 올라 하늘☰을 향하지만, 물☵은 하향하는 성질로서 땅☷ 아래로 모인다.

3. 괘사(卦辭)

同人于野 亨 利涉大川 利君子貞
동인우야 형 이섭대천 이군자정

거친 광야(曠野)에서 동지(同志)들과 뜻을 함께 하니 형통하다. 大川을 건너는 것이 이로우니, 지도자(군자)는 바름으로 이끌어야 이로우리라.

사막과 같은 거친 광야에서는 홀로 생존하기는 쉬운 일이 아니다. 뜻을 함께하는 이들이 모여 힘을 모아 험난함을 건널 수 있는 것이며, 또한 올바른 지도자의 바른 지도력을 따라야 한다. 모세가 사막으로 들어갈 때 군중은 하늘의 뜻을 따르는 그를 신뢰했으므로 바다 한가운데를 두려움 없이 건널 수가 있었던 것이다.

유순중정(柔順中正)한 六二는 강건중정(剛健中正)한 九五와 정응하면서 광야에서 무리를 대동(大同)시키며 하나로 이끄는 자로서 무리를 이끌고 광야를 건넌다. 광야에서 무리를 대동으로 이끄는 지도자는 군자라야 하며 그 뜻이 옳고 바라야 한다. 그러므로 소인이 함부로 나설 자리가 아니다.

象曰 同人 柔得位得中而應乎乾 曰同人

단왈 동인 유득위득중이응호건 왈동인

同人于野亨利涉大川 乾行也 文明以健 中正而應 君子正也

동인우야형이섭대천 건행야문명이건 중정이응 군자정야

唯君子 爲能通天下之志

유군자 위능통천하지지

단에 이르길, 유(柔)가 바른 자리(正)를 얻고 중(中)을 얻어 하늘에 응하니 동인(同人)이다. 同人于野亨利涉大川은 하늘이 행하는 것이다. 文明☲으로 강건☰하고, 中正으로 응하니 바로 군자의 바름이다. 오직 군자라야 능히 천하의 뜻을 통할 수 있으리라.

六二는 음의 자리에서 음으로 와 中을 얻어 中正함으로 九五와 뜻을 함께 한다. 유득위(柔得位)란 양강(陽剛)하게 나서지 않고 유순(柔順)함으로 무리를 모으고 이끄는 것을 의미하고, 득중(得中)은 사리사욕 없이 중도(中道)를 벗어나지 않는 것을 말한다. 득위득중(得位得中)하여 하늘의 뜻에 응하는 것이 바로 동인(同人)의 뜻이다. 九五는 하늘의 중정한 뜻이며, 六二는 천명을 따르는 군자로서 하늘에 응한다.

거친 무변광야(無邊曠野)에서 뜻을 함께 하는 동지들이 모여 천명을 따르는 지도자를 중심으로 험난한 대천을 건너는 것은 바로 하늘이 뜻을 행하는 것이다.

하괘☲는 하늘 아래에서 천하를 밝게 비추는 광명으로 혼돈에 질서를 부여하는 하늘의 강건한 뜻이다. 어두운 천하가 아침에 떠오른 태양의 밝은 빛으로 질서가 잡히고 문명함으로 빛난다. 六二와 九五는 中正함으로 서로 응하니 군자의 바름(正)이다.

오직 군자☰라야 하늘☰의 뜻을 통할 수가 있으니, 군자☰라야 험난한 광야에서도 대중의 뜻을 하나로 모아 험난한 대천을 건널 수가 있는 것이다. 소인이 나서면 흉함을 면치 못한다.

象曰 天與火同人 君子以 類族辨物
상왈 천여화동인 군자이 류족변물

하늘이 불과 함께 하는 것이 동인(同人)이니 군자는 이로써 온갖 족속(族屬)을 분류(分類)하고, 사물(事物)을 분별(分別)한다.

하늘과 불이 함께 하는 것이 동인이니, 군자☰는 이로서 하늘☰의 뜻을 따른다. 태양☲이 천하를 밝게 비추어 만물을 분별하고 밝은 빛으로 질서를 세우듯이, 하늘의 뜻을 통하는 군자는 밝은 지혜☲로서 천하 만물의 크고 작음, 옳고 그름을 분별한다. 사람은 온갖 종류(種類)가 있으니, 류족(類族)이라 함은 선악, 옳고 그름, 비열한 자, 바른 자 등등 온갖 류(類)를 밝은 지혜로써 족속(族屬)으로 구별하며, 사물(事物)을 분별하여 뜻을 함께 하는 동인(同人)을 모은다. 동인은 뜻을 함께하는 무리[同志]를 뜻하니, 무리를 대동(大同)시키고 잘 이끌기 위해서는 무리를 잘 가려야 하는 법이다.

☞ 野: 들 야/ 乾: 하늘 건/ 涉: 건널 섭/ 健: 굳셀 건/ 應: 응할 응/ 唯: 오직 유/ 類: 무리 류/ 辨: 분별할 변

4. 효사(爻辭)

　거친 광야를 건너기 위해서는 뜻을 함께 하는 무리들이 올바른 지도자를 중심으로 모여야 한다. 대의명분이 뚜렷한 올바른 대인의 인도에 따라 동지(同志)들이 협력하며 나아갈 때 거친 광야를 건너갈 수가 있다. 오직 대인군자☰라야 험난한 광야에서도 대중의 뜻을 하나로 모아 대천을 건널 수가 있는 것이다. 동인(同人)은 뜻을 함께 하는 동지들이 서로 하나가 되어 나아가는 의미를 설명한다

初九 同人于門 无咎

초구 동인우문 무구

초구, 문 앞에서 무리를 모으니 허물할 바 없다.

　초효는 맨 아래에 처하여 아직 그 힘은 미약하지만 양의 자리에 양으로 와서 자리가 바른 자(正當位)로 천하의 뜻을 이루려는 동인(同人)의 뜻을 품은 효이다. 동인이란 천하를 품은 같은 뜻을 가진 무리, 동지의 무리, 그러한 동지(同志)를 모으는 자를 뜻한다. 품은 뜻은 양강(陽剛)하나 그 힘이 미약하니 문밖에 나가 가까이에서 동지를 모으니 누가 허물하랴(象曰 出門同人 又誰咎也). 효변하면 내괘가 산☶이 되니 문(門), 대문(大門)의 형상이다. 동(同)은 '합쳐 모으다(同 合會也)'라는 뜻으로 동인(同人)은 '뜻을 함께 하는 사람을 모으다'라는 의미가 된다.

☞ 又: 또 우/ 誰: 누구 수

육이, 종족(宗族) 안에서 동지(同志)를 모으니 옹색하다.

六二는 유순중정(柔順中正)한 효로서 九五의 강건중정(剛健中正)과 정응한다. 그런데 六二는 양쪽에 양효를 잡고 있으니, 동족(同族) 속에서 동지(同志)를 모으는 편협한 모습으로 비유한다. 효변하면 乾괘가 되니 상하괘가 서로 같은 乾으로 역시 음양이 작용하지 않는 강양(剛陽)으로만 형성된 일가(一家)에 불과하니 그 모습이 편협하고 옹색하다. 공자는 이를 "종족(宗族)에게서 동지(同志)를 모으니 인색한 도다(象曰 同人于宗 吝道也)"라고 하였다. 종(宗)은 대상전의 류족(類族)의 개념으로 이해해도 무방하다.

동인괘가 추구하는 것은 대동(大同)이다. 대동은 우리끼리 만의 종족주의(宗族主義)가 아니라 뜻을 함께 하는 사람 모두를 아우르는 뜻이 있다.

同人	乾
☰ +7	☰ +7
☷ +3	☰ +7
上下작용력: -4	上下작용력: 0
上下균형력: +10	上下균형력: +14

문왕은 은나라 제후로서 주왕의 신하이다. 문왕은 주왕의 폭정으로 백성이 고통을 당하자 천명을 내세워 주왕을 친다. 그래서 六二의 유순(柔順)하고 중정(中正)함으로 뜻을 함께하는 자를 모으며 힘을 기른다. 이것은 결국 같은 은나라 라는 족속(族屬) 안에서 같은 뜻을 가진 동지(同志)를 모으는

것이니 동인우종(同人于宗)의 뜻이 된다. 다른 나라 족속과 연대하여 뜻을 모으며 세력을 넓히는 것이 아니라 같은 일가(一家)끼리의 모임이니 그 도(道)가 옹색하다는 뜻이다.

☞ 宗: 종당 종, 마루 종/ 吝: 인색할 인

九三 伏戎于莽 升其高陵 三歲不興
구삼 복융우망 승기고릉 삼세불흥

구삼, 군사를 숲 속에 매복시키고 높은 언덕에 오른다. 삼 년을 일어나지 못한다.

3효는 중도를 벗어난 삶의 한마당, 비지니스의 한복판. 전쟁터의 중심에 처한 효로서 전진과 후퇴를 결정하는 자리이다. 효변하면 震雷☳(하괘)가 되어 전진하려 하나 艮山☶(내호괘)이 가로막는다. 震☳(進)은 나아가는 상이요, 艮☶(止)은 멈추고 막아서는 상이다.

전진을 멈추고 산 아래에 진을 치고 숲 속에 군대를 숨긴 후 높은 구릉에 올라 적진(乾)을 살핀다. 군사를 숲 속에 매복시키고 높은 산에 올라감은 적의 동태를 살피면서 때를 기다리고자 함이다. 적은 강건(剛健)한 乾으로 힘이 막강하여 함부로 강을 건너 나아갈 수가 없다. 그래서 공자는 소상전을 통해 "숲 속에 군사를 매복시킴은 적이 강하기 때문이다. 산 아래 멈추어 3년을 일어나지 못하니 어찌 가벼이 행할 수 있으랴(象曰 伏戎于莽 敵剛也 三歲不興 安行也)"라고 했다. 하괘의 九三효가 상괘로 넘어가는 길은 강을 건너야 하는 선택의 강이요. 높은 담이다. 일단 강을 건너면 후퇴할 수가 없다.

삼세불흥(三歲不興)은 강을 건너 적진으로 나아가는데 3년을 기다려야 한다는 의미로, 산 아래 덤불 속에 안전하게 진을 치고 높은 산에 올라 적의 동태를 살피면서 나아가야 할 때를 기다려야 함을 의미한다.

　九三은 양의 자리에 양으로 와서 자리가 바르고 양강(陽剛)하다. 그리고 하괘 리(離)괘의 상효에 위치하니 밝음, 지혜☲(明)로써 변물(辯物)하는 신중한 효이다. 또한 九三이 변하면 震☳(進)이 되어 나아가는 상이다. 삼세불흥(三歲不興)이란 九三이 효변한 진☳의 초효가 산☶(지괘: 无妄☲의 내호괘)의 정상에 오르는데 六二와 六三을 거쳐 정상인 九四에 도달하는데 3단계가 걸리니 이를 비유한다. 구사는 상괘의 첫 효이니 강 또는 광야를 건넌 효로서 적진에 들어가는데 3년이 걸린 셈이다. 동인(同人)은 뜻을 함께하는 동지(同志)를 모아 함께 나아가는 공의의 상으로 섣불리 경망하게 움직이지 않는다.

☞ 伏: 엎드릴 복/ 戎: 군사 융/ 莽: 가시덤불 망/O 敵: 대적할 적/ 剛: 굳셀 강/
歲: 해 세/ 興: 일어날 흥/ 安: 어찌 안. 편안할 안

九四 乘其墉 弗克攻 吉
구사 승기용 불극공 길

구사, 성벽에 올랐으나 능히 공격하지 못한다. 길하리라.

　광야를 지나고 강을 건너 드디어 적진에 들어왔다. 높은 담에 올라 적을 살핀다. 九五는 강건중정(剛健中正)한 군왕의 상으로 六二의 유순중정(柔順中正)과 정응한다. 그러므로 감히 공격하지 못한다. 九四는 음의 자리에 양으로 와서 자리가 바르지 않다. 양강함 만을 믿고 성벽에 올랐으나 무리가

따르지 않는다. 양강함만을 내세워 구오강건중정(九五剛健中正)을 공격할 수가 없으니 오히려 자신에게는 길한 것이다.

효변하면 손풍(巽風)☴이 되니 민심이 돌아설 때까지 순리대로 손순(巽順)함을 따르는 것이 좋다. 또한 지괘가 가인(家人)이니 혼자 강강(剛剛)하게 무리의 뜻(民心)을 벗어나 나아가는 것보다 동인(同人)을 하나의 뜻으로 모으는 것이 길하다.

강을 건너 적진에 들어가 강을 등지고 배수진을 쳤으나 음의 자리에 양으로 와서 자리가 바르지 않으니 능히 공격할 수가 없다. 九四 혼자 양강함을 믿고 성벽에 올랐으나 부당위(不當位)로서 무리가 따르지 않기 때문이다. 비록 성벽에 오르더라도 능히 공격을 할 수가 없으니 강건중정을 이기지 못한다. 또한 九五는 강건중정한 군왕이니 九四는 신하로서 양강하나 부당위로 의리상 공격할 수가 없으므로 마음을 돌려 제 분수를 지킨다. 그래야 길하다. 그래서 공자는 "성벽을 올랐으나 의리상 이길 수가 없다. 그것이 길하다 것은 곤란을 겪다가 원칙으로 되돌아오기 때문이다(象曰 乘其墉 義弗克也 其吉則困而反則也)"라고 했다.

'의리상 이기지 않는다(義弗克也)'라 함은 九四와 九五는 제후와 제왕과의 관계로 같은 종족 간의 싸움으로 신하가 군주를 공격하는 것을 말함이니 의리상 공격하여 이길 수가 없음을 말하는 것이다. 제후국인 문왕(제후)이 은나라 왕인 주왕(제왕)을 공격하는 것은 아무리 포악한 제왕이라 할지라도 군신 간으로서, 같은 종족 간의 싸움이 되니 의리상 공격하지 않는 것이다. '원칙으로 돌아온다(則困而反則也)'함은 동족 간에 무력사용을 중지하고 대동(大同)의 원칙으로 다시 돌아오는 것을 말한다. 그럼으로써 결국 폭군인 제왕에게서 민심이 돌아서니 九五효에서 자연스럽게 승리하게 된다. 九四가 동하여 변하면 내호괘가 감(坎)☵이 되니 곤(困)의 뜻이 나오고, 외호괘는 리(離)☲가 되니 밝음(明)이 되어 다시 원칙으로 되돌아옴을 뜻한다.

☞ 乘: 오를 승/ 墉: 담 용/ 弗: 아니 불/ 克: 이길 극/ 攻: 칠 공/ 困: 곤할 곤/
反: 돌이킬 반/ 則: 법 칙

九五 同人先號咷而後笑 大師克相遇
구오 동인선호도이후소 대사극상우

구오, 동인(同人)은 처음에는 통곡할 수밖에 없으나 나중에는 웃으리라.
왕의 군대가 장애를 극복하고 서로 만나 하나가 되도다.

九五는 강건중정(剛健中正)한 군왕의 자리로 六二유순중정(柔順中正)과 정
응(正應)한다. 그러나 자신을 공격하는 양강(陽剛)한 3.4효가 가로 막고 있으
니 마음과 달리 만날 수가 없다. 그러므로 동인으로서 처음에는 만나지 못해
크게 울부짖는 것으로 비유한다. 그러나 六二와 九五는 서로 중정(中正)함으
로 뜻을 함께 하기에 모든 벽을 넘어 서로 하나가 된다. 그래서 후에는 웃게
된다. 九五가 변하면 ☲가 되니 상하괘가 서로 같은 동인의 상이 된다. ☲는
밝음(明)이니 상하가 서로 하나가 되어 크게 웃는 상이 되는 것이다.

대사(大師)는 왕의 군대를 뜻한다. 대사극상우(大師克相遇)란 왕의 군대가
장벽을 극복하고 서로 만나는 것을 뜻한다. 처음에는 장애물로 인하여 어려
워 눈물을 흘릴 수밖에 없었으나 후에는 결국 모든 장애를 극복하고 서로
만나 하나가 되어 크게 웃게 되는 것이다.

九五는 제후인 무왕의 대군과 제왕인 주왕의 대군이 서로 만난 은나라 교
외지역인 목야(牧野)에서의 전투를 상징적으로 표현하고 있다(황태연, 실증
주역). 六二가 변하면 ☲가 ☰이 되니 상하가 서로 하나(重天乾☰)가 된다.
이것은 무왕의 군대와 주왕의 군대가 서로 벽이 있어 하나가 되지 못하였으
나 주왕의 군대가 이미 심증적으로 무왕을 따르고 있었다는 것을 상징한다.

민심은 이미 주지육림(酒池肉林)으로 상징되는 폭군 주왕을 떠나 둘 사이의 장벽을 넘어 무왕에게로 넘어가 있었던 것이다. 주왕의 군대는 70만명으로 5만명에 불과한 무왕과는 비교가 되지 않을 정도로 많았지만, 주왕 군대의 창 끝은 오히려 민심을 잃은 주왕에게로 향하고 있었으니, 자연스럽게 장벽은 극복되고 양측의 군대가 서로 만나 하나가 될 수 있었던 것이다.

처음에는 뜻을 같이 하였지만(柔得位 得中而應乎乾), 장애물 때문에 만나지 못해 눈물을 흘릴 수밖에 없었고(3,4효), 나중에는 장애를 극복하고 서로 만나 하나가 되니 비로소 웃게 된 것이다. 그래서 공자는 소상전을 통해 "同人之先號咷而後笑은 中道로서 바르기 때문이다. 왕의 군대(무왕과 주왕의 군대)가 서로 만나 하나가 되니 결국은 둘 다 서로 이긴 셈이다(象曰 同人之先 以中直也 大師相遇 言相克也)"라고 풀이하였다. 둘 다 승자인 셈이다.

☞ 號: 부르짖을 호/ 咷: 울 도/ 笑: 웃을 소/ 遇: 만날 우

上九 同人于郊 无悔
상구 동인우교 무회

상구, 교(郊)에서 동지(同志)를 모으니 여한이 없다.

교(郊)라 함은 중앙무대에서 벗어난 변방지역으로서, 처음 나라를 세웠을 때 중앙정치가 제대로 영향력을 발휘하지 못하는 곳을 가리킨다. 비록 야(野)보다는 가까운 지역이지만 처음 나라를 세웠을 때에는 대개 중앙정치무대인 읍(邑)에 집중하게 되기 때문에 읍의 외곽인 교(郊)는 소홀하게 된다. 천명(天命)을 내세워 새로운 나라를 세웠지만, 그 뜻에 대하여 아직은 만인에게

완전한 지지를 얻지 못한 상황이다. 공자는 "교(郊)에서 동지를 모으니 아직 뜻을 얻지 못했기 때문이다(象曰 同人于郊 志未得也)"라고 하였다. 이러한 때에 상구(上九)는 읍의 외곽지역인 교외(郊外)까지 나아가 뜻을 함께 하는 동지를 모은다. 은을 멸하고 새로운 나라를 세웠지만 영향력이 미치지 못하는 척박한 변방지역에서도 최선을 다하니 여한이 없는 것이다.

☞ 郊: 들 교, 야외 교, 성밖 교/ 悔: 뉘우칠 회

14. 火天大有 화천대유

火☲離
天☰乾

▶효변(爻變)

과거	미래	현재
☳+7 ⟹	☵+3	☵+3
		☰+7

上下작용력: (+7)−(+3)=+4

上下균형력: (+7)+(+3)=+10

大有 元亨

象曰 大有 柔得尊位大中 而上下應之 曰大有 其德剛健而文明

應乎天而時行 是以元亨

象曰 火在天上 大有 君子以 遏惡揚善 順天休命

初九 无交害 匪咎 艱則无咎

九二 大車以載 有攸往 无咎

九三 公用亨于天子 小人弗克

九四 匪其彭 无咎

六五 厥孚交如 威如 吉

上九自天祐之 吉无不利

1. 괘상(卦象)

　대양(大陽)의 하늘☰ 가운데 음(陰)이 생겨 두 개의 양을 고정시키니, 무한한 허공에 태양☲이 생기는 상이 된다. 九二가 동하면서 乾☰의 기운이 하늘에 양의 덩어리, 태양☲을 만드는 것이다.

　하나의 음 아래 4개의 양이 쌓이니 대유(大有)이다. 대유는 무조건적인 비축이 아니라 활동에너지로 양 하나(上九)를 소비하고 있으니, 4개의 양이 비축되고 하나의 양이 밖으로 나가 활동하고 있는 상이다. 돈을 벌면서 또한 남을 위해 나눌 줄 아는 진정한 부자의 모습을 보여준다.

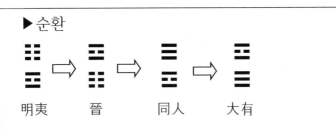

▶순환

明夷　　晉　　同人　　大有

　밝음(☲)이 어둠 속에 갇혀 있다(明夷), 때를 기다려 어둠을 벗어나 떠오르고(晉), 거친 들을 지나 하늘을 향해 오르니(同人), 드디어 크게 성취하니 만천하를 광명으로 비춘다(大有).

　밝음☲이 어둠☷을 뚫고 나와(晉) 천명☰을 받들어 하늘과 하나가 되어간다(同人). 드디어 하늘을 뚫고 천하를 평정하니 문명(文明)을 밝혀 천하를 이끄는 대인의 상이 대유(大有)이다. 대축(大畜)은 음2개☷로 양3개☰를 완벽하게 막아 크게 쌓은 상이지만, 대유(大有)는 음1개☲로도 양4개☰를 축적한다. 대축(大畜)처럼 완벽한 차단이 아니어서 양 하나(上九)가 상향하여 빠져나간다. 대유(大有)란 나 만을 위해 쌓아놓는 소인의 과욕(夬☱)이 아니라 타인을 위해 나눌 줄 아는 진정한 대인의 넉넉함(大有☲)이다.

　밝음☲(光明)이 하늘☰(乾) 위에 떠올라 만천하를 비추니 천하만물 어느 하나 어루만지지 않는 것이 없다. 대유(大有)란 크게 이룸이고 성취이며, 그 넉넉함이 만민에게 미쳐 두루 베푸니 대유(大有)의 참뜻이다.

2. 괘변(卦變)

▷호괘 – 澤天夬

大有　　　　　夬
☷+3　　⟹　　☱−1
☰+7　　　　　☰+7
+4　　　　　　+8

大有는 대인의 상으로 크게 있는 모습이지만 결코 소인배의 과욕이 아닌 베풀 줄 아는 넉넉함을 상징한다. 호괘가 쾌(夬☱)이니 대유(大有)가 크게 가지고 있음을 보여준다. 뇌천대장(雷天大壯☳)의 호괘도 쾌(夬)로서 내부에 양을 크게 소유하고 있는 모습이다. 대유(大有)나 대장(大壯)은 안에 욕심을 품고 있으니 잘못 조절하면 과욕이 되어 흉한 모습이 된다. 양의 압력이 한계에 도달하자(夬☱), 드디어 양이 하나 새어 나가 안정을 찾은 모습이 大有(☲)의 상이다.

▷착종 – 天火同人

大有　　　　　同人
☷+3　　⟹　　☰+7
☰+7　　　　　☷+3
+4　　　　　　−4

거친 광야를 건너기 위해서는 뜻을 함께 하는 무리들이 모여야 한다. 지도자를 중심으로 협력하고 뜻을 따르니 하늘의 뜻을 행하는 것이다(同人).

그리하여 하늘에 높이 올라 천하를 비추니 만백성이 따르고 크게 형통하다
(大有).

▷도전괘 - 天火同人

大有   同人

☲+3   ⇨   ☱+7

☰+7   ☲+3

+4   -4

≫天與火 同人(천여화 동인)

　하늘이 불과 함께 하니, 하늘의 뜻을 함께 하는 것이다. 뜻을 함께 하는
자가 서로 하나가 되어가는 도를 설명한다.

≫火在天上 大有(화재천상 대유)

　하늘 위에 불이 있으니 크게 성취하여 천하를 이롭게 한다. 대유(大有)는
六五가 양(上九)하나를 내어 줌으로써 안정적으로 양 4개를 축적한다. 적절
하게 나눔의 도를 행함으로써 오히려 안정적인 축적이 이루어진다. 음2개(六
四와 六五)가 물샐틈없이 저지하는 대축(大畜☶)은 오히려 양3개를 축적할
뿐이다.

▷배합괘 - 水地比

大有   比

☲+3   ⇨   ☵-3

☰+7   ☷-7

+4   -4

　대유(大有)는 태양☲이 하늘☰ 위에 올라 크게 이루는 모습으로 만물을 밝

음으로 비추어 생기를 불어넣는 상이고(柔得尊位大中 而上下應之曰大有), 비(比)는 땅== 위의 물==이 아래로 스며 들어가 만물을 키우는 생명수가 되는 상이니(以剛中也 上下應也), 대유(大有)와 비(比) 모두 상하가 서로 응하는 모습이다.

비(比)는 양효 하나가 다섯 음을 이끄는 모습이다. 물은 대지와 친밀하니 대지와 하나되는 모습으로 九五의 강건함이 백성을 포용하고 기른다. 대유(大有)는 음효 하나가 다섯 양을 이끄는 모습이다. 해가 하늘 가운데 걸려 천하를 비추니, 六五의 유(柔)함이 다섯 양의 강건(剛健)함을 묶는 결정체가 된다. 물은 대지를 이롭게 하고, 태양은 천하를 밝게 비춘다

3. 괘사(卦辭)

大有 元亨
대유 원형

대유(大有)는 크게 이룸이니 크게 형통하다.

大有는 크게 이룸이요, 크게 소유함이고, 큰 성취이니 대풍(大豊)을 의미한다. 원(元)은 선지장(善之長)으로 인덕(仁德)의 뜻이다. 즉, 대유는 인덕이 큼이니 크게 이룬 만큼 적절하게 베푸는 '나눔의 도'를 상징한다. 그러므로 대유는 크게 형통하다.

彖曰 大有 柔得尊位 大中而上下應之 曰大有
단왈 대유 유득존위 대중이상하응지 왈대유
其德剛健而文明 應乎天而時行 是以元亨
기덕강건이문명 응호천이시행 시이원형

부드러운 유(柔)가 천하를 크게 비추는 六五尊位(中)에 자리하니 무한한 허공☰(乾)에 광명☲(離)이 걸린다. 六五의 유(柔)함이 다섯 양의 강건(剛健)함을 묶어 천하를 밝게 하니 큰 중심[大中]으로서 九二와 응하니 대유(大有)로다. 그 덕은 강건하고 문명하니 하늘에 응하며 때를 따라 행한다. 이로서 크게 형통하리라.

유음(陰)이 육오존위(六五尊位)에 자리하니 부드러움(柔)이 광명☲을 걸어 하늘☰의 중심에 둔다. 광명이 하늘의 큰 중심(大中)에 있어 상하가 응하니 九二와 응함을 뜻한다.

[비교] 천화동인(天火同人) 단사

　彖曰 同人 柔得位得中而應乎乾 曰同人
　단왈 동인 유득위득중이응호건 왈동인

단에 이르길, 유(柔)가 바른 자리(正)를 얻고 중(中)을 얻어 하늘에 응하니 동인(同人)이다.

하늘의 큰 중심[大中]인 六五☲가 乾☰에 응한다. 九二는 乾의 주체이니 六五가 乾에 응하는 것이다. 離☲가 乾의 운행에 순응함은 천시(天時)에 순응하는 것이다. 괘의 덕(德)은 강건☰하고 문명☲하다. 六五☲(日)가 九二☰(天)의 이치를 따르고, 하늘(天)의 때(時)를 따라 행하니 사시사철을 운행하며 춘하추동을 돌려 생장수장(生長收藏)의 이치를 행하니 크게 형통하다.

象曰 火在天上 大有 君子以 遏惡揚善 順天休命
상왈 화재천상 대유 군자이 알악양선 순천휴명

상에 이르길, 하늘☰(天) 위에 火☲(日)가 있는 것이 大有이니, 군자는 이로써 악(惡)을 막고 선(善)을 선양하여 하늘의 뜻을 따라 명(命)을 아름답게 한다.

광명☰이 하늘☰위에서 널리 천하를 밝게 하는 것이 대유이니 군자는 이로써 천하의 중심(大中)인 육오(六五)의 자리에서 밝은 지혜로서 사리(事理)를 분별하니 악을 막고 선을 널리 드날리며 하늘의 뜻을 따라 명(命)을 아름답게 한다. 명(命)을 아름답게 한다는 것은 천명(天命)을 바르게 이행하여 그 뜻을 높이는 것을 뜻한다.

☞柔: 부드러울 유/ 尊: 높을 존/ 休: 아름다울 휴/ 遏: 막을 알/ 揚: 드날릴 양

4. 효사(爻辭)

하늘☰에 올라 만천하를 밝음☲으로 비추니 크게 이룬 것이다. 크게 이룸이란 무조건적인 가득 채움이 아닌 적절하게 분배하는 '나눔의 도'로서, 이는 사리(事理)를 분별하는 지혜를 갖출 때 만들어진다. 쾌(夬☱)는 음효 하나(上六)가 다섯 양을 힘겹게 가두고 있어 언제 터질지 모르는 풍선처럼 위태로운 상황이지만, 대유(大有☲)는 양효 하나(上九)를 내보냄으로써 안정적인 채움을 유지하는 나눔의 이치를 보여준다. 효사는 광명☲(火)이 하늘☰(天)위에서 만천하를 널리 밝히는 대유(大有)의 참 뜻을 설명한다.

初九 无交害 匪咎 艱則无咎
초구 무교해 비구 간즉무구

초구, 사귀어도 해롭지 않으니 허물이 아니다. (마침내 大有를 이룰 것이니) 매사 어렵게 여기고 신중히 하면 무탈하리라.

大有의 도를 시작하는 효로서 양의 자리에 양으로 와서 자리가 바르고, 아래에 처하여 힘이 미약하고 상하 서로 응함이 없지만 서로 사귀어도 해롭지 않음은 마침내 대유의 도를 이룰 것이기 때문이다. 초효가 동하여 風☴이 되면 지괘가 화풍정(火風鼎☲☴)이 되니 나무☴에 핀 꽃이나 열매☲의 모습으로 결실을 상징하며, 솥 안에서 물건이 새롭게 만들어지는 상이 되니 대풍(大豐)의 뜻이 나온다.

불붙은 장작☲에 풍구(風口)☴를 돌리니 불이 활활 타오른다. 조화로운 문명을 꽃피우는 모습으로 서로 협력하여 하나의 결과를 도출해내는 조화로운 모습을 상징한다. 그러므로 공자는 "초구는 대유를 시작하는 효로서 사귀어도 해가 없다(象曰 大有初九 无交害也)"라고 주석하였다. 초구는 큰 일을 시작하는 효로서 사람을 만나 사귀고 교제함에 있어 해를 당하지 않는다. 큰 일을 앞 두고 근심도 많고 어려움이 예상되지만 마침내 대풍(大豊)을 이룰 것이다.

☞ 害: 해로울 해/ 匪: 아닐 비/ 艱: 어려울 간

九二 大車以載 有攸往 无咎
구이 대거이재 유유왕 무구

구이, 대유(大有)를 이루기 위해 큰 수레(經綸)에 지식과 지혜를 가득 싣고 나아가도다. 무탈하리라.

九二는 乾☰의 中에 있고, 九二가 효변하면 離☲가 되니 상하괘가 모두 밝음(明)의 상이 된다. 또한 호괘가 대과(大過☱))로 큰 수레의 상이다. 九二는 음의 자리에 양으로 와서 비록 자리가 바르지 않으나 六五와 응한다. 그러므로 대유를 이루기 위해 큰 수레에 지식과 지혜를 가득 싣고 나아가는 상이 된다. 큰 수레는 천하를 다스리는 경륜(經綸)에 비유된다. 호괘의 3,4 양효는 큰 수레(經綸)의 중심에 가득 실은 지식과 지혜를 상징한다. 乾☰은 공적인 것을 뜻하므로 천하를 이루기 위한 공적인 임무나 대의를 위한 무거운 짐이다.

대유의 세상을 이루기 위해 지식과 지혜를 중심에 가득 싣고 경륜(經綸)으로 이끌며 나아간다. 공자는 九二를 "中에 가득 실으니 결코 흔들리지 않고 넘어지지 않는다(象曰 大車以載 積中不敗也)"라고 하였다. 가운데 쌓는다(積中)함은 과욕을 부려 수레를 넘치게 하지 않는 것이니, 항상 중도(中道)와 중용(中庸)의 도리를 지키는 것을 뜻한다.

☞ 載: 실을 재/ 攸: 바 유/ 往: 갈 왕

九三 公用亨于天子 小人弗克
구삼 공용형우천자 소인불극

구삼, 공(公)이 천자에게 잔치를 베푼다. 본격적으로 大有의 도(나눔)를 시작하니, 소인이 할 수 있는 도가 아니다.

공(公)이 천자(天子)에게 잔치를 베푸는 것은 천하만민에게 대유(大有)의 도를 공적으로 펼치는 것을 상징적으로 비유한다. 수레에 가득 실은 것을 천하와 나누는 것이니 본격적으로 대유의 도를 시작하는 것을 뜻한다. 九三은 중(中)을 벗어나 양강(陽剛)하지만 양의 자리에 양으로 와서 자리가 바르다. 그러므로 양강함을 내세워 지나치게 하면 서로 어긋나게 되니 소인이 할 수 있는 바가 아니다. 그러므로 공자는 "천자에게 잔치를 베풂은 소인이 할 수 있는 것이 아니니 오히려 해가 된다(象曰 公用亨于天子 小人害也)"고 하였다. 九三이 변하면 兌☱가 되니 지괘는 화택규(火澤睽☲☱)가 된다. 兌☱(小女)는 소인을 상징하며 밝음☲과 어긋나는 뜻이 있다.

☞ 亨: 드릴 향/ 克: 능할 극

九四 匪其彭 无咎
구사 비기팽 무구

구사, 가득 채우지 않으면 허물이 없다.

九四는 음의 자리에 양으로 와서 자리가 부당하니 지나친 욕심을 부릴 수가 있다. 그러므로 사리사욕으로 과욕을 부려 부정 축재하지 않는다면 허물이 없다. 가득 채우지 않음은 그 만큼 내어놓는 것을 의미한다. 九四가 효변하면 음이 되어 山☶이 되니 산은 그침(止)의 뜻이 있다. 욕심을 그치고 자신을 비우니 오히려 전체적으로는 대축(大畜☶)으로 크게 쌓는 상이 된다. 공자는 이를 "가득 채우지 않으니 허물이 없음은 밝게 사리(事理)를 분별하는 지혜이다(象曰 匪其彭无咎 明辨晳也)"라고 하였다. 외괘가 離火☲로 밝음(明)이니 사리를 밝게 분별하는 지혜의 뜻이 나온다.

☞ 彭: 찰 방/ 辨: 분별할 변/ 晳: 밝을 절

六五 厥孚交如 威如 吉
육오 궐부교여 위여 길

육오, 믿음으로 교류하다. 위엄을 갖추다. 길하리라.

해☲가 하늘☰위에 걸려 천하를 비추니, 六五의 유(柔)함이 다섯 양의 강건(剛健)함을 묶는 결정체가 된다. 그러므로 六五는 비록 유순(柔順)하나 위엄이 있다. 六五가 변하면 중천건(重天乾☰)이 되니 강건중정(剛健中正)한 위엄의 뜻이 있다. 비록 유음(柔陰) 혼자서 하늘의 중심인 六五의 자리에 거하여 아래로는 4개의 양효를 축적하고, 위로는 양효(上九) 하나를 내보내며 서로 상하 교류하게 하니 六五의 위엄이 크다. 단사에서 "柔得尊位 大中而 上下應之 曰大有"라 함은 바로 이 뜻이다.

그래서 공자는 "믿음으로 서로 교류하는 것(사귀는 것)은 신의로써 뜻을 펼치는 것이다. 위엄을 갖추어야 길한 것은 가벼이 하면 제대로 대비하지 못하기 때문이다(象曰 厥孚交如 信以發志也 威如之吉 易而无備也)"라고 하였다. 즉, 쉽게 생각하여 안이하게 하면 六五 혼자서 5개의 양이 원활하게 상하 교류할 수 있도록 제대로 역할을 하지 못한다는 것을 의미한다. 즉, 應乎天 而時行의 뜻이 제대로 이루어지지 못하는 것이다. 천하를 경륜(經綸)함에 있어 上下에 신(信)이 근본이 되어야 하고, 군자는 위엄이 있어야 질서가 바로 선다. 六五가 변하면 지괘가 중천건(重天乾☰)이니 천하의 뜻을 이룬다.

☞ 厥: 그 궐/ 孚: 믿을 부/ 威: 위엄 위

上九 自天祐之 吉无不利
상구 자천우지 길무불리

상구, 하늘에서 도우니 길함이 이롭지 않음이 없다.

대유(大有☲)는 4개의 양이 비축되고 하나의 양이 활동하는 상이다. 대축(大畜☶)처럼 완벽하게 양의 상향을 저지하지 않으니 내 소유만을 자처하지 않는다. 양(上九)이 상향하여 六五(음)을 통해 빠져나가니, 이는 소인의 탐욕(夬☱)이 아니라 타인을 위해 나눌 줄 아는 진정한 대인의 넉넉함(大豊)이다.

大有는 크게 있음이나 소유만을 고집하지 않는다. 가득하나 넘치지 않으니 이는 상구(上九)가 처한 자리이다. 상구는 하괘의 건양(乾陽)이 가득하여

六五인군을 통해 흘러 나가는 상이니, 천하만물에 천덕(天德)을 나누며 베푸는 자리이다. 이는 하늘에서 돕는 뜻이 되니 上九의 길함이 이롭지 않음이 없는 것이다. 공자는 이를 "大有上九가 길함은 하늘로부터 도움이 있음이다 (象曰 大有上吉 自天祐也)"라고 주석하였다.

☞ 自: ~부터 자, 스스로 자/ 祐: 도울 우

15. 地山謙 지산겸

地☷坤
山☶艮

▶ 효변(爻變)

과거		미래	현재
☷-5	⟹	☷-7	☶-7
			☷-5

上下작용력: (-5)-(-7)=+2
上下균형력: (-5)+(-7)=-12

謙 亨 君子有終

象曰 謙亨 天道下濟而光明 地道卑而上行 天道虧盈而益謙 地道變盈而流

謙 鬼神害盈而福謙 人道惡盈而好謙 謙尊而光 卑而不可踰 君子之終也

象曰 地中有山謙 君子以 裒多益寡 稱物平施

初六 謙謙君子 用涉大川 吉

六二 鳴謙 貞吉

九三 勞謙 君子有終 吉

六四 无不利 撝謙

六五 不富 以其鄰利用侵伐 无不利

上六 鳴謙 利用行師 征邑國

1. 괘상(卦象)

艮☶의 九三양효가 효변하니 坤☷이 된다. 땅☷이 산☶을 품은 상이니 산이 낮아지는 것이며, 몸을 숙이는 것이다. 산처럼 뽐내다 낮아지니 겸손이다. 산☶이 땅☷ 속에 숨었으니 몸을 낮춰 대지의 유순(柔順)함을 따르는 것이다. 어려운 때를 당해 잠시 자신을 낮추고 재야에 묻혀 가만히 세월을 낚는 모습이다.

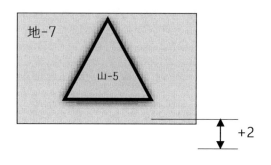

산☶은 땅☷에서는 높으나 하늘에서는 낮으니, 제아무리 뽐내고 드날려도 하늘아래 뫼일 뿐이다. ☷이 ☷아래로 낮아짐은 고개를 숙이는 비굴함이 아니라 자신을 낮추는 겸손이니, 땅의 순한 덕과 하나가 되는 것이다. ☷아래 ☷의 모습은 九三이 음으로 효변하여 낮아지면서 ☷과 일치됨을 말하니 함께 어우러져 하나되는 상이 된다. 만일 ☷이 ☷위에서 높음을 뽐내면 끌어내림을 당하게 되니 산지박(山地剝☶)이다.

겸(謙☷)은 자신을 낮추고 양보하여 상대방과 하나가 되는 겸양(謙讓)의 뜻이니 오히려 그 덕(德)이 고대(高大)하여 소인이 감히 넘지 못한다(卑而不可踰). 겸양(謙讓)이란 자신을 낮추는 겸손으로 자신을 덜어내어 상대방을 채워주는 양보(讓步)의 뜻이다.

2. 괘변(卦變)

▷호괘 – 雷水解

謙　　　　　　解

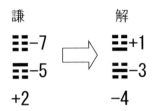

☷-7　　⟹　　☳+1
☶-5　　　　　☵-3
+2　　　　　　-4

　겸양으로 자신을 낮추고 때를 기다리니(謙), 어지러운 세상이 지나고 용☳
이 물☵에서 나와 승천한다(解). 용(龍)이 어려움☵(險水)을 헤치고 나와 전
진☳(進)하는 모습이 겸(謙)괘 속에 들어있음은 때를 기다림을 말하는 것이
다. 자신을 낮추어 겸양하니, 언젠가 때가 되면 때를 기다리던 잠룡(潛龍)☶
(止)은 잠에서 깨어나 승룡(昇龍)☳(進)이 되는 기회를 잡게 된다. 자신을 낮
추는 겸(謙)은 오히려 그 덕(德)이 고대(高大)하여 결코 작지 않으니 낮다 하
여 소인배가 감히 업신여기지 못한다.

▷착종괘 – 山地剝

謙　　　　　　剝

☷-7　　⟹　　☶-5
☶-5　　　　　☷-7
+2　　　　　　-2

　힘이 미약할 때는 자신을 낮추고 양보하며 때를 기다림이 올바른 처신이
나, 때를 기다리지 못하고 작은 힘☳+1(양)으로 섣불리 세상에 나서면 결국

은 끌어내림을 당하는 수모를 겪게 되니(剝), 겸(謙)에서 배우는 바가 이 크다.

▷도전괘 - 雷地豫

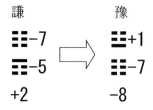

謙

☷☷ -7
☶☶ -5
+2

豫

☳☳ +1
☷☷ -7
-8

≫地中有山 謙: 낮은 땅☷☷ 아래에 높은 山☶☶이 처해 있으니 자신을 한껏 낮춘 겸손한 모습이다.

≫雷出地奮 豫: 우레☳☳가 땅☷☷에서 솟구쳐 나와 천지를 울리며 나아가니 만물이 깨어난다. 자신을 드러내어 나아가는 상이다.

▷배합괘 - 天澤履

謙

☷☷ -7
☶☶ -5
+2

履

☰☰ +7
☱☱ -1
-8

겸(謙)은 산☶☶이 낮아져 대지☷☷와 하나되는 상으로 땅의 유순(柔順)함을 따르는 것이다(地道變盈而流謙). 대지가 기울어져 꺼진 곳을 산이 들어가 메워 하나가 되니 겸양의 상이 되고, 리(履)는 못☱☱이 하늘☰☰을 담으며 하늘을 따르는 모습이다(履柔履剛也). 하늘을 있는 그대로 닮아가니 하늘의 강건한 도를 따르는 것이다.

3. 괘사(卦辭)

謙 亨 君子有終
겸 형 군자유종

겸(謙)은 형통하다. 군자의 일은 끝마침이 있다.

겸(謙)은 자신을 스스로 낮추는 것이니 걸릴 것이 없다. 자신을 내세우는 산의 모습은 박(剝)이니 끌어내림을 당할 것이요(山地剝), 땅 아래로 자신을 낮춘 산은 걸릴 것이 없으니 만사가 형통하다(地山謙). 낮추니 걸릴 것이 없고, 겸양(謙讓)하므로 시비를 걸 자가 없으니 군자의 일은 끝이 아름답다.

彖曰 謙亨 天道下濟而光明 地道卑而上行
단왈 겸형 천도하제이광명 지도비이상행
天道虧盈而益謙 地道變盈而流謙 鬼神害盈而福謙 人道惡盈而好謙
천도휴영이익겸 지도변영이류겸 귀신해영이복겸 인도악영이호겸
謙尊而光 卑而不可踰 君子之終也
겸존이광 비이불가유 군자지종야

단에 이르길, 겸(謙)은 형통함이니, 천도(天道)는 아래로 내려와 광명하고, 지도(地道)는 낮은데 처하여 위로 행한다.

하늘의 도는 가득함을 이지러지게 하고 겸양(謙讓)함은 더해주며, 땅의 도는 가득함을 변하게 하고 겸양한 데로 흐르며, 귀신은 가득함을 해(害)하고 겸양함에는 복을 주며, 사람의 도는 가득함을 싫어하고 겸양함을 좋아하니, 겸(謙)은 높고 빛나며 낮아도 가히 넘지 못하니 군자의 마침이다.

겸(謙)은 형통하다. 하늘의 도는 아래로 내려와 땅을 광명으로 밝히고, 땅의 도는 낮음에 처하여 있으므로 그 기운이 위로 행하여 하늘과 사귄다.

가득 찬 해와 달이 어그러져 기울면 다시 채워지는 것이 천도(天道)의 이치이고(天道虧盈而益謙), 땅의 가득 찬 것이 기울고 변하여 낮게 꺼지면 흘러 들어와 메워지는 것이 지도(地道)이며(地道變盈而流謙), 가득 찬 것은 해(害)하여 무너지게 하는 것이 세상의 조화로서 스스로를 낮춘 겸인(謙人)에게는 복으로 채워주니, 과하면 덜어내고 부족하면 더해주는 것이 신도(神道)로다(鬼神害盈而福謙人). 사람은 자기 자신만을 가득 채운 교만한 자, 졸부를 싫어하며, 스스로를 낮추고 내어주는 겸양(謙讓)한 자를 좋아하니 인도(人道)로다(人道惡盈而好謙).

겸(謙)은 높게 빛나는 존귀함이니 덕이 높아 스스로를 낮추어 겸손함이 오히려 고대(高大)함이 되어 소인이 함부로 넘지 못한다(謙尊而光 卑而不可踰). 이는 군자의 유종(有終)을 말하는 것이니, 군자의 마침은 아름다움 그 자체이다(君子之終也).

휴영(虧盈), 변영(變盈), 해영(害盈), 오영(惡盈)은 가득 찬 것이 비워지고 낮아지는 이치를 말하는 것이니, 가득 차면 어그러지게 하고(虧盈), 변하여 기울게 하며(變盈), 해를 가하여 무너트리고(害盈), 싫어하는(惡盈) 천지자연의 운행을 뜻한다.

익겸(益謙), 류겸(流謙), 복겸(福謙), 호겸(好謙)은 스스로 낮아져 겸양(謙讓)한 곳에 자리한 것을 채워서 높여주는 이치를 말한다. 겸(謙)은 스스로를 낮추는 겸손이다. 낮추어진 만큼 더해지고(益謙), 낮은 곳은 흘러 들어 채워주며(流謙), 겸손한 자를 복으로 높여주고(福謙), 겸손함을 좋아하니(好謙), 낮아진 만큼 채워지고, 낮아진 만큼 고대(高大)하여 지니 존귀함으로 빛난다(謙尊而光).

☞ 謙: 겸손할 겸/ 濟: 건널 제/ 卑: 낮을 비/ 虧: 이지러질 휴. 기울 휴, 줄어들 휴 / 盈: 찰 영, 충만할 영/ 益: 더할 익/ 鬼: 귀신 귀/ 尊: 높을 존/ 踰: 넘을 유

象曰 地中有山謙 君子以裒多益寡 稱物平施
상왈 지중유산겸 군자이부다익과 칭물평시

상에 이르길, 땅 가운데 산이 있는 것이 겸(謙)이니, 군자가 이를 본받아 많음은 덜어내어 적음에 보태며, 물건을 저울질하여 베풂을 공평하게 한다.

낮은 땅 아래 높은 산이 들어 있는 것이 겸(謙)의 상이니, 군자는 이 상을 보고 많은 것을 덜어내 적은 것에 보태며, 사물의 균형을 살펴 공평하게 베푼다. 산이 스스로 낮아짐은 자신을 덜어 낮은 곳을 메우는 것이니, 이로써 군자는 천하의 이치에 따라 공평무사하게 일을 처리하여 일의 끝을 아름답게 한다(君子有終).

☞裒: 줄어들 부, 덜어낼 부/ 益: 더할 익/ 寡: 적을 과/ 稱: 저울질할 칭/ 平: 평평할 평, 고르게 할 평/ 施: 베풀 시

4. 효사(爻辭)

자신을 낮춘 '겸양(謙讓)의 도'를 설명한다. 스스로를 낮춤으로써 오히려 자신을 높인다. 바람은 강하나 스스로를 굽힐 줄 알며, 쉽게 구부러지며 막히지만 결코 뚫지 못할 것이 없다. 그러나 지나친 겸양은 소인배들에게는 오히려 얕잡아 보이는 흠이 된다. 겸덕(謙德)으로 이웃에게 양보하고 자신을 낮춤이 오히려 사악한 자에게는 이를 이용하는 빌미를 주게 되는 것이다. 유순(柔順)☷으로써 겸양을 발휘하는 것만이 미덕은 아닌 것이다.

初六 謙謙 君子用涉大川 吉

초육 겸겸 군자용섭대천 길

초육, 겸양하고 겸양하다. 군자가 대천(大川)을 건너야만 길하리라.

겸(謙)은 어려운 때를 당하여 자신을 낮추고 양보하는 겸양의 덕으로 난관을 이겨 나가는 뜻이 있다. 初六은 양의 자리에 음으로 와서 자리가 바르지 못하고, 그 힘이 미약하여 어려움을 이겨 내기가 힘이 듦으로 자신을 낮추고 양보함으로써 어려움을 피한다. 자기주장을 내세우기보다는 다른 이에게 양보하는 겸양지덕(謙讓之德)이 이롭다. 初六이 변하여 하괘가 火☲가 되면 지괘는 지화명이(地火明夷☷☲)가 된다. 명이(明夷)는 천하가 어지러울 때 군자가 자신의 밝음을 숨기고 은둔하는 뜻이 있으니, 바로 초육은 자기주장을 그치고☶(止), 남을 세워줌으로써 어려움을 피하는 뜻이 있다. 이와 같은 겸양(謙讓)의 덕으로 군자가 어려움을 건널 수 있어야 만이 길하다(내호괘가 坎

水☷이니 大川의 뜻이 있다). 효사는 대천을 건너는 것이 이롭다 하지 않고 (利涉大川), 아래에 처한 初九로서 대천을 건너야만이, 건널 수 있어야 만이 길하다 하였다(用涉大川 吉). 건너지 못한다는 것은 진정한 겸양이 아니기 때문이다. 공자는 소상전을 통해 "겸양하고 겸양하니, 군자는 자신을 낮춤으로써 스스로를 높이 기른다(象曰 謙謙 君子卑以自牧也)"라고 하였다.

☞ 牧: 기를 목

六二 鳴謙 貞吉
육이 명겸 정길

육이, 온갖 소리에도 겸양하다. 굳게 지키면 길하리라.

六二는 유순함으로 음위(陰位)에 음으로 와서 중(中)에 거하니 유순중정 (柔順中正)하다. 六二가 변하면 風☴이 되어 지괘는 지풍승(地風升☷☴)이 된다. 風☴은 소리와 소문을 실어 전하는 전령이다. 유순중정한 六二를 모함하는 소리, 헐뜯는 소리 등 온갖 잡음이 바람☴을 타고 떠돈다. 이러한 소리에도 불구하고 두터운 땅☷을 뚫고 나무☴로 자라나듯(升) 겸양으로 꿋꿋하게 나아가면 길하다(貞吉). 바람은 강하나 굽힐 줄 알며, 쉽게 구부러지며 막히지만 결코 뚫지 못하는 것이 없다. 공자는 이를 "음해하는 온갖 소리에도 겸양을 굳게 지키면 길하니, 이는 중도의 마음을 얻었기 때문이다(象曰 鳴謙貞吉 中心得也)"라고 주석하였다.

☞ 鳴: 울 명

九三 勞謙 君子有終 吉
구삼 노겸 군자유종 길

구삼, 겸양(謙讓)하려 애쓰니 군자의 일은 마침이 있다. 길하리라.

삼효는 본격적인 삶의 현장에서 중(中)을 벗어나 직접 부대끼며 도를 실천하는 자리이다. 공자가 중천건(重天乾☰)괘의 九三효사를 "終日乾乾 反復道也"라 풀이하였듯, 종일 갈고 닦으며, 중(中)을 지키고자 애쓰며 고군분투하는 자리이다. 바로 노겸(勞謙)은 삶의 현장에서 곤란에 처해서도 겸양의 덕을 잃지 않으려고 애쓰고 노력하는 군자의 자세를 뜻한다. 즉, 중(中)을 벗어난 현실에서도 겸양의 덕을 잃지 않으려 애쓰는 군자의 본질을 말한다. 九三이 변하면 중지곤(重地坤☷)이다. 곤(坤)은 남을 먼저 새워주고 자신을 낮추며, 먼저 나서지 않고 뒤를 따르는 이빈마지정(利牝馬之貞)의 뜻이 있다. 그러므로 공자는 九三을 "겸양하려 애쓰는 군자이니 만민이 복종한다(象曰 勞謙君子 萬民服也)"라고 주석하고 있듯이, 군자의 노겸(勞謙)은 유종(有終)의 미가 있으니 길하다. 대지☷아래 산☶의 상은 九三이 음으로 효변하여 스스로를 낮추면서 대지☷와 하나되는 모습으로, 九三이 변하여 坤☷이 되니 만민(萬民☷☷)의 뜻이 나온다.

六四 無不利 撝謙
육사 무불리 휘겸

육사, 이롭지 않음이 없다. 겸양을 견지(堅持)하다.

六四가 변하면 雷☳가 되니 지괘는 뇌산소과(雷山小過☶)가 된다. 소과(小過)는 九三 양효가 六二와 初六을 차례로 파고드는 모습으로 전체적으로는 산을 넘어가는 상이 된다. 산☶ 하나를 넘어섰으나 가야 할 길☷(進)이 아직도 남아있다. 어려움을 넘어섰으나 더 움직여 나아가야 하는 것이다. 이는 겸양을 필요로 하는 역경을 넘었으나 한 동안 더 겸양의 도를 견지해 나가야 하는 것을 의미한다.

4효는 강을 건너 외괘의 초입에서 배수진을 치고 있는 상으로 앞으로 계속해서 나아갈 수밖에 없는 위치에 있다. 어찌되었든 어려움을 넘어섰으니 겸양의 도를 한동안 더 발휘한다고 해서(견지한다고 해서) 불리할 것은 없다. 그래서 공자는 "불리할 것이 없다. 겸양의 미덕을 견지한다고 해서 준칙을 벗어난 것이 아니다(象曰 無不利 撝謙 不違則也)"라고 하였다. 준칙을 벗어나지 않았다 함은 겸양지덕을 계속 견지한다고 해서 비굴한 것은 아니라는 뜻이다.

☞ 撝: 베풀 휘, 휘두를 휘, 겸손할 휘

六五 不富以其鄰 利用侵伐 無不利
육오 불부이기린 이용침벌 무불리

육오, 이웃으로 인해 부유해지지 못하다. 침벌을 이용함이 이로우니 불리할 것이 없다.

六五는 유순(柔順)한 겸양의 덕으로 상괘의 中을 지키고 있는 임금의 자리이나 부당위이다. 또한 六五가 변하면 坎水☵가 되어 지괘는 수산건(水山蹇☵)이 된다. 坎水☵는 그 의미가 험함(險陷)이니 지나치게 자신을 낮추고 겸양하면 오히려 이웃으로 인하여 곤궁함에 빠지게 되는 뜻이 된다. 외호괘가 火☲(侵伐)이니 六五의 겸양(謙讓)을 낮추어보고 오히려 침해(侵害)하는 뜻이 있다.

이웃이 五의 겸양을 이용하여 침해하니 오히려 六五가 中(富)을 잃고 곤궁☵(險)에 빠진다. 겸덕(謙德)으로 이웃에게 양보하고 자신을 낮추는 것이 오히려 사악한 자들에게는 이를 역이용하는 빌미를 주게 되는 것이다. 六五가 유순☷함으로 겸양을 발휘하는 것만이 미덕이 아님을 말해준다. 부(富)는 육오존위가 갖추어야 할 中正을 비유하는 말로서 불부이기린(不富以其鄰)이란 이웃으로 인하여 中하되 正을 갖추지 못하게 됨을 의미한다.

六五는 中으로 柔順☷하지만 부당위(不當位)로 이웃의 침벌(侵伐)로 인하여 곤궁에 빠지는 뜻이 있다. 九五가 변하면 외호괘가 火☲가 되니 벌병(伐兵)의 의미로 침벌(侵伐)의 뜻이 나온다.

이웃이 六五의 겸양을 이용, 오히려 六五를 침벌(侵伐)하여 험함☵(險)에 빠트린다. 이용침벌(利用侵伐)이라 함은 나(六五)를 곤궁에 빠트린 바로 그 타인(이웃)의 침벌☷을 그대로 쓰면 이롭다 라는 뜻이다.

나의 겸양을 낮추어보고 침해하는 이웃의 침벌(侵伐)을 역이용하라. 자신을 낮추는 겸손만이 능사가 아니다. 겸양을 이용하는 사악한 자는 있는 그대로 되돌려주라. 그래서 공자는 "타인의 침벌을 그대로 역이용하면 불리할 것이 없으니 불복(不服)을 쳐서 바르게 하라(象曰 利用侵伐 征不服也)"라고 했다. 정(征)은 '나아가 쳐서 바르게 하다'라는 뜻이다.

☞ 隣: 이웃 린/ 侵: 침범할 침/ 伐: 칠 벌

上六 鳴謙 利用行師 征邑國
상육 명겸 이용행사 정읍국

상육, 온갖 소리에도 겸양할 수밖에 없다. 군사를 행하는 것이 이로우니 읍국(邑國)을 쳐 바르게 하다.

上六이 변하면 山☶이 되니 중산간(重山艮☶)이 된다. 모든 것을 그치고 받아드리는 수밖에 없는 겸양(謙讓)의 극치를 뜻한다 저항해봐야 소용없으니 자신을 낮추어 겸양의 도리밖에 없는 것이다.

上六은 상괘의 마지막에 처해서 겸손할 수밖에 없는 자리이다. 온갖 잡음이 나고 시끄러워도 겸손할 수밖에 없는 처지인 것이다, 六二처럼 꿋꿋하게 나아가면 길하게 되는 것이 아니다. 六二는 中道의 마음을 얻었지만(中心得也), 上六은 뜻을 얻지 못했기 때문이다(志未得也). 그러므로 결국 겸양할 수밖에 없는 것이다. 六五는 겸양으로 인하여 오히려 이웃에게 모함을 받아 곤궁함에 빠지지만, 그 모함을 역이용해 불복(不服)함을 친다. 그러나 上九는 그러할 힘도 없고 뜻을 얻지 못했으니 도덕적 당위성도 없다(志未得也). 자신의 잘못이 크기 때문이다.

그러므로 공자는 "온갖 소리에도 겸양할 수밖에 없는 것은 뜻을 얻지 못했기 때문이다. 군사를 동원하여 읍국을 쳐 바르게 한다(象曰 鳴謙 志未得也 可用行師 征邑國也)"라고 하였다. 읍국(邑國)이란 백성이 사는 도읍으로 내가 사는 곳이며, 또한 나 자신과 동일한 의미로도 사용된다. 가용행사(可用行師)란 군사를 이용할 수도 있는 가능성을 의미한다. 그러므로 '읍국(邑國)을 친다'라고 함은 스스로 나 자신을 쳐서 반성한다는 의미와 내 잘못으로 인하여 내 읍국이 침벌(侵伐) 당할 수도 있음을 시사한다.

☞ 侵: 침범할 침/ 伐: 칠 벌

15. 지산겸　　　473

16. 雷地豫뇌지예

雷☳震
地☷坤

▶효변(爻變)

과거	미래	현재
☷−7 ⇨	☷+1	☷+1
		☷−7

上下작용력: (−7)−(+1)=−8

上下균형력: (−7)+(+1)=−6

豫 利建侯行師

象曰 豫 剛應而志行 順以動 豫 豫 順以動 故天地如之 而況建侯行師乎 天地以順動 故日月不過 而四時不忒 聖人以順動 則刑罰淸而民服 豫之時 義大矣哉

象曰 雷出地奮 豫 先王以作樂崇德 殷薦之上帝 以配祖考

初六 鳴豫 凶

六二 介于石 不終日 貞吉

六三 盱豫悔 遲有悔

九四 由豫 大有得 勿疑 朋盍簪

六五 貞疾 恒不死

上六 冥豫成 有渝无咎

1. 괘상(卦象)

하괘☵의 초육이 양효로 효변하니 땅☷을 박차고 일어나는☳(進) 상이다. 우레☳(動)가 솟구쳐 나와 대지☷를 뒤흔드니 땅☷이 품고 있던 씨앗☵이 생명을 터트리며 밝은 세상을 맞이하는 오케스트라의 연주를 시작한다. 길고 긴 어둠의 터널☵을 뚫고 드디어 빛의 세상으로 포효☳(雷聲)하며 자신의 모습을 드러내니 천하가 풍악☳(雷聲)을 울리며 밝은 세상을 맞이한다. 뇌성☳이 대지☷를 울리니 밝은 세상이 시작되는구나.

위에는 우레☳, 아래는 땅☷의 상이다. 땅☷에서 우레☳가 올라와 소리를 내는 형상이니 천하에 음악소리가 즐겁게 울려 퍼진다. 땅☷ 속에서 인고(忍苦)의 시간을 견디며 기다리던 씨앗☵이 생명을 터트리는 소리이다. 우레 소리는 풍류(樂)가 되고 덕(德)을 선양하는 음악(音樂)이 되어 태평성대의 즐거움과 기쁨에 대한 감사의 표현이 된다(作樂崇德). 오케스트라 지휘자(九四)의 지휘 아래 다양한 악기를 다루는 악단(五,六)이 일사불란하게 조화를 이루어 화음(和音)를 내니 청중☷이 화순(和順)함으로 화답하며 이에 응한다(剛應而志行 順以動豫).

九四一陽이 인고(忍苦)의 세월을 닫고 나아가 뜻을 펼치니 5개의 음이 화응하는 모습으로 六二는 正位에서 中正함으로 다섯 음을 이끄는 九四의 리더십(leadership)에 순응한다(剛應而志行 順以動豫). 九四가 動의 주체가 되어 上下 군음(群陰)이 함께 응하고, 坤이 순함으로 따르니 九四의 動함에 上下가 서로 응하는 것이다. 예(豫)가 가지고 있는 '기뻐하다, 즐겁다'의 뜻이다.

진(震)☳은 동(動), 진(進)의 뜻으로 나아가는 뜻이 있다. 본사☳가 해외진출을 위한 거점☳(進)을 구축하고 활기차게 전진하는 모습이다. 군대☳가 나아 감에 있어 미리 전진기지☵를 구축하고 九四대장이 지휘하는 모습이며,

군대☷가 진군하기 전 적진에 첩자☷를 보내 미리 탐색하는 모습이다(利建侯 行師). 예(豫)가 가지고 있는 '미리, 먼저'의 뜻이다. 예(豫)의 상은 예지(豫知) 의 의미가 있다.

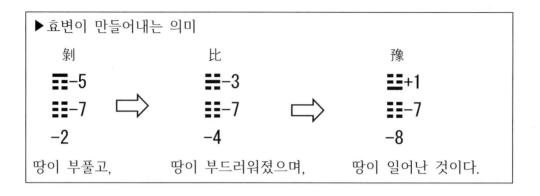

▶효변이 만들어내는 의미

剝		比		豫
☶−5		☵−3		☳+1
☷−7	⇒	☷−7	⇒	☷−7
−2		−4		−8
땅이 부풀고,		땅이 부드러워졌으며,		땅이 일어난 것이다.

2. 괘변(卦變)

▷호괘 – 水山蹇

豫   蹇

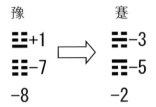

씨앗(생명)이 대지 속에서 때를 기다리다 뇌성을 듣고 땅 밖으로 고개를 내민다. 어둠 속에서의 기나긴 기다림과 인내를 딛고 때를 만나 빛의 세상으로 나오는 것은 결코 쉬운 일이 아니다. 옥토에 던져진 씨앗과 거친 황야에 버려진 씨앗은 인(忍)의 크기가 서로 다르니 땅 속에서 나오지 못하고 그대로 갇혀버리는 수도 있는 것이다. 큰 어려움을 이겨내고 땅 위로 솟구치니 천지가 풍악을 울려 예를 갖춘다. 호괘가 수산건(水山蹇)이니 참으로 가르침이 크다.

▷착종 – 地雷復

豫   復

땅☷ 속 깊이 하나의 양☳이 숨어 때를 기다린다. 작은 씨앗☳이 캄캄한 땅속에서 추운 겨울을 견디고 커다란 나무로 자라나듯이, 어둠☷ 속에서 인고(忍苦)의 시간을 감내한다. 건(蹇☵☶)의 수난을 거쳐 예(豫☳☷)가 되는 것은

16. 뇌지예   477

중도를 지켜 내었음이니 복(復☳☷)의 뜻이 흠하다. 우레가 땅 속 깊이 있을 때에는 그 힘이 미약하니 관문을 닫고 통행을 금지시켜 그 힘을 보호하며 (復), 우레가 땅 밖으로 솟구쳐 나와 큰 소리로 천지를 깨움에 작악숭덕(作樂崇德)으로 상제께 태평성대에 대한 감사를 올린다(豫).

▷도전괘 - 地山謙

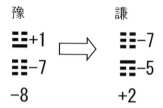

豫　　　　　　謙

☷+1　⟹　☷−7

☳−7　　　☶−5

−8　　　　+2

≫雷出地奮豫(뇌출지분예): 때를 만나 과감하게 땅을 박차고 나와 크게 떨치다.
≫地中有山謙(지중유산겸): 자신을 낮추고 겸손하게 때를 기다리다.

▷배합괘 - 風天小畜

豫　　　　　　小畜

☷+1　⟹　☴+5

☳−7　　　☰+7

−8　　　　+2

　예(豫)는 때를 기다리던 양이 드디어 땅☷을 벗어나 포효☳하며 나아가는 모습이고, 소축(小畜)은 양강한 세력☰을 음효(六四) 혼자서 막아서는 상으로 힘이 부치는 모습이다. 적당히 새어 나가니 소축이 된다.

3. 괘사(卦辭)

> **豫 利建侯行師**
>
> 예 이건후행사
>
> 예(豫)는 제후를 세워 군사를 행함이 이롭다.

예(豫)는 제후를 세워 군사를 행함이니 미리 준비하여 이로움을 취함을 뜻한다. 군대≡≡가 나아감에 있어 전진기지≡≡를 구축하여 미래를 대비하는 모습, 군대가 진군하기 전에 첩자를 미리 보내 적진을 탐색하는 모습, 이는 정보를 먼저 알아내어 이로움을 취하기 위함이다. 세상의 모든 학문≡≡은 결국 각 분야에서 미리 앞≡≡(前進)을 내다보고 대비하고자 함이니, 경제학이나 경영학 천문학 등등을 예로 들면 각가지 통계와 논리구성을 통해서 미래를 예측하고 대비하고자 하는 것으로서 이는 결국 이로움을 취하기 위함에 그 목적이 있는 것이다. 음≡≡ 속에 있던 양≡≡이 땅을 박차고 앞서 나아가는 상에서 '미리 예(豫)'의 뜻이 드러난다.

> **彖曰 豫 剛應而志行 順以動豫 豫順以動 故天地如之 而況建侯行師乎**
>
> 단왈 예 강응이지행 순이동예 예순이동 고천지여지 이황건후행사호
>
> **天地以順動 故日月不過 而四時不忒 聖人以順動 則刑罰清而民服**
>
> 천지이순동 고일월부과 이사시부특 성인이순동 즉형벌청이민복
>
> **豫之時義大矣哉**
>
> 예지시의대의재

단에 이르길, 예(豫)는 강(剛)이 응하여 뜻이 행해지고, 순(順)함으로써 움직이니 예(豫)이다. 예(豫)는 순리로써 동하니 천지도 이와 같다. 하물며 제후를 세워 군사를 행함에 있어서랴. 천지가 순리로써 동하는 고로 日月이 서로 지나치지 않아 사시가 어긋나지 않으니, 성인이 순리로써 움직이면 형벌이 맑으니 백성이 복종한다. 예의 때(時)와 뜻(義)이 크다.

예(豫)는 지휘자≡≡(九四)가 오케스트라(六五, 上六)를 지휘하니 청중≡≡이 화순함으로 응하는 모습이다. 九四가 오랜 세월 인고를 딛고 박차고 일어나 하늘의 뜻을 행하니, 대중≡≡을 이끄는 지도자≡≡의 상으로서 하늘의 뜻을 천하에 선포≡≡(雷聲)하니 백성≡≡이 화순(和順)함으로 九四에 응하여 뜻을 행한다.

하늘이 동하여 뜻을 행하니 만물이 순리로써 따르는 것이 예(豫)의 상이다. 천지도 이와 같은데 하물며 제후(九四)를 세우고 군사를 행함에 있어 어찌 다를 수 있겠는가?

천지가 순리로 움직이니, 일월(日月)은 자리를 벗어나 지나치지 아니하며, 춘하추동 사시도 일점일획 어긋나지 않고 순환한다. 이에 성인은 하늘의 이치를 따라 움직이니, 사람을 다스리는 형벌은 치우침 없이 맑아서 백성이 복종한다. 예(豫)의 때와 뜻이 참으로 위대하다

☞豫: 미리 예, 즐거울 예/ 建: 세울 건/ 侯: 제후 후/ 況: 하물며 황/ 忒: 변할 특/ 矣哉: 이런가, ~인가

象曰 雷出地奮豫 先王以作樂崇德 殷薦之上帝 以配祖考

상왈 뇌출지분예 선왕이작악숭덕 은천지상제 이배조고

상에 이르길, 우레가 땅에서 솟구쳐 나와 천지를 울리니 예이다. 선왕이 이를 보고 악(樂)을 지어 덕(德)을 숭상하며, 상제께 성대히 제를 올리고 조상을 배향한다.

우레☵가 땅☷에서 나와 떨침이 예(豫)니, 선왕이 이로써 음악을 짓고 덕을 숭상하여 성대하게 상제께 올리며 조상을 배향한다. 씨앗☵이 땅☷ 속에서 추운 겨울을 보내고 인고의 시간을 견뎌내어 땅 위로 솟구치니 생명의 소리☵(雷聲)가 대지☷를 울린다. 이는 새싹이 두터운 씨앗의 껍질☷을 터트리며 나오는 자연의 소리☵이니 천지만물이 서로 응하며 화음(和音)을 이룬다. 우레☵가 땅☷ 위로 솟아나와 큰소리로 떨침은 천지만물이 내는 화음이요, 하늘의 덕이니, 상제께 드리는 기도가 되며, 조상을 숭상함이 된다.

☞ 崇: 숭상할 숭/ 殷: 성할 은/ 薦: 올릴 천/ 配: 배향할 배/ 祖: 할아비 조/ 考: 죽은 아비 고/ 況: 하물며 황/ 侯: 제후 후

4. 효사(爻辭)

땅을 박차고 나가 위로 향하면서 부딪히며 극복해 나가는 과정을 설명한다. 때로는 경박하게 처신하고, 때로는 초지일관하며, 때로는 지체되기도 하고, 함께하는 벗을 만나기도 하며 굽히지 않아 꺾어지기도 하면서 앞으로 나아간다. 어린 싹이 대지를 뚫고 나가 성장해가면서 겪는 성장통이다. 예(豫)는 자신을 드러내어 '미리 나아가는 도'를 설명한다. 미리 나아감에 있어, 물리적으로는 본진에 앞서 전진지지를 구축하는 것이고, 정신적으로는 예지(豫知)하여 이익을 취하는 뜻을 가진다.

初六 鳴豫 凶

초육 명예 흉

초육, 소리 내며 즐거워하다. 흉하다.

初六은 아래에 처하여 힘이 미약하고 양의 자리에 음으로 와서 자리가 바르지 않다. 그러나 유일한 양효인 九四와 화응(和應)하니 기쁨에 겨워 소리를 냄에 이르니 그 처신이 지극히 가볍고 천박하다.

☵의 초육이 변하면 ☷가 된다. 땅 속에서 서서히 양기가 맺히며 밖으로 나갈 수 있다는 기대감으로 들떠 있는 모습, 김칫국부터 마시는 모습이다. 시작도 전에 초장부터 샴페인을 터트리는 격으로 소인배의 전형적인 천박한 모습을 보여준다. 미리 기대감으로 스스로를 경박하게 움직이니 흉하다.

초육이 동하면 震☳이 되어 밖으로 나가 예(豫)가 되니 九四를 크게 따르는 상이다. 자리가 바르지 못한 초육이 九四와 응하니 소인이 뒷배경을 믿고 스스로를 과시하며 으스대는 천박한 모습으로 화응(和應)관계에 있는 九四와의 연줄을 믿고 까부는 상이 된다. 이렇게 깊이가 얕고 움직임이 가벼운 자는 반드시 교만하고 방자한 모습으로 그 스스로를 드러낸다. 일의 기미를 알고 미리 기뻐하고 즐기며 떠벌리니 그 처신이 가볍고 흉한 것이다.

초육이 동하여 효변하면 震☳이 되어 重雷震(☳)이 되니, 소리치고 기뻐하며 의기양양하는 모습은 그 처신이 경박하고 천박됨을 드러내는 꼴이니 오히려 그 뜻이 궁색하다. 소상전에서 공자는 "초육명예(初六鳴豫)는 그 뜻이 궁하니 흉하다(象曰 初六鳴豫 志窮 凶也)"라고 말했다.

☞ 鳴: 울 명/ 志: 뜻 지/ 窮: 궁색할 궁

六二 介于石 不終日 貞吉
육이 개우석 부종일 정길

육이, 돌에 새겨진 굳은 절개이다. 하루로 그치지 않고 끝까지 바르게 해야 길하리라.

굳은 결의, 굳건한 우정, 돌에 새긴 맹세, 변함없는 의지, 강건한 뜻 등을 말할 때에는 보통 '돌처럼, 돌 같은'이라는 비유를 들어 그 단단하고 변함없음을 단단한 돌(石)에 비유한다. 내호괘가 산☶이니 돌(石)의 뜻이 나오며, 돌은 굳건함을 상징한다. 六二는 음의 자리에 음으로 와서 자리가 바르고 中을 지키니 유순(柔順)하지만 작은 기쁨에 들뜨지 않는 돌처럼 단단한 中正을 뜻한다. 初六의 경박함과 달리 六二는 中正하다. 괘를 주관하며 이끌어가는 九四의 인기에 영합하지 않고 산 같은 무거움으로 돌같이 단단한 절개와 지조를 굳게 지키는 자로서 초지일관하는 군자의 모습을 보여준다. 그래서 공자는 이를 "돌같이 굳은 뜻은 하루로 끝나는 것이 아니라 처음부터 끝까지 줄곧 바르게 변하지 않고 지켜 나아가야 길하다. 이는 中正하기 때문이다(象曰 不終日貞吉 以中正也)"라고 풀이한다.

가볍게 부화뇌동하지 않는 산처럼 무거운 六二는 九四의 리더십을 무조건 거부하는 것이 아니라 中正함으로 正道를 걸으면서 백성≡≡을 이끌며 응하니 그 뜻이 돌처럼 굳고 단단하여 바람에 쉽게 흔들이지 않는다. 예(豫)괘의 호괘가 수산건(水山蹇☰☰)이니 비록 내적으로는 어려움에 처해있지만, 六二가 변하면 지괘는 뇌수해(雷水解☰☰)가 되니 中正함을 돌처럼 굳게 끝까지 지켜나가면 어려움은 저절로 풀려나갈 것이다.

☞ 介: 절개 개, 굳을 개

六三 盱豫 悔遲 有悔
육삼 우예 회지 유회

육삼, 눈을 부릅뜨고 예지(豫知)하려하지만 다가가는 길이 지체되니 유감이다. 후회가 남으리라.

六三이 동하면 내호괘가 風≡이 되어 앞으로 나아가려 하나 山≡≡(내괘)에 가로 막히니 가는 길이 지체(遲滯)된다. 九四에 다가가는 길이 지체되니 유감스럽다(悔遲). 바람≡≡(流)이 산≡≡(止)에 막혀 갈 길이 지체되는 것이다. 호괘가 수산건(☰☰)이니 물에 빠져 나아가지 못하고 있는 것이다. 육삼이 동하면 지괘가 뇌산소과(☰☰)가 된다. 이는 간신히 산≡≡(止) 하나를 넘으니 또 가야 할 길≡≡(進)이 남아있는 것을 의미한다. 아직도 갈 길이 머니 계속 움직여야 한다.

예(豫)는 기미(幾微)를 미리 알아 차리는 뜻이 있다. 눈을 부릅뜨고 앞을 내다보려 하지만 잘 보이지 않으니 갈 길이 지체되고 답답하다. 六三은 九四와는 상비관계로서 九四에게 마음을 주고 다가가려 하나 의외로 갈 길이 멀기만 하다. 그래서 소상전은 "六三은 양의 자리에 음으로 와서 자리가 바르지 않고 中道를 넘어섰으니, 위(九四)를 바라보고 또 다가가려 해도 후회가 남는 것은 位가 마땅치 않기 때문이다(象曰 盱豫有悔 位不當也)"라고 풀이하고 있다.

☞ 盱: 쳐다볼 우/ 遲: 더딜 지/ 悔: 뉘우칠 회, 유감스럽다.

九四 由豫 大有得 勿疑 朋盍簪
구사 유예 대유득 물의 붕합잠

구사, 미리 앎(豫知)으로 말미암아 크게 얻음이 있으니 의심치 마라. 벗이 하나로 모이리라.

九四는 예(豫)의 중심 효로서 땅을 박차고 나와 천둥처럼 포효하는 모습이니 강력한 움직임으로 군음(群陰)을 조화로 이끌어 큰 이익을 얻는 효이다(大有得). 하나의 양의 지휘 아래 상하의 오음(五陰)이 조화롭게 따르는 상이다. 九四가 변하면 중지곤(重地坤☷☷)이 되니 모두가 九四를 중심으로 따르는 상이 된다.

예(豫)괘에서 九四는 주효가 된다. 九四가 동(動)의 주체가 되어 상하 여러 음이 함께 응하고, 坤(☷☷백성)이 순(順)함으로 받드니 이는 九四의 동함에 상하가 순리대로 응하는 것을 말한다. 오케스트라 지휘자(九四)의 지휘 아래 다양한 악기를 다루는 악단(六五·上六)이 일사불란하게 조화를 이루어 화음(和音)를 내니 청중≡≡이 화순(和順)함으로 화답하며 이에 응한다. 민심이 하나로 모아지며 헝클어진 머리를 비녀로 한 곳에 묶듯이 하나가 되는 것이다(朋盍簪).

 땅 위에 나무≡≡가 자라는 상으로 크게 얻는 것이다. 의심치 말라. 비녀로 머리를 질러 하나로 묶듯 벗들이 모이리라. 천둥≡≡처럼 큰 소리로 대지≡≡를 뒤흔드니 천하 백성≡≡을 비녀≡≡로 흩어진 머리카락을 묶듯 하나로 합한다(朋盍簪). 그러므로 공자는 "유예대유득(由豫大有得)은 뜻이 크게 행해지는 것이다(象曰 由豫大有得 志大行也)"라고 하였다. 예지(豫知)로 말미암아 다섯 개의 음효(벗)가 모여들어 예(豫)의 주체인 구사 양(陽)을 도우니 양강(陽剛)의 뜻이 천하에 크게 행해지는 기쁨이 있는 것이다.

 ☞ 由: 말미암을 유/ 疑: 의심할 의/ 朋: 벗 붕/ 盍: 합할 합/ 簪: 비녀 잠

六五 貞疾 恒不死
육오 정질 항불사

육오, 고집하면 아프다. 그러나 중도를 잃지 않고 항상(恒常)하면 죽지 않으리라.

 六五는 양의 자리에 음으로 와서 자리는 바르지 않으나 득중(得中)한 존위이다. 음유(陰柔)로서 유약하고, 九四 강(剛)을 올라탔으니 병에 걸린 것으로 비유한다. 득중(得中)하였으나 자리가 바르지 않으니 지나치게 나를 고집하면 아프다(貞疾). 육체는 물론 마음의 상처를 받는 것도 아픔이다. 그래서 소상전은 "六五가 존위로서 병이 든 것은 구사양강(九四陽剛)을 타고 있기

때문이다(六五貞疾 乘剛也)"라고 설명한다.

그러나 예지(豫知)를 고집하는 것은 잘못이 아니다. 모든 학문과 노력은 인간과 자연의 안위와 생존을 위하여 미리 예측(豫測)하고 예지(豫知)함으로써 더 나아지기를 위하는 것을 목적으로 하고 있다. 그러므로 중(中)에 자리한 六五임금의 뜻과 기개의 항상(恒常)함은 꺾이지 않는다.

예(豫)의 주효인 九四 양(陽)은 천하백성을 하나로 묶는 큰 뜻을 이루었다. 그럼으로 六五가 예(豫)를 지나치게 고집하는 것은 과욕이다. 예(豫)를 사용하여 천하를 위하여 미리 알고자 함은 잘못이 아니나 뜻을 이루었음에도 이를 고집하는 것은 자신의 욕심이 들어가 있는 것이다. 존위에 위치하여 구사 양강(九四陽剛)을 타고 있으니 과욕을 부리는 것이다. 과욕은 몸과 마음에 병이 드는 근원이다. 미리 알 수 있다고 해서 로또 복권의 번호를 알고자 함은 천하가 아니라 자기자신을 위한 과욕에 불과한 것이다.

六五는 中을 잡았으나 양의 자리에 음으로 와서 자리가 바르지 않고 九四 양강을 타고 있기 때문에 중심을 잡지 못하고 중도를 잃어버리면 과욕이라는 병에 걸리기 쉬운 자리인 것이다. 그러나 중도를 잃지 않으면, 항상함을 잃지 않으면 마음이 병들어 죽는 일은 결코 없으리라. 육신이 병에 들어 죽는 것은 자연의 이치에 불과하나 영혼이 병들어 죽는 것은 영원히 죽는 것이다.

六五는 임금의 자리에 와서 득중(得中)하였으나 정(正)을 얻지 못하고 구사양강을 타고 앉았으니 자리가 바르지 않다. 그러나 중(中)을 행하고 있으니 비록 병을 얻었을 지라도 죽음에 이르지는 않는다. 중도(中道)를 잃지 않고 우왕좌왕하지 않는다면 항불사(恒不死)하리라.

六五가 동하면 태(兌)가 되어 택지췌(澤地萃䷭)가 된다. 췌(萃)란 땅 속에 크게 쌓인 양(地澤臨䷒)이 땅 위로 솟구쳐 모인 것으로서 땅을 뚫고 나온 물이 한 곳에 모인 상을 의미한다. 연못은 온갖 종류의 잡동사니가 모여 섞이는 곳이니, 서로 부대끼면서도 생존해 나갈 수 있는 것은 연못 나름의 자정

기능이 작동하기 때문이다.

사회도 별별 종류의 사람들이 존재한다. 어떻게 사회라는 연못이 무너지지 않고 유지해 나갈 수 있을까? 췌(萃)는 생명이 항구하게 존재해 나가는 원리를 설명한다. 췌(萃)의 괘사는 "췌형 왕가유묘(萃亨 王假有廟)"라 하여 췌(萃)를 백성을 하나로 모으는 정신적 구심점으로 설명하고 있다. 그래서 공자는 예(豫)의 六五효사를 "六五가 존위로서 병이 든 것은 구사양강(九四陽剛)을 타고 있기 때문이다. 그러나 항상함이 죽지 않고 영원하리라는 것은 중도을 잃지 않았기 때문이다(六五貞疾 乘剛也 恒不死 中未亡也)"라고 풀이한다.

☞ 疾: 병 질/ 乘: 탈 승/ 恒: 항상 항

上六 冥豫 成有渝 无咎
상육 명예 성유유 무구

상육, 어둠 속에서 예지하며 기뻐하며 즐긴다. 이룬 것이 변하나 무탈하리라.

예(豫)는 군자가 천하백성의 안위와 쾌락한 삶을 위하여 앞을 미리 내다보고 준비하는 뜻이 있다. 坤(☷백성)을 뒤로 하고 震☳(進)이 앞으로 나아가 있는 것은 전쟁에서 척후병을 적진에 내보내 미리 살펴보게 함이니, 곳곳에 제후를 세움도 이와 뜻이 같다. 그런데 上六은 예(豫)의 상극에 처하여 그 뜻이 어두워졌으니 예(豫)의 예리함이 사라진 것이다. 군자의 예(豫)는 백성의 즐거움을 위하여 미리 내다보는 예지(豫知)를 말하고, 백성의 예(豫)는 군자가 이뤄 놓은 뜻을 즐기는 것이다. 군자의 예지력은 과욕으로 인하여 마음이 어두워져 둔감해지고 백성은 쾌락을 즐기기만 하니 이루어 놓은 것이 변하여 무너질 수 있다. 지나친 것은 아니함만 못하니 과유불급인 것이다.

上六은 이미 이루어 놓은 예(豫)의 뜻을 누리기만 하고 즐거움에 빠져 밤이 새는지도 모름을 의미한다. 모든 것을 다 이룬 듯, 밤을 지새는 지도 모르고 어둠 속의 환락에 빠져 있다. 上六이 변하면 火地晉(☲☷)이 된다. 대지 ☷ 위에 해☲가 떠 있으나, 극에 처해 있으므로 어둠이 뒤따르는 석양이다. 어둠의 기미가 보이니 좋은 상황은 아니다.

보름달이 되면 다시 무너져 내리듯, 세상만사란 완성되는 듯하면 무너지는 것이 자연의 이치이다. 그러므로 다 이룬 듯 밤이 다가오는 지도 모르고 기뻐하고 즐기지만, 어둠의 기미를 미리 알아차리고 스스로를 변화시키면 무탈하다.

비록 상극에 처하여 있으나 육(六)은 정위(正位)로써 자리가 바르니 예(豫)의 뜻을 잃지 않는다면 이룬 것이 비록 변화는 있겠지만 탈은 없으리라. 위에 있는 명예(冥豫)는 오래 갈 수가 없다. 어둠이 다가오기 때문이다. 그래서 공자는 소상전을 통해 "명예(冥豫)가 위에 있으니 이런 상황이 어찌 오래 갈 수 있겠는가?(象曰 冥豫在上 何可長也)"라고 경계하였다.

☞ 冥: 어두울 명/ 渝: 변할 유(투)

17. 澤雷隨택뢰수

澤☱兌
雷☳震

▶효변(爻變)

과거　　　　미래　　　　현재
☷+1 ⇨ ☷-1　　☷-1
　　　　　　　　　　☷+1

上下작용력: (-7)-(+1)=-8
上下균형력: (-7)+(+1)=-6

隨 元亨 利貞 无咎

象曰 隨 剛來而不柔 動而說隨 大亨貞无咎 而天下隨時 隨時之義大矣哉

象曰 澤中有雷 隨 君子以嚮晦入宴息

初九 官有渝 貞吉 出門交有功

六二 係小子 失丈夫

六三 係丈夫 失小子 隨有求得 利居貞

九四 隨有獲 貞凶 有孚在道 以明 何咎

九五 孚于嘉 吉

上六 拘係之 乃從 維之 王用亨于西山

1. 괘상(卦象)

初九≡≡ 양이 크게 움직이며 양기를 쌓아 나가는 모습≡≡이다. ≡≡의 양의 내재에너지는 +4이고, ≡≡는 +6으로 양기가 축적되면서 괘상은 못≡≡ 안에서 용≡≡이 헤엄치며 힘을 기르는 상이 된다. 초구≡≡가 동함으로써 양기를 축적하고, 못≡≡ 안에서 편안이 쉬는 모습이니 평안, 휴식, 안정의 의미가 있다(嚮晦入宴息).

震≡≡(+1)은 양이 음 2개를 짊어지고 힘을 쓰는 모습으로 동적(動的)인 의미이니 불안정한 모습이지만, 兌≡≡(-1)는 양 2개로 안정을 찾은 모습이니 정적(靜的)인 의미가 있다(動而說隨 大亨貞). 震≡≡은 동(動)으로 작용력이 +1이고, 兌≡≡는 울타리 안의 안정된 상태로 작용력이 -1로서 기쁨(說)의 의미가 된다. 兌≡≡는 국가로부터 보호를 받는 국민, 집에서 안정을 취하면서 운동을 하며 원기를 회복하는 모습, 안정된 직장에서 열심히 일하는 모습이다. 六二와 九五는 서로 中正한 자리에서 정응하니 서로 따르는 것이고, 괘명은 수(隨)가 된다. 수(隨)는 무조건적인 순종이나 추종을 의미하는 것이 아니라 천지자연의 변화를 자연스럽게 따라가듯이 이치와 도리에 맞게 순리를 따르는 것을 뜻한다(動而說隨).

호괘가 풍산점(風山漸≡≡)이다. 봄에 나무≡≡가 자라 여름의 강렬한 양기≡≡를 받아드려 가을에 열매를 맺어 수렴≡≡되는 과정은 춘하추동 사시를 순리대로 따르는 것이니 이는 점(漸)이 품은 뜻이다. 震≡≡은 계절로는 봄이요, 방향은 동쪽이며, 나무가 되며, 동(動)과 진(進)의 뜻이 있다. 兌≡≡는 가을이요, 서쪽이며, 여름의 강렬한 양기≡≡를 수렴한 열매≡≡가 되며, 수렴과 기쁨(說열)의 뜻이 있다. 1,2,3,4.효가 ≡≡의 상이니 계절로는 여름이며, 강한 양기를 뜻한다. 초구 양≡≡(進)이 움직이며 자라 마침내 천하에 가득하니 기뻐한다☰(說). 수(隨)는 천하가 때를 따르는 것이니 그 뜻이 참으로 크다(而天下隨時 隨時之義大矣哉).

2. 괘변(卦變)

▷호괘 - 風山漸

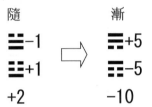

隨

☷-1
☳+1
+2

漸

☴+5
☶-5
-10

　무리하지 않게 안정을 취하며 점진적인 양기축적이 중요하다. 나무☴가 자라 열매에 양기를 수렴☶하는 과정은 춘하추동 사시를 순리대로 따라야 한다(天下隨時). 운동선수가 좋은 기록을 내기 위하여 무리하게 양기의 축적을 위해 약물을 사용하는 것은 오히려 몸을 상하게 한다.

▷착종괘 - 雷澤歸妹

隨

☷-1
☳+1
+2

歸妹

☳+1
☱-1
-2

≫수(隨): 못 안에서 휴식하며 힘을 기르는 용의 모습이다. 양기☳를 회복하니 평안☱하다(嚮晦入宴息).

≫귀매(歸妹): 밖에 섣불리 나아가 개 고생하는 상이니, 못☱을 뛰쳐나간 용☳이 힘들어하는 모습이다. 아니 나감만 못하다(歸妹 征凶 无攸利).

▷도전괘 – 山風蠱

隨 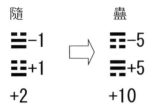 蠱

≡≡-1 ⟹ ≡≡-5

≡≡+1 ≡≡+5

+2 +10

≫수(隨)는 양≡≡이 힘을 축적≡≡하며 쌓아가는 상이니(澤中有雷隨), 고요한 안정 속에서 양기를 기르며 커가는 모습이다. 천지비 괘에서 上九 강(剛)이 내려와 初六과 자리를 바꾸다. 剛이 내려와 柔 아래에 내려오니, 동(動)하면서 기뻐함을 따르니 수(隨)가 된다(隨剛來而下柔 動而說隨).

≫고(蠱)는 양(陽)을 소비≡≡하며 그치는 상≡≡이니(山下有風蠱), 산이 바람에 두들겨 맞으며 흔들리고 무너지는 모습으로 고달프고 일이 많이 생긴다. 지천태(≡≡) 괘에서 강(剛)이 上九로 오고, 유(柔)가 初六으로 오니 손순(巽順)≡≡하면서 그치는 상≡≡(止)으로 고(蠱)가 된다(蠱剛上而柔下 巽而止蠱).

▷배합괘 – 山風蠱

隨 蠱

≡≡-1 ⟹ ≡≡-5

≡≡+1 ≡≡+5

+2 +10

≫수(隨): 양이 축적되다. 움직임(動)이 적어지니 힘의 소비가 줄며 체력이 쌓인다. 유동적≡≡ 상태에서 안정적≡≡ 상태로 되는 모습이다.

≫고(蠱): 음이 커지다. 양의 유동성이 적어지니 몸이 굳어지면서 고정되는 모습이다. 활동적≡≡(流)인 상태에서 움직임이 적어지니 부동(不動)≡≡(止)의 상태가 된다.

3. 괘사(卦辭)

隨 元亨 利貞 无咎

수 원형 이정 무구

수(隨)는 크게 형통하다. 바르게 함이 이로우니 무탈하리라.

따른다는 것(隨)은 무엇일까? 춘하추동 사시(四時)를 순리대로 따르는 것을 말하니, 봄에는 씨앗을 뿌리고(元), 여름에는 키우며(亨), 가을에는 결실을 맺고(利), 겨울에는 휴식(貞)하는 천지의 때를 말함이니 바로 수(隨)의 뜻이다. 수(隨)란 맹목적인 따름이 아니라 만물이 천지의 때를 따르듯, 천하의 일도 정도(正道)를 따라야 함을 뜻한다.

생로병사(生老病死), 이 또한 거스르고자 거스를 수 없는 자연의 이치이니, 순리를 거스르고자 하는 것은 소인의 마음일 뿐이다. 아침에 일어나 일을 하고 어두워지는 저녁에는 집에 들어가 편히 쉬는 것은 사시의 변화에 순응하며 사는 것이다. 나는 천지의 구성원으로서 천지의 변화를 따르는 자이니, 수(隨)란 천지자연의 자연스런 순행(順行)의 도리를 말하는 것으로서 이를 따르면 탈이 없는 것이다.

象曰 隨剛來而下柔 動而說隨 大亨貞无咎
단왈 수강래이하유 동이열수 대형정무구
而天下隨時 隨時之義大矣哉
이천하수시 수시지의대의재

단에 이르길, 수는 강이 내려와 유 아래에 처함이니, 동하여 기뻐하며 따른다. 크게 형통하고 바르니 탈이 없다. 천하가 때를 따르니, 때를 따르는 수의 뜻은 참으로 크다.

천지비(天地否)괘에서 上九陽剛이 내려와 음유(陰柔) 아래에 처하니 수(隨)의 상이다(隨剛來而下柔).

震☳(動)으로 움직여 나아가 兌☱(說)를 따르니 크게 형통하고 바르다(動而說隨 大亨貞无咎). 수(隨)의 뜻을 따르는 것은 자연의 이치를 따르는 것이니 탈이 있을 수 없다. 천하가 때를 따르니 때를 따르는 수(隨)의 뜻이 참으로 크다(而天下隨時 隨時之義大矣哉). 六二가 九五와 서로 中正함으로써 정응하니 서로 따르는 것이다.

천지만물은 사시의 운행을 따라 생장수장(生長收藏)의 이치를 따라 생로병사를 거듭한다. 이는 자연의 이치에 순응하는 것이니 이를 거스르면 오히려 탈이 생긴다. 수(隨)는 만물이 자연의 이치를 따라 순응하는 것이니, 인사(人事)도 이와 별반 다르지 않다. 사람과 사람의 복잡다단한 관계 속에서 수(隨)의 뜻을 따라 자기 수양과 처세를 배우라. 무탈하리라.

상에 이르기를 못☱ 가운데 우레☳가 있는 것이 수(隨)의 괘상이니, 군자는 이로써 편안함☴(安)에 거하여 휴식을 취하며 지기☷(至氣)를 키운다. 어둠을 향한다는 향회(嚮晦)는 못☱ 안의 안정된 편안함을 ☷가 기뻐하며 따른다는 의미가 되고, 또한 그 안☳에 거하여 양기☳(陽氣)를 기르는 것을 뜻한다. ☱(西)는 해가 넘어가는 서쪽으로 저녁을 의미하고, ☳(東)은 해가 뜨는 동쪽으로 아침을 의미한다. 또한 ☳은 동(動)과 진(進)의 의미로 수고로움을 뜻하니 '아침에 일어나 저녁까지 수고로이 일을 하다 어둑해지는 밤에 이르러 일을 멈추고 집에 들어가 음식을 취하며 편안히 쉰다(嚮晦入宴息)'라는 의미가 있다. 내호괘 艮☶은 지(止)의 뜻으로 집이 되며, 외호괘 巽☴은 입(入)의 뜻이니 일☳(動)을 멈추고 집에 들어간다는 뜻이 만들어진다.

수고로움☳(動)을 멈추고☶(止), 저녁☱(夕)에 이르러 집☶(止)에 들어가☴(入) 편히 쉬며☷(靜), 양기☳를 기른다는 뜻이다. 3,4,5,6효는 坎☵의 상으로 달(月)이 되니 회(晦)의 뜻이 되고, 巽☴은 입(入)으로 향회(嚮晦)의 뜻이 된다. 또한 외괘☱(夕) 아래에1,2,3,4효가 ☲(日)이 되니 저녁에 해가 기운 상으로 향회의 뜻이 나온다. 연식(宴息)란 '양기를 기르기 위하여 다양한 음식을 들며 휴식(休息)을 취하다'라는 의미이다.

천하만물이 사시의 변화를 따르듯이 사람도 아침에 일어나 일하고 저녁에는 집에 들어가 쉬며, 봄에는 씨앗을 뿌리고(元), 여름의 풍파를 겪으며 이겨내고(亨), 가을에 수확하고(利), 겨울에는 바름으로 쉰다(貞). 이는 봄에는 만물이 생하고(生), 여름에는 장성하며(長), 가을에는 쭉정이는 버리고 알갱이의 이로움을 수렴하며(斂), 겨울에는 바르게 저장한다(藏) 라는 것이 생장수장(生長收藏)의 이치이다.

겨울에 바름(正貞)으로 저장되지 않으면 봄에 씨앗이 나오지 못하니 정(貞)은 정(正)을 의미한다. 이는 너무나도 당연한 자연의 순리이니 이를 거스르면 오히려 병이 나는 법이다. 천하만물이 때를 따르듯이(天下隨時), 사람도 사시를 따라 순리대로 순응하며, 수(隨)가 말하고자 하는 자연의 이치를 거스르지 않고 따르는 것이 크게 형통하고 무탈한 것이다(隨 元亨利貞 无咎).

☞ 嚮: 향할 향/ 晦: 그믐 회, 어두울 회/ 宴: 잔치 연, 편안하게 수리 연/
息: 쉴 식

4. 효사(爻辭)

용☰이 못☱ 안에 들어 휴식을 취하며 때를 기다린다. 때가 이르니 당당히 닫힌 문☲(내호괘)을 열고(☴외호괘) 나아간다(☳하괘). 소인은 버리고 九五대인을 따라 바름☴(1,2,3,4효)을 구하면 비록 흉할지 언정 어찌 허물이라 할 수 있으랴. 때가 이르러 태아☱(하괘)가 산문產門☲(내호괘)을 활짝 열고 (☴외호괘) 산도產道(☴3,4,5,6효)를 따라 어미의 밖으로 나오듯 어려움은 극복되리라(有孚在道 明功也).

> **初九 官有渝 貞吉 出門交有功**
> 초구 관유유 정길 출문교유공
>
> 초구, 자리가 변하여 아래에 처하더라도 바름을 지켜야 길하니, 문을 열고 나아가 교류하면 공을 이루리라.

초구 양은 맨 아래에 처하여 힘은 미약하나 자리가 바르니, 문을 열고 밖으로 나아가 만물과 사귀어 공(功)을 이룬다. 震☳는 진(進)이요, 내호괘 艮☶은 닫힌 문(門)을 상징하니 문을 열고 나아가 공(功)을 이룬다는 뜻이 나온다.

震☳은 움직임(動)이며 나아감(進)이고, 艮☶은 집(house)이 되고, 닫힌 문(door)이 되며, 외호괘 巽☴은 열린 문, 뻥 뚫린 길을 뜻한다.

관유유(官有渝)는 '관직이 변하다'라는 의미로서 상괘에 있던 乾☰의 上九양이 하괘의 곤괘☷ 맨 아래에 처하여 낮은 위치에 거하게 됨을 뜻한다. 비록 자리(관직, 직책)가 변하여 낮은 위치에 처하게 되었더라도 震☳(進)는 멈추지 않고 계속 움직여 나아간다(動·進). 좌천이나 강등, 낙선, 보직변경 등, 어떤 사유에 의하여 낮은 자리로 변동이 되더라도 웅크리지 말고 처신을 바르게 하여 당당하게 문을 열고 나아가 교류하라는 뜻이다.

당당(正)하게 닫힌 문☳(내호괘)을 열고 출문(☷외호괘)하여 외부와 교류하여야 공(功)을 이룰 수 있다. 그래서 공자는 소상전에서 "자리가 변하여 비록 아래에 처하게 되더라도 바름을 따라야 길하다. 문을 열고 나아가 만물과 교류하여 공(功)을 이루니 결코 실패하지 않으리라(象曰 官有渝 從正吉也 出門交有功 不失也)"라고 하였다. 초구 양이 비록 맨 아래에 처했더라도 우레☳(動·進)의 특성상 굴하지 않고 당당하게 나아가듯이 처신을 바르게 하여 내공을 기르면 안정☷(靜)이 되니 결국 성공하게 되며 실패하지 않는다 라는 뜻이 되는 것이다. 수(隨)는 바름(正)을 따르는 뜻이 있으니(從正吉也), 그래야 좁은 집을 떠나 출문하여 넓게 교류하여도 실패하지 않고 공을 이룰 수가 있는 것이다. 또한 수(隨)는 바름(正)을 따르라는 뜻이 있으니, "從正吉也 不失也"는 '바름正을 잃지 않는다' 라는 충언으로 이해할 수도 있다.

수(隨)의 初九가 동하여 효변하면 택지췌(澤地萃☵☷)가 된다. 주변의 온갖 만물이 모여드는 중심점으로 사방팔방에서 온갖 종류의 사연을 담은 물이 모여든다. 그러므로 초구 양이 비록 낮은 곳에 처해졌더라도 당당하게 출문(出門)하여 폭넓게 교류하면 재산, 지식, 문화, 종교, 인심, 여론, 친구, 동료 … 등이 구름처럼 모여들게 되니 바름을 잃지 않는다면 결코 실패하지 않는다(從正不失).

☞ 渝: 변할 투(유), 바뀔 투(유)

六二 係小子 失丈夫

육이 계소자 실장부

육이, 소인에 매이면 장부(대인)를 잃는다.

六二는 음의 자리에 음으로 와서 자리가 바르며 中을 지키니 유순중정(柔順中正)하다. 그리고 九五의 강건중정(剛健中正)과 서로 정응(正應)하니 그 뜻이 바르다. 그러나 정응하는 九五보다 가까이에 있는 초구 양에 마음을 두게 됨을 경계하는 효사로서 六二의 유약함을 경계한다. 소자(小子)는 初九를 가리키고, 장부(丈夫)는 九五를 가리킨다. 六二는 구오장부를 선택하여야 하지만 초구소자를 택하니 결국은 장부를 잃게 된다. 이는 음효가 양효를 올라타고 있는 형국으로 길하지 않은 까닭이다

二효는 중천건(重天乾)의 九二 효사인 현룡재전(見龍在田)에서 보듯이 중(中)의 자리에서 세상으로 나가기 위해 정(正)을 배우며 준비하는 효이다. 그래서 六二효사를 통해 작은 것(初九小子)을 챙기다 큰 것(九五丈夫)을 잃어버리는 소탐대실을 경계한다. 공자는 "소인에 묶이면 장부(대인)와 더불어 함께 하지 못하리라(象曰 係小子 弗兼與也)"라고 경계하고 있다. 외호괘가 巽☴(끈), 내호괘가 艮☶(手)이니 '손으로 묶다'라는 계(係)의 뜻이 나온다. 六二가 변하면 震☳(장남)이 兌☱(소녀)가 되니, 대인(大人)을 잃고 소인(小人)을 얻는 격이다.

☞ 係: 맬 계, 얽매일 계/ 弗: 아닐 비/ 兼: 겸할 겸, 합칠 겸/ 與: 더불 여, 같이 할 여, 줄 여

六三 係丈夫 失小子 隨有求得 利居貞
육삼 계장부 실소자 수유구득 이거정

육삼, 장부(대인)를 매고, 소인을 버리다. (九四의 바름을) 따라가 구하면
얻을 것이 있으니 바름에 거하는 것이 이로우리라.

　　三효는 中을 벗어나 본격적으로 생존하기 위하여 종일건건(終日乾乾)하며
수고로이 투쟁하는 자리이다. 三효는 삶의 전쟁터 한가운데에 서있으니 매
사 선택하고 결정해야 하는 효로서 중천건괘 九三효사인 "終日健健 反復道
也"하는 뜻을 내포하고 있다. 六三은 그 자리에 머물지, 아니면 상괘(上)로
강을 건너 전진할지 진퇴를 결정해야 하는 자리이다. 그러므로 六三은 장부
를 선택하고 소인을 버리는 결정을 해야 한다. 장부(丈夫)란 상비관계에 있
는 九四를 말하고 소인이란 初九를 가리킨다. 그래서 공자는 "장부를 맨다
는 것은 품은 뜻이 아래(소인)를 버리는 것이다(象曰 係丈夫 志舍下也)"라고
하였다. 그리하여 장부(丈夫)인 九四를 따라가면 구하여 얻을 것이 있으니
바름에 거하여야 이롭다(隨有求得 利居貞)라고 하였다. 六三은 양의 자리에
음으로 와서 자리가 바르지 않으니 바르게 거해야 이롭다 경계한 것이다.

九四 隨有獲 貞凶 有孚在道 以明何咎
구사 수유획 정흉 유부재도 이명하구

구사, 따라가 획득하니 바르더라도 흉하다. 믿음이 있으니 바른 도에 거하
고 밝음으로 하면 어찌 허물이라 할 수 있으랴.

수유획(隨有獲)이란 어떤 것, 어떤 사람, 어떤 상황을 따라가(편승하여) 원하는 바를 얻게 됨을 뜻한다. 무언가를 따라가 얻게 되는 것이니 비록 그 뜻이 바르더라도 좋은 모습은 아니다. 그러나 믿음으로 바른 도에 거하여, 나를 따르는 믿음의 무리, 내가 가지고 있는 붕우들과 바른 도에 거하고 밝음으로써 행한다면 어찌 이를 허물이라 하겠는가?

19대 대선 투표 전에 문재인 후보의 당선여부를 점해서 수(隨)괘의 九四효를 얻었다. 결국 촛불 민심을 따라가서(편승하여) 그는 19대 대통령으로 당선되었다. 대통령의 당선은 정상적인 대선이 아니라 박근혜대통령과 최순실, 그리고 십상시들의 국정농단에 의한 박근혜의 탄핵과 구속이라는 초유의 사태가 발생하면서 만들어진 대선정국을 따라가서 얻은 산물이다(隨有獲). 그가 비록 부패세력을 척결하고 새로운 대한민국을 만들고자 하는 바른 뜻을 가지고 당선되었더라도 비정상적인 상황에 의해 만들어진 것이므로 바르지만 흉하다고 한 것이다(貞凶). 그러나 문재인과 그가 이끄는 무리(붕우, 정치세력)들이 바른 뜻을 가지고 바른 도에 거하며 밝음으로써 정치를 행한다면 이것이 어찌 흉한 허물이 되겠는가(有孚 在道以明 何咎)? 그러므로 공자는 소상전에서 "수(隨)는 九五를 따라가서 얻음이 있는 것이니 의리상 흉하다. 그러나 믿음을 가지고, 정의로운 초심을 잃지 않고 도에 거하면 밝은 공을 이루리라(象曰 隨有獲 其義凶也 有孚在道 明功也)"라고 하였다.

九四가 변하면 水==가 되어 지괘는 수뢰둔(水雷屯䷂)이 된다. 비==가 내리고 우레==가 치는 어려운 상황에 처하게 될 것임을 뜻한다. 그러나 둔(屯)은 강==(險難)을 건너기 위해 스스로 물에 뛰어든 상==(進)이니 충분히 극복할 수 있는 어려움이다. 서례로 보면 문재인 대통령이 초기에 바름으로 밝은 공을 이루려 하나 새누리당에서 한국당으로 이름을 갈아탄 전 박근혜대통령의 옹호세력이 가로 막고 있으니 사사건건 태클을 걸어 당장은 어려움에 처하게 된다. 또한 북한으로 인하여 파생되는 강대국들의 견제와 간섭으로 수많은 선택을 해야 하는 어려움에 봉착하게 된다. 그러나 때가 이르면 태아(胎

兌)(☲하괘)가 산문(産門)☳(내호괘)을 활짝 열고(☵외호괘) 산도(☶지괘의 상
괘)를 거쳐 어미☷(母)의 밖으로 나오듯 어려움은 극복되고 밝은 공을 이루
게 될 것이다(有孚在道 明功也).

初九는 비록 자리가 변하여 낮은 자리에 처하게 되었으나 이에 굴하지 않
고 바름을 쫓아 출문(出門)하여 붕우들과 교류하면 장차 공을 이룰 수 있으
니 실패하지 않는다(從正吉也 出門交有功 不失也)라고 하였으며, 六二는 비
록 中正하나 소인을 탐하는 유약함을 경계하였고(係小子 弗兼與也), 六三은
소인을 버리고 장부(丈夫)를 선택함으로써 장차 얻을 것이 있음을 말하였다
(隨有求得). 또한 자리가 바르지 않으니 바르게 거함이 이로우리라 경계하였
다(利居貞). 九四는 九五존위를 따라가서 원하는 바를 얻으나, 의리상 그 뜻
이 흉하니(隨有獲 其義凶也), 믿음으로써 바른 도에 거하면 밝은 공을 이루
리라 경계하였다(有孚在道 明功也).

☞ 獲: 얻을 획/ 何: 어찌 하

九五 孚于嘉 吉
구오 부우가 길

구오, 아름다움에 믿음으로 자리하니 길하다.

九五는 양강이 존위에서 中正을 얻은 인군의 자리이다. 또한 다른 효들이
추종하는 강건중정(剛健中正)한 효로서 다른 효들을 믿음으로 이끈다. 九五
는 六二와 中正함으로 서로 정응하고 있으며, 六二가 믿고 따르는 수(隨)괘
의 주효이며, 수(隨)의 도로서 정점에 있으니 그 자체가 아름다움으로 표현

된다(孚于嘉). 가(嘉)는 아름다움이며, 공적을 기릴 때 신전에서 음식을 내려 주어 칭찬하는 경사스러운 잔치를 의미하는 가례(嘉禮)를 뜻한다.

그러므로 九五는 중정존위(中正尊位)로서 믿고 따르는 붕우들을 가례에 모아 대의를 논하는 효이니 길하다. 九五는 가례를 주관하여 믿고 따르는 붕우들을 이끄는 中正한 효이다. 공자는 소상전에서 "아름다움(嘉)에 믿음(孚)으로 함께 자리하니 길하다. 이는 자리가 바르고 중(中)하여 치우치지 않기 때문이다(象曰 孚於嘉吉 位正中也)"라고 풀이하였다. 초구☲ 양이 출문(出門)하여 만물과 교류하며 따르는 자들을 모으니 못☱(澤)이 된다. 兌澤☱은 믿고 따르는 자들이 가득 모인 모습으로, 기쁨으로 잔치를 벌이는 길한 상이다. 兌☱는 양이 가득 차 있는 상으로 기쁨(說)의 뜻이 있다.

☞ 孚: 미쁠 부, 믿음성이 있을 부/ 嘉: 아름다울 가(옛날에 공적을 기릴 때에 신전(神殿)에서 음식을 베풀어주었으므로 음식을 내려 '칭찬하다'의 뜻. 널리 경사스럽다, 아름답다)

上六 拘係之 乃從維之 王用亨于西山
상육 구계지 내종유지 왕용형우서산

상육, 붙잡아 매고, 쫓아가 얽어 매다. 왕이 서산에서 향을 올리다.

태(兌)☱는 서쪽이니 해가 저물어가는 서산(西山)을 뜻한다. 넘어가는 해를 붙잡을 수 없듯이, 기울어가는 영광을 돌이키는 것은 쉽지 않다. 붙잡아 매고(民心), 또 쫓아가 얽어 맨다. 사람으로 할 수 있는 최선을 다하고 서산(西山)에 제향(祭享)한다. 西山이란 문왕이 7년 동안을 옥에 갇혀 64괘를 저술한 곳이며, 천명을 받아 나라를 꿈꾼 곳으로 정신적인 지주가 되는 곳이니,

상나라 주왕을 격파하고 주(周)를 세운 장남 무왕이 태어난 기주(岐周)의 기
산(岐山)을 가리킨다.

흩어진 민심을 붙잡아 모으고, 제후와 병사들을 묶어 결속시키며 西山에
서 하늘에 제향하며 대의를 다진다. 上六은 맨 위에 처하여 그 처지가 궁하
니 민심이 잘 모이지 않는다. 공자는 이것을 "붙잡아 매는 것은 위가 궁하기
때문이다(象曰 拘係之 上窮也)"라고 하였다. 그래서 붙잡아 매고 쫓아가 얽어
매며, 서산에 제를 올리며 하늘의 도움을 청하는 것이다.

震雷☳(進)의 나아감

땅 속에서의 오랜 기다림 끝에(復), 땅을 박차고 나와(豫), 천명을 따라
천하에 출사하다(无妄).

復 　　豫 　　无妄

육(六)은 비록 상극에 처하여 있으나 음위에 음으로 와서 자리가 바르다.
上六☷이 변하면 지괘는 천뢰무망(天雷无妄☰)이 된다. 수(隨)의 上六은 흩
어진 민심을 잡아 모으고 제후와 군대를 결집시킨 후, 하늘☰에 제를 올려
천명(天命☷)을 구하는 모습이며, 무망(无妄)은 길고 긴 기다림 끝(復)에 땅
을 박차고 나와(豫) 푸른 창공☰을 향해 날개를 펴고 비상☷하는 상이니(无
妄), 천명☷을 받들고 뜻을 펴고자 천하☰로 출사(出師)하는 모습이 된다.

서산에 올라 제사를 지내면서까지 붙잡아 매고 따라가서 매어 유지시키고
자 하는 것은 천명☷을 내리는 乾☰이다(拘係之 乃從維之). 즉, 서산에서 제를
지내는 대상은 하늘☰乾이며, 이를 통해 민심☰을 모으고자 한 것이다. 하늘
(天)과 민심(民心)은 乾☰으로 뜻이 같다. 上六효사는 민심을 이끌어 제후와

군대를 결집시키고, 하늘에 제를 올려 은나라를 정벌하는 대의를 구한 후, 은을 멸하고 주나라를 개국한 무왕의 고사로 인용된다.

☞ 亨: 형통할 형, 드릴 향, 형통하다, 제사를 드리다, 향(享)과 같은 뜻으로 쓰였다)/ 享: 누릴 향, 제사 드리다/ 拘: 잡을 구/ 係: 맬 계, 매다. 묶다. 줄, 끈 / 從: 쫓을 종/ 維: 벼리 유, 밧줄 유/ 窮: 궁할 궁

18. 山風蠱 산풍고

山☶艮
風☴巽

▶효변(爻變)

과거		미래		현재	
☶+5	⇨	☶−5		☶−5	
				☴+5	

上下작용력: (+5)-(-5)=+10

上下균형력: (+5)+(-5)=0

蠱 元亨 利涉大川 先甲三日 後甲三日

象曰 蠱 剛上而柔下 巽而止蠱 蠱 元亨而天下治也 利涉大川 往有事也

先甲三日 後甲三日 終則有始 天行也

象曰 山下有風 蠱 君子以振民育德

初六 幹父之蠱 有子考 无咎 厲終吉

九二 幹母之蠱 不可貞

九三 幹父之蠱 小有悔 无大咎

六四 裕父之蠱 往見吝

六五 幹父之蠱 用譽

上九 不事王侯 高尚其事

1. 괘상(卦象)

하괘 巽☴의 九二 양이 동하여 음으로 효변하니 艮☶이 된다. 내부(下)가 변하면 외부(上)에 결과가 드러난다. 생각이 바뀌면 행동이 바뀌듯, 하괘는 원인이 되고 상괘는 결과가 되어 대성괘의 뜻이 맺힌다.

☶은 초음 1개가 2개의 양을 붙잡고 있는 상으로 양은 비록 자유로우나 땅(초육)에 붙잡혀 땅을 벗어나지는 못하는 자유로움이다. ☶은 2개의 음이 상향하는 1개의 양을 붙잡아 꼼짝 못하게 묶어두는 뜻이 있다.

巽☴(流)은 바람의 성질로 자유로움 그 자체를 의미한다. 어디든 갈 수 있고, 무엇이든 파고든다(入). 그러나 九二가 음으로 효변하면서 艮☶(止)이 되자 그 자리에 얼어붙은 것처럼 정지(停止)한다. ☶은 거대한 산처럼 한 곳에 우뚝 서서 모든 움직이는 것을 멈춰 세운다. 바람☴은 산☶을 두들기지만 들은 척도, 꿈쩍도 하지 않는다. 산과 바람은 그 작용력이 각각 ☶-5, ☴+5이니 막상막하 부딪히는 힘이 +10이다. 바람은 산을 들이치고, 산은 바람을 막아선다. 바람은 바람대로 길이 막히지만 산은 산대로 바람을 막아내느라 골병이 든다. 풍수지리학에서 바람 길을 막고 서있는 집은 말 그대로 바람 잘날 없는 집이다.

무우☶는 바람☴이 들면 썩는다. 사람도 바람이 들면 골병이 드니 풍(風)을 맞았다는 뜻이다. ☶의 안에 ☴이 많아지니 물러터지고, 생각만 많아지며 고민만 늘어난다. 1,2,3,4효가 물☵의 상이니 바람☴(入)이 들어가 물러 터지고 곪은 모습이다.

유동적☴(流)인 것에서 고정적☶(止)인 것으로 변화되는 과정으로, 내부의 흐름☴이 점점 굳어져 마침내 정지☶되는 모습이 된다. 살아있는 것이 서서히 굳어버린다는 것은 죽는 것을 의미한다. 양의 활동성이 적어지니 유동성이 작아진다. 기체☰가 갑자기 고체☷로 굳어버리니 흐르던 혈관이 막혀버린다. 유연☰한 것이 굼떠진다☷는 것은 살아있는 것이 죽어간다는 뜻이다. 죽으면 굳어지고, 굳으면 썩게 되고, 썩으면 벌레가 꼬인다. 쓸데없는 일이 많아지고, 쓸모 없는 사람들만 꼬인다. 고(蠱)는 그릇(皿)안에 가득한 벌레(蟲)를 의미한다. (蟲: 벌레 충/皿: 그릇 명).

자유로운 생각☰이 굳어지면 편협해지고 괴팍☷해진다. 고집☷이 세지니 말☷이 통하지 않는다. 젊은이의 자유롭고 건강함☰이 나이가 들면서 굼떠지기 시작한다☷. 노인이 되면 고지식해지는 것은 자유로운 생각☰이 막혀버리기 때문이다☷.

뻥 뚫린 길☰이 막힌다. 자유로운 흐름☰이 막히니 길이 좁아지는 것이고 끝내 막히는 것☷이다. 산☶이 바람☴을 막는다. ☴은 어디든 갈 수 있는 뻥 뚫린 길이니 길을 막으면 소식☴도 끊어진다. 바람이 산에 막혀버리는 모습은 막혀서 나아가는 것이 어렵게 되는 것을 뜻하니 소식이 끊어지는 것이다. 그래서 ☴은 소식의 뜻도 된다. ☴의 九二가 효변하니 흐름이 서서히 멈추며 정지☶한다. 흐르는 물이 멈추면 부패되기 마련이다.

艮☶(山)은 2개의 음이 상향하고자 하는 양을 붙잡아 고정시켜버린 상으로 지(止)를 의미한다. ☶(止)로 비유되는 고(蠱)는 죽은 아비로 상징되는 굳어버린 폐단, 병폐, 화석처럼 멈춰버린 고지식, 이미 저질러놓은 일, 움직임이 멈춰버려 부패됨을 상징한다. 巽☴(風)은 바람으로 화석처럼 멈춰 생동감을 잃은 죽은 사회에 혁신의 바람을 일으켜 새로운 변혁을 일으키는 새바람을 상징한다.

병폐로 굳어버린 부패☶한 사회에 신바람☴을 일으켜 사기(士氣)를 진작시키고 새 바람을 일으켜 질서를 바로잡아 치유하다(蠱元亨 而天下治也). 치유는 할 일이 많아짐을 의미한다. 단단함에 바람이 들어가니 무너진다. 벌레가 생긴다. 해야 할 일이 많아지는 것이다.

철옹성☷이 뚫리니 독재가 무너진다. 혁신의 바람☴이 들어가는 것이다. 단단한 바위☶처럼 닫혀 있던 짝사랑이 드디어 마음의 문☶을 연다. 철옹성☶같던 휴전선이 열리고 자유의 바람☴이 들어간다. 고혹(蠱惑)적인 성인여자☴(長女)가 젊은 사내☶(小男)를 홀려 무너트린다. 고(蠱)는 '미혹하다'의 뜻이 있다.

▷**나를 바꾸면 운명이 변한다**.

　대성괘 6효에서 1,2효는 지(地), 3,4효는 인(人), 5,6효는 천(天)을 상징한다. 인효(人爻) 중에서 3효는 地에 속해 있어 육신을 의미하고, 4효는 天에 속해 있으니 정신을 의미한다.

　어떻게 하늘과 땅을 움직일 수 있을까? 정화수 한 그릇 떠놓고 정성으로 기원하는 옛 어머니의 간절함이 하늘을 감동시켜 움직이게 하는 걸까?

　천지는 내가 움직일 수 있는 것이 아니다. 그러나 천지는 움직일 수 없어도 나 자신은 움직일 수 있다. 움직일 수 있는 것은 天地가 아니라 바로 나 자신(人)이다. 人爻 중에서 정신을 의미하는 고(蠱)괘의 六四 음효를 양으로 움직이면 화풍정(火風鼎)이 된다. 나(人)를 바꾸니 天地가 이에 응(應)한 것이다. 나 하나의 생각을 바꿨을 뿐인데 하늘과 땅이 응하니 우주가 바뀌어 버린다. 즉, 괘명이 고(蠱)에서 정(鼎)으로 바뀐 것이다. 작용이 바뀌면 뜻이 달라지고 우주가 달라진다.

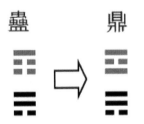

　움직이면 길흉이 변한다. 운명은 정해진 것이 아니라 나를 변화시킴으로써 바꿀 수 있다는 뜻이다. 진인사대천명(盡人事大天命)이란 바로 이를 두고 한 말이다. 운명(運命)이란 원래의 뜻은 '명(命)을 스스로 운용(運用)하다'라는 말이다. "내가 천국의 열쇠를 너에게 주리니 네가 땅에서 무엇이든 매면 하늘에서도 맬 것이요, 네가 땅에서 무엇이든지 풀면 하늘에서도 풀리라"라는 예수의 말 또한 이를 두고 한 말이다. "나는 길이요, 진리요, 생명이니, 나로 말미암지 않고는 아버지의 나라에 들어갈 수가 없다" 라고 선포한 예수의 "나'와 내가 서로 다르지 않다는 것을 안다면, 그래서 천국에 들어가는 열쇠가 바로 나 자신이라는 것을 알게 된다면, 모든 것은 내가 하기 나름이라는 것 또한 알게 되리라.

삼일신고(三一神誥)에 다음과 같은 구절이 있다.

聲氣願禱 絶親見 自性求子 降在爾腦
성기원도 절친견 자성구자 강재이뇌

소리(聲)와 기운(氣)을 다해 원하여 빌면 반드시 가깝게 나타내 보이니, 스스로 저마다의 본성을 따라 하늘의 씨알을 구하여 보라. 너희 머리 속에 내려와 있음이라.

고(蠱)의 六四가 동하여 효변하면 정(鼎)이 된다. 이는 굳어 있는 생각(六四)을 바꾸기만 하면 아름다운 결실을 이룰 수가 있다는 뜻이 된다. 고민이 오히려 긍정적인 효과를 가져오게 되는 것이다. 긍정적이고 적극적이며 자유로운 생각☰은 정체☶되어 있는 것을 움직이게 함으로써 좋은 결과☷를 만들어 낸다.

2. 괘변(卦變)

▷호괘 - 雷澤歸妹

蠱　　　　　　歸妹

☷ -5　　　　　☳ +1

☴ +5 ⇨ 　　☱ -1

+10　　　　　-2

　생각☴(流)이 굳어지면(☶止) 잘못된 선택을 하는 경우가 많아진다. 마음☵(靜)이 삭막해지면 몸이 힘들어진다(☳動). 연못☱의 물이 줄어드니 물고기☵가 살기 어려워진다. 물고기가 연못☱(靜)을 뛰쳐나오면 살 수가 없어 몸부림(☳動)치다 결국은 죽게 된다(☶止).

　제자리☶(安靜)로 되돌아와야 살 수 있다. 마음☵(靜)을 키우고 생각을 유연☴(流)하게 하고 적극적☳(進)으로 움직여 나아가야 좋은 결과를 가져오게 되는 것이다. 고(蠱)는 음이 자라는 모습이고, 귀매(歸妹)는 양이 줄어드는 모습이니 음이 자라는 고(蠱)의 내부를 들여다보면 양이 줄어들고 있는 모습이 보인다.

▷착종괘 - 風山漸

蠱　　　　　　漸

☶ -5　　　　　☴ +5

☴ +5 ⇨ 　　☶ -5

+10　　　　　-10

　바람☴(流)이 흐르는 길이 막히고(☶止) 제자리를 맴돌며 쌓인다. 무우☶에 바람≡이 들어 상하는 모습이니 집안에 우환이 생기고 벌레가 꼬이니 식솔(口)만 늘어난다. 내호괘가 兌≡이니 입(口)의 뜻이 나온다. 착종인 점(漸)은 바람이 산을 돌아 넘어가는 모습이니 전진하는 상이다. 막힌(≡≡停止) 길이 열리니(≡≡流通) 점차 풀려 나간다.

▷도전괘 - 澤雷隨

蠱   隨

≡≡-5   ≡≡-1
≡≡+5 ⇨ ≡≡+1
+10   +2

음이 늘어나면서 바람≡을 고정시키니 산≡≡이다. 양의 관점에서 보면 양의 활동성이 적어지면서 굳어지는 상이 되니 괘명이 고(蠱)가 된다(山下有風蠱). 수(隨)는 양이 늘어나면서 양기가 축적되는 상이니 못≡≡에서 잉어≡≡가 헤엄치며 보호받고 있는 상이 된다(澤中有雷隨).

▷배합괘 - 澤雷隨

蠱   隨

≡≡-5   ≡≡-1
≡≡+5 ⇨ ≡≡+1
+10   +2

고(蠱)는 작용력이 ≡≡+5가 ≡≡-5로 되면서 작용에너지의 활동이 적어지는 모습, 유동성이 적어지며 정지된 모습이 된다. 수(隨)는 양의 내재에너지가 ≡≡+4(양)에서 ≡≡+6(양)으로 축적되는 모습으로, 용≡≡이 못≡≡ 안에서 편안이 쉬면서 양기를 기르는 상이다.

3. 괘사(卦辭)

蠱 元亨 利涉大川 先甲三日 後甲三日

고 원형 이섭대천 선갑삼일 후갑삼일

고(蠱)는 크게 형통하다. 대천을 건너는 것이 이로우니 先甲三日 後甲三日
이다.

바람길이 막힌다. 그러나 바람은 결국 산을 돌아 넘어간다. 내가 가로 막
혀 있으나 넘지 않으면 일을 이룰 수 없고, 큰 내는 건너야 일을 이룰 수가
있는 것이니 건너야 이로운 것이다(利涉大川往有事也). 그러므로 고(蠱)는 크
게 형통하다(蠱元亨). 내를 건넘에 있어서는 과단성이 있어야 하나, 일의 선
후를 따지고 때를 만나야 하는 법이니 신중해야 한다(先甲三日 後甲三日).

☞ 蠱: 뱃속벌레, 곡식(穀食)벌레, 악기(惡氣), 독기(毒氣), 정신병(精神病), 일(事),
미혹하다.

象曰 蠱剛上而柔下 巽而止蠱

단왈 고강상이유하 손이지고

蠱元亨 而天下治也 利涉大川往有事也

고원형 이천하치야 이섭대천왕유사야

先甲三日 後甲三日 終則有始天行也

선갑삼일 후갑삼일 종즉유시천행야

단에 이르길, 고(蠱)는 剛이 위로 가고 柔가 아래로 내려온다. 손순(巽順)하게 그치니 고(蠱)로다. 고(蠱)는 인덕(仁德)으로 형통하니 천하를 다스린다. 大川을 건넘이 이로움은 해야 할 일이 있기 때문이다. 先甲三日 後甲三日은 마치면 시작이 있음이니 하늘이 행하는 바다.

地天泰(☰☰☰) 乾의 初九가 올라가 上九가 되니 艮☶이 되고, 곤坤의 上六이 내려와 初六이 되니 巽☴이 된다. 巽☴으로 유순하게 나아가고 艮☶으로 멈추니 고(蠱)의 상이다.

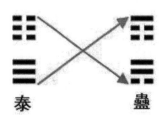

고(蠱)는 무너트리고(終) 창조하며(始) 생육하는 봄(元)과 여름(亨)으로 만물을 생장케 하는 사시의 시작이니 크게 형통함으로 천지순환을 이끈다(蠱元亨 而天下治也). 봄과 여름은 겨울☵(險水)이라는 혹독한 시련을 겪고 나서야 비로소 맞이할 수가 있다(1·2·3·4 효가 坎水☵(險)의 상으로 大川의 뜻이다). 그러므로 大川☵을 건너야 이로운 것이며, 더 나아가서 수렴하고 저장하는 가을(利)과 겨울(貞)을 행하여 순환을 완성해야 한다(利涉大川往有事也). "先甲三日 後甲三日 終則有始天行也"은 천간(天干)과 지지(地支)를 통해 춘하추동 사시의 순환으로 원형이정(元亨利貞)이 이치를 설명한다(57 번 중풍손 참조).

바람이 산에 가로 막히니 제자리를 돌며 쌓이고, 물건을 흔들며 일을 만든다. 고(蠱)는 어지러이 흔들고 파고들어가 좀먹으니 할 일이 많아짐을 뜻한다. 고(蠱)는 벌레(충蟲)와 그릇(명皿)이니 그릇에 벌레가 담겨있음은 좀먹어 무너짐을 뜻하고 소인이 꼬여 듦을 의미하고, 그러므로 일이 많아지는 것이다.

세상이 혼탁하면 이것을 다스리는 이치가 나오는 것은 자연스러운 이치로서(而天下治也), 고(蠱)를 다스림은 크게 형통하다(蠱元亨). 고(蠱)를 다스림은 가로막은 산☶을 넘는 것이고, 험난(險難)한 큰 내☵를 건너 일을 이루는 것이니 이롭다(利涉大川往有事也). 1·2·3·4 효가 坎☵水의 상이니 大川(險水)의 뜻이다.

바람이 산을 만나 겨를 없이 들이치면 나무가 넘어지고 뿌리가 뽑히며, 산에 바람이 들어가면 산은 무너지게 된다. 그러나 큰 내가 가로막을 때 겨를 없이 건너면 험난에 빠질 수 있다. 바람이 산을 만나거나, 갑자기 큰 내를 만나게 되면 멈추어 서서 사려(思慮)를 해야 하니 선갑삼일(先甲三日)이 말하고자 하는 뜻이다. 또한 산을 넘고 내를 건너면 다시 앞뒤를 미루어 사려하니 후갑삼일(後甲三日)이다. 마치면 다시 시작이 있음이 하늘(天)의 行이니(終則有始天行也), 일을 시작함에 있어 선후를 사려(思慮)하여 병폐를 바로잡고 염려하여 대비하면 후일을 장구(長久)히 할 수가 있는 것이다.

선대(先代)의 일을 마치면 다시 당대(當代)의 일이 시작된다. 당대(當代)의 일은 선대(先代) 아비(父)의 일을 이어받아 시작하는 것이니 종즉유시(終則有始)의 뜻이요, 선갑삼일(先甲三日) 후갑삼일(後甲三日)은 종즉유시(終則有始)를 함에 있어 이전 일의 마무리와 새 일의 시작에 경계사를 두는 뜻이 있다.

▷天干地支로 보는 先甲三日 後甲三日 終則有始 天行也

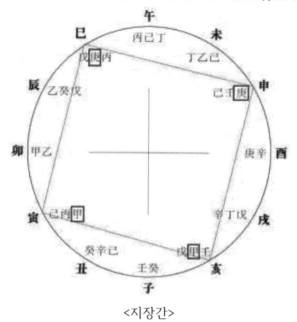

<지장간>

≫일의 시작(甲)은 마땅히 종(終)에 맞추어야 하고, 일의 변경(庚)은 시(始)에 맞추어야 하니 先甲(일의 시작)은 後庚에 일치하고, 先庚(변경의 시작)은 後甲에 일치한다.

갑(甲)은 천간(天干)을 기준으로 하면 일의 시작을 의미한다. 甲은 오행(五行)의 시작인 震木☳으로 해가 뜨는 東方이며, 만물이 시작하는 봄(春)이다. 그러므로 갑의 이전은 만물이 쉬는 坎水☵로서 北方이 되며 만물이 마치는 겨울(冬)이다. 水☵는 만물의 끝이 아니라 다시 시작을 위한 휴식이니, 양기가 두 개의 음 사이에 가운데 들어가 안식하고 있는 상이다. 艮土☶에서 양이 상향하여 乾☰을 만나니 드디어 쉼을 마치고 天行을 시작을 하는 종즉유시(終則有始)가 된다. 그러므로 갑(甲)은 마치면 곧 만물이 비롯되는 시작(始)을 상징한다. 이는 바로 하늘이 춘하추동 사시를 돌려 생장수장(生長收藏)의 이치로 만물을 순환시키는 천행(天行)을 의미한다.

산풍고(䷑)의 六五가 변하면 중풍손(重風巽䷸)이다. 중풍손 九五효사를 보면 [无初有終 先庚三日 後庚三日]이 나온다. 천간(天干)으로 갑(甲)은 선천(先天)

의 봄을 의미하고, 경(庚)은 가을 후천(後天)을 의미한다.

(제57번괘 중풍손 九五효사 참조)

선갑삼일 후갑삼일(先甲三日 後甲三日)은
시작(有始)의 의미를 밝히고(終則有始),
선경삼일 후경삼일(先庚三日 後庚三日)은
마침(有終)의 의미를 밝힌다(无初有終).

고(蠱)는 상경(18번째)에 나오고, 손(巽)은 하경(57번째)에 나온다. 상경은 천지의 시작을 상징하는 선천(先天)을 뜻하고, 하경은 인사를 다루는 후천(後天)을 상징한다. 그러므로 甲은 천지가 마치면 다시 시작하는 종즉유시(終則有時)의 뜻을 밝히는 것이고, 경(庚)은 만물이 천지의 뜻을 따라 유종(有終)의 미(美)를 이루는 것을 뜻한다. 시작이 없다 함은 아비의 아비, 그 아비의 아비의 처음이 천지부모로부터 비롯된 것으로 그 처음을 알 수가 없음이니 이를 뜻한다(无初). 중풍손(重風巽)은 새로운 세상을 만들기 위한 신명행사(申命行事)를 뜻하므로 흐트러진 흘러간 과거가 아니라 새로운 명을 펴기 위한 마침이 있을 뿐이다(无初有終).

고(蠱)는 선천으로 무너트리고 창조하고 생육하는 봄(元)과 여름(亨)이고, 오행(五行)으로는 만물이 생장(生長)하는 목(木)과 화(火)의 자리가 된다(인역오행도 참조). 고(蠱)괘의 六五가 변한 손(巽)은 후천으로서 흐트러진 것을 가지런히 하고 수렴하는 가을(利)과 겨울(貞)이 되며, 오행으로는 만물이 수렴·저장되는 금(金)과 수(水)의 자리가 된다. 그래서 고(蠱)는 파괴하고 새로이 창조하는 종시(終始)의 뜻을 가진 갑(甲)으로 상징하였고, 손(巽)은 정리하고 수렴하는 유종(有終)의 뜻을 가진 경(庚)으로 상징하였다.

[비교] 57번째 重風巽 九五효사
无初有終 先庚三日 後庚三日 吉
무초유종 선경삼일 후경삼일 길

인역(人易) 오행도

14														14	
12														12	
10	火 夏 長								金 秋 斂					10	
8														8	
6														6	
4														4	
2														2	
0						●								0	
-2														-2	
-4														-4	
-6														-6	
-8														-8	
-10	木 春 生								水 冬 藏					-10	
-12														-12	
-14														-14	
	14	12	10	8	6	4	2	0	-2	-4	-6	-8	-10	-12	-14

균형력 + 균형력 -

작용력 + 작용력 -

≫57번괘 중풍손 비교참조

산풍고(山風蠱)는 봄과 여름 계절 사이의 중토(中土)에 위치하며, 봄의 원(元)과 여름의 형(亨)을 이룬다(蠱 元亨 利涉大川). 중풍손(重風巽)은 生長의 기운을

收斂하는 가을의 길목 中土에 위치하여 生長의 왕성한 기운을 품어 숙성시킨다. 巽은 왕성한 火氣(午火)가 土氣(未土)에 수렴되며 가을(利)과 겨울(貞)을 준비하는 자리이니 소형(小亨)이고, 더 나아가 이정(利貞)을 이루니 이롭다(巽 小亨 利有攸往).

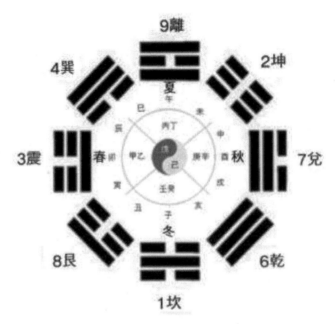

<지구역(문왕팔괘도)와 사시순환>

☞ 先甲三日 / 先庚三日

≫봄(寅宮)이 시작되기 3日前(3月前) 겨울 초입인 亥宮에 이미 봄의 기운(戊 甲壬)이 중기(中氣)에 들어와 잉태되고 있으며,　(先甲三日 = 後庚三日)

≫여름(巳宮)이 시작되기 3日前(3月前) 봄 초입인 寅宮에 이미 여름의 기운(己 兵甲)이 중기에 들어와 잉태되고 있으며,

≫가을(庚宮)이 시작되기 3日前(3月前) 여름 초입인 巳宮에 이미 가을의 기운 (戊庚丙)이 중기에 들어와 잉태되고 있으며,　(先庚三日 = 後甲三日)

≫겨울(亥宮)이 시작되기 3日前(3月前) 가을 초입인 庚宮에 이미 겨울의 기운 (己壬庚)이 중기에 들어와 잉태되고 있다.

☞ 後庚三日 / 後甲三日

≫봄(寅卯辰)이 지나면서 여름 초입인 巳宮에는 이미 가을 기운(戊庚丙)이 중기(中氣)에 들어와 잉태되고 있으며,　　　　(先庚三日 = 後甲三日)

≫여름(巳午未)이 지나면서 가을 초입인 申宮에는 이미 겨울 기운(己壬庚)이 중기(中氣)에 들어와 잉태되고 있으며,

≫가을(申酉戌)이 지나면서 겨울 초입인 亥宮에는 이미 봄 기운(戊甲壬)이 중기(中氣)에 들어와 잉태되고 있으며,　　　　(先甲三日 = 後庚三日)

≫겨울(亥子丑)이 지나면서 봄 초입인 寅宮에는 이미 여름 기운(己丙甲)이 중기(中氣)에 들어와 잉태되고 있다.

≫제 57괘 重風巽 九五효사 참조

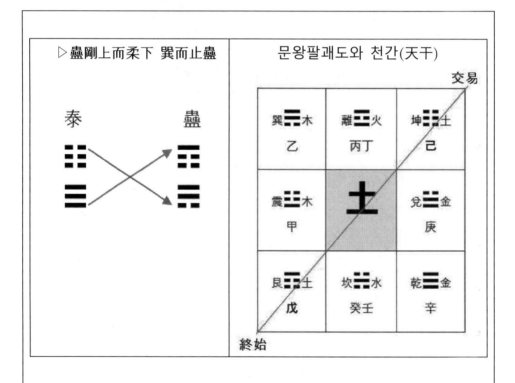

▷蠱剛上而柔下 巽而止蠱　　　　문왕팔괘도와 천간(天干)

泰　　　蠱

交易

巽 木 乙	離 火 丙丁	坤 土 己
震 木 甲	土	兌 金 庚
艮 土 戊	坎 水 癸壬	乾 金 辛

終始

先甲三日 後甲三日을 문왕팔괘도로 보면 先甲三日은 乾天이 되고, 後甲三日은 坤地가 되어 地天泰(䷊)가 되니 만물의 시작을 뜻한다.

≫비교 57번괘 중풍손

先庚三日 後庚三日를 문왕팔괘도로 보면 先庚三日은 巽☴風이 되고, 後庚三日은 艮☶山이 되어 산풍고(山風蠱☶)가 된다. 六五가 변하면 중풍손(重風巽☴)이다.

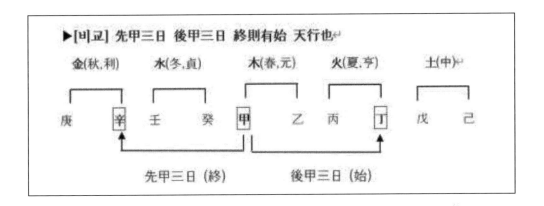

▶[비교] 先甲三日 後甲三日 終則有始 天行也

象曰 山下有風蠱 君子以 振民育德

상왈 산하유풍고 군자이 진민육덕

상에 이르기를, 산 아래 바람이 있는 것이 고蠱이니, 군자는 이 상을 보고 백성☷을 진작(振作)☴시키며 덕(德)을 기른다.

고(蠱)괘에서 산☶(止)은 흐름이 멈춰버리고 굳어 있음을 의미한다. 물의 흐름이 적어지면 고이게 되고 물은 자연히 썩게 된다. 신체 활동량이 적어지면 행동은 굼떠지고 몸은 병이 든다. 사회는 구성원들이 서로 원활하게 소통이 되고 흐름이 자유로워야 건강한 사회이다. 그러나 이와 반대로 흐름이 막혀버리면 사회조직은 굳어지면서 부패하기 시작한다. 군자는 이러한 상을 통해 변혁(變革)의 바람☴으로 꽉 막힌 혈관☷을 뚫어 흐름을 원활하게 하고 구성원들을 사기를 진작(振作)시키며, 혁신(革新)의 바람☰으로 활기(活氣)를 불어넣어 부패☵를 치유하고 구성원들의 덕을 기른다. 물은 흘러야 깨끗함을 유지하는 법, 고여 썩은 물을 정화하여 새물로 만드는 것은 구성원들의 부덕(不德)을 치유하여 덕을 높이는 것이 된다.

☞ 振: 떨치다, 진동하다, 떨쳐 일어나다, 들어 올리다.

4. 효사(爻辭)

    고(蠱)괘는 선대(先代), 선왕(先王), 조상, 부모가 저질러놓은 '굳음(☶固), 부패와 썩음, 패악, 타락, 문란, 병폐'를 자식(子)이 이어받아 이를 치유☴(濟)하고 다스리는 간부지고(幹父之蠱)를 효사의 뜻으로 삼았다(蠱元亨 而天下治也).

    선대(先代)의 아비가 저지르고 쌓아 놓은 업(業)☶을 고(蠱)라 하며, 이를 주관하고 다스리며 치유(治癒)하는 것을 간(幹)☴이라 한다. 간(幹)은 식물의 원줄기를 뜻하는 말로서 아비(父)와 자식(子)이 하나의 줄기로 연결되어 있음을 가리키며, 선천과 후천이 서로 인과(因果)로 연결되어 있음을 가리킨다. 그래서 선대의 아비가 쌓은 蠱[業]를 같은 줄기인 후대의 자식이 치유하는 것을 幹父之蠱라 하는 것이다. ☶는 지(止)의 뜻으로 죽은 부(父)를 상징하니 선대(先代)의 뜻이 되고, 죽은 아비의 쌓아놓은 업(業)을 가리킨다.

    艮☶山는 그침, 멈춤(止)의 뜻으로 굳어 버림, 고질적인 병폐, 화석처럼 굳어버린 관념, 이미 죽어버린 사상 등, 지난 세대가 이미 저질러 쌓아놓은 고(蠱)를 상징한다. 巽☴風는 류(流)의 뜻으로 살아있는 현재의 자(子)를 상징하고, 현재의 상황에 대하여 원인이 되고 있는 근원인 과거의 업, 즉 고(蠱)를 주관하여 치유하고 바로잡는다는 뜻이 있다.

初六 幹父之蠱 有子 考无咎 厲終吉
초육 간부지고 유자 고무구 려종길

초육, 아비(父)의 업(業)을 바로잡는다. 자식(子)이 있으면 죽은 아비(考)의 허물을 없게 하니, 사려 깊게 하면 마침내 길하리라.

간부지고(幹父之蠱)는 선대의 아비(父)가 쌓은 업(業)을 주관한다는 뜻으로 치유하고 다스려 바르게 한다는 뜻이다. 그러므로 훌륭한 자식이 있다면 같은 뿌리인 죽은 아비의 허물을 치유하여 바르게 할 수 있으니, 사려 깊게 행하면 마침내 길하다는 뜻으로 初六은 간부지고의 참 의미를 밝힌다. 비록 부패하고 문란하여 나쁜 업을 쌓은 아비라 하더라도 뿌리가 같은 자식이 그 아비의 업을 치유하여 허물을 없게 하니 자식으로서 아비를 이으려는 뜻이 있는 것이다. 이에 공자는 소상전에서 "아비의 업을 주관함은 그 뜻이 죽은 아비를 이으려 함이다(象曰 幹父之蠱 意承考也)"라고 풀이한다.

지천태(䷊)괘에서 上六이 내려오고 初九가 올라가 자리를 바꾸면서 고(蠱)의 상이 되니, 살아있는 자식☳이 죽은 아비☶ 또는 조상을 일깨우는 모습, 죽은 선대, 또는 아비가 저질러 놓은 업☶을 진작(振作)☳시키고 바르게 하여 덕(德)을 기르는 모습이니, 훌륭한 자식을 둔 죽은 아비, 즉 선대, 선왕, 조상 등의 허물이 자식에 의해 희석되고 상쇄되는 것이다.

初九가 변하면 대축(大畜䷙)이 된다. 잘난 자식이 아비의 잘못을 주관하여 바르게 하고, 이를 이어받아 크게 업적을 쌓게 됨을 의미한다. 그러나 음이 양의 자리에 있어 자리가 바르지 않고, 아래에 처했으니 마땅히 조심해야 한다. 이는 부당위(不當位)이니 매사 염려하듯 경계하라는 뜻이다(厲 終吉).

☞ 幹: 줄기 간, 바로잡을 간, 곧을 간, 담당하다. 맡다, 주관할 관/ 考: 죽은 아비 고, 생각할 고/ 承: 이을 승, 계승할 승

九二 幹母之蠱 不可貞

구이 간모지고 부가정

구이, 어미의 업(業)을 바로잡는다. 강하게 고집함은 가히 바르지 않으리라.

아비의 부패와 문란 뒤에는 대개 여인의 미혹함이 뒤따른다. 고(蠱)는 '미혹하다'의 뜻이 있으니 여인의 미혹함을 이른다. 九二가 변하면 모든 것이 멈춰서는 중산간(重山艮☶)이 되니 中의 자리에 있는 九二의 역할이 크다. 九二가 中道로써 중심을 바르게 잡는 것이 중요하다.

이(二)는 음위(陰位)로서 어미(母)로 비유된다. 그런데 二는 음의 자리에 양으로 와서 자리가 바르지 않다. 그러므로 너무 양강하고 강경하게 바로잡으려 고집하면 부작용이 생기기 쉽다. 왜냐하면 음의 자리에서는 음의 부드러움이 있어야 하기 때문이다. 어미(母)의 문란과 미혹은 대개 아비(父)의 잘못으로 인함이 크다. 아비의 고(蠱)를 어미의 문란으로 강하게 고집하는 것은 아비의 또 다른 고(蠱)가 된다. 二는 비록 中의 자리를 지켰으나 음위에 양으로 와서 양강함을 고집하기 쉽다.

九二는 六五와 응하니 대개 여인의 고(蠱)는 유약하고 우유부단한 아비의 고(蠱)로 인함이다. 그러므로 공자는 소상전에서 "간모지고(幹母之蠱)를 너무 고집함은 가히 바르지 않으니 이는 中道를 얻었기 때문이다(象曰 幹母之蠱 得中道也)"라고 풀이하고 있다.

山☶아래 風☴은 풍속이 자유분방함을 뜻한다. 하괘의 성인 여인☴(長女)이 자유롭게 상괘의 어린 남자☶(小男)를 미혹하는 상이다. 또한 호괘가 뇌택귀매(☳)로 어린 여자(小女)가 성인 남자☳(長男)에게 첩으로 시집가는 상이니 문란하다. 잉어☴가 연못☱ 밖으로 뛰쳐나가 개고생하는 상이니 흉하다. 저녁☱(西)에서 아침☳(東)에 이르는 밤의 과정으로 성적문란의 뜻이 나온다.

九三 幹父之蠱 小有悔 无大咎.
구삼 간부지고 소유회 무대구

구삼, 아비의 업(業)을 바로잡는다. 회(悔)는 조금 있으나 큰 허물은 없으리라.

九三효에 이르러 마침내 아비가 저질러 놓은 업(業)을 주관하여 치유하고 바르게 잡는다. 그래서 소상전에 "아비의 업(業)을 주관하여 바르게 하니 마침내 허물이 없다(象曰 幹父之蠱 終无咎也)"라고 하였다.

간부지고(幹父之蠱)함에 있어서 비록 양의 자리에 양으로 와서 자리가 바르나 中道를 벗어나 행함이 과하니 후회, 유감, 뉘우침(悔)이 있다. 아비로 표현되는 선대, 또는 윗사람의 잘못을 바로잡는 것이니 결정하기 쉬운 일은 아니므로 회(悔)가 있을 수는 있으나 큰 허물은 아니다.

변하면 산수몽(䷃)이 되어 비록 간부지고(幹父之蠱)라는 대천☵(險)을 건넜으나 갈 길을 몰라 서있는 모습 (☶止)이니, 이 또한 아비의 허물을 바로잡음에서 오는 회(悔)에서 비롯됨이니 큰 허물이라 할 수는 없는 것이다.

☞悔: 뉘우칠 회, 유감, 후회, 회한, 안타까움, 과오, 뉘우침

六四 裕父之蠱 往見吝
육사 유부지고 왕견린

육사, 아비의 업(業)을 너그럽게 용납하니, 그대로 가면 부끄러움을 보게 되리라.

음의 자리에 음으로 와서 비록 자리는 바르나 그 유(裕)함이 아비의 일을 주관하기에는 강인하지 못하고 우유부단하며 과단성이 없다. 아비의 일이라고 해서 너그럽게 관용을 베푼다는 것은 공평무사하지 못한 처사이다. 그렇게 해서는 일을 공정하게 처리할 수가 없다.

六五존위도 음유(陰柔)이므로 더 이상 나아가야 얻을 것이 없으니 실질이 없다. 1·2·3·4효는 수☵(險)를 의미하는 대천(大川)으로, 대천을 건너 끝자락에 있는 모습이지만, 六五가 음유(陰柔)로서 유약한 인군이니 더 나아가야 얻을 것이 없어 결국 인색함을 보게 된다. 공자는 "아비의 고(蠱)를 너그럽게 용납하니 그대로 가서는 얻음이 없을 것이다(象曰 裕父之蠱 往未得也)"라고 경계하고 있다.

☞ 裕: 넉넉할 유, 부드러울 유, 용납할 유/ 吝: 아낄 린, 인색할 인

六五 幹父之蠱 用譽
육오 간부지고 용예

육오, 아비의 업을 바로잡으니 명예를 얻으리라.

六五가 변하면 중풍손(重風巽☴)이다. 새 바람으로 사기(士氣)가 진작(振作)됨을 의미한다. 山☶이 風☴이 되면 손(巽)이니, 바람이 거듭하여 만물을 흔들고 부패함을 정제하여 새롭게 함을 의미한다.

중풍손 九五효사에 선경삼일 후경삼일(先庚三一 後庚三一)이 있다. 또한 중풍손 九五가 변하면 다시 산풍고(山風蠱☶)가 되니, 고(蠱)의 괘사에 선갑삼일 후갑삼일(先甲三日 後甲三日)이 있다. 갑(甲)은 先天으로 아비의 일을 상징하고, 경(庚)은 後天으로 자식이 아비의 잘못을 바로잡아 이어가는 것을

상징하니, 중풍손 九五효사는 "貞吉悔亡 无不利 无初有終 先庚三一 後庚三一 吉"이라 하여 '시작은 없으나 마침이 있다' 하였다.

庚은 일곱 번째 天干으로 고쳐 바르게 쓰는 개혁의 의미가 있다. 아비의 이름을 명예롭게 하고 자식이 바르게 이어 나가니 이롭지 않음이 없고 명예로운 것이다. 시작은 없으나 마침이 있으니 이는 자식이 선대의 일을 주관하여 다스리고 치유하며 고쳐 바르게 잡아 세우니, 아비의 이름을 명예롭게 하여 그 덕을 자식의 대에서도 이어가는 것을 뜻한다. 그래서 공자는 "아비의 이름을 명예롭게 하니 그 덕을 자식이 이어 나간다(象曰 幹父用譽 承以德也)"라고 풀이하였다.

☞ 譽: 명예 예/ 庚: 바꿀 경, 일곱 번째 천간 경

上九 不事王侯 高尙其事
상구 불사왕후 고상기사

상구, 왕과 제후를 섬기지 않고 자신의 일을 고상하게 하다.

上九는 세상의 부패를 치유≡하고 다스리며, 과욕을 멈추고 직위을 버리고 산으로 들어가(≡≡止) 은둔하며 자기의 뜻을 고상(高尙)하게 한다는 뜻이 있다. 벼슬에 뜻을 둔 것이 아니라 천하를 치유함에 뜻을 두었으므로 상극에 처하여서는 모든 욕심을 그치고 왕(王)과 제후(諸侯)를 섬기지 않으며 스스로 물러나니, 산으로 들어가 은둔하면서 자기의 일(자신이 스스로 걸어온 길, 뜻을 이룬 후 벼슬을 물리치고 자기의 길을 찾아 스스로의 뜻을 높이 숭상하는 것)을 스스로 높이니 뜻이 만인에게 준칙이 될만하다. 왕후(王侯)를 섬기지 않고 자신의 일을 높이 숭상한다는 것은 영화를 마다하고 벼슬을 초개같이 버

린 그 뜻을 스스로 높이 사는 것이다(高尙其事). 그래서 공자는 이것을 "왕과 제후를 섬기지 않는다는 것은 그 뜻이 높으니 가히 본받을 만하다(象曰 不事 王侯 志可則也)"라고 풀이하고 있다.

죽은 선대의 잘못을 바로잡았으니 더 이상 바로잡을 것이 없다. 그럼에도 계속하여 잘못을 고치려 든다는 것은 교만에서 비롯되는 것으로 자신 스스로가 선대의 아비처럼 또다른 고(蠱)를 양산하는 우(遇)를 범할 수가 있는 것이다. 상구는 음의 자리에 양으로 와서 자리가 부당하므로 양강함으로 인하여 우를 범할 수 있기 때문에 모든 공(功)을 내려놓고 떠나는 것이다.

고(蠱)괘는 '굳어버린 사상, 발전을 가로막는 고정관념, 고질적인 병폐, 악습, 가로막혀 썪어버린 물…' 등등 이미 죽어버린 가치로 비유되는 죽은 아비(考)☷(止)로 상징되는 뜻을 가지고 있다. 고(蠱)괘는 대상전의 진민육덕(振民育德)처럼 고(蠱)의 상을 통해 과거의 잘못된 것을 바로잡아 새롭게 하여 이어 나가려 하는 뜻을 효사를 통해 말하고자 한다. 그러므로 상구는 이미 5효에서 뜻을 이루었으니 물러나 스스로의 뜻을 높이는 것을 높은 가치로 보고 있는 것이다.

또 하나의 뜻은 上九가 효변하면 지풍승(地風升☷☴)이 되니, 나무☴가 두터운 땅☷을 뚫고 나와 성장하며 스스로 높이 커가는 모습으로 주군(主君)을 떠나 스스로 독립하는 상이 나온다. 즉, "왕후를 섬기지 않고 자기 자신의 일을 높인다(不事王侯 高尙其事)"라는 뜻을 직설적으로 풀이하면 선대 아비의 잘못을 바로잡아 아비의 명예를 세웠으니 이제는 자기의 뜻을 높여 스스로의 일을 하고자 하는 것으로 이해할 수 있다. 이것은 왕후(王侯)를 떠나 자기의 일을 높이는 것이니 섬기던 주군을 떠나 정치적 소신을 가지고 자기 정치를 위해 독립하는 것을 뜻한다. 다니던 회사를 그만두고 창업의 길로 나아가는 것이다.

사(事)는 '섬기다, 봉사하다'의 뜻이고, 기(其)는 '바로 그' 또는 '자기(自己)'를 뜻한다. 그러므로 '왕과 제후를 섬기지 않는다(不事王侯)'함은 지금까지 섬기던 주군을 떠나 자기의 뜻을 높이는 것이니 스스로 정치적인 독립을 하는 것을 의미한다. 제 갈 길을 가는 것이고, 자기의 뜻을 높여 자기 소신과 철학을 가지고 자기 정치를 하는 것이다(高尚其事). 부패하거나 어리석은 군주, 진정성 없이 시류만 따르는 경박스러운 정치적 가치, 도덕적 수준과 이해가 다른 주군을 떠나 스스로의 가치와 뜻을 지켜 자기의 일을 추구하는 것이다. 근무하던 직장을 떠나 스스로 창업하여 독립하는 것이다.

기사(其事)는 '자기의 일' 또는 '자기의 뜻'으로 이해할 수 있다. 현대적 의미로 왕은 대통령이나 정치적인 수장이 될 수 있고, 제후는 공공기관이나 사회단체의 장, 기업의 대표로 이해할 수 있다.

어쨌든 왕후를 떠나 은거를 하든, 왕후를 떠나 자기의 일을 하든, 결과적으로는 선대의 잘못을 바로잡아 아비의 명예를 지키고, 죽은 아비의 일을 현재로 이어지게 해 놓았으니 더 이상 집착하지 않고 내려놓는 것은 그 의미가 같다.

[비교 참고] 마왕퇴출토 백서주역(帛書周易)

上九 不事王侯 高尚**其德** 凶

상구 불사왕후 고상**기덕** **흉**

상구, 왕후를 섬기지 않고 자기의 덕을 고상하게 하니 흉하다.

上九는 상극에 처해 음위(陰位)에 양으로 와서 자리가 바르지 않다. 선대 아비의 잘못을 바로잡아 명예를 높였으나 상극에 높이 올라선 上九는 그 교만이 하늘을 찔러 왕후를 섬기지 않고 자기의 덕이라 여겨 스스로를 자부하여 높이니 흉하다.

후세의 주역에서 '흉(凶)'이라는 판단이 **빠진** 것은 아마도 부패하고 어리석은 임금은 바로잡아 세워야 하지만 그렇지 못한 경우에까지 무조건 섬기는 것은 천하백성을 위하는 것이 아니라는 자의식에서 비롯된 것으로 볼 수 있다. 군주에게 충성을 하면서도 군주의 잘못은 적극적으로 바로잡아 세우려는 것이 유학(儒學)의 본질이다. 그러므로 간부지고(幹父之蠱)가 되지 않는 선대의 죽은 가치로 상징되는 왕후는 섬기지 않는 것이 오히려 천명을 따르는 것이 된다.

그러나 이전의 주역인 백서주역은 이러한 자의식이 진전되지 않은 상태에서의 점서적 의미로서, 간부지고(幹父之蠱)를 완성한 후 교만에 빠져 왕후를 섬기지 않고 스스로의 덕을 높이는 행위는 흉(凶)이라고 판단하는 것으로 이해할 수 있다.

그런데 천하백성을 천명으로 보는 천명사상이 발전하면서 현재의 上九효사에서는 '흉(凶)'이라는 판단이 제거된 것으로 볼 수 있다. 할 일을 다한 후, 벼슬을 초개같이 던져버리고 스스로의 가치를 고상하게 하는 선비정신을 높이 보는 현재의 효사로 이어지게 된 것이다.

공자는 "왕과 제후를 섬기지 않는다는 것은 그 뜻이 높으니 가히 본받을 만하다(象曰 不事王侯 志可則也)"라고 하여 현재 주역의 上九효사 해석의 기준을 세웠다.

▶백서주역(帛書周易)은 1973년 12월 중국 호남성 장사(長沙) 마왕퇴(馬王堆) 3호 한묘(漢墓)에서 출토된 비단에 쓰인 『주역』을 가리킨다.

(마왕퇴출토 백서주역/ 김상섭)

19. 地澤臨 _{지택림}

地 ☷ 坤
澤 ☱ 兌

▶효변(爻變)

과거	미래	현재
☷-1 ⇨	☷-7	☷-7
		☱-1

上下작용력: (-1)-(-7)=+6

上下균형력: (-1)+(-7)=-8

臨 元亨 利貞 至于八月有凶。

象曰 臨 剛浸而長 說而順 剛中而應 大亨以正 天之道也 至于八月有凶 消不久也

象曰 澤上有地 臨 君子以教思无窮 容保民无疆

初九 咸臨 貞吉

九二 咸臨 吉无不利

六三 甘臨 无攸利 既憂之 无咎

六四 至臨 无咎

六五 知臨 大君之宜 吉

上六 敦臨 吉 无咎

---

1. 괘상(卦象)

양(陽)이 크게 임했으나 아직 대지 속에서 드러내지 않고 있는 상태로서 힘을 크게 축적하고 있는 모습이다. 고요하지만 큰 힘이 내재되어 있으며, 내적으로 강한 모습이다. 대지☷ 속에 거대한 장엄한 양(陽)의 바다☱가 있는 상이다.

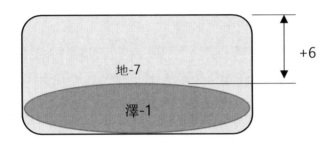

지풍승(地風升☷☴)은 강한 양적 활동으로 대지를 뚫고 올라가려는 상승의 힘이 강한 반면, 지택림(地澤臨☷☱)은 상승이 아니라 내적으로 양을 쌓아 차근히 힘을 축적하며 준비를 하는 모습이다. 밥을 든든히 먹어 큰 힘이 축적되어 있으니 장차 큰 일을 할 수가 있다. 학식을 충분히 쌓았으니 때가 되면 세상으로 나아가 거목이 될 수 있다. 도량이 크고 적연부동(寂然不動)하니 보이지 않는 힘은 고요한 바다처럼 한번 움직이면 천지를 뒤흔든다. 그래서 임괘는 크게 형통한 것이며, 음양이 위아래가 서로 공정하고 바르게 위치한 지천태에 비하여 양 하나가 모자란 상태이므로 바르게 해야만 이로운 것이다.

▷地澤臨 수동적 저장(지하 저장고)	▷地風升 능동적 상향(돌파)
☷-7 ☱-1	☷-7 ☴+5
► 上下작용력: (-1)-(-7)=+6 ► 양의 내재에너지: +48(양) ► 양의 활동에너지: +3	► 上下작용력: (+5)-(-7)=+12 ► 양의 내재에너지: +24(양) ► 양의 활동에너지: +6

▷ **내재에너지 (위치에너지, 축적에너지)**

양(陽)은 아래로 내려갈수록 커지고 음(陰)은 올라갈수록 커진다[수승화강水昇火降]. 물(陰)은 높이 올라갈수록 떨어지는 낙차의 힘이 커지고, 불(陽)은 아래에 있을수록 위로 상승하려는 힘이 커진다. 활시위를 당길수록 화살이 나아가는 힘이 점점 더 커지는 원리이다.

▷ **활동에너지(발산에너지, 소비에너지)**: 양이 위로 향하며 발산하는 에너지이며, 음은 아래로 향하며 발산하는 에너지이다.

▷ **작용에너지**: 작용에너지는 내재에너지와 활동에너지가 서로 부딪히며 찾는 접점이다.

* **수승화강(水昇火降)**: '물은 위로, 불은 아래로'라는 의미로 본래 음양오행설에서 나온 용어이다. 우주에서 물은 수증기가 되어 하늘로 올라가며, 태양의 따뜻함은 땅속에 흡수돼 내려간다는 뜻이다. 그렇게 되어야 우주가 음양의 조화를 이루고 생명체들이 살아갈 수가 있는 것이다.

► **地澤臨**: 지택림(地澤臨)은 양의 내재에너지(위치에너지)가 +48(양)로서 대지☷ 아래 양이 크게 축적☱되어 있는 모습이다. 작용력으로 보면 ☱은 -1로서 상향성보다 저장하려는 축적의 성질이 있다. 上下작용력은 +6이다.

►**地風升:** 임(臨)의 初九와 九二 2개의 양효가 음을 뚫고 상향하면 지풍승(地風升)이 된다. 승(升)은 양의 내재(內在)에너지가 +24(양)로, 임(臨)의 +48(양)의 에너지가 음을 뚫고 나아가 상향하여 절반을 소비하며 활동하고 있는 모습이니, 능동적으로 대지☷ 위로 돌파하려는 상향성을 가지고 있다. 上下작용력으로 보면 損☶은 +5로 坤☷-7를 돌파하려는 상향력이 크니 上下의 괘가 서로 부딪히는 작용력이 +12가 된다.

▶착종: 임(臨)과 췌(萃)

☷-7 ☱-1	☱-1 ☷-7
상하작용력: +6	상하작용력: -6
양의 내재에너지: +48(양)	양의 내재에너지: +6(양)
►바다 천하의 모든 양기가 크게 임하여 축적된 모습(剛浸而長강침이장), 한번 움직이면 천하를 요동치게 하는 거대한 힘이다.	►연못 땅 속에 크게 쌓인 양(地澤臨)이 땅 위로 솟구쳐 모인 것으로 땅을 뚫고 나온 물이 한 곳에 모인 상태(萃)이다. 만물을 생육하는 젖줄이다(王假有廟왕가유묘).

임(臨)은 땅 속에 축적된 거대한 양의 바다를 상징한다. 졸졸 흐르는 시냇물이 아니라 작은 움직임에는 꿈 쩍도 않는 거대한 바다이다. 이것이 땅으로 솟구치니 물이 모여 만물을 이롭게 하는 땅 위의 연못(萃)이 된다.

▶ 효변(爻變)의 이해: 상하작용력과 상하균형력

과거 미래	현재
☳-1 ⇨ ☷-7	地☷-7
上下작용력: (-1)-(-7)=+6	澤☱-1
上下균형력: (-1)+(-7)=-8	臨

▶ 과거(☱)와 미래(☷)가 만나 현재(䷒)를 만든다. 과거(☱)에서 미래(☷)로 변화하는 과정 중에 현재 시점에서 포착한 것이 지택림괘(䷒)가 된다.

하괘가 효변하면 상괘에 그 결과가 표현되면서 전체 대성괘가 그 뜻을 드러낸다. 하괘에서 상괘로의 변화 과정을 현재시점에서 포착한 것이 대성괘이다. 시간의 흐름으로 보면 하괘는 과거, 상괘는 미래가 되니 대성괘는 과거와 미래가 만나는 현재의 순간이 된다. 괘상은 바로 시간의 흐름을 표현하는 것으로 그 뜻에 감응(感應)할 수 있다면 과거와 현재 그리고 미래로의 변화를 읽어낼 수가 있는 것이다(感而遂通).

☷이 ☰로 효변하는 것은 어떤 의미가 있는가?

단순히 ☰의 양이 하나하나 사라져 ☷으로 변화된다는 것인가? 이것을 이해하려면 ☷의 성질을 제대로 이해해야 한다. ☷는 형상은 땅(地)이고, 성정은 곤(坤)이다. 만물이 실제적으로 생장하고 활동하는 장소이다. 순음으로서 정적이고 고요하며, 순하고 바르며, 포용하고 생육하는 성질이 모태와 같으니, 땅은 만물을 싣는 큰 수레가 되어 두터운 사랑으로 만물을 감싸 안는다. 모든 생명이 비롯되고 세상 밖으로 나가게 하며, 결실을 얻게 하여 만물을 이롭게 하니 ☷는 만물의 태궁(胎宮)이다.

양을 품고 받쳐주는 두터운 땅이지만 그로 인해 양의 상승을 막는 벽이 되기도 한다. 그러므로 ☷는 위(상괘)는 받쳐주고, 아래(하괘)는 품고 포용하는 성질이 있다. 복(復䷗)이나 임(臨䷒)의 양효는 시간이 흐르면서 사라져 ☷가 될 수도 있으나, 점점 성장하여 나아갈 수도 있다. 관점에 따라 그 해석을 달리 할 수 있으니 점(占)은 양상이 다르게 나타난다.

坤☷의 아래에 있는 하괘의 양효는 보이지 않는다. 보이지 않는다고 해서 그 양효의 자람(성장)이 없는 것이 아니니 모태 속에서 태아는 장차 어른으로 성장할 것이다. 그러므로 ☷는 하괘를 흡수하여 순함으로 포용하는 성질이 있고, 그 크기가 두터워 양효의 성장이 저지되기도 하며, 성장하도록 도와주는 모태로서의 역할을 하기도 하는 것이다.

2. 괘변(卦變)

▷호괘 - 地雷復

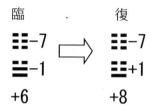

임(臨)은 양이 하나하나 쌓이며 장성한 결과이니 그 시작은 복(復)이다.

▷착종 - 擇地萃

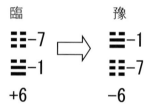

　임(臨)은 땅 아래 물이 모여 있는 거대한 바다로서 양기의 거대한 저장소이다. 췌(萃)는 땅 위에 물이 모여 있는 못으로서 만물에 이롭게 쓰이며 만물의 중심이 된다.

▶양이 대지 위로 상승하는 과정

䷗-7		䷒-7		䷏-7		䷏+1		䷬-1
䷗+1		䷒-1		䷏-7		䷏-7		䷬-7
復		臨		地		豫		萃
+8		+6		0		-8		-6

≫양이 대지 아래에 쌓이면서 위로 상승하여 모임

䷒-7		䷆-7		䷏-7		䷇-3		䷬-1
䷒-1		䷆-3		䷏-7		䷇-7		䷬-7
臨		師		地		比		萃
+6		+4		0		-4		-6

≫양이 대지 속으로 스며들면서 위로 스며 나와 모임

▶임(臨)와 비(比)의 작용력과 균형력 비교

☞ **地澤臨**

| ☱-1 | ⟹ | ☷-7 | | ☷-7 |
| | | | | ☱-1 |

▶上下作用力: (-1)-(-7)=+6

  땅☷ 속에 거대한 바다☱가 있으나 사실은 땅이 품고 있어 보이지 않는다. 2개의 양은 상향하려는 힘보다 수동적인 저장성이 강하다(-1). 그러므로 양이 하나밖에 없는 복(復䷗)의 上下作用力이 +8인 것에 비하여 양이 2개가 축적된 임(臨䷒)은 +6으로 오히려 작다. 그러나 양의 내재에너지를 보면 지뢰복(地雷復䷗)은 +32(양)이고, 지택임(地澤臨䷒))은 +48(양)이 되니 내재된 에너지의 크기는 양효가 2개 축적된 임(臨)이 더 크다.

▶上下균형점(高低): (-1)+(-7)=-8

  -8의 지점에서 힘의 균형을 이루고 있다. 복(復, -6)보다 위치가 더 깊으니 임(臨)은 강하게 깊이 임해 있는 것이다.

☞ 水地比

  ☷-7 ⟹ ☷-3   ☵-3
                          ☷-7

▶上下작용력: -7-(-3)=-4

  물은 땅의 모난 곳을 메우며 땅 위를 흐른다. 사(師)는 땅 속에 물이 모여 있는 것이고, 비(比)는 땅 위에 올라와 흐르는 것이다.

▶上下균형점(高低): -7+(-3)=-10

  -10의 지점에서 힘의 균형을 이룬다. 땅☷은 물☵과 친하여 -3만큼 스며들고, 또한 땅은 -4로 받쳐주니 땅 위를 흐르게 한다.

▷도전괘 – 風地觀

臨   觀

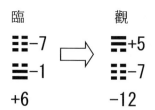

☷-7 ⟹ ☴+5
☱-1   ☷-7
+6   -12

임(臨): 양이 거대한 저장소에 비축되어 있다.

관(觀): 양이 밖으로 나가 활동하고 있다.

▷배합괘 - 天山遯

臨　　　　　　　遯

☷ −7 ⟹ ☰ +7

☱ −1 　　☶ −5

+6 　　　　−12

► 澤上有地 臨: 땅 아래 양이 거대하게 축적되어 있으나 눈에 보이지 않고 저장되어 있을 뿐이다. 그러나 한번 움직이면 천지를 흔드니 거대한 양(陽)의 바다이다.

► 天下有山 遯: 하늘 아래 흙이 쌓여 있다. 아무리 높게 쌓아도 하늘 아래 뫼일 뿐이니 작은 산이다.

3. 괘사(卦辭)

臨 元亨 利貞 至于八月 有凶
임 원형 이정 지우팔월 유흉

임(臨)은 크게 형통하니 바르게 함이 이롭다. 8월쯤에 이르러 흉함이 있으리라.

천지자연은 춘하추동 사시(四時)를 돌며 생장수장(生長收藏)의 이치를 펼쳐내니 원형이정(元亨利貞)의 도를 말한다. 만물이 얼어붙은 추운 겨울, 그 밑바닥 언저리에는 오히려 양강(陽剛)한 기운이 파고들어 생명지기(生命地氣)를 길러낸다(地雷復). 또한 양기가 최고조로 성할 때, 오히려 그 밑바닥에는 음기가 자라 쇠함을 촉진하게 되니, 지우팔월 유흉(至于八月 有凶)이란 바로 이러한 생장수장(生長收藏)하는 이치를 알아 미리 대비하여야 함을 지적하는 것이다.

음(陰)이 양(陽)보다 커지기 시작하는 달은 8월 풍지관(風地觀☴☷)이다. 양을 꺾고 음이 흥하기 시작하는 가을의 숙살지기 기운이 작용하면서 양으로서는 흉이 된다. 이는 음양소장(陰陽消長)의 이치를 밝힌 것으로, 12월괘인 임(臨☷☱)괘를 기준으로 보면 1월부터 6월까지는 양이 크지만 7월 천지비(天地否☰☷)에서 균등해지고 드디어 임(臨☷☱)괘의 도전괘가 되는 8월 관(觀☴☷)괘에서 음이 양을 앞서가면서 커지기 시작한다. 지우팔월 유흉(至于八月 有凶)이란 8월을 가리키는 것이기 보다는 음양소장의 순환적 이치를 가지고 길흉의 순환을 풀이한 것으로 이해할 수 있다. 그러므로 "양(陽)이 비록 성하나 八月에 이르면 그 道가 사라지니, 이는 흉(凶)함이 있는 것이다"라고 경계한 것이다.

▷至于八月 有凶

상효가 아래로 내려오면서 양효은 음효으로, 음효는 양효로 효변한다.

坤	復	臨	泰	大壯	夬	乾	姤	遯	否	觀	剝
䷁	䷖	䷒	䷊	䷡	䷪	䷀	䷫	䷠	䷋	䷓	䷖
0	+32	+48	+56	+60	+62	+63	+31	+15	+7	+3	+1
10월	11월	12월	1월	2월	3월	4월	5월	6월	7월	8월	9월
亥	子	丑	寅	卯	辰	巳	午	未	申	酉	戌

► 12벽괘(12개월 순환괘)로 보면 지택림(䷒)에서 풍지관(䷓)으로 변화과정은 8개월이 걸리고, 지택림의 도전괘인 풍지관은 8월에 해당한다.

임(臨)괘는 양이 커가면서 음이 물러나는 상이므로 군자(양)가 음에 적극적으로 임하면서 다스리는 도를 설명하고, 도전괘인 관(觀)괘는 음이 커가면서 양이 물러서는 상이므로 양으로 표상되는 군자가 뒤로 물러나 관(觀)하는 시기임을 말해준다. 군자는 때를 읽어 나아가 임(臨)할 때와 물러나 관(觀)할 때를 알아 진퇴를 행하여야 한다. '至于八月 有凶'이 의미하는 것이 이것이니 이 뜻을 읽어내지 못한다면 군자로서는 흉한 일이다. 그래서 임(臨)은 크게 형통하지만 군자로서 바르게 행해야만 이롭다고 한 것이다(臨 元亨 利貞).

☞ 臨: 임할 임, 다스릴 임

象曰 臨 剛浸而長 說而順 剛中而應 大亨以正 天之道也

단왈 임 강침이장 열이순 강중이응 대형이정 천지도야

至于八月有凶 消不久也

지우팔월유흉 소불구야

단에 이르길, 剛(陽)이 땅 아래로 젖어 들어 점차 자라니, 기쁨과 유순함으로 剛(陽)이 中에 거하여 서로 응한다. 크게 형통하고 바르니 이는 하늘의 도다. 8월에 이르러 흉함이 있으니 사라져 오래하지 못함이라.

　강양(剛陽)이 ☷의 아래를 파고들어 점차 자라 크게 임하는 것이 임(臨)이니, 생장(生長)의 기쁨☱과 유순한 땅의 포용성☷이 서로 화응한다. 생장하는 九二가 중(中)에 거하여 포용하는 六五와 서로 응하니, 이는 크게 형통하고 바른 이치로서 하늘이 행하는 원형이정(元亨利貞)의 도가 된다.

　하늘의 기운이 땅 아래로 임하니 거대하고 웅장한 양의 바다를 이룬다. 기운이 점차 자라 4개의 음효와 감응하고 화합하니 밀어주고 당기며 조화를 이룬다.

　그러나 아무리 양이 크게 임하고 서로 응하여 천지의 기운이 왕성해도, 때가 지나면 기운이 다하여 양이 사라질 때가 곧 멀지 않게 되니 이 또한 천지자연의 이치다. 흥할 때 쇠함을 미리 알고 대비하는 것이 군자의 도리이니 준비하지 못한 상태에서 그 기운이 다 한다면 흉함이 있는 것이다.

☞ 浸: 잠길 침, 적실 침, 스며들 침/ 至: 이를 지, 도달할 지/ 消: 사라질 소/ 久: 오랠 구

象曰 澤上有地 臨 君子以 敎思无窮 容保民无疆

상왈 택상유지 임 군자이 교사무궁 용보민무강

상에 이르길, 못 위에 땅이 있는 것이 임(臨) 이니, 군자는 이로써 가르
치고자 하는 생각을 무궁히 하니, 백성을 포용하고 보호함이 무한하다.

하늘☰의 양이 땅☷에 임하여 크게 쌓이는 것이 임(臨☷)이다. 군자는 이
러한 상을 보고 못이 땅을 윤택하게 하여 만물을 생육하듯이, 백성에 임하여
가르쳐 그 덕을 높이고자 하는 생각을 무궁(無窮)히 하며, 땅이 물을 받아
드림에 한이 없듯이 백성을 너그럽게 포용(包容)하고 보전(保全)하기를 무한
(無限)히 한다.

☞ 容: 용납할 용, 얼굴 용/ 窮: 다할 궁, 궁할 궁/ 无: 없을 무/ 疆: 지경 강(끝,
한계)

4. 효사(爻辭)

    2개의 양(陽)이 땅 아래로 강침(剛浸)하여 크게 자라니 위의 4개의 음(陰)에 두루 임(臨)한다. 땅 아래 거대하고 장엄한 양의 바다를 이루었으니 점차 그 세가 강하게 자라면서 위로 향하여 나아간다. 그러므로 크게 형통하고 바름으로 나아가니 이는 하늘이 행하는 도이다(大亨以正 天之道也). 군자가 나서 어떤 일에 대하여 임(臨)하는 자세에 대하여 설명한다.

初九 咸臨 貞吉
초구 함림 정길

초구, 감응(感應)하며 임하다. 바르게 해야 길하리라.

    初九는 맨 아래 처하여 그 세가 미약하나 양의 자리에 양으로 와서 자리가 바르고, 또한 자리가 바른 六四와 정응하니 바르고 길하다. 初九가 변하면 坎水☵이니 이는 坤地☷에 서서히 스며들어가는 강침(剛浸)의 뜻이 있다. 군자는 백성에 임함에 있어 처음부터 강하게 하여서는 안된다. 물이 스며들어가듯 낮은 자세로 처음부터 교감하며 서서히 젖어 들어가야 한다. 젖어 들어가 하나가 된다는 것은 서로 감응하는 것을 의미한다. 이는 상대방의 입장이 되어봐야 가능한 일이다. 함림(咸臨)은 六四와 바르게 감응(感應)하여 교감(交感)하는 뜻있으니, 공자는 "감응하여 임하니 바르고 길하다. 뜻을 바르게 행함이다(象曰 咸臨貞吉 志行正也)'라고 하였다.

        ☞ 咸: 다 함(남거나 빠진 것이 없이 모두), 감응하다(感)

九二 咸臨 吉 无不利
구이 함림 길 무불리

구이, 감응(感應)하며 임하니 길하다. 이롭지 않음이 없다.

九二는 강중(剛中)한 덕으로 나아가 유중(柔中)의 덕이 있는 六五임금에 감응하니 初九와 더불어 함께 강침(剛浸)을 주장한다. 장성한 九二양이 六五 존위의 부름에 감응하여 중도로써 나아가는 것이니 길하며 불리할 것이 없다. 공자는 이를 "咸臨吉无不利는 六五의 부름에 무조건 순종하지 않고 감응하며 나아간다(象曰 咸臨吉无不利 未順命也)"라고 하였다.

미순명(未順命)는 명을 무조건 따르는 것이 아니라 감응하며 따르는 것을 의미한다. 불순명(不順命)은 명을 어기는 것이다. 九二는 中의 자리에 있으나 음위에 양으로 와 기운이 양강하므로 初九처럼 낮은 자세로 임하지는 않는다. 불순명(不順命)하지 않는 것은 중도로써 교감하며 당당하게 임(臨)하기 때문이다. 초구일 때는 양이 하나로서 미약하므로 바르게 임해야 길하다 하였지만, 구이는 양이 두 개가 쌓여 큰 힘을 이루었으니 임하는 자세가 초구와는 다르다. 하괘에서 中을 지키며 六五존위와 교감하니 불리함이 없고 또한 강중(剛中)하기 때문이다.

六三 甘臨 无攸利 旣憂之 无咎
육삼 감림 무불리 기우지 무구

육삼, 달콤함으로 임하다. 이로울 바가 없으나, 이미 잘못을 알고 우려한 것이라면 허물은 없다.

六三은 음유(陰柔)하며 중정(中正)하지 못한 자로서 하위에 거하면서 2개의 양을 올라탔으니 그 처함이 마땅하지 않다. 그러나 변하면 건(乾)괘가 되니 九三효사에 "君子終日乾乾 夕惕若 厲无咎군자종일건건 석척약 려무구"의 뜻이 나온다. 그러므로 공자는 "감림(甘臨)은 자리가 바르지 않으나 이미 잘못을 알고 우려했다면 허물이 오래가지는 않는다(象曰 甘臨 位不當也 旣憂之 咎不長也)"라고 하였다.

상괘 坤☷은 오행(五行)으로 단맛을 의미하니 감(甘)의 뜻이 나오고, 하괘 兌☱는 입(口)을 상징하니 말[言]의 뜻이 나온다. 그러므로 양의 자리에 음으로 와서 자리가 바르지 않고 上六과도 감응이 없으며, 또한 中正을 벗어나 감언이설(甘言利說)로 임(臨)하는 자이므로 덕이 없으니 이로울 바가 없는 것이다.

☞ 甘: 달 감/ 旣: 기미 기/ 憂: 근심 우

六四 至臨 无咎
육사 지림 무구

육사, 지극함으로 임하다. 허물이 없으리라.

六四는 음효로 음의 자리에 와 자리가 합당하며 初九 양과 서로 정응한다. 그 응함이 아래로 자신을 낮추어 서로 지극한 마음으로 임하는 것이니 지림(至臨)의 뜻이다. 初九는 강하게 감응(感應)하고, 六四는 화응(和應)으로 임하며 지극한 마음으로 서로 밀어주고 끌어준다. 그러므로 소상전은 "지극한 마음으로 서로 임하니 허물이 없음은 六四의 자리가 합당하기 때문이다(象曰 至臨无咎 位當也)"라고 하였다. 六四가 변하면 귀매(歸妹☳)가 된다. 어린 소녀≡≡(小女)가 기뻐하며 성인남자≡≡(長男)를 따라 시집가는 상이니 만남은 서로 절절하고 지극(至極)한 것이다.

☞ 至: 이를 지, 지극하다.

六五 知臨 大君之宜 吉
육오 지림 대군지의 길

육오, 지혜로움으로 임하다. 대군의 마땅함이니 길하리라.

六五는 유중(柔中)한 존위로서 아래로 낮추어 강중(剛中)한 九二에 감응하여 임(臨)하니 지혜로운 군주의 상이다. 유(柔)로써 중(中)에 거하여 중덕(中德)을 갖추고 아래 九二에 화응(和應)하는 것이니 지혜롭게 중도(中道)를 행하는 것으로 군주의 마땅한 도리가 된다. 六五가 변하면 水澤節(䷻)이니 모자라거나 지나치지 않는 중(中)으로서의 절제(節制)가 있다. 절(節)괘의 호괘가 山雷頤(䷚)로 離≡≡의 상이 되니 지혜(知)의 뜻이 나온다.

五효에서는 군주가 임(臨)하는데 있어서 갖추어야 할 마땅한 것은 지혜라고 말한다. 지(知)는 '지혜롭다'라는 의미로서 지(智)의 뜻이 있다. 六五는 유순(柔順)한 임금으로서 中을 지키며 中道를 행할 줄 아는 지혜로운 군주이다. 스스로 나서지 않으며, 剛中하고 현명한 九二신하에게 화응(和應)하여 맡기는 지혜를 발휘하니 이는 대군의 마땅한 도리이다. 그러므로 공자는 "대군의 마땅함은 中道를 행하는 것을 일컫는다(象曰 大君之宜 行中之謂也)"라고 하였다.

☞ 知: 알 지, 슬기, 지혜/ 宜: 마땅 의/ 謂: 이를 위

上六 敦臨 吉 无咎
상육 돈림 길 무구

상육, 돈후(敦厚)함으로 임하니 길하다. 허물이 없으리라.

　　上六은 감응함이 없고 상극에 처하였으나, 정위(正位)로서 땅의 두터움으로 끝까지 初九와 九二를 감싸고 응하니 그 품은 뜻이 길하다. 음의 자리에 음으로 와서 자리가 바르며 땅의 두터움의 끝이니, 돈후(敦厚)함으로 임(臨)하는 것으로 길하고 허물이 없다. 소상전은 이를 "돈후(敦厚)함으로 임하니 길하다. 2개의 양을 감싸 안으니 뜻을 안에 품었음이다(象曰 敦臨之吉 志在內也)"라고 하였다. 상극에 처하면 대개 과도함이 되어 흉하다 하였으나 임괘에서는 도리어 '길하니 허물이 없다'고 하였다. 이는 양(陽)을 감싸 안은 대지의 돈후함에서 나온 뜻이다. 대지는 만물의 씨앗을 품고, 만물을 실은 수레로서 그 안에 품은 뜻은 어머니의 무한 사랑이기 때문이다.

☞ 敦: 도타울 돈

20. 風地觀 풍지관

風☴巽
地☷坤

觀 盥而不薦 有孚顒若

象曰 大觀在上 順而巽 中正以觀天下 觀盥而不薦 有孚顒若 下觀而化也

觀天之神道 而四時不忒 聖人以神道設敎 而天下服矣

象曰 風行地上 觀 先王以省方觀民設敎

初六 童觀 小人无咎 君子吝

六二 闚觀 利女貞

六三 觀我生 進退

六四 觀國之光 利用賓于王

九五 觀我生 君子无咎

上九 觀其生 君子无咎

1. 괘상(卦象)

　　바람은 신(神)의 숨결☴이다. 대지☷ 위를 순행하며 양기(陽氣)를 불어넣으니 땅이 생기(生氣)를 머금는다. 신이 대지 위를 대순하며 생명을 불어넣는 상이니, 九五인군☵이 中正함으로써 아래 백성☷을 살피며 고무(鼓舞)하는 모습이다. 관(觀)을 파자(破字)하면 황새(雚관)가 높이 올라 아래의 먹이를 살피는(見) 상으로 위의 두 양이 높은데 있으면서 아래 백성을 고무하는 뜻이 된다(大觀在上 順而巽 中正以觀天下). 바람은 신바람이 되어 백성☷들을 고무진작(鼓舞振作)시킨다. 신바람은 하늘의 가르침으로 신바람에 고무되는 것은 곧 하늘의 뜻에 감화되어 따르는 것이다(下觀而化也). 땅☷ 위에 바람☴이 부니 초목이 이를 따라 흔들린다. 이는 성인의 교화☷가 세상에 행함에 백성☷이 감화되는 모습으로 관(觀)의 뜻을 취하였다(聖人以神道設教而天下服矣).

　　바람은 두루 미치지 않는 곳이 없고, 닿지 않는 물건이 없으니 만물을 하나(一)로 연결한다(風行地上). 만물에 하늘의 기운을 전하는 전령이니 바람은 땅끝 저 멀리, 하늘 저 멀리 미치지 않는 곳이 없는 신의 기운으로 신의 영(靈)이며, 理를 품은 氣이다.

　　풍류(風流)란 자유로움이다. 천하를 품 안에 넣은 자유로움이다. 막힘이 없고 뚫지 못함이 없으며, 가지 못하는 곳이 없다. 만물에 하늘의 기운을 불어넣으니 생명으로 깨어난다. 흙으로 만든 존재에 생명을 불어넣는 하나(一)님의 숨결이다. 바람의 도는 천하에 가득하여 일체의 차별이 없으며 걸림이 없는 원융무애(圓融無碍)를 이루니, 大自由의 극치로서 하늘의 신묘한 도이다(天地神道).

▶2가지의 효변을 통해본 風地觀

(1) ☷-7 ⇨ ☶-5 ⇨ ☴+5
　　　　　(A)　　　　(B)

≫진행과정이 순차적으로 일어나는 모습이다.

　(A) ☶: 양이 처음 붙잡혀 고정되고 (고체, -5)

　(B) ☴: 한 단계 진행되니 풀어진다 (기체, +5)

　　(A)　　　　　(B)

　　☶-5　　⇨　　☴+5
　　☷-7　　　　　☶-5
　　-2　　　　　　-10

≫地☷(-7)가 약간 부풀어 일어난 것이 山☶(-5)이고(A), 고정된 山☶이 유동적으로 점차 풀어져가는 모습이 風☴(+5)이다(B).

(2) ☷-7⇨ ☵-3⇨ ☴+5
　　　　　(A)　　(B)

≫☷(地)에 양기가 파고드니 딱딱하게 굳은 땅이 습기를 머금어 물렁☵(水)해지고, 더 진행되니 수증기☴(風)가 되어 완전히 풀어진다.

　(A) 땅이 물렁해지고(水, -3)

　(B) 이어서 완전히 풀어진 모습(風, +5)

　　(A)　　　　　(B)

　　☵-3　　⇨　　☴+5
　　☷-7　　　　　☵-3
　　-4　　　　　　-8

≫땅☷(-7)에 양기가 파고드니 물☵(-3)이 만들어지고(A), 드디어 물☵(-3)이 수증기☴(+5)로 화해 흩어져 나간다(B).

2. 괘변(卦變)

▷호괘 – 山地剝

巽   剝

☴ +5 ➡ ☶ −5

☷ −7   ☷ −7

−12   −2

 호괘가 박(剝)이니 땅☷이 양을 만나 부풀어 오르고☶, 더 나아가니 ☴이 된다. 산☶ 위에 나무☴가 자라는 모습이다. 처음에는 음에 붙잡혀 꼼짝 못 하는 모습이지만(剝☶), 지혜롭게 기운을 길러 군자로서 자유로우니 높은 곳에서 땅(☷백성)을 두루 살피고 어루만지며(觀☴), 가르침을 베푼다(省方觀民 設敎).

▷착종괘 – 地風昇

觀   昇

☴ +5 ➡ ☷ −7

☷ −7   ☴ +5

−12   +12

 바람☴이 대지☷ 위를 순행하며 양기(陽氣)를 불어넣는 것이 觀이니(入), 땅이 생기(生氣)를 머금는 상으로 군자가 백성을 살펴 가르침을 베푸는 모습이다(省方觀民設敎). 나무☴가 땅☷ 가운데를 뚫고 자라서 높아지는 것이 승(升)이니 작은 것이 쌓여 고대(高大)함을 이루는 상이다(積小以高大).

▷도전괘 - 地澤臨

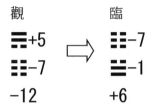

觀   臨

風行地上 觀: 크게 행하는 것이고(활동),
澤上有地 臨: 크게 쌓이는 것이다(비축).

▷배합괘 - 雷天大壯

觀
☴+5 ⟹ ☳+1
☷-7   ☰+7
-12   +6

　양이 하늘에 올라 대순(大巡)하니 천하를 살피는 모습이고(觀), 음이 크게 들리니 크게 나아가는 것이다(大壯).

3. 괘사(卦辭)

観 盥而不薦 有孚顒若
관 관이불천 유부옹약

관은 손을 씻고 제를 올리기 전의 믿음으로 공경함이다.

조상에 제사를 지내기 위해 처음 손을 씻을 때에는 마음까지 깨끗이 씻어 무욕의 경지가 된다. 왕이 권좌에 오르기 전, 선왕을 모신 사당에서 고할 때의 마음가짐, 매년 정치인들이 선열을 모신 국립묘지를 참배할 때 정문에 들어서는 순간 다지는 마음가짐이 바로 관이불천盥而不薦이다. 공경의 마음이 가장 지극한 순간은 제사를 지내기 위해 처음 손을 씻을 때이니, 불천(不薦)은 아직 제사 음식을 올리기 전으로 관이불천(盥而不薦)이란 '처음처럼' 초심(初心)을 잃지 않는 깨끗하고 경건한 마음을 뜻한다. 관(盥)은 제사를 하는 초기에 손을 씻고 경건한 마음으로 술을 땅에 부어 신의 강림을 청하는 때를 말함이고, 천(薦)이란 제수를 올리는 것을 말한다. 그러므로 관이불천이란 제를 올리기 전의 경건한 초심(初心)을 뜻하는 것이다.

매사 '처음처럼' 초심으로 돌아가 정성스러운 마음을 다하면 그 마음이 백성에게 전해져 믿음을 두게 되니, 백성의 마음과 인군의 마음이 서로 일통(一通)하게 된다. 九五인군이 양(陽)의 자리에 양으로 와 자리를 바르게 하여 中을 지키니, 九五中正이 六二中正에 정응(正應)한다. 백성인 六二가 中正함으로써 九五에 응하니 서로에게 믿음이 있는 것이다. 인군과 백성이 서로 바른 자리(正)에서 中을 지키니 서로 믿음으로 우러러본다(有孚顒若).

☞ 觀: 볼 관/ 盥: 대야 관, 깨끗이 씻을 관/ 薦: 드릴 천, 올릴 천, 천거할 천/ 顒: 우러를 옹/ 若: 어조사 약, 같을 약, 반야 야, 만약 약/ 而: 말 이을 이(그리고, 그러나, 그런데도, ~로서, ~에, ~하면서)

彖曰 大觀在上 順而巽 中正以觀天下
단왈 대관재상 순이손 중정이관천하
觀盥而不薦有孚顒若 下觀而化也
관관이불천유부옹약 하관이화야
觀天之神道 而四時不忒 聖人以神道設敎 而天下服矣
관천지신도 이사시불특 성인이신도설교 이천하복의

단에 이르길, 크게 봄은 위에 있음이다. 순하고 공손하며 中正으로써 천하를 본다. 관은 손을 씻고 제를 올리기 전처럼 경건한 믿음으로 공경함이니 아랫사람이 이를 보고 교화된다. 하늘의 신묘한 도를 보면 사시는 어긋남이 없다. 성인이 신묘한 도로써 가르침을 베푸니 천하가 복종한다.

크게 볼 수 있다는 것은 위에 높이 있기 때문에 가능하다. 아래에 있어서는 세상을 넓고 크게 볼 수가 없다. 안으로 지극히 柔順(六二)하고 밖으로는 巽順한 덕(九五)이 있는 상이니, 中正함으로써 능히 천하를 본다. 높이 나는 새가 멀리 크게 본다(大觀在上). 그러므로 군자는 유순(順)하고 손순(巽)하니 中正으로써 천하를 크게 볼 수가 있는 것이다(順而巽 中正以觀天下).

관(觀)은 인군이 항시 초심으로 돌아가 백성을 살피는 모습이며(盥而不薦), 또한 백성이 인군을 믿고 따르는 모습이다(有孚顒若). 그러므로 관관이불천유부옹약(觀盥而不薦有孚顒若)은 아랫사람(백성)이 九五인군의 中正함을 보고 교화되는 것을 말한다(下觀而化也). 인군이 강건중정의 덕으로 백성을 교화하니 백성은 유순중정함으로 따르고 우러르며 교화된다.

하늘의 도는 만물만상을 생장수장의 이치로 순환시키니 춘하추동 사시의 운행은 조금도 어긋남이 없다(觀天之神道 而四時不忒). 바람은 하늘의 신묘한 도를 행하는 전령이니, 곧 신바람이 되어 백성들을 고무진작(鼓舞振作)시킨다. 신바람은 하늘의 전령이니, 신바람에 고무되는 것은 곧 하늘의 가르침에 감화되어 따르는 것이다. 땅〓위에 바람〓이 부니 초목이 이를 따라 흔들린다. 성인의 교화〓가 세상에 행해짐에 백성〓이 이에 감화되는 것이다(聖人 以神道設教 而天下服矣). 九五 강건중정(剛健中正)이 六二 유순중정(柔順中正)과 서로 정응하니, 하늘의 도와 성인의 도는 서로 하나(一)로 관통한다.

☞ 忒: 틀릴 특, 어긋날 특/ 聖: 성인 성, 거룩할 성, 設: 베풀 설, 설립할 설
教: 가르칠 교/ 服: 복종할 복, 옷 복/ 矣: 어조사 의(~었다, ~리라, ~이다, ~뿐이다, ~도다, ~느냐, ~여라)

象曰 風行地上觀 先王以 省方觀民設教
상왈 풍행지상 관 선왕이 성방관민설교

상에 이르길, 바람이 땅 위를 다니는 것이 관의 상이니, 선왕은 이를 본받아 방방곡곡을 살피고 백성을 관찰하여 가르침을 베푼다.

바람이 땅 위를 행하는 것이 관(觀)이다. 바람은 가지 않는 곳이 없고 닿지 않는 곳이 없으니 왕은 사방팔방(四方八方) 방방곡곡(坊坊曲曲)을 살피고, 곳곳에 널리 흩어져 사는 백성을 관찰하여 각자의 처지를 고려하여 가르침을 베풀어 교화(敎化)한다.

☞ 以: 써 이 (1. ~로써(까닭), ~로, ~를 가지고, ~를 근거로 2. ~에 따라, ~에 의해서, ~대로 3. ~때문에, ~까닭에, ~로 인하여 4. ~부터 5. ~하여, ~함으로써, ~하기 위하여)/ 省: 살필 성/ 方: 모 방, 네모 방 (방위, 방향, 나라, 국가, 곳, 장소)

4. 효사(爻辭)

관(觀)은 보는 것이다. 하괘☷1·2·3효는 올려다보는 것이고, 상괘☴4·5·6효는 내려다보는 것이다. 구오인군☴은 中正함으로 백성을 살피며 교화하고(大觀在上 順而巽 中正以觀天下), 백성☷은 인군의 교화를 믿고 우러르며 따른다(聖人以神道設敎 而天下服矣). 인군이 강건중정(剛健中正)☴의 덕으로 백성을 교화하며 천하의 의표가 되니 백성은 유순중정(柔順中正)☷함으로 우러르며 교화된다(下觀而化也). 천하의 의표가 된다 함은 九五가 中正으로 위에 거하니 아래의 네 양이 우러러보며 교화되는 것을 말한다. 바라봄 중에 가장 큰 것은 자기 자신을 바라볼 줄 아는 것이다.

初六 童觀 小人无咎 君子吝
초육 동관 소인무구 군자린

초육, 아이의 눈으로 본다. 소인은 허물이 없으나 군자라면 부끄러운 일이다.

初六은 세상을 바라보는 수준이 맨 아래에 있어 크기가 작으니 시야가 좁다. 더구나 양의 자리에 음으로 와서 자리가 부당하며, 어린 아이가 보는 세상처럼 그 소견(所見)이 좁으니 소인의 상이다. 그러므로 어린아이나 소인에게는 허물이 될 것이 없지만 어른이나 군자로서는 취할 도리가 아니므로 부끄러운 일이다. 그래서 공자는 "초육의 어린아이가 보는 것은 소인의 도다(象曰 初六童觀 小人道也)"라고 하였다.

상으로 보면, 맨 아래에 처하여 그 힘이 어린아이처럼 미약한 초효가 동하여 震☳(進)으로 나아가려 밖(九五 中正大人)을 엿보는 상이다. 2,3,4음효가 가로막고 있어 거리가 멀고, 벌어진 틈이 좁기 때문에 바라보는 시야가 넓지 않아 어린아이의 좁은 시각이나 소견으로 비유된다.

☞ 童: 아이 동/ 无: 없을 무/ 咎: 허물 구/ 吝: 인색할 인, 아낄 린(인)

六二 闚觀 利女貞
육이 규관 이여정

육이, 엿본다. 여인네가 할 일이다.

初六이 어린아이가 보는 것이라면, 六二는 규방(閨房)에 있는 여인이 문틈으로 엿보는 것과 같다. 문틈으로 엿보는 것은 시야가 넓지 않은 것을 비유한다. 또한 엿보는 행위는 여인[小人]에게는 적절할 지 모르나 대장부[大人]에게는 부끄러운 짓이다. 利女貞은 여인이 주간(主幹)하면 이롭다는 뜻으로 '여인네 같은 소인이나 할 일이다'라는 뜻이다. 엿보는 행위는 군자에게는 부끄러운 일이나 여인이나 소인에게는 흠이 되지 않는다.

六二는 음의 자리에 음으로 와서 자리가 바르고 中을 지켰으니 六二소인(여인)에게는 허물이 되지는 않으니 利女貞의 뜻이다. 六二는 유순함으로 여인이 되고 中正하니 이여정(利女貞)이다. 그러므로 공자는 "엿보는 것은 여인네나 하는 일이니, 또한 군자로서는 추한 일이다(象曰 闚觀女貞 亦可醜也)"라고 하였다.

상으로 보면, 유순중정(柔順中正)한 六二가 동하여 3·4음효가 가로막고 있는 틈으로 밖(九五 中正大人)을 내다보고 있는 상이 된다. 초효에 비하여 六

二는 가로막고 있는 장벽(음효)가 적고, 또한 유순하고 중정하니 규방의 여인이 밖을 엿보는 것으로 비유된다. 비록 여인이지만 유순하고 중정하니 이롭다. 그러나 엿보는 것은 장부(丈夫)의 할 일은 아니므로 소인이라면 이로울 수 있지만 군자라면 추한 일이다.

☞ 闚: 엿볼 규, 훔쳐볼 규/ 貞: 곧을 정

六三 觀我生 進退
육삼 관아생 진퇴

육삼, 나의 생을 관조(觀照)하며 나아가고 물러나다.

乾괘에서 九三효사는 "군자가 종일 갈고 닦으며 힘쓰고 또 힘쓴다. 저녁에 이르러 두려움 마음으로 돌아보며, 위태로움으로 깨어 있으니 무탈하리라(九三, 君子終日乾乾 夕惕若 厲无咎)"라고 하였다. 삼효는 中을 벗어나 본격적인 삶의 한복판에서 진퇴(進退)를 정하며 "終日乾乾 反復道也"하는 자리이다. 관(觀)괘의 六三도 강을 건너 높은 경지로 올라갈지(進), 그 자리에 머무는 것이 나을지(退)를 결정하는 삶의 소용돌이에서 조용히 자신의 삶(生)을 살펴보며 신중하게 진(進)과 퇴(退)를 정해야 한다.

진퇴는 삶의 크기와 명운이 엇갈리는 중요한 선택이므로 자신의 참모습을 살펴보고 자신의 역량을 감안하여 정해야 하는 것이다. 六三은 中道를 벗어나 양의 자리에 음으로 와서 자리가 바르지 않으니 자기자신을 정확히 알고 판단하여 신중하게 결정하지 않으면 안 된다. 공자는 소상전에서 六三효사를 "자신의 삶(生)을 관조(觀照)하며 진퇴(進退)를 정한다면 나아가든 물러나든 길(道)를 잃지는 않는다(象曰 觀我生進退 未失道也)"라고 풀이하였다.

六三이 동하면 지괘가 풍산점(風山漸☴☶)이니 진퇴를 거듭하면서도 스스로를 돌아보면 선택하고 나아가는 것이므로 결국은 점진적으로 나아가게 된다.

六四는 강을 건너 상괘에 도달했으니 보는 경지가 달라졌다. 아래에서 위를 보는 것이 아니라 위에서 아래를 내려다보는 경지에 도달한 것이다. 진퇴를 결정하기 위해 종일건건 반복도야(終日乾乾 反復道也)하며 관아생(觀我生)하던 자신(我生)이라는 시야를 벗어나 천하(國)를 볼 수 있는 역량이 된 것이다.

즉, 六四는 자기 성찰을 통해 세상을 보다 크고 넓게 헤아릴 수 있는 높은 경지에 오른 것으로 자기 주관성이 극복된 자리이다. 六四는 음의 자리에 음으로 와서 자리가 합당하다. 그리고 효변하면 天☰이 되니 하늘이라는 높은 경지에 올라 넓은 시야로 나라☷(國)를 볼 수가 있게 된 것이다. 그래서 공자는 소상전에서 "나라의 빛을 보는 경지에 이르렀으니 귀빈으로 높이 받든다(象曰 觀國之光 尙賓也)"라고 풀이하였다. 六四는 九五임금 바로 밑에 위치한 신하의 자리에 있고, 관(觀)의 경지가 높아 국가를 능히 바라볼 수 있는 자이니 마땅히 임금에게 높이 쓰임을 받을 것이다. 다만 바라봄(觀)의 경지가 九五의 관아생(觀我生)처럼 백성을 자신과 하나로 동일시하는 대관(大觀)의 경지와는 차원이 낮은 관국(觀國)의 자리이다.

☞ 賓: 손님 빈/ 于: 어조사 우(~에서, ~부터, ~까지, ~에게)/ 尙: 숭상할 상, 높일 상

　　九五는 양의 자리에 양으로 와서 자리가 바른 강건중정(剛健中正)한 인군의 자리이다. 높은 경지에 있어 中正함으로 능히 천하를 바라보는 대관(大觀)의 경지를 의미한다(大觀在上 順而巽 中正以觀天下).

　　六三의 관아생(觀我生)과 九五의 관아생(觀我生)은 그 뜻하는 바 차원이 다르니, 六三의 我와 九五의 我는 바라보는 경지부터 다르다. 六三의 我는 소인으로서 나 자신이 되고, 九五인군의 我는 임금인 나와 동일시되는 백성을 뜻한다. 六三의 生은 나 자신의 삶을 뜻하고, 九五의 生은 백성의 삶을 가리킨다. 六三의 生과 九五의 生은 그 뜻하는 바 크기부터 다른 것이다. 그래서 六三의 我生은 나의 삶이 되고, 九五의 我生은 백성의 삶이 된다. 강건중정한 九五존위가 자신을 제대로 돌아보지 못한다면 이것은 나라의 존망과 관련된다. 그러므로 九五가 관아생(觀我生)한다는 것은 곧 나라와 백성을 돌아보는 것을 말한다.

　　六三의 관아생(觀我生)은 삶을 통해 자신의 참모습을 관조(觀照)하는 것이고, 九五의 관아생(觀我生)은 자신의 백성의 삶을 살피는 대관(大觀)의 경지이다. 六三의 관아생이 자기자신을 살펴보는 소관(小觀)이라면 九五의 관아생은 천하를 살펴보는 대관(大觀)이 되는 것이다.

　　九五의 관아생은 백성을 자신과 동일시하는 대관(大觀)의 경지에 오른 자리이다. 나와 백성, 나와 나라, 나와 천하만물을 동일시하는 일체의 경지에 오른 자리를 가리킨다. 그러므로 九五인군이 자기자신을 돌아본다는 것은 곧 자신과 한 몸인 백성을 살펴보는 것을 뜻하는 것이다. 그래서 공자는 "구오인군이 자신의 생(生)을 살피는 것은 곧 백성을 살피는 것이다(象曰 觀我生

觀民也)"라고 주석한다.

　만일 九五가 군자답지 못하여 능히 대관(大觀)하지 못한다면 이는 곧 군자의 허물이니, 군자는 군자다워야 비로소 허물이 없다 할 수 있다. 즉, 군자무구(君子无咎)란 '군자는 군자다워야 허물이 없다'라는 뜻이니, 군자가 백성을 돌보는 것은 마땅한 일이다.

　九五가 변하면 산지박(山地剝▤)이 되니 이는 부끄러움을 당하게 됨을 뜻한다. 그러므로 군자는 마땅히 군자다워야 허물이 없는 것이다. 만일 시야가 좁은 소인이 九五의 관아생(觀我生)을 자처한다면 결국은 剝(▤)이 되어 내쳐지게 될 것이다.

上九　觀其生　君子无咎
상구 관기생 군자무구

상구, 백성의 생(生)을 바라본다. 군자 다우면 허물은 없으리라.

　上九는 中正을 벗어나 상극에 처하고, 또한 양으로서 자리가 부정(不正)하니 백성의 삶에 개재하지 못하고 바라볼 수만 있을 뿐이다. 양(陽)으로 와서 뜻은 있되 자리가 바르지 않으니 九五처럼 백성을 내 몸같이 사랑할 힘이 없다. 九五임금처럼 능력이 되지 못하니 멀리서 바라볼 수밖에 없는 심정은 안타깝기만 하다. 그래서 공자는 이를 "그저 백성의 생(生)을 바라볼 뿐이니 뜻이 편안하지 않다(象曰 觀其生 志未平也)"라고 하였다. 백성을 위하고자 하는 뜻은 있되 그럴만한 힘이 없으니 마음이 편치 않은 것이다.

　九五의 관아생(觀我生)은 백성을 내 몸같이 사랑하는 것이지만, 上九의 관기생(觀其生)은 제3자의 입장에서 백성의 삶(其生)을 그저 바라볼 수밖에 없음을 뜻한다. 너무 높이 올라가 백성과의 거리가 생긴 것이다. 그래서 나의 백성이 아니라 그들이 되어버린 것이다. 상극에 처하고 자리가 부당하여 생각처럼 힘이 되어주지 못하는 上九의 불편한 마음을 표현한다. 九五의 관아생[我生]은 나와 동일시되는 백성의 삶이지만 관기생[其生]이란 그들의 삶, 즉 제삼자처럼 거리감이 느껴지는 백성의 삶을 뜻한다.

그러나 비록 상극에 처하여 九五처럼 백성을 내 몸같이 돌보지 못하는 마음은 편치 않지만, 다만 九五에게 뜻(志)을 보탤 수는 있다면 이 경우 허물이라 할 수는 없다. 上九가 효변하면 수지비(水地比☵☷)가 되니 물이 땅속으로 스며들어가듯 백성과 하나가 되는 군자의 뜻이 나온다. 비록 맨 위에 처해있어 관기생(觀其生)할 수밖에 없는 마음은 편하지 않지만 그래도 上九의 뜻은 백성에게 가 있다. 그러므로 上九가 비록 상극에 처해서도 군자다움을 잃지만 않는다면 허물이라 할 수는 없는 것이니 바로 군자무구(君子无咎)의 뜻이다.

☞ 其: 그 기, 그것 기(the)

21. 火雷噬嗑화뢰서합

火☲離
雷☳晉

▶효변(爻變)

과거   미래   현재
☳+1 ⟹ ☳+3   ☳+3
                         ☳+1

上下작용력: (+1)-(+3)=-2
上下균형력: (+1)+(+3)=+4

噬嗑 亨 利用獄

象曰 頤中有物 曰噬嗑 噬嗑而亨 剛柔分 動而明 雷電合而章

柔得中而上行 雖不當位 利用獄也

象曰 雷電 噬嗑 先王以明罰勅法

初九 履校滅趾 无咎

六二 噬膚 滅鼻 无咎

六三 噬腊肉 遇毒 小吝 无咎

九四 噬乾胏 得金矢 利艱貞 吉

六五 噬乾肉 得黃金 貞厲 无咎

上九 何校滅耳 凶

1. 괘상(卦象)

번개☳(電)가 번쩍하며 세상을 밝히자 이어서 우레☳(雷)가 치며 하늘의 소리를 전한다. 우레는 하늘이 소리요, 번개는 밝게 밝히는 것이다. 천지를 울리는 우레☳(動)는 인간의 본성을 두들겨 깨우고, 번개☲(明)는 어둠을 제거하여 마음을 밝힌다. 천뢰무망(天雷无妄☲☳)괘에서 하괘 ☳(雷)는 무망지심(无妄之心)으로서 하늘이 내린 본성을 의미한다. 본 서합(噬嗑) 괘상에서는 잃어버린 본성을 되찾아 본래의 무망지심을 회복하여 밝은 문명사회를 만듦에 있다.

하괘 ☳(進)은 2개의 음을 짊어진 채 전진하며 크게 움직이며 수고하고 있다. 어느 순간 六三이 양으로 효변하면서 火☲가 되니 하늘로 솟구치며 상향한다. 장애물이 돌파되면서 막혀 있던 것이 뻥 뚫리는 모습이다. 앞을 가로막고 있던 장벽이 뚫리면서 덩어리가 깨어져 나가고, 장애를 극복하며 전진한다. 어깨를 짓누르던 무거운 짐이 사라진다. 현재는 넘어야 할 장애물이 있어 힘이 들고 수고롭지만 움직여 나아가면 크게 성취한다. 장애물은 돌파하고, 방해물은 제거하라. 목표가 달성되니 고진감래(苦盡甘來)이다. 밝음으로 천하를 이롭게 하라.

본 괘사는 형벌(利用獄)이라는 물상을 통해서 서합(噬嗑)이라는 괘·효사를 풀이한다. 초구(初九)는 아래 턱, 상구(上九)는 위턱을 상징하고, 구사(九四)는 덩어리로서 입안의 음식물을 상징한다. 덩어리는 위 아래를 나누는 장애물이면서 소통을 가로막는 장벽이다. 장벽은 사람과 사람 사이에도 존재하지만 자신의 내면에도 있다. 그래서 아래턱을 움직이면서 위턱과 서로 힘을 합하여 사이를 가로막고 있는 덩어리를 부수고 씹어서 합(合)하니 모두가 하나가 된다(噬嗑而亨). 위아래가 힘을 합해 모든 사람이 서로 섞여 순환하는 사회가 되는 과정을 '씹어서 하나로 합하는 것'으로 괘상을 설명한다. 여러 가지 음식은 충분히 씹어서 하나로 버무려야 몸에 유익한 양분이 된다. 국가나 사회 또는 가정이나 개인, 어떤 유형이든 각자 문제점을 가지고 있다. 그것은 그 조직을 분리시키는 걸림돌이 되고, 장애물이 된다. 위 아래가 서로 뜻을 합하고 힘을 다하여 부수고 잘게 씹어서 하나로 융합시키는 서합(噬嗑)의 지혜를 통찰해보라.

어째서 九四가 덩어리로서 통합의 걸림돌이 되는가? 初九과 上九 사이의 호괘를 보면 수산건(水山蹇☵☶)괘가 들어있다. 건(蹇)이 무엇인가? 물☵을 건너다 빠져서 꼼짝 못하고 서있는 상☶이니 상하의 소통이 가로 막혀 있는 모습이 아닌가? 외호괘가 坎水☵로서 양이 2개의 음 사이에 빠져 있는 형국이니 건(蹇)의 상으로서 세상☵이 어둠☵ 속에 빠져버린 모습을 상징한다. 국가나 사회, 조직, 또는 개인으로 보면 피가 흐르는 영양을 공급하는 혈관이 꽉 막혀 동맥경화에 걸린 것이다. 그러나 전체의 괘상을 보면 진뢰(震雷☳)로 크게 움직여 장애물을 돌파하고 전진하여 천하를 밝게 비추는 모습(☲離火)이니, 상하가 서로 힘을 합쳐 걸림돌을 잘게 부수고 잘근잘근 씹어버려 막힌 혈관을 뻥 뚫는 서합의 상이 되는 것이다. 번개☲와 우레☳는 따로 존재할 수가 없으니 서합이란 둘이면서도 서로 하나를 의미하는 것이다.

덩어리를 부수고 가루로 만들어 하나로 버무리듯이, 국가나 기업, 사회조직, 이웃들 사이에서 사악한 자가 만들어 내는 반역이나 배신, 권모술수, 사기, 시기나 질투 등, 천하를 분열시키는 틈새는 서합(형벌)으로 다스려 천하를 화합시키고 밝음☲으로 천하를 밝히니, 이는 본 서합괘가 괘·효사를 통해서 전하고자 하는 뜻이다.

☞ 서합䷔ 괘상의 이해

▷**장애물을 제거하고, 어둠을 비추니 천하가 하나로 화합하여 밝게 빛나다.**

하괘 초구☳가 음2개를 짊어지고 수고로이 나아가고 있다. 음2개는 전진을 막고 있는 장애물로서, 3효가 효변하면서 ☳가 되어 상향하게 된다. 장애물을 돌파하여 나아가는 모습으로 화뢰서합(火雷噬嗑䷔)이 만들어진다.

1. 호괘는 수산건(水山蹇䷦)이다. 내를 건너다 물☵(坎水)에 빠져 꼼짝 못하고 있는 모습☶(止)으로 내호괘(☶止)는 하괘 ☳(進)의 전진을 가로막고, 외호괘☵(暗)는 상괘 ☲(明)를 가리니 위아래를 가로막아 분리하는 장막이 된다.

2. 그러나 서합의 전체 괘상은 장애물을 돌파하여 전진하는 상으로 아래 턱을 움직여 사이에 있는 덩어리(九四)을 부수고 위턱과 합하여 하나가 된다. 九四는 외호괘 坎☵(險)의 가운데가 되며, 내호괘 艮☶(止)의 三효가 그 가운데 빠져 그침의 상이 되니 험함(險陷)이고 어둠이며, 상하 소통을 가로막는 장벽이며, 세상을 이간질하여 분열시키는 죄인이고 감옥이 된다.

3. 雷☳(動)은 크게 움직여 山☶(止)을 흔들어 뚫고, 火☲(明)는 밝음으로 水☵(暗)를 비추어 세상을 가린 안개를 제거하니 천하가 밝음으로 드러난다. 칼☰(乾)로서 물을 베는 것은 무용(無用)한 일이니, 오히려 ☲(明)는 유(柔)하면서 밝음으로써 자연스럽게 어둠☵(暗)을 사라지게 한다. 육오(六五)의 [柔得中而上行 雖不當位 利用獄也]의 이치를 설명한다.

4. 본 괘효사에서는 사람과 사람 사이의 틈을 만드는 장애물을 죄인(害)으로 보고, 화뢰(火雷)가 의미하는 물상(物象)을 위턱과 아래 턱 사이에 있는 음식물로 보아 깨물어 합하는 서합지도(噬嗑之道)의 형통함을 설명한다(有物間於頤中則爲害 噬而嗑之則基害亡 乃亨通也 故云噬嗑而亨).

2. 괘변(卦變)

▷호괘 - 水山蹇

噬嗑　　　蹇
☳+3　⟹　☵-3
☳+1　　　☶-5

−2　　　−2

　호괘가 수산건(水山蹇)이니 넘어야 할 장애물이 쉽지만은 않은 것을 의미한다. 건(蹇)은 산☶을 넘어가다 물☵에 빠진 격이다. 어려움을 극복한다는 것은 장애물을 넘어서는 것으로 성실한 노력을 요한다. 무조건 돌파를 하다가 어려움에 빠져 곤욕을 치를 수도 있다. 사악한 소인배는 먼저 제거하는 것이 만인을 위해 옳다. 그렇지 않으면 오히려 당하게 되니 당한 뒤에는 호소할 곳이 없다. 근본은 쉽게 변하지 않는 법, 변화를 기대하느니 인연을 맺지 않는 것이 좋다. 인연이 있다면 과감히 끊어라.

▶[비교] 하괘 ☳는 2가지의 효변이 일어난다.

(1) 2효가 효변하면 택뢰수(澤雷隨☱☳)가 된다: 양기축적, 안정, 휴식

☳+1 ⇨ ☱-1   ☱-1
                ☳+1

-전진이 이루어지지 않고 그 자리에 쌓이는 모습,

-그 자리에 앉은 모습, 쉬면서 기운을 축적하는 상

-전진하지 않고 움직이면서 양기를 축적한다.

-불안정(☳+1) → 안정(☱-1)

-☳(動) → ☱(靜)

(2) 3효가 효변하면 화뢰서합(火雷噬嗑☲☳)이 된다: 전진돌파, 성취

☳+1 ⇨ ☲+3   ☲+3
                ☳+1

-전진하며 돌파하는 모습, 성취

-움직여 돌파하는 모습, 장애물 제거

-장애물이 제거되고 어려움이 극복되니 찬란한 태양이 뜨다.

-전진(☳+1) → 성취(☲+3)

-☳(動) → ☲(明)

▷착종괘 - 雷火豊

噬嗑   豊

☲+3 ⇨ ☳ +1
☳+1 ⇨ ☲+3
-2   +2

서합(噬嗑)은 六三이 양으로 효변하면서 장애물이 돌파되어 상향하는 상이지만, 풍(豊)은 九三 양효가 끌고 初九가 밀며 떠오르던 ☲의 3효가 효변하

여 음이 되면서 장애물☳로 돌변해 갑자기 속도가 늦춰지는 상이다. 앞서 달리던 차량이 갑자기 속도를 늦추니 뒤에 차량이 밀려들어 혼잡해지고 점점 쌓인다. 병목현상이다. 돈은 흐름이 빠른 바람(☴내호괘)의 성질이 있으니 돈이란 쓰는 물건이다. 뇌화풍(雷火豊)에서 쌓이는 이치를 깨달아 돈의 사용법을 익힌다면 부자가 되지 않을까? 그러나 과욕은 금물, 풍(豊)의 호괘가 대과(大過☵)이니 시사하는 바가 크다.

▷도전괘 - 山火賁

噬嗑　　　賁

☲+3　　☶−5
☳+1　⇨☲+3
−2　　　+8

≫雷電噬嗑: 서합(噬嗑)은 안으로 움직여 밖으로 밝게 빛나는 상이다. 장애물을 제거하여 전진하는 상으로 어둠이 사라지고 밝음이 만들어진다.
≫山下有火賁: 이를 다른 쪽에서 보면 산화비(賁)가 되니 전진하던 ☳의 초양이 음으로 효변하면서 대지에 정착☶(止)하여 문명☲(明)을 이루는 모습이 만들어진다. 산☶을 경계로 안으로 문명☲을 이루고 내면을 실속과 아름다움으로 꾸미는 상이다. 하나의 체(體)를 다른 관점에서 바라본 것이다.

▷배합괘 - 水風井

噬嗑　　　井

☲+3　　☵−3
☳+1　⇨☴+5
−2　　　+8

서합(噬嗑)은 ☳으로 크게 움직이며 장애물을 제거, 상향☳하는 모습이지만 반대인 정(水風井)은 기체☴(風)가 액체☵(水)로 변하면서 물이 만들어지는 상이다. 샘에서 물이 솟아나는 모습이다. 서합(噬嗑)은 六三이 양으로 효변☳하면서 하늘로 상향하는 모습이지만, 정(井)은 九三이 음으로 효변하면서 물☵이 되어 대지 위로 솟아오르는 모습이다.

3. 괘사(卦辭)

噬嗑 亨 利用獄

서합 형 이용옥

서합은 형통하다. 옥(獄)을 씀이 이롭다.

서합(噬嗑)이란 입안의 음식을 씹어서 융합하는 뜻이니, 사회로 보면 사람과 사람 사이를 나누고 분열시키는 걸림돌을 제거하여 하나로 통합하는 도를 말한다. 아무리 험한 물건이라도 부수어 녹이면 결국 하나로 화합되니 서합지도(噬嗑之道)는 형통하다. 사회의 암적인 걸림돌은 옥에 두어 엄하게 교도(教道)≡≡(動)하며, 밝음으로 교화(教化)≡≡(明)하니, 서합(噬嗑)의 도로써 옥(獄)을 활용하는 것은 세상에 이롭다. 호괘가 수산건(水山蹇≡≡)으로 물에 빠져 꼼짝 못하는 상이니 옥(獄)의 뜻이다. 걸림돌을 씹어 부수어 하나로 융합시키듯이, 옥(獄)을 이용하여 교화시킴으로써 걸림(죄인)을 제거하니 서합의 뜻이다.

☞ 噬: 씹을 서/ 嗑: 입 다물 합/ 獄: 감옥 옥

象曰 頤中有物 曰噬嗑 噬嗑而亨 剛柔分 動而明 雷電合而章

단왈 이중유물 왈서합 서합이형 강유분 동이명 뇌전합이장

柔得中而上行 雖不當位 利用獄也

유득중이상행 수불당위 이용옥야

단에 이르길, 입안에 물건이 있으니 서합이다. 씹어서 합하니 형통하다. 강유(剛柔)로 나뉘어 서로 움직이고 작용하며 밝음을 내니, 번개와 우레가 합하여 빛을 낸다. 유(柔)가 중(中)을 얻어 위로 향하니 비록 자리는 마땅치 않으나 옥(獄)을 씀이 이롭다.

아래턱(初九)과 위턱(上九) 사이에 물건(九四)이 있으니 서합이라 한다(頤中有物). 서합(噬嗑)이란 씹어서 합(合)하는 것이니 입안의 음식은 씹어야 하나가 된다. 그러므로 내면이 분열된 자아, 서로 패가 나뉘어 다투는 조직, 파열되어가는 사회, 나뉘어 찢어진 국가, 국가간 이익 때문에 분쟁으로 하루도 평안하지 않은 세계 등등, 서로의 틈새를 씹어서 하나로 화합하는 서합의 지혜를 따름으로써 형통함을 이룬다(噬嗑而亨).

천하가 강유(음양)로 나뉘듯이 인사(人事)도 강유(음양)로 나뉜다. 그러나 천지가 강유(上剛☰, 下柔☷)의 존재만으로 상호작용을 일으킬 수 없듯이, 인사(人事)도 剛☰과 柔☷로 나뉘어 있어서는 순환하지 못하고 경색되어 정지하게 된다. 만물은 서로 나뉘어 있는 剛과 柔가 서로 위치를 바꾸어 가며 섞이고, 상호작용하면서 천하에 밝게 모습을 드러내는 것이다(剛柔分 動而明). 이를 계사전에서는 "한번 음하고 한번 양하니 이를 일러 도라 한다(一陰一陽之謂道)"라고 하였다.

☷(動)이 움직여 위로 나아가 천하를 밝음☲(明)으로 비추니 사이에 끼어 상하작용을 가로막은 물건(九四)이 만천하에 드러난다(動而明). 九四는 내를 건너다 험한 물에 빠져 꼼짝 못하는 상황(水山蹇☵☶)에 처해있음을 뜻하니, 이에 번개☲(雷)가 천하를 밝게 비추고 우레☳(電)가 하늘의 소리로 위엄을 보이며 함께 모습을 드러낸다. 그리고 상하의 턱이 합하여 물건(장애물)을 부수니, 번개와 우레가 합하여 천하를 계도하며 문명을 빛내는 뜻이 된다(雷電合而章).

물건이란 사이를 가로막는 장애물이니 인사(人事)로는 죄인을 말한다. 물건은 부수어 제거하나, 사람은 밝음==과 위엄==으로 다스려야 하니 바른 법을 세워 옥(獄)을 활용함이 마땅하다. 밝음==과 위엄==으로 계도하면 감히 두려워하지 않는 이가 없으니, 이는 '깨물고 부수어 하나로 합치는' 서합지도(噬嗑之道)를 말한다.

유(柔)함으로 밝게 비추어 천하를 밝힌다. 乾==은 강(剛)하여 물건을 상하게 하지만, 離==는 中에 柔(陰)가 거함으로써 오히려 밝음(明)이 되니, 유(柔)하면서 밝음==으로써 위엄==을 보이니 천하가 두려워한다.

六五는 법을 집행하는 자리에서 너그러우면서 밝고 위엄이 있으니 옥(獄)의 집행은 이와 같아야 한다. 법은 강하면 사람이 다치고, 약하면 사용이 마땅치 않다. 수불당위(雖不當位)란 양의 자리에 음(六五)이 있음을 말하니, 유(柔)가 존위(六五)에 거하나 자리가 정(正)하지 않음을 의미한다. 그럼에도 유순한 六五가 옥의 활용에 이로운 것은 법==의 집행이 너무 강하면 사나움에 손상이 되기 때문이다.

柔得中而上行

法==이란 너그러우면서 밝음==(明)으로써 위엄==을 보여야 한다. 그러므로 옥(獄)의 활용은 유(柔)하면서 밝음==(明)과 위엄==(動)으로써 사리(事理)를 분별함이 마땅한 것이다.

☞ 頤: 턱 이/ 章: 밝을 장, 밝힐 장

象曰 雷電噬嗑 先王以 明罰勅法
상왈 뇌전서합 선왕이 명벌칙법

상에 이르길, 우레와 번개가 서합이니, 선왕이 이를 보고 벌을 밝히고 법을 제정하다.

번개☲(電)가 천하를 밝게 비추고 우레☳(雷)가 천명(天命)으로 위엄을 보이니, 천하만물이 두려워하며 근신한다. 이는 위엄☳(動)으로써 나아가 걸림돌을 제거하고 밝음☲(明)으로써 천하를 밝히는 서합(噬嗑)의 상이니, 선왕은 이를 본받아 밝음(明☲)으로 밝혀 죄를 벌(罰☲)하며, 법(法☲☲외호괘)을 칙(勅☲☲내호괘)한다.

☞ 罰: 벌할 벌 / 勅: 신칙할 칙, 삼가할 칙

4. 효사(爻辭)

돌파하라. 제거하라. 그리고 화합하라.

사람과 사람에 간극이 생기고 장애물이 생기면 서로 소통이 되지 않는다. 서합은 서로 어우러져 사는 사회의 걸림돌을 제거하여 하나로 일통(一通)하게하는 도를 설명한다. 장애물을 고기로 상징하여 이것을 씹어 하나로 융합하는 것을 서합으로 설명한다.

괘상으로는 初九와 上九는 옥(獄)의 울타리가 되고, 옥의 내부(호괘)는 수산건(水山蹇☵☶)이 되어 물에 갇혀 걷지 못하는 뜻이 되니 죄를 다스리는 의미가 있다. 九四효는 상하소통을 가로막는 장애물이다. 初九는 죄의 초기로서 교화가능성이 있는 작은 죄를 뜻하고, 上九는 교화가능성이 없는 큰 죄를 의미한다. 二, 三, 四, 五는 살코기로서 서합의 대상이다. '二는 부드러운 살코기, 三은 육포, 四는 뼈 있는 고기, 五는 최상의 살코기'로 비유하였다.

初九 屨校 滅趾 无咎
초구 구교 멸지 무구

초구, 족쇄를 신겨 발꿈치를 멸하니 무탈하리라.

初九는 초기의 작은 죄를 뜻한다. 맨 아래에 위치하여 그 힘이 미약하니 죄는 크기 전에 어려서부터 다스려야 한다. 그래서 발에 족쇄를 채워 발꿈치를 멸하여 다니지 못하게 한다. 조그만 죄가 죄인 줄 모르고 다닌다면 결국은 커져가게 될 것이기 때문이다. 바늘도둑이 소도둑이 되는 격이니 애초에

바늘도둑의 때에 이를 경계하라는 뜻이다. 그래서 공자는 "족쇄를 신겨 발꿈치를 멸함은 나아가지 못하게 함이다(죄가 커져가지 못하게 함이다(象曰 履校滅 趾 不行也)"라고 하였는데 죄가 커져감을 초기에 경계하는 뜻이다.

하괘☳(進)는 움직여 나아가는 뜻이 있으니 족쇄를 채워 함부로 나아가지 못하게 하는 것이다. ☳의 初九가 변하면 ☷가 되니 멸지(滅趾)의 뜻이 나온다.

☞ 履: 신 구/ 校: 형틀 교/ 滅: 멸할 멸/ 趾: 발꿈치 지

六二 噬膚 滅鼻 无咎.
육이 서부 멸비 무구

육이, 살코기를 씹는다. 코를 멸하다. 허물이 없으리라.

六二는 음의 자리에 음으로 와서 자리가 합당하고, 中을 지키니 유순중정(柔順中正)함으로 죄를 다스린다. 부(膚)는 겉 가죽 안의 얕은 표면의 부드러운 살을 의미하니, 이는 죄의 뿌리가 깊어지기 전을 비유한다. 부드러운 살코기는 씹기가 수월하므로 너무 지나치게 씹을 필요가 없다. 아직은 살에 뼈가 생기기 전이니 충분히 서합으로 다스려 교화시킬 수 있음을 의미한다. 六二가 음으로 유순하니 부드럽게 씹어 맛을 음미하고 또한 중정함으로 다스린다. 아직 죄에 뼈가 생기기 전이므로 너무 강경하게 죄를 다스린다면 오히려 역효과가 날 수 있다.

내호괘는 艮山☶으로 코를 상징하는데, 코는 그 사람의 외형과 특징을 좌우한다. 그러므로 그 사람의 특성을 대표할 정도로 죄가 자라기 전에 그 사람의 모습이나 유형을 대표하는 코를 베어내듯 죄를 들어내야 한다. 六二가

변하면 離火☲가 되니 산☶이 뿌리째 뽑혀 들리는 상으로, 이는 유순중정함으로 걸림돌(죄)을 완전 제거하는 것을 뜻한다. 初九가 더 나아가 사회의 소통을 가로막는 걸림돌(죄악)로 자라 커지지만 유순중정으로 다스리니 무탈하다. 사회의 자정기능(형벌)과 사회의 정의 시스템이 제대로 작동하고 있는 모습이다. 부드러운 살을 너무 강하게 씹어 부수는 것은 지나치게 과강(過强)한 형벌이니 이는 경계해야 할 일이다. 그래서 소상전은 "살을 씹어 코를 멸함은 강한 것을 탔음이다(象曰 噬膚滅鼻 乘剛也)"라고 하여 음(陰)이 강(剛)을 타고 너무 강하게 다스리는 것을 경계하고 있다. 어쨌든 사회의 정의 시스템이 제대로 서 있음이니 큰 허물이 되지는 않는다.

☞ 膚: 살 부/ 鼻: 코 비/ 乘: 탈 승

六三 噬腊肉 遇毒 小吝无咎
육삼 서석육 우독 소린무구

육삼, 육포(肉脯)를 씹다가 독을 만나다. 조금은 부끄러우나 허물은 없으리라.

六三은 中을 벗어나 양의 자리에 음으로 와서 자리가 바르지가 않다. 三爻 자리는 옳음과 그름, 정의와 불의가 혼재되어 작동하는 삶의 한복판을 가리킨다. 때로는 잘못하고 때로는 바르게 살아간다. 삼효는 상괘로 나아갈지 말아야 할지 삶의 진퇴를 결정해야 하는 효이다. 그래서 重天乾(☰)의 九三효는 "終日乾乾 反復道也"하는 효라고 했다.

六三효는 포를 떠 말린 고기인 육포를 씹는 상이다. 살코기보다는 씹는 것이 쉽지 않다. 그만큼 걸림돌(죄)이 자란 것이다. 그러므로 힘들게 씹다가 뜻밖에 독을 만날 수가 있다. 六三효는 이미 사회를 가로막는 걸림돌이 커져 소통을 가로막는 존재가 되었다. 그래서 서합의 도를 잘못 행하다 보면 오히려 독을 만나 악을 키우게 될 수가 있는 것이다.

그러나 어쨌든 삼효는 선택하고 바르게 나아가야 하는 자리에 있다. 비록 포를 떠 말린 고기이지만 씹지 못할 것도 없으니 비록 독악(毒惡)을 만날지언정 서합의 도는 행해져야 한다. 삼효는 삶의 한 복판으로 선악이 혼재되어 있고 상괘로의 진퇴를 거듭하는 험난한 곳이다. 그러므로 서합의 도를 행하다 독(毒)을 만나기도 하니 조금은 부끄럽기도 하지만 그렇다고 허물이 있는 것은 아니다. 그래서 소상전은 "독을 만남은 자리가 마땅치 않기 때문이다 (象曰 遇毒 位不當也)"라고 풀이하였는데 외호괘가 坎水☵이니 독(毒)의 뜻이 나온다.

六三은 양의 자리에 음으로 와서 자리가 바르지 않으니, 때로는 저항하는 독(毒)으로 인하여 서합 시스템(사회정의 시스템)이 흔들리고 제대로 작동되지 않을 때도 있을 수 있다. 그러나 그렇다고 해서 사회가 붕괴되는 것은 아니므로 선택하고 결정하며 강을 건너 가는 삶은 계속되어야 한다. 때로는 독(毒)에게 밀리기도 하여 조금 부끄러움을 당할 수도 있지만 그것이 곧 인생이고 또한 인간이 모여 사는 사회의 모습이니 가히 허물이라 할 수는 없는 것이다.

☞ 腊: 포 석(말린 고기)/ 遇: 만날 우/ 毒: 독 독

九四 噬乾胏 得金矢 利艱貞 吉
구사 서건치 득금시 이난정 길

구사, 뼈 있는 마른 고기를 씹다. 금시(金矢)를 얻으니, 어려우나 바름을 견지하면 이롭다. 길하리라.

九四는 뼈가 붙어있는 말린 고기(乾胏)로서 독(毒)에 뿌리가 생긴 모습을 상징한다. 서합으로 다스리기 어려울 정도로 단단해진 상황이다. 이미 하괘의 삼효(三爻)를 지나 강을 건너 상괘에 자리했으니 그 걸림돌의 단단함은 쉽게 다스리기 어려운 지경에 이르렀다. 사효(四爻)는 음의 자리에 양으로 와서 자리가 바르지 않으니 포 속에 숨어있는 뼈를 뜻한다. 그러므로 건치乾胏(九四)를 씹는다는 것은 다스리기 어려운 죄(毒)를 뜻한다. 서합의 도가 최고조에 이른 것이다.

효사는 서합(噬嗑)의 도를 행함에 어려움이 많지만 그래도 바름을 견지한다면 길하다(利艱貞吉)라고 말한다. 밝음☲으로 행하며 위태로움☳을 견지한다면 이로우니 마침내 금시(金矢)를 얻게 된다. 九四 걸림돌을 서합하니 상하가 서로 통하게 되고, 상하를 하나로 합하니 결국은 길한 상황을 맞이하는 것이다.

九四가 변하면 山雷頤(䷚)가 되니 걸림돌이 사라져 상통하며 기르는 모습이 된다. 서합(법의 집행)은 죄를 다스림 그 자체에 있는 것이 아니라 개과천선에 있는 것이니 선(善)을 기름에 그 목적이 있다. 금시(金矢)를 얻었다 함은 上☲(黃金,電)과 下☳(矢,雷)를 얻었음을 뜻한다. 번개☲(電)가 천하를 밝게 비추고 우레☳(動)가 천명으로 위엄을 보이니, 위엄☳(矢, 法)으로써 나아가 걸림돌(九四)을 제거하고 밝음☲(明)으로써 천하를 밝히는 서합의 도가 행하여 졌음을 의미하는 것이다(剛柔分 動而明 雷電合而章). 뿌리깊은 독을 제거함으로써(噬乾胏), 정의로운 법도를 얻은 것이다(得金矢). 화살은 적을 쏘는데 그 뜻이 있으므로 금시(金矢)를 얻었다 함은 죄를 다스리는 정의로운 법도를 얻었음을 뜻하는 것이다.

離☲(黃金)은 번개(電)로 밝음(明)을 뜻하고, 진(震)☳은 우레(雷)로 화살(矢)을 상징하며 정의로운 법의 집행을 의미한다. 그러므로 黃金☲은 명철(明哲)함으로 형량의 무게를 정하고(明罰명벌), 화살☳은 위엄으로써 법을 실행을 하는 것이다(勅法칙법). 금시(金矢)를 얻었다 함은 번개☲가 밝음으로 천하를 살피고 우레≡≡가 위엄으로 죄를 다스리는 서합의 도를 행함이니(雷電噬嗑), 명벌(明罰≡≡)·칙법(勅法≡≡)을 시행하였음을 뜻하는 것이다(雷電噬嗑 明罰勅法).

소상전에서 공자는 건치(乾胏)의 단단함이 다스리기 어려운 죄임을 알고, 어렵지만 그래도 바름을 견지하여야 이로울 것이고, 그래야 길하리라는 것을 전제하면서 아직은 광명(光明)한 세상을 완전하게 이루어 낸 것이 아님을 경계하고 있다(象曰 利艱貞吉 未光也).

☞ 乾: 마를 건, 하늘 건/ 矢: 화살 시/ 艱: 어려울 간/ 胏: 포 치(뼈가 있어 딱딱하고 씹기 어려운 마른 고기)

六五 噬乾肉 得黃金 貞厲无咎
육오 서건육 득황금 정려무구

육오, 마른 살코기를 씹다. 황금을 얻다. 바르고 위태롭게 여기면 허물이 없으리라.

건육(乾肉)이란 '말린 살코기'로서 건치(乾胏)보다는 씹기가 수월하다. 뼈를 발라낸 순수한 살코기로 최고의 육질을 가진 최상급의 고기를 의미한다. 득황금(得黃金)이란 '건육(乾肉)을 맛있게 씹어 좋은 결과를 얻다'라는 의미로서 六五의 柔順과 中道로써 죄를 바르게 다스려 최고의 결과를 얻게 되었음을 뜻한다.

음이 乾≡(金)의 중앙에 음토(陰土)로 자리하니 황색(黃色)이 되고 밝음≡≡(明)이 되니 빛을 발하는 황금(黃金)이 된다. 즉, 離火≡≡는 中에 柔(陰)가 거함으로써 오히려 밝음(明)이 되는 것이다. 비록 자리는 음이 양자리에 있어 마땅치 않으나 유(柔)하면서 밝음≡≡으로 위엄≡≡을 보이니 이용옥(利用獄)의 주체가 된다(柔得中而上行 雖不當位 利用獄也).

황금을 얻었다 함은 새사람을 얻음을 뜻한다(得黃金). 六五가 변하면 乾☰이 되어 天雷无妄(䷘)이 된다. 이는 하늘☰이 새사람☳을 내는 상으로서, 서합에 의해 선인(善人)으로 탈바꿈한 새사람이 세상으로 나아가는 모습이다. 한 명의 사람을 얻은 것을 황금을 얻은 것에 비유하였다.

中道와 柔順으로 죄를 다스리면 건육(乾肉)은 뼈가 있는 건치(乾胏)보다는 씹기가 훨씬 수월하다. 이는 교화가 바르게 제대로 이루어질 수 있음을 뜻한다. 법은 너무 강하게 집행하면 오히려 역효과가 난다. 법의 집행은 다스림 그 자체라기보다 개과천선에 있다. 서합은 때로는 강하게, 때로는 유함으로 교도(教道)☳(動)하며, 밝음으로 교화(教化)☲(明)하는 것을 뜻으로 한다(剛柔分 動而明 雷電合而章).

六五는 중도로서 마른 살코기로 상징되는 건육(乾肉)을 잘 씹어서 황금으로 상징되는 좋은 결과를 얻지만, 양의 자리에 음으로 와서 자리가 바르지 않으니 바름을 견지하고 항시 위태로움으로 경계하여야 허물이 없다. 그래서 공자는 "六五가 비록 자리는 바르지 않으나 정려무구(貞厲无咎) 함은 중(中)이라는 마땅함을 얻었기 때문이다(象曰 貞厲无咎 得當也)"라고 주석하고 있다. 음(六五)이 양위(陽位)에 와서 비록 자리는 바르지 않으나 음이 와서 황금☷을 얻을 수 있게 되었으니 마땅함을 얻었다 한 것이다(得當也). 하늘이 사람을 얻음을 황금을 얻은 것으로 비유하였으니 이 또한 역(易)이 추구하는 바이다.

리화(離火☲)의 中이 변하면 건금(乾金☰)이 된다, 離☲는 乾☰이 중앙에 坤☷을 얻은 격이니 土色으로 황금의 뜻이 나온다.

☞ 乾: 하늘 건, 마를 건/ 厲: 위태로울 려

上九 何校滅耳 凶
상구 하교멸이 흉

상구, 형틀을 씌워 귀를 멸하다. 흉하리라.

上九에 형틀을 씌우니 귀가 가려진다. 上九가 효변하면 震雷☳가 되는 것이다. 火☲가 雷☳가 되니 빛(明)이 가려지고 귀(聰明)가 막히는 상이 된다. 상극에 처하여 음의 자리에 양으로 와서 자리가 바르지 않으니, ☲(明)의 삼효가 효변하여 ☳이 되면 총명(聰明)이 막히는 상이 된다(2개의 음이 양을 누르고 있다).

외호괘가 ☷이니 귀(耳)를 상징한다. 上九에 형틀을 걸면 귀가 묻히게 되어 보이지 않게 되는 것이다(何校滅耳). 형틀을 씌운다는 것은 옥에 가두는 것을 의미하고, 귀를 멸한다는 것은 사회와 격리조치하는 것을 의미한다. 가르쳐도 교화되지 않는 독(毒)은 지혜와 밝음에 스스로 귀를 막은 자로서 총명(聰明)이 가려 지혜를 얻지 못하는 자이다(聰不明也). 귀를 막은 자에게 무슨 가르침이 소용이 있으랴. 목에 형틀을 맨다는 것은 격리조치하는 것이고, 귀를 멸한다는 것은 사회와 영원히 분리시키는 것을 의미한다. 인간으로서 인간존재 자체를 부정하는 것이니 어찌 흉하지 않겠는가?

上九가 변하면 멀리 백리까지 놀라게 하는 우레(重雷震☳☳)가 되니, 이러한 자는 우레처럼 엄하게 다스려야 한다. 중뢰진(重雷震)의 단사에 "震驚百里 驚遠而懼邇也진경백리 경원이구이야"라 하였으니, 하늘의 소리(우레)는 위력이 크고 멀리 백리까지 놀라게 하며, 가까이는 두려워하고 멀리 떨어진 곳에서조차 놀라 두려움에 떤다. 우레(震)는 번개☲電와 천둥☳雷이니 서합(噬嗑)의 상이 되고, 대상전에서 말하고자 하는 "明罰勅法명벌칙법"의 뜻이 된다. 공자는 소상전에서 "형틀을 매어 귀를 멸함은 들음이 밝지 않기 때문이다(象曰 何校滅耳 聰不明也)"라고 하여 교화되지 않는 사회의 암적인 걸림돌은 옥에 두어 위엄으로 다스려야 한다고 하였다.

☞ 何(荷): 맬 하, 어찌 하/ 校: 형틀 교/ 滅: 멸할 멸/ 聰: 귀 밝을 총

22. 山火賁산화비

山☶艮
火☲離

▶효변(爻變)

	과거	미래	현재
	☵+3 ⇨	☵−5	☵−5
			☵+3

上下작용력: (+3)−(−5)=+8

上下균형력: (+3)+(−5)=−2

賁 亨小 利有攸往

象曰 賁 亨 柔來而文剛 故亨 分剛上而文柔 故小利有攸往 天文也

文明以止 人文也 觀乎天文 以察時變 觀乎人文 以化成天下

象曰 山下有火 賁 君子以明庶政 无敢折獄

初九 賁其趾 舍車而徒

六二 賁其須

九三 賁如 濡如 永貞吉

六四 賁如 皤如 白馬翰如 匪寇 婚媾

六五 賁于丘園 束帛戔戔 吝 終吉

上九 白賁 无咎

1. 괘상(卦象)

하괘 離火☲의 初九가 효변하면서 상괘가 山☶이 되는 상으로 괘명은 산화비(山火賁☶☲)가 된다(하괘가 효변하면 그 결과는 상괘에 드러난다). 산화비는 유목민(☲)처럼 떠돌다 한곳에 그쳐 정착(☶)하는 상이다. 농경시대에는 산이나 호수, 강 등으로 구분하여 마을이나 국가 간의 경계를 삼고 정착하여 농사를 일구고 문명(文明)을 세웠다. 산☶은 지역을 구분하는 경계가 되며, 그 경계 안에서 마을이 생겨나고 나라가 일어나 문명(☲)이 일구어진다. 문명이란 한 곳에 머물러 그 곳을 꾸미는 것이니 정착이란 아름다움을 꾸미는 것이다.

산화비의 상은 저녁노을이 산을 붉게 물들이는 모습으로 문명의 극치를 상징한다. 그러나 문명의 극치는 보름달이 어그러지듯 곧 문명의 쇠퇴로 이어진다. 비(賁)는 상하작용력이 +8로 꾸미는 힘이 강하므로 문명의 절정기로 그 아름다움이 극치를 이룬다. 이때에는 오히려 내치(內治)에 힘을 쓰고 내면(內面)의 아름다움을 가꾸지 않으면 오히려 흉해지기 쉬운 때이다. 그러므로 내면☲은 밝게 하되 艮山☶으로 그쳐 적절하게 문명을 조절할 수 있어야 한다. 내면은 문명으로 빛나게 하되 외면의 꾸밈은 소박하게 함으로써 난관을 돌파하고 새로운 문명을 지속적으로 꽃피울 수 있는 것이다(도전괘: 火雷噬嗑☲☳).

▶선택과 결정

산화비(山火賁)의 人爻인 九三과 六四가 효변하면 화뢰서합(火雷噬嗑)
이 된다.

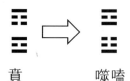

賁   噬嗑

내 힘으로 하늘과 땅을 움직일 수는 없다. 그러나 하늘과 땅을 변하게
할 수는 있다. 天爻(5·6효)와 地爻(1·2효)를 움직일 수는 없지만 人爻인
3·4효를 변화시킬 수는 있다. 3효와 4효를 변화시킨다는 것은 자신(人爻)
의 선택과 결정을 통해 스스로 나아갈 길을 정하는 것을 뜻한다. 산화비
의 3·4효가 변하면 화뢰서합이다. 즉, 3효와4효가 변하니 우주(괘상)가
뜻을 바꾸는 것이다. 장애물이 돌파되고 문명이 테두리를 벗어나 더욱 확
장되고 번성한다.

1. 괘변(卦變)

▷호괘 – 雷水解

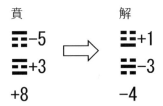

賁
☷-5
☲+3
+8

解
☳+1
☵-3
-4

 정착하여 문명을 이루는 것은 쉬운 일은 아니다. 험한 물 속을 헤엄쳐 건너 계속 전진하는 의미가 산화비(山火賁) 속에 호괘로 들어있다. 어려움을 하나하나 해결하면서 문명은 정착되는 것이다. 그래서 비(賁)의 괘사를 보면 "비는 형통함이 작으나 나아가는 것이 이롭다(賁 亨小 利有攸往)"라고 하였다.

▷착종괘 – 火山旅

賁
☷-5
☲+3
+8

解
☲+3
☶-5
-8

 山☶(止)의 초육이 효변하면 火☲(離)가 된다. 이는 땅에 고정☶(止-그칠 지)되어 있던 것이 떨어져 나가는 모습☲(離-떠날 리)으로 거주지를 철거한 후 정착지☶를 떠나가는 유목민☲의 상이 된다. 산☶ 위에 불☲이 나니 산을 태우며 불길이 옮겨 다니는 형상이 떠도는 나그네의 여정을 닮았다. 인생이란 이 세상에 잠시 머물다 가는 나그네요, 이 세상은 만인이 머물다 가는 여인숙이다(天地 萬物之逆旅). 해와 달도 천지를 오가는 손님에 불과하니 모두가 나그네인 셈이다(日月百代之過客).

▷도전괘 – 火雷噬嗑

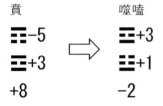

賁
☶-5
☲+3
+8

噬嗑
☲+3
☳+1
-2

    산화비와 화뢰서합은 같은 체(體)로서 서로 바라보는 관점이 다르다. 산화비(山火賁)는 전진을 그치고 정착을 통하여 내적으로 문명함을 꾸미는 상이지만(山下有火賁), 거꾸로 보면 전진에 장애가 되는 장애물을 돌파하면서 외적으로 문명함을 널리 펴는 서합이 된다. 정착하여 문명함을 이루고, 내면의 아름다운 성숙함을 이루는 것은 결국 어려움이나 장애를 이겨내면서 만들어지는 과정에서 나오는 결과인 것이다.

▷배합괘 – 澤水困

賁
☶-5
☲+3
+8

困
☱-1
☵-3
-2

    산화비(山火賁)는 내적인 충만함으로 실속과 아름다움☲이 빛나지만, 배합괘인 택수곤(澤水困)은 내적인 결핍으로 영혼의 빈곤☵을 보여준다.

2. 괘사(卦辭)

> 賁 亨小 利有攸往
>
> 비 형소 리유유왕
>
> 비(賁)는 형통함이 작다. 나아가는 바가 이로우리라.

서합(噬嗑)은 장애물을 제거하여 세상을 하나로 통합하고 화합함을 의미하니, ☲는 상향하여 하늘에 걸려 천하만물을 이롭게 하므로 크게 형통하다(噬嗑亨). 서합과 하나의 체(體)이면서 바라보는 관점이 다른 비(賁)는 불☲이 산☶아래에 있으니, 이는 떠나가는 밝음☲(離)을 잡아 땅에 고정☶(止)시켜 문명을 일구는 상으로서 형통한 뜻이 있다. 그러나 서합(噬嗑)은 밝음☲(明)이 하늘에 걸려 만천하를 이롭게 하지만, 비(賁)는 산☶(止)이라는 경계에 그쳐 그 크기가 땅에 한정되므로 나아가는 바는 이로우나 형통함의 크기는 작다.

> 象曰 賁亨 柔來而文剛故亨 分剛上而文柔故小 利有攸往 天文也
>
> 단왈 비형 유래이문강고형 분강상이문유고소 이유유왕 천문야
>
> 文明以止 人文也 觀乎天文以察時變 觀乎人文以化成天下
>
> 문명이지 인문야 관호천문이찰시변 관호인문이화성천하

단에 이르길, 비(賁)는 형통함이니 유(柔)가 내려와서 강(剛)을 꾸미는 고로 형통함이라. 剛☰을 나누고 올라가 柔☷를 꾸미는 고로 작으며(小), 가는 바가 있어 이로우니 天文이로다. 문명으로 그치니 人文이로다. 천문을 보아서 때의 변화를 살피며, 인문을 살펴서 천하를 이룬다.

유(柔)가 와서 강(剛)을 꾸미다. 이는 上六(柔☷)이 내려와 九二 강(剛)☰을 꾸미는 고로 문명☲(明)의 상을 이루었으니 형통(亨)함이 된다. 지천태에서 하괘의 구이☰(剛) 양이 상향하여 상괘의 ☷(柔)를 꾸미며 ☶(止)이 되니, 산☶ 아래 불☲이 있는 상이다. 불이 산 위를 비추어 온갖 초목과 물건들이 광채를 입으니 꾸미는 상이 있어 비(賁)라 한다.

☰(剛)의 중효(中爻)를 나누면 ☲(明)이 된다. 乾☰(剛)의 2효(양)가 상향하여 坤☷(柔)을 꾸미니 艮☶(止)이 되어 나아가는 바를 그치게 되므로 그 문명☲의 크기가 작다. 상향하여 나아가는 밝음☲(明)을 그치게 하고 艮☶(止)에 처하여 정착하니 나아가는 바 이로우나 그 크기는 산이 땅에 붙어 있듯이 경계에 한정되므로 작은 것이다.

건☰(剛陽)의 뜻이 곤☷(柔陰)에 그쳐 간☶(止)에 정착함으로써 인간세상에 文明☲을 밝히니 이를 천문(天文)이라 한다. 천문이라 함은 우주(宇宙)와 천체(天體)의 온갖 현상과 그에 내재된 법칙성으로서 천리(天理)를 뜻한다.

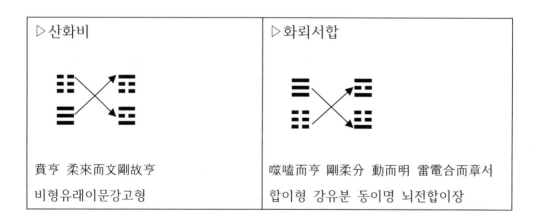

▷산화비	▷화뢰서합
賁亨 柔來而文剛故亨	噬嗑而亨 剛柔分 動而明 雷電合而章서
비형유래이문강고형	합이형 강유분 동이명 뇌전합이장

分剛上而文柔故小 利有攸往天文也 분 강상이문유고소 이유유왕천문야	柔得中而上行 雖不當位 利用獄也 유득중이상행 수부당위 이용옥야

文明以止 人文也

문명≡(明)으로 그치니 ☶(止) 인문(人文)이다. 이는 艮☶(止)의 테두리 안에 무리 지어 사는 사람세상을 밝히는 것이니 ≡(明)은 인문이 되는 것이다. 하늘≡의 뜻(天理)이 인간의 세상으로 들어와 文明≡이 되니 天文(天道)이요, 艮☶(止)에 처해서 그 곳을 文明≡으로 꾸미니 人文(人道)이다.

觀乎天文以察時變 觀乎人文以化成天下

하늘의 뜻(天文)을 보아 춘하추동 사시(四時)의 변화에 따른 생장수장(生長收藏) 순환하는 때의 변화를 살피고(觀乎天文以察時變), 인간문명(人文)을 살펴봄으로써 하늘의 뜻이 땅 아래에서도 이루어지게 하며, 천하를 교화하여 인문이 하나로 화하게 한다(觀乎人文以化成天下). 天文은 하늘의 이치를 말함이고, 人文은 사람의 도를 뜻한다(天文 天之理也 人文 人之道也).

象曰 山下有火賁 君子以 明庶政 无敢折獄
상왈 산하유화비 군자이 명서정 무감절옥

상에 이르길, 산 아래 불이 있음이 비(賁)이니 군자는 이러한 상을 보고 뭇 정사(政事)를 밝게 살피며 죄를 섣불리 판단하여 옥을 함부로 사용하지 않는다.

산☶ 아래 불☲이 있는 것이 비(賁)의 상이니, 군자는 산 아래 불이 있어 위를 밝게 비추는 상을 본받아 많은 정사(政事)를 문명함으로 밝게 밝히니

(明庶政), 옥사(獄事)의 결단을 신중하게 하며 과강하게 하지 않는다(无敢折獄). 이는 세상이 문명함으로 가득하니 옥사의 결단을 판단함에 신중을 기하여야 함을 뜻한다. 艮山☶에 밝음☲이 갇혀 있으니 옥(獄)의 상이다.

☞ 賁: 꾸밀 비/ 察: 살필 찰/ 變: 변할 변/ 庶: 여러 서, 무리 서/ 敢: 감히 감/ 折: 꺾을 절, 결단할 절/ 獄: 감옥 옥

3. 효사(爻辭)

▷**정착하여 文明을 일구다.**

  산화비(山火賁)괘는 ☶(유목민)처럼 떠돌다 멈춰 한곳에 정착☶(止)하는 모습으로, 상향☲을 그치고 정착☶을 통하여 내적으로 문명함을 꾸미는 상이다. 땅에 정착☶하여 문명함을 이루니 내면☲을 아름답게 꾸미는 것이다. 내면☲을 꾸민다 함은 산☶으로 경계 짓는 자기자신이요(修身), 가정이요(齊家), 나라이며(治國), 궁극적으로는 평천하(平天下)이다.

  初九에서는 정착하여 땅을 꾸미고, 六二에서는 자연에 순응하며 외면을 꾸미고, 九三에서는 수신(修身)하며 내면을 꾸미고, 六四에서 청혼하고(도전), 六五에서 가정을 이루어 제가(齊家)하며, 上九에서 치국평천하(治國平天下)를 이룬다.

初九 賁其趾 舍車而徒
초구 비기지 사거이도

초구, 그 발을 꾸미다. 달리는 수레를 버리고 걷는다.

  달리는 마차에서 내려 걷는다. ☶처럼 떠돌다 한곳에 정착☶하는 모습을 발을 꾸미는 것을 설명하고 있다. 정착한다 함은 발을 땅에 붙이는 것이니, 수레☲에서 내려 발을 땅에 딛고, 정착☶한 곳에 터를 일구니 '꾸미다(賁)'라는 뜻이 된다. 그러므로 수레를 버리고 걷는다 함은 유목생활(수레☲)을 버리고 정착(☶농경생활)함을 의미한다. 火☲(離-떠날 리)는 상향성으로 수레가

달리는 것이고, 山☶(止-그칠 지)은 2개의 음이 상향하는 양을 붙잡아 멈춰 세우는 모습으로 정착을 의미한다. 하괘의 초구☰가 변하면 상괘의 山☶으로 효변하니 떠돌다 정착하는 산화비의 상이 만들어진다.

산화비의 도전괘는 화산려(火山旅☲)가 된다. 산☶ 위에 불☲이 나면 산을 태우며 불길이 옮겨 다니는 형상은 떠도는 나그네의 여정과 닮았다. 그러므로 비(賁)의 '수레를 버리고 걷는다(舍車而徒)'라는 의미는 때마다 살기 좋은 곳을 찾아 헤매는 유목민처럼 유랑하지 않으며, 더 이상 높은 곳(이상향)만을 찾아 오르지 않고 한 곳(현실)에 정착하여 순응하고 적응하며 그곳을 꾸미고자 함을 추구하는 것이다. 소상전에 이르길 "수레를 버리고 걷는다 함은 그 뜻이 더 이상 떠돌지 않으려 함이다(象曰 舍車而徒 義弗乘也)"라고 하였다.

☞ 趾: 발꿈치 지/ 舍: 버릴 사/ 徒: 걸을 도/ 弗: 아닐 불/ 乘: 탈 승, 오를 승

六二 賁其須
육이 비기수

육이, 그 수염을 꾸미다.

꾸민다(賁)함은 인사적으로 보면 '문명화하다'라는 의미이다. 문명이란 내면과 외면의 꾸밈이다. 六二는 中正으로 꾸밈의 중심이지만 六五와 응(應)이 없어 턱의 움직임에 따라 수동적으로 따라 움직이는 턱에 붙어 있는 수염으로 설명한다. 수염은 외면의 꾸밈으로 주변의 환경에 따라 적응하는 모습, 자연에 순응하는 모습을 상징한다.

수염이 턱을 따르듯, 외형은 실질을 따르므로, 위에 있는 턱의 움직임을 따라가는 수염으로 설명하는 것이다. 그래서 소상전은 "비기수(賁其須)는 위

와 더불어 흥한다(象曰 賁其須 與上興也)"라고 풀이하고 있다. 六二수염은 九三을 따라 움직이는 것이 길하다. 변하면 산천대축(山天大畜䷙)이니 六二에서 외형적인 문명이 크게 쌓인다.

☞ 須: 수염 수/ 與: 더불어 여/ 興: 일어날 흥

九三 賁如濡如 永貞吉
구삼 비여수여 영정길

구삼, 꾸미니 흠뻑 젖는다. 오래도록 바름을 지킨다면 길하리라.

九三은 양의 자리에 양으로 와서 자리가 바르고, 離火☲의 끝에 위치하여 文明☲(꾸밈)의 극치를 보여준다. 내호괘가 坎水☵로 흠뻑 젖는다는 뜻이 있으니 문명에 젖어 있음을 뜻한다. 한 곳에 정착☶(止)하여 문명☲(明)을 이룬다는 것은 그곳을 꾸민다는 비(賁)의 뜻이 있으니, 그 속에 푹 젖어 있어서는 옳고 그름을 판단하는 객관성을 유지하기가 어렵다. 역사적으로 보면 문명은 자기자신도 모르게 서서히 기울어져 가는 것을 볼 수 있다. 그러므로 군자는 문명이 극치(꾸밈의 절정)를 이룰 때 오히려 기울 것을 염려한다.

효변하면 산뢰이(山雷頤䷚)가 되니 '문명☲을 기르다'라는 의미가 들어있으니 이(頤)는 대리(大離)☲의 상이다. 문명을 오래도록 지키고 유지한다면 이보다 길한 것이 없으니 九三효사 속에는 문명의 쇠퇴를 경계하는 뜻이 들어있다. 문명을 영원히 바르게 지킨다면 길하리라(永貞吉). 고로 그렇지 않은 자에게는 오히려 흉한 뜻이 된다.

중천건괘(䷀) 九三효사에서 九三은 강중(剛中)한 자리를 벗어나 삶의 전쟁터에 나가 세상과 부딪히면서 싸우는 효로 나타난다. 하괘의 정점으로 양강한 자리에 있어 교만으로 무너지기 쉬운 자리이니 종일 자신을 갈고 닦으며 (終日乾乾 與時偕行), 중(中)를 지키기 위해 終日乾乾 反復道也하며 자신을 수신하며 경계한다. 그러므로 문명의 화려함에 흠뻑 젖어 있을 때 오히려 쇠 (衰)함을 경계하는 것이 군자의 도리이니 오래도록 바름을 지켜내는 것이 길한 것이다. 그래서 공자는 九三효사를 "영원히 바름을 지키는 것이 길하니, 끝내 이를 능멸하지 못하리라(象曰 永貞之吉 終莫之陵也)"라고 풀이하고 있다.

☞ 濡: 젖을 유/ 莫: 없을/ 陵: 언덕 릉, 업신여길 능

六四 賁如皤如 白馬翰如 匪寇婚媾
육사 비여파여 백마한여 비구혼구

육사, 꾸미니 흰 듯 아닌 듯, 백마가 나는듯 달려오니 도적이 아니라 혼인을 청하는 자이다.

비(賁)의 六四가 효변하면 외호괘는 兌☱가 된다. 兌는 후천 방위로 서방(西方)이며, 태금(兌金)으로 백색(白色)이 뜻이 있다. 六四의 효변은 離☲가 되고 말이 끄는 수레가 된다. 그러므로 상괘에서의 離☲는 상향성이 되어 백마(白馬)가 나는 듯 하는 상이 된다. 외호괘 兌☱와 상괘 離☲는 화택규(火澤暌䷥)로 바다에서 해가 떠오르는 모습이 되고 백마가 하늘을 높이 나는 듯한 상이 되는 것이다. 흰 말이 하늘을 향해 마차를 이끄니 이는 도적이 아니라 혼인을 청하는 자의 모습이다.

내호괘가 坎☵이니 도적의 상이요, 離☲는 백마가 이끄는 화려한 수레이니, 六四가 변한 離☲는 도적이 아니라 혼인을 청하는 자가 되는 것이다. 청혼한다는 의미는 크게 보면 나(修身)를 벗어나 짝을 만나 가정(齊家)을 이루

고, 나라(治國)를 이루며, 천하를 이루는 과정(平天下)으로 앞으로 나아가는 도전을 상징한다(修身齊家治國平天下수신제가치국평천하). 남의 것을 취하여 내 것으로 만드는 도적이 아니라 정식절차를 밟아 예를 다해 혼인을 청한다는 것은 인간으로서 정상적으로 가정을 꾸리고 정착한다는 것을 의미한다.

하괘에서 상괘로, 멀리서 강을 건너오는 화려하게 꾸민 가마행렬은 그 색이 화려하여 처음에는 흰 듯 아닌 듯하다(賁如皤如). 도적(寇)인지 혼구(婚媾)인지 구별하기가 어렵다. 그러나 백마가 하늘을 날아오르듯 달려오는 것을 보면 이는 도적이 아니라 혼구이다. 그러므로 공자는 "六四는 음위(陰位)로서 자리는 합당하나 처음에는 의심스럽지만 도적이 아니라 혼구(婚媾)라는 것이 드러나니 끝내 허물이 없다(象曰 當位疑也 匪寇婚媾 終无尤也)"라고 풀이하였다.

☞ 皤: 흴 파/ 翰: 날개 한/ 匪: 아닐 비/ 寇: 도적 구/ 婚: 혼인할/, 媾: 화친할 구/ 尤: 허물 우

六五 賁于丘園 束帛戔戔 吝 終吉
육오 비우구원 속백잔잔 인 종길

육오, 구릉에 정원을 꾸미다. 비단 묶음이 작아 부끄러우나 마침내 길하리라.

나지막한 언덕에 나만의 정원을 꾸미니 가인(家人)을 이루는 것을 의미한다. 이는 가정(家庭)을 꾸미는 것을 말함이니, 청혼을 받아드려 드디어 제가(齊家)를 이루는 것이다. 양의 자리에 음으로 와서 자리는 바르지 않으나 중(中)을 지키고 있다. 그러나 중은 얻었지만 자리가 부당하고 유약하다. 그러

므로 집을 꾸미는 비단이 적어 부끄럽기는 하지만 가인(家人)을 이루니 마침 내 길하다. 艮山☶은 하늘아래 작은 뫼를 의미하니 작다는 뜻이 있으며(小男, 小石), 잔잔(戔戔)의 뜻이 나온다.

六五는 산의 중심으로 낮은 구릉이고, 六五가 변하면 풍화가인(風火家人 ☲)이 된다. 그러므로 언덕에 정원을 꾸민다 함은 家人의 상이 되어 나만의 공간에 나만의 가정을 꾸미는 것을 뜻한다. 가정을 꾸민다 함은 제가(齊家) 를 하는 것이니, 그래서 공자는 이것을 "六五가 길함은 기쁨이 있기 때문이 다(象曰 六五之吉 有喜也)"라고 하여 제가(齊家)하는 기쁨을 표현하였다.

☞ 丘: 언덕 구/ 園: 동산 원/ 束: 묶을 속/ 帛: 비단 백/ 戔: 나머지 잔, 작 을 잔, 보잘것 없을 잔

上九 白賁 无咎
상구 백비 무구

상구, 하얀 바탕에 천하를 새로이 꾸미니 허물이 없다.

上九가 변하면 대지☷가 된다. 경계를 구분 짓는 산은 대지가 되어 평평 해진다. 문명을 경계 짓는 산☷이 낮아져 평평해진다는 것은 만천하가 경계 없이 하얀 백지 상태가 됨으로써 서로 하나가 된다는 것을 의미한다.

하얀 바탕에 문명을 꾸미니 치국평천하(治國平天下)의 뜻이다. 하괘☲에서 수신(修身)을 이루고, 六四에서 청혼하여 六五에서 제가(齊家)를 이루었으니 上九에서 드디어 치국평천하(治國平天下)하는 것이다. 上九에서 치국평천하 를 이룸으로써 드디어 뜻을 이룬 것이다. 뜻이란 천하에 경계 없는 문명을 펼치고 꾸미는 것을 말한다. 그래서 공자는 소상전에서 "하얀 바탕에 새로이

천하를 그리니 허물이 없다 함은 위에서 뜻을 이루기 때문이다(象曰 白賁无
咎 上得志也)"라고 주석하였다.

23. 山地剝 _{산지박}

山 ☶ 艮
地 ☷ 坤

▶효변(爻變)

과거	미래	현재
☷-7 ⟹	☷-5	☶-5
		☷-7

上下작용력: (-7)-(-5)=-2

上下균형력: (-7)+(-5)=-12

剝 不利有攸往。

象曰 剝剝也 柔變剛也 不利有攸往 小人長也 順而止之觀象也

君子尙消息盈虛 天行也

象曰 山附於地剝 上以厚下安宅

初六 剝牀以足 蔑貞凶

六二 剝牀以辨 蔑貞凶

六三 剝 无咎

六四 剝牀以膚 凶

六五 貫魚以宮人寵 无不利

上九 碩果不食 君子得輿 小人剝廬

---

1. 괘상(卦象)

　대지(陰)에 하늘(陽)이 처음 접촉한 모습이니 처음 양(陽)의 힘(+1)은 미약하다. 陰(-31)이 득세하고 소인이 판치는 세상에서 대인(陽)의 설 자리가 사라져가니, 나서지 않고 제 자리를 지키며 아래로 덕을 베풀며 때를 기다린다(不利有攸往 小人長也). 미약한 양☷이 땅☷에 붙어있으니 벗겨질 날도 멀지 않구나(剝剝也 柔變剛也). 땅☷이 부풀어 일어난 격이니 제 아무리 높다 한들 하늘 아래 뫼☶로다.

　上九는 그 힘이 +1(양)로서 다섯 개의 음(-31)에 비해 미약하다. 양은 대인을 표징(表徵)하나 그 무게가 가볍다. 무게가 가벼우니 경박(輕薄)되이 나아간다면 박락(剝落)에 처하게 되므로 스스로를 자중하고 아래를 후하게 하여 바탕을 두터이 하여야 한다.

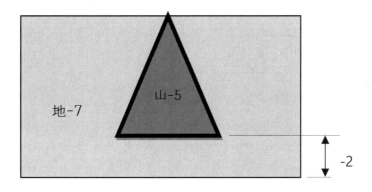

　음의 기운이 가득하니 하나 남은 양의 꼭지가 떨어지려 한다. 이때는 다음 세대를 위하여 열매를 남기듯 양의 기운을 보전한다(碩果不食). 군중☷이 모여 지도자☶를 세우는 상이다. 그러나 지도자☶가 중도를 지키지 못하고 순리를 따르지 않는다면 그들을 끌어내리는 것이 대중☷의 속성이니, 백성을 이기는 방법은 천하에 없다. 군자는 하늘의 뜻을 따라 중도를 지키며, 아래로 덕을 베풀어 대지의 순함과 함께 하여 근본을 두터이 하고 안정시킨다(上以厚下安宅).

2. 괘변(卦變)

▷호괘 - 重地坤.

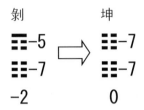

剝   坤

⚏-5 ⟹ ⚏-7

⚏-7   ⚏-7

-2   0

산☶은 그 토대가 땅☷이니 제아무리 높아져도 결국은 땅일 뿐이다. 산은 대지의 유순한 덕을 잃게 되면 결국 끌어내려지게 되니 중도를 지켜 덕을 베푸는 것이 길(吉)하다.

▷착종 - 地山謙

剝   謙

⚏-5 ⟹ ⚏-7

⚏-7   ⚏-5

-2   +2

때를 기다리지 못하고 작은 힘☶(+1양)으로 세상에 나서면 결국은 끌어내림을 당하는 수모를 겪게 되니 대중☷은 작은 힘☶을 가진 채 자신의 위치도 모르고 날뛰는 것을 바라만 보지 않는다. 때가 아님을 아는 것도 대인의 도리이니 재량을 키우고 힘을 기르는 지혜를 겸(謙)에서 배운다.

▷도전괘 - 地雷復

剝 ☶-5 ☷-7 -2 ☞위치에너지 　-상효(양1개): +1 　-음5개: -31 ≫上下작용력: (-7)-(-5)=-2 ≫上下균형력: (-7)+(-5)=-12 ►山附於地剝 　산☶이 땅☷에 붙어있는 것이 박(剝)의 괘상이니, 태산이 제아무리 높다 하되 하늘 아래 뫼로다. 음(-31)이 득세하여 양(+1)이 간신히 붙어있는 상이니 중도를 지키지 못하고 작은 힘으로 함부로 나서면 박락(剝落)을 면치 못한다.	復 ☷-7 ☳+1 +8 ☞위치에너지 　-초효(양 1 개): +32 　-음 5 개: -62 ≫上下작용력: (+1)-(-7)=+8 ≫上下균형력: (+1)+(-7)=-6 ►雷在地中復 　우레☳가 땅☷ 가운데 있는 것이 복(復)의 괘상이니, 음(-62)이 가득한 세상에 양이 나타나니 세상을 바꿀 기운이 태동한 모습이다. 비록 양은 하나이지만 다섯 개의 음을 감당하고 있으니 그 힘이 +32(양)가 된다.

▷배합괘 - 澤天夬

剝 ☶-5 ☷-7 -2	夬 ☱-1 ☰+7 +8

☞위치에너지	☞위치에너지
-상효(양1개): +1(양)	-상육(음1개): -32
-음5개: -31(음)	-양5개: +62
≫上下작용력: (-7)-(-5)=-2	≫上下작용력: (+7)-(-1)=+8
≫上下균형력: (-7)+(-5)=-12	≫上下균형력: (+7)+(-1)=+6
≫단군오행도: 水, 冬, 藏, 貞	단군오행도: 火, 夏, 長, 亨
►음(-31)이 가득한 세상에 양(+1)이 어렵게 붙어있다.	►다섯 효의 양강(+62 양)한 세력을 음효(-32 음) 혼자서 버티고 있다.

3. 괘사(卦辭)

剝 不利有攸往

박 불리유유왕

박(剝)은 나아가는 바 이로움이 없다.

▷자중하여 나아가지 마라. 박락(剝落)에 처하리라.

5개의 음 위에 양 하나가 어렵게 붙어있는 것이 박(剝)의 상이다. 하나의 양이 미약한(+1) 힘으로 5개의 음(-31)에 간신히 붙어서 버티고 있는 위태로운 모습이니, 소인(음)이 득세하는 세상에 대인(양)이 설 자리가 점차 사라지고 있음을 뜻한다. 소인(柔陰)이 득세하여 대인(剛陽)을 몰아 냄이니(柔變剛也), 박(剝)의 때를 당하여 나아가는 것은 이로움이 없다. 섣불리 나아가면 박락(剝落)에 처하기 때문이다. 그러므로 음이 장성(壯)하여 양을 사라지게 하는 소인(음)이 득세하는 세상일수록 대인(양)은 나아감을 자제하며(不利有攸往 小人長也), 자중하고 진퇴를 조절하며(消息盈虛), 오히려 중도를 지키고 근본을 두터이 한다(上以厚下安宅).

象曰 剝剝也 柔變剛也 不利有攸往 小人長也

단왈 박박야 유변강야 부리유유왕 소인장야

順而止之觀象也 君子尙消息盈虛天行也

순이지지관상야 군자상소식영허천행야

단에 이르길, 박(剝)은 깎아 내리는 것이니, 유(柔)가 강(剛)을 변하게 하다. 나아가는 바 이로움이 없으니 소인이 자라기 때문이다. 순응하며 그치는 것은 박(剝)의 상을 보면 아니, 군자는 소멸되고 번식하며 가득하고 비워지는 천지의 이치를 따르니 하늘의 운행이다.

미약한 양☷이 땅☷에 붙어있으니 벗겨질 날도 멀지 않다(剝剝也 柔變剛也). 이는 柔(음)가 剛(양)을 이겨 변화시키고 바꾸어 버리는 것을 의미하니, 곧 소인(음)이 자라 대인(양)에게 해를 끼침을 말한다. 그러므로 박(剝)의 때를 당하여 대인(양)은 섣불리 나아가면 박락(剝落)에 처하게 되어 이로움이 없으니, 자중하여 순(順)이 그치는 것이 길하다(順而止).

사라지고 불어나고 차고 비는 것은 춘하추동 시간의 흐름에 따라 생장수장(生長收藏)하는 자연의 이치를 말하는 것이니, 이는 천리(天理)가 행하여짐을 말한다(消息盈虛天行也). 박(剝)의 때를 당하여 소식(消息)과 영허(盈虛)의 순리에 순응하는 것이 길하니, 사람은 생장수장이라는 자연의 흥망성쇠 이치를 벗어날 수가 없기 때문이다. 때를 당하여 순응하여 그치는 것은 박(剝)의 상을 보면 알 수 있으니(順而止之觀象也), 이는 천리(天理)를 거스르지 않고 행하는 것이다.

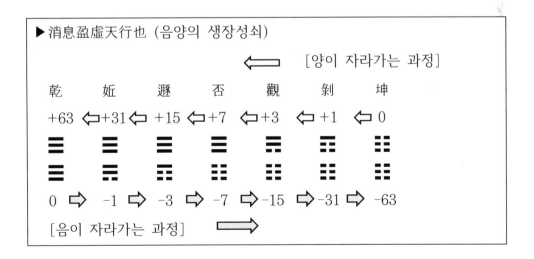

▶消息盈虛天行也 (음양의 생장성쇠)

[양이 자라가는 과정]

乾	姤	遯	否	觀	剝	坤
+63	+31	+15	+7	+3	+1	0

| 0 | -1 | -3 | -7 | -15 | -31 | -63 |

[음이 자라가는 과정]

►음이 자라면 양이 줄어들고, 양이 커지면 음이 작아지니 전체 크기는 항상 불변한다(에너지 불변의 법칙).

象曰 山附於地剝 上以厚下安宅
상왈 산부어지박 상이후하안택

상에 이르길, 산이 땅에 붙어있는 것이 박(剝)이니, 위는 이를 본받아 아래를 두텁게 하여 집을 편안하게 한다.

박(剝)은 양의 관점에서 보면 양 하나가 음에 터치한 것이니, 음을 끌어올림으로써 하늘아래 땅 위에 작은 덩어리(山)가 생겨난 것이다(山附於地剝). 음의 관점에서 보면 음이 자라 양 하나가 위태롭게 남아 있는 것이다. 결국 양의 힘은 미약하니 더 이상 나아가지 말고 그치는 것이 이롭다. 더 나아가면 박락(剝落)에 처하기 때문이다.

그러므로 박락을 당하지 않기 위하여는 아래를 두터이 하고 후하게 하여 근본을 튼튼하게 하여야 한다. 위가 무너지는 것은 아래로부터 시작이 되는 것이니 아래가 무너지면 위가 위태롭다. 기본이 튼튼해야 모든 것이 바로 서게 되는 것이다. 백성은 나라의 근본으로 바탕이 되는 것이니, 인군은 아래로 백성을 살펴 바탕을 튼실히 하고 두텁게 하여야 나라가 안정된다(上以厚下安宅).

☞ 剝: 깎을/ 尙: 숭상할 상/ 消: 사라질 소/ 息: 불어날 식/ 盈: 찰 영/ 虛: 빌 허

4. 효사(爻辭)

　　박(剝)은 음이 자라면서 양을 깎아내는 것을 상징한다. 소인(음)이 점차 자라 득세하니 군자(양)가 설 자리가 적어진다. 5개의 음과 하나의 양을 평상(平牀)과 평상 위의 군주로 비유하여 박의 의미를 설명한다.

初六 剝牀以足 蔑貞 凶
초육 박상이족 멸정 흉

초육, 상(牀)의 다리를 깎음은 바름을 멸함이라. 흉하다.

　　초육은 양의 자리에 음으로 와서 자리가 마땅하지 않고 맨 아래에 처하니 그 힘이 빈약하다. 박(剝)의 괘상에서 초육은 상(牀)의 다리에 해당한다. 초육이 변하면 진(震)☳이 되니 발(足)의 상이 나온다. 상의 다리를 깎는다는 것은 기초를 무너트리는 것이다. 상은 다리가 튼튼하고 바른 것이 기본이다. 그래야 상으로서 바르게 기능을 수행할 수가 있다. 다리의 길이가 서로 다르거나 한쪽이 약하다면 올라 앉을 수가 없다. 그러므로 상의 가장 기본이 되는 다리를 깎는다는 것은 기초인 아래를 멸하는 것으로 책상을 못쓰게 하고자 함이니, 바름(貞)을 멸하는 것이 되어 흉한 것이다.

　　고대에는 일정한 지위에 있는 자들은 상(牀)에 앉아 집무를 보았다. 인사적으로 보면 상은 그 사람의 지위나 권위를 상징하는 수단으로 비유될 수 있다. 그러므로 상의 다리가 멸함을 당한다는 것은 안전하던 그 사람의 지위나 권위가 무너지게 되는 원인이 된다. 공자는 "상의 다리를 깎음은 아래를 멸함이라(象曰 剝牀以足 以滅下也)"라고 했다. 사회가 부패하고 문란해지면 삶의 기반이 훼손되고 기초가 약해진다. 나라의 근본이 흔들리게 되는 것이다. 개인으로는 사회적인 지위, 다져 놓은 기반이나 권위, 쌓아놓은 명성 등이 깎여 나가기 시작하는 것이다. 이는 바름(貞)의 기본이 되는 아래부터 좀먹어 훼손하는 것이 되니 흉한 것이다.

☞ 牀: 평상 상/ 蔑: 없앨 멸(滅)

六二 剝牀以辨 蔑貞 凶
육이 박상이변 멸정 흉

육이, 상(牀)을 깎음은 바름을 멸하는 것이다. 흉하다.

변(辨)이란 다리와 연결된 평상(平牀)의 언저리로서 상(牀)을 받치는 핵심 부분이다. 이곳을 깎는다는 것은 상을 무너트리는 결과를 가져오게 되니 바름(貞)을 멸하는 것이 된다. 다리와 상이 서로 더불어 응해야 튼튼한 상이 된다. 그래서 공자는 "평상(平牀)의 언저리 부분을 깎는 것은 함께 더불어 응하지 않음이라(象曰 剝牀以辨 未有與也)"라고 했다. 미유여야(未有與也)란 六二가 中正한 덕이 있지만 서로 더불어 응하는 양이 없음을 뜻한다. 함께 더불어 응하고 도와주는 양이 있다면 멸정(蔑貞)에 이르지는 않는다 라는 뜻이다.

☞ 辨: 판대기 변(상과 다리가 연결되는 언저리)

六三 剝之 无咎
육삼 박지 무구

육삼, 깎는다. 허물은 없으리라.

깎아내고 헐어내지만 허물이 없음은 소인(음)인 상하(上下)를 따르지 않기 때문이다. 上下라 함은 初六, 六二와 六四, 六五를 뜻하니 음의 무리를 벗어나 바름(上九)을 쫓는 것을 의미한다. 공자는 이를 "박지무구(剝之无咎)함은 上下를 잃었기 때문이다(象曰 剝之无咎 失上下也)"라고 했다. 六三은 양의 자리에 음으로 와서 자리가 바르지 않고 중(中)을 벗어났으나, 다섯 음 중에 유일하게 上九와 응하니 허물이 없다. 上下의 음들과는 달리 剛陽(上九)과 응하여 정도를 따르고자 하니 박(剝)의 때를 당하여도 흉하지 않으니 허물이 없는 것이다.

효변하면 山☶(止)이 되어 그치는 상이 되고 호괘는 뇌수해(雷水解☵)가 된다. 소인이 군자를 깎아 내리는 박(剝)의 때를 당하여 양(上九)의 도움을 받아 정도(正道)를 따르고자 한다면 험함☵(險)에서 벗어나 움직여 나아가듯 ☳(動·進), 어려움을 벗어날 수 있음을 시사한다.

六四 剝牀以膚 凶
육사 박상이부 흉

육사, 상(牀)의 판을 깎는다. 흉하다.

六四는 하괘에서 상괘로 건넌 상황이니, 음이 성하여 멸정(蔑貞)의 단계를 넘어선 것이다. 상의 피부를 깎는다는 것은 상(牀)을 넘어 상(牀) 위의 사람을 다치게 하는 절박한 상황에까지 근접한 것을 의미한다. 흉액이 침상을 넘어 마침내 나에게까지 다가온 것이다. 六四가 효변하면 火☲가 되니 재(災)의 뜻이 나온다. 재앙(災殃)☲(禍)이 턱밑까지 들이닥친 것이다.

부(膚)는 군자가 앉아있는 평상의 상판 깔개를 말한다. 그러므로 六四가 깎이면 군자를 상하게 하니 재앙이 닥쳐오고 있는 것이다. 그래서 공자는 이를 "상의 피부인 상판 깔개까지 깎아짐은 재앙이 절박한 상황까지 다가왔음이다(象曰 剝牀以膚 切近災也)"라고 풀이하였다.

☞ 膚: 살갗 부/ 切: 절실할 절/ 災: 재앙 재

六五 貫魚 以宮人寵 无不利
육오 관어 이궁인총 무불리

육오, 물고기를 꿰는 것이니 궁인으로써 총애하는 것이다. 이롭지 않음이 없다.

관어(貫魚)란 한 쾌에 연결된 물고기로 상위에 놓인 음식을 말한다. 六五가 물고기(1,2,3,4효)를 꿰어 上九에게 인도하니 上九가 상위에 음식을 음미한다. 고로 이롭지 않음이 없다.

六五는 박(剝)의 극에 이르렀으나 중도를 지키는 유약한 군자, 또는 왕비를 뜻한다. 六五가 박(剝)을 행한다면 결국은 침상 위에 있는 군자(上九)를 해하게 된다. 그러나 六五는 上九와 상비관계로서 上九인 왕을 따르는 왕비이다. 그래서 왕비는 한 쾌에 물고기를 꿰듯이(貫魚), 궁녀를 질서 있게 왕(上九)에게 인도하여 총애를 받게 한다.

九五☰가 효변하면 巽風☴이니 어(魚)의 상이 나오며 유순하게 순응하는 뜻이 나온다. 물고기(魚)는 음물(陰物)로서 여자와 소인배를 뜻하므로 왕비가 아니라 궁녀의 뜻을 함의한다.

관어(貫魚)는 한 쾌에 꿰어 연결되어 있는 물고기로 양을 깎아대고 무너트리는 음(소인)의 세상을 바로잡아 질서를 세우는 것을 의미한다. 유순한 왕비가 물고기를 한 쾌에 꿰듯이, 흐트러진 궁녀들의 질서를 바로잡아 순서를 세우니 내명부(內命婦)가 바로 선다. 부패와 문란이 잠식되고 기강이 회복되는 것이다. 그래서 공자는 이를 "궁인(宮人)으로서 왕의 은총을 입으니 마침내 허물이 없다(象曰 以宮人寵 終无尤也)"라고 풀이하고 있다.

☞ 貫: 꿸 관/ 寵: 사랑 총

上九 碩果不食 君子得輿 小人剝廬
상구 석과부식 군자득여 소인박려

상구, 큰 과일은 먹지 않고 남겨두니 군자는 수레를 얻는다. 그러나 소인은 오두막 집마저 부수리라.

上九는 나무에 달린 마지막 과일이다. 제일 좋은 과일은 먹지 않고 씨앗으로 남겨두어 다음 해의 종자(種字)로 사용한다. 이것은 만유(萬有)의 이치이며, 또한 천리(天理)에 순응하는 무위자연(無爲自然)의 본모습이다. 그렇지 않으면 스스로 재앙을 초래하는 꼴이 되니, 소인은 어지러운 세상에서 쉽게 드러나고 구별된다. 소인들은 마지막 남은 희망인 양(上九)을 취하기 위해 달려들어 자신들의 마지막 남은 오두막집(군자, 희망, 미래, 다음세대)마저 무너트리는 우(愚)를 범한다.

上九가 동하여 효변하면 坤☷이 되니 모태(母胎)를 상징하며, 여기서 큰 수레(大輿)의 뜻이 나온다. 上九가 떨어지면 坤☷(모태)이 품는다(地雷復 ䷗). 坤☷은 씨앗(復의 초구)을 품은 수레(輿), 즉 백성(民)을 가리킨다. 석 과(碩果)는 떨어져 종자(種子)가 되니, 坤☷(모태)의 속으로 들어가 복(復) 의 때를 기다린다. 난세의 때를 맞이한 군자의 처세이다. 소인(小人)은 이 석과(碩果)를 땅에 심지 않고 자신만의 이익을 위해 깎아 먹어버리니 생생 (生生)의 도를 이어 나가지 못한다. 난세에 처한 궁박한 상황에서 군자와 소인의 처세는 이렇게 극명하게 갈린다.

"군자가 수레를 얻는다는 것은 과일(上九)이 땅(坤)을 얻음과 같으니 군 자(上九)가 民心(坤)을 올라타는 것이요, 소인이 집을 무너뜨림은 결국 다 시는 쓰지 못하게 함이니 천지자연이 스스로 생장수장(生長收藏)하는 순환 의 이치를 멈추게 하는 것이다(象曰 君子得輿 民所載也 小人剝廬 終不可 用也)"라고 공자는 풀이한다.

☞ 碩: 클 석/ 輿: 수레 여, 가마 여/ 廬: 오두막집 려

24. 地雷復_{지뢰복}

地☷坤
雷☳震

▶효변(爻變)

과거	미래	현재
☷+1 ⇨	☷-7	☷ ☳

上下작용력: (+1)-(-7)=+8
上下균형력: (+1)+(-7)=-6

復 亨 出入无疾 朋來无咎 反復其道 七日來復 利有攸往

象曰 復亨剛反 動而以順行 是以 出入无疾朋來无咎 反復其道七日來復天

行也 利有攸往 剛長也 復 其見天地之心乎

象曰 雷在地中復 先王以 至日閉關 商旅不行 后不省方

初九 不遠復 无祗悔 元吉

六二 休復 吉

六三 頻復 厲无咎

六四 中行獨復

六五 敦復无悔

上六 迷復凶 有災眚 用行師 終有大敗 以其國君凶 至于十年不克征

1. 괘상(卦象)

보이지 않는 깊은 속에 있으나 그 힘은 결코 적지 않으니 천하를 도모한다(+32양). 하나의 양이 상위 다섯 개의 음을 떠 받치고 있으니 드러내지는 않으나 그 힘은 천하를 뒤엎을 정도로 결코 적지 않다. 캄캄한 밤이 지나면 천지를 밝히는 해가 뜬다. 이는 거스를 수 없는 자연의 순리이며, 어둠이란 때가 이르면 물러갈 수밖에 없는 것이니 천지만물을 순환케 하는 음양지도(陰陽之道)이다(一陰一陽之謂道). 어둠 속에서 자신을 감추고 힘을 기르며 때를 기다리니 복(復)의 뜻이다.

▷復 ䷗−7 +1	▷夬 ䷪−1 +7
☞내재에너지(위치에너지) -초구(양1개): +32(양) -음5개: −62(음) 上下작용력: (+1)−(−7)=+8 上下균형력: (+1)+(−7)=−6	☞내재에너지(위치에너지) -상육(음1개): −32(음) -양5개: +62(양) 上下작용력: (+7)−(−1)=+8 상하균형력: (+7)+(−1)=+6
▷利有攸往 剛長也 나아가는 바가 이로움은 강(剛)이 자라기 때문이라.	▷利有攸往 剛長 乃終也 나아가는 바가 이로움은 강(剛)이 자라(乾으로) 마침이로다.

▶음양의 축적

(음이 축적되어가는 과정)

坤	復	臨	泰	大壯	夬	乾
-63	-62	-60	-56	-48	-32	0

| 0 | +32 | +48 | +56 | +60 | +62 | +63 |

(양이 축적되어가는 과정)

▶ 양이 축적되어가는 과정의 반대 방향은 음이 축적되어가는 과정이 된다.

다섯 음효 아래 하나의 양효가 자리하고 서서히 힘을 기르며 때를 기다린다. 칠흑처럼 어두운 깊은 땅☷ 속에서 뇌성☳이 울리니 차가운 한겨울 극한 속에서도 봄의 기운이 움트고 있는 것이다. 종즉유시(終則有始)라, 끝은 곧 새로운 시작을 의미하니 우주는 일시일종(一始一終)를 반복하고, 사시를 만왕만래(萬往萬來)하며 끝없이 용변(用變)한다. 아무리 어둡고 암울해도 그 내부에는 씨앗이 생명을 싹 틔울 준비를 하고 있으며, 소인(小人)이 득세하는 박(剝)의 시대에도 끝내는 하나의 씨앗(碩果)을 남기니, 그러므로 복(復)의 도(道)는 다시 시작되는 것이다.

2. 괘변(卦變)

▷호괘 – 重地坤

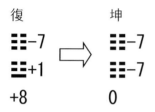

復
☷–7
☷+1
+8

坤
☷–7
☷–7
0

　초구☷ 양(陽)이 뚫고 올라가야 할 길은 참으로 멀다. 긴 어둠의 터널☷을 거쳐야 비로소 태양을 볼 수 있으니 그 노력과 인내, 그리고 기다림은 참으로 쉽지 않다. 그러나 한번 심어진 희망의 씨앗은 먼 곳에서 비추는 한줄기 빛만으로도 생명을 유지한다. 때를 기다리고 인내하며 나아가니 복(復)의 때는 참으로 귀하다(反復其道 七日來復 利有攸往).

▷착종 – 雷地豫

復
☷–7
☷+1
+8

豫
☳+1
☷–7
–8

　땅 속 깊은 곳에서 때를 기다리던 생명☷이 땅☷을 박차고 일어나는 상이다. 길고 긴 어둠의 터널☷을 뚫고 드디어 빛의 세상으로 포효☳(우레)하며 자신의 모습을 드러내니 천하☷가 풍악☳(우레)을 울리며 맞이한다. 풍악☳

(雷聲)이 천하☷에 울려 퍼지니 드디어 밝은 생명의 세상이 시작됨을 알린다 (利建侯行師).

▷도전괘 – 山地剝

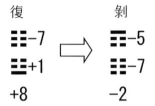

復 　　　　剝
☷-7 　⟹　 ☶-5
☳+1 　　　 ☷-7
+8 　　　　 -2

　박(剝)은 열매 하나를 남기고 낙엽이 진 가을 나무와 같으니, 시간의 끝에 서있는 노인의 모습이다. 또한 세월의 풍파☷를 겪으며 온몸으로 부딪히며 살아온, 어느덧 거울 앞에 멈춰 선 누이☷처럼 세월의 뜰 앞에서 자신을 돌아보고 있는 모습이니 마지막 남은 양☳은 다음 세대를 위하여 남겨두는 열매(碩果석과)이다. 땅☷ 속 깊이 떨어져 씨앗☳이 되어 만물의 순환에 참여하니, 복(復)은 새싹이 움트기 전 땅 아래 깊은 곳에서 꿈틀거리는 봄의 기운이며, 꿈꾸는 어린 아이이며, 천지의 태궁(胎宮)이다.

▶양이 발생하여 점차 상향하며 풀려나가는 모습

+32　　+16　　+8　　+4　　+2　　+1　　0　양(陽)의 위치에너지

☷⇨☷⇨☷⇨☷⇨☷⇨☷⇨☷

復　　師　　謙　　豫　　比　　剝　　坤

▶땅에 떨어진 씨앗이 드디어 양강한 기운을 품고(復), 무리를 모으며 힘

을 기르다(師), 아직은 때가 아니니 자신을 낮추고 겸손하게 기다리니
(謙), 드디어 땅을 박차고 세상에 나아가 포효하다(豫), 천하를 제패하고
백성을 따스하게 품으나(比), 욕심이 과하여 더 나아가면 흉한 모습이 되
니 결국 백성에게 버림받는다(剝). 마지막 남은 양은 천지에 돌려주는 것
이 현명하다(剝).

▷배합괘 - 天風姤

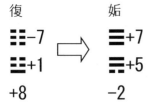

復   姤

☷ -7   ⟹   ☰ +7
☷ +1   ☴ +5

+8   -2

▷**雷在地中 復(뇌재지중 복)**: 하나의 양이 땅속에서 꿈틀거리며 하늘을 열지
만 만물이 나오지 않으니 아직은 그 힘이 미약하기 때문이다. 뇌성☳이 땅
속 깊은 곳에서 크게 울리나 때에 이르지 못하니 소리가 미약하여 잘 들리
지 않는다. 그러므로 맨 밑바닥에서 미약하게나마 기운을 모으기 시작하는
초양(初陽)을 잘 보호하고 길러 커갈 수 있도록 해야 한다(利有攸往 剛長也).
만사는 시작이 중요한 것이다.

▷**天下有風 姤(천하유풍 구)**: 양강(陽剛)한 기운이 가득한 세상에 음(陰)이
처음 모습을 드러낸다. 양이 가득한 세상(+31)에 음이 하나 나타나니 그 힘
은 (-1)에 불과하다. 매사 모든 일은 처음 만남이 중요하고, 또한 변화는 만
남에서 시작되는 것이니 불온한 기운이라면 묶어 자라지 못하게 할 것이요
(繫于金貞吉), 좋은 변화의 바람이 일어나는 것이라면 천하를 크게 행할 수
있도록 보호해야 할 것이다(剛遇中正 天下大行也).

3. 괘사(卦辭)

復亨 出入无疾 朋來无咎 反復其道 七日來復 利有攸往

복형 출입무질 붕래무구 반복기도 칠일래복 이유유왕

복(復)은 형통하니 나가고 들어옴이 무결(無缺)하다. 벗이 오니 무탈하리라. 그 도를 반복하니 칠 일만에 회복한다. 나아가는 것이 이롭다.

천지는 운행함에 있어 일시일종(一始一終)하고 만왕만래(萬往萬來)하며 용변(用變)하는 항상(恒常)함은 변하지 않는다. 양이 지극하면 음이 생기고, 음이 지극하면 양이 생기니 종즉유시(終則有始)는 천지운행의 지극한 도가 된다.

10월에 음이 지극하였다가(重地坤☷☷) 동지(冬至)가 되면 한 양이 다시 땅 속에 생기니 복(復☷☳)이다. 처음 양이 들어와 생하니 초기에는 그 기운이 미미하여 비록 어려움이 많으나 양기가 모여 점차 커지며 성장한다(朋來无咎). 그러므로 복(復)은 그 기운이 형통하다(復亨).

아무리 암울하고 춥고 어두워 보이는 것이 아무것도 없다 해도 때가 이르면 땅 속 깊은 곳에서 뇌성이 울리며 작은 씨앗☳이 빛을 내며 일어나니 음양의 오고 감(出入)은 천지의 도로서 태극의 작용은 무결(無缺)하다(出入无疾).

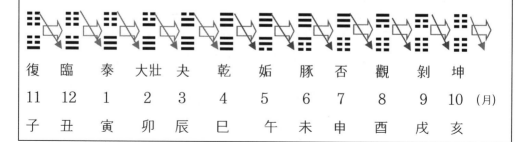

▶**12 순환:** 상효가 아래(초효)로 내려오면서 효변(爻變)한다.

復	臨	泰	大壯	夬	乾	姤	豚	否	觀	剝	坤
11	12	1	2	3	4	5	6	7	8	9	10 (月)
子	丑	寅	卯	辰	巳	午	未	申	酉	戌	亥

11월은 양의 기운이 시작되는 지뢰복(地雷復☷)이다. 복(復)에서 일곱 달이 지나면 5월인 천풍구(天風姤 ☰)에 이르는데 양의 기운이 한 칸씩 축적되어 차오르면서 중천건(重天乾☰)에서 천하를 가득 채운다. 차면 기우는 것이 음양지도(陰陽之道)이니, 때가 이르면 천풍구(☰)에서 음의 기운이 시작된다. 이러한 음양의 순환은 영원히 반복되는 데, 괘상으로 보면 시간의 단위는 1년으로는 일곱 달이 되고, 하루에서는 칠일이 된다.

괘사는 양의 기운과 음의 기운이 전환을 겪게 되는 변화의 마디를 칠일래복(七日來復)으로 설명한다. 양이 나아가니 음이 물러가고, 군자의 도가 자라니 소인의 도가 사라지고 나아가는 바가 이롭다[利有攸往]. 양 하나가 처음 생기는 달을 동짓달(음력11월)이라 하며 시간으로는 자시(子時)가 된다.

象曰 復亨剛反 動而以順行 是以出入无疾朋來无咎
단왈 복형강반 동이이순행 시이출입무질붕래무구
反復其道七日來復 天行也 利有攸往 剛長也 復其見天地之心乎
반복기도칠일래복 천행야 이유유왕 강장야 복기견천지지심호

단에 이르길, 복(復)이 형통함은 강(剛)이 돌아옴이니 움직여 순함으로써 행한다. 이로써 음양의 출입에 흠결이 없으니 벗(陽)이 와도 무탈하리라. 그 도를 반복하여 칠 일만에 돌아옴은 하늘이 행함이라. 나아가는 바가 이로움은 강(剛)이 자라기 때문이다. 회복하면 천지의 마음을 보게 되리라.

복(復)이 형통함은 강양(剛陽)이 돌아오기 때문이다(復亨剛反). 가을에 남겨둔 열매 하나(剝☶)가 땅에 떨어지니 坤(☷)이 품어주고, 다시 생명(復☷)으로 깨워내니 강(剛)이 돌아온 것이다. 생명☳(動)이 동하고 대지☷(順)가 순함으로써 행하니, 이는 어미가 배☷ 속에 순함으로 생명☳을 품고 기름을 말한다(動而以順).

점차 양기가 모여 커지고 성(盛)함은 좋은 벗들이 점차 모여드는 것과 같으니 어찌 흠이 있으랴(朋來无咎). 양☳이 하나 들어와 처음은 미약하지만 점차 성하며 커가니, 춘하추동 사시를 따라 만물을 생장수장(生長收藏)의 이치로 순환시키는 태극의 작용은 완전무결한 것이다(出入无疾).

5월의 구(姤☴)에서 한 음이 처음 생김으로부터 일곱 번의 변효(變爻)에 이르면 한 양이 와서 회복하니 복(復☷)이 된다(反復其道七日來復). 양의 기운과 음의 기운이 전환을 겪게 되는 변화의 마디가 칠일래복(七日來復)의 뜻이니, 삼라만상은 만왕만래(萬往萬來)하며 한없이 그 도를 반복하지만 그 본(本)의 항구(恒久)함은 변함이 없으니, 이는 바로 천도(天道)의 행(行)함을 뜻한다(天行也).

천지지심(天地之心)을 본다 함은 천지합일(天地合一)하여 생(生)하는 人中의 자리를 각(覺)하는 것을 뜻한다. 천부경은 이를 "人은 中이니 天地가 하나(一)된 자리이다(人中天地一)"라고 정의한다. 무욕으로서 욕망이 소멸된 텅 빈 마음(虛靜)인 적연지무(寂然之無)의 상태가 아니라, 자연 순환의 음양지합(陰陽之合)으로서 만물이 생하는 일시(一始)의 자리를 뜻한다.

아무리 겨울이 혹독할지라도 봄은 오는 법이니 결코 그 기운이 동하여 나아가는 것을 가로막을 수는 없다(☳動·進). 양(陽) 하나의 시작은 미미하였으나 점차 그 양강(陽剛)의 도가 자라 천하를 덮으리니(利有攸往 剛長也), 그러므로 하나(一陽)가 시작하는 복(復)에서 천지의 마음을 드려다 볼 수 있는 것이다(復其見天地之心乎). 한 양이 아래에서 회복함은 바로 천지가 만물을 낳는 마음이다(天地之心).

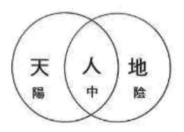

昂明 人中天地一

人은 中이니 天地가 하나(一)된 자리이다.

빛에 오르라, 天地가 내(人) 안에서 하나(一)되리라.

人中은 천지가 交感하는 자리이며, 만물을 생(生)하는 자리이니,

곧 천지의 마음(天地之心)이로다.

인중천지일은 天人地이 서로 고리를 이루어 공존하는 환존(環存)을 상징한다. 환존은 천지 음양이 서로 교합하여 생한 교집합 영역으로 천지인 삼신 일체의 자리, 人中을 의미한다.[36]

---

[36] 박규선, 『양자물리학과 주역』, 부크크, 2024.

한민족의 위대한 경전 『천부경』은 인간의 존재목적과 존재의 가치를 天地가 교합하여 생한 인(人), 陰陽이 교감하는 자리인 중(中)이라는 환존(環存)의 원리에서 찾는다. 天地는 나(人) 없이는 서로 멀뚱멀뚱 바로 보고 있을 뿐 상호작용함이 없다. 음양 또한 중(中)없으면 만물을 생하지 못하니 인중(人中)을 자각하는 것이야 말로 성통광명(性通光明)을 이룸이요, 재세이화(在世理化), 홍익인간(弘益人間)의 시작임을 의미한다.

本心本太陽 昻明 人中天地一

나는 天地가 생한 人이요, 陰陽이 생한 中이니 하나(一)가 곧 셋(三)이고 셋(三)이 곧 하나(一)로다. 본디 나의 본(本)은 태양의 본(本)과 같은 光明이니, 빛에 오르라. 그리하면 천지가 내 안에서 하나됨을 보리라.

象曰 雷在地中復 先王以 至日閉關 商旅不行 后不省方
상왈 뇌재지중복 선왕이 지일폐관 상려부행 후부성방

상에 이르길, 우레가 땅 속에 있는 것이 복(復)이니, 선왕은 이를 받아 동짓날에는 관문을 닫아 장사꾼과 여행자가 다니지 못하게 하며 임금(后)은 방소(方所)를 순찰하지 않는다.

땅 속 아래에 하나의 양이 있음이 복(復)이다. 양이 처음 회복하는 때이니 초기에는 미약하여 지극히 감싸고 보호하지 않으면 안 된다. 대지≡≡가 어미처럼 생명의 씨앗≡≡을 감싸 기르니 때가 되면 크게 성한다. 기존의 왕들보다 뛰어난 인군은 이러한 자연의 상을 보고 양이 처음 생기는 때를 당하면 불온한 기운이 미약한 양을 다치지 못하도록 막는다. 그래야 양이 점차 자라날 수 있기 때문이다.

. 그러므로 인군은 양이 처음 생기는 동짓날에는 천도(天道)에 순응하여 관문을 닫고 장사꾼과 여행자가 다니지 못하게 하며 사방을 시찰하지 않았다(至日閉關 商旅不行 后不省方). 이는 상서로운 양의 기운을 잘 보호하고 안정되게 함으로써 잘 자라나도록 하기 위함이었으니, 이는 나라를 다스림에 있어서나 인간의 수행에서도 이치는 동일한 것이다. 선왕(先王)이란 다른 이보다 앞선 왕이니 기존의 다른 왕들보다 뛰어난 왕이라는 뜻이다.

4. 효사(爻辭)

음이 극에 달하면서 양이 시작되고 양이 가득하면 다시 음이 시작되니, 음양은 서로 오고 가며, 반복하며 순환한다. 복(復)은 다시 돌아오는 것이니 회복(回復)이다. 사시가 생장수장의 이치를 순환 반복反復)하는 것이며, 생명의 빛을 다시 찾는 광복(光復)을 의미한다. 복(復)의 효사는 음이 가득한 세상에 양이 돌아오는 과정을 설명한다.

初九 不遠復 无祗悔 元吉
초구 불원복 무지회 원길

초구, 머지않아 돌아오니 회(悔)에 이르지 않는다. 마땅하면 크게 길하리라.

박(剝䷖)괘에서 마지막 남은 양이 땅에 떨어지니 곤(坤䷁)이 두터움으로 이를 품어 기른다. 음의 기운이 왕성한 坤(☷)의 맨 아래 밑바닥에서 초양(☳)이 그 기운을 회복하기 시작하니 머지않아 양의 세력이 돌아올 것이다. 깊고 어두운 심연 속에서 작은 불빛이 하나가 깜박이며 빛을 내기 시작하니 언젠가 때가 이르면 온 천하를 비추는 광명(光明)이 되리라.

初九는 비록 坤의 깊은 곳에 있어 그 힘은 미약해 보이나 내재된 에너지(위치에너지)를 수리로 보면 +32가 된다. 음의 무리 다섯 개를 모두 합하면 -62가 되니, 初九 양이 홀로 상향하고자 하는 잠재력은 결코 작다고 할 수 없다. 음이 가면 양이 오고, 양이 가면 음이 오는 것이니 음양의 반복순환은 천지자연 본연의 이치이다. 이 순환의 이치를 단사에서는 음양의 출입으로 표현하니, 순환하는 천지자연의 이치는 결코 병들지 않는다(出入无疾).

점차 양기가 모여 커지고 성(盛)함은 좋은 벗들이 점차 모여드는 것과 같으니 어찌 흠이 있으랴(朋來无咎). 양☲이 하나 들어와 처음은 미약하지만 점차 성하며 커가니, 춘하추동 사시를 따라 만물을 생장수장의 이치로 순환시키는 태극의 작용은 완전무결한 것이다.

초양이 태동되었으니 머지않아 회복될 것이고, 채워지기 전에는 결코 되돌아 가지 않는다(无祗悔). 무지회(无祗悔)란 회(悔)에는 이르지 않는다는 뜻이니 "利有攸往 剛長也"의 뜻이다. 양 하나의 시작은 미미하였으나 점차 그 양강(陽剛)의 도가 자라 천하를 덮으니, 나아가는 것이 이로움은 강(剛)이 자라기 때문이다(利有攸往 剛長也).

인사로 보면 양의 기운이 시작하는 초기에는 이를 잘 보호하고 길러야 한다. 그래서 대상전에서는 "인군은 양이 처음 생기는 동짓날에는 天道에 순응하여 관문을 닫고 장사꾼과 여행자가 다니지 못하게 하며 사방(四方)을 시찰하지 않았다(至日閉關 商旅不行 后不省方)"라고 하며 스스로를 경계하였다. 공자는 이 효사를 "머지않아 양이 돌아오니 스스로를 자중하고 수신함으로써 양을 키운다(象曰 不遠之復 以脩身也)"라고 소상전에서 풀이하고 있다.

元은 선지장(善之長)의 뜻이 있으니, 元吉이란 무조건적인 大吉이 아니라 善의 마땅함이 충족되어야 吉하다는 뜻이다. 그러므로 복(復)의 초기에는 수신(修身)함으로써 선덕(善德)을 이루어야 한다. 그래야만 크게 길하리라. 바로 원덕(元德)이 품은 뜻이다.

☞ 祗: 이를 지, 다다를 지, 공경할 지/ 悔: 뉘우칠 회, 후회 회

六二 休復 吉
육이 휴복 길

육이, 아름답게 돌아오다. 길하리라.

　건(乾)괘의 효사는 모든 괘효사를 이해하는데 기본 틀이 된다. 이를 통해 복(復)의 효사를 이해할 수 있다. 중천건(重天乾)괘 九二효는 현룡재전(見龍在田)이다. 초구(初九) 잠룡이 낮은 곳에 처하여 힘을 축적하다가 드디어 세상에 자신을 드러내는 것을 의미한다. 잠룡이 깊은 잠을 깨고 뭍으로 나왔으니 용덕(龍德)이 천하(田)에 그 모습을 드러낸 것이다(見龍在田 德施普也). 그런데 九二현룡은 세상에 스스로를 드러냈으나 본격적으로 부딪히고 다투는 중원을 피하여 외곽에서 조용히 사람을 모으며 힘을 기른다(見龍在田 利見大人). 양강한 힘만을 믿고 세상과 직접 부딪히면 상처를 입고 쉽게 부러짐을 알기 때문이다. 오히려 中正하면서도 柔順한 부드러움이 파도처럼 닥쳐오는 난관을 잘 이겨낼 수 있음을 알고 있다.

　복(復)괘의 六二는 음의 자리에 음으로 와서 자리가 바르고 유순(柔順)하며 中正하다. 부드러우면서도 바르며 중심을 잃지 않는 단아한 여인의 모습으로서, 돌아오는 모습이 당당하고 아름답다(休復). 六二는 유음(柔陰)으로 유순(柔順)하면서도 중정(中正)하니 세상의 중심에 강하게 나서지 않으며, 또한 세상과 쉽게 다투지 않는다. 소상전은 이것을 "休復之吉은 자신을 낮추어 인(仁)을 베풀기 때문이다(象曰 休復之吉 以下仁也)"라고 풀이한다.

　六二가 변하면 兌☱되니 양이 크게 쌓이는 지택림(地澤臨☷☱)이다. 六二의 柔順中正이 세상의 거침을 부드러움으로 감싸며 유화(柔和)시키니 강(剛)의 돌아오는 모습은 부드러우면서도 바름을 지키는 단아한 여인처럼 아름답다. 양강(陽剛)함을 겉으로 드러내지 않은 고요한 상태로서 힘을 크게 축적하고 있는 모습이니 길하다. 兌☱는 아름다움(休)의 뜻이 있다. 兌☱(靜)는 震☳

(動)에서 한걸음 더 회복(回復)한 것으로 생명으로서 자태를 갖추었으니 휴복(休復)이다.

양의 내재에너지로 보면 복(復)은 +32, 임(臨)은 +48이다. 생명이 처음 회복하여 시작하는 초구의 어려움(☳動)을 극복하고 이제 안정이 되었으니 태(兌)는 또한 안정☱(靜)의 뜻이 된다.

☞ 休: 아름다울 휴, 쉴 휴

六三 頻復 厲 无咎
육삼 빈복 려 무구

육삼, 빈번하게 돌아오다. 위태로우나 허물은 없으리라.

건(乾)괘 九三효사는 종일건건(終日乾乾)이다. 천하에 모습을 드러낸 현룡(見龍)이 드디어 변두리가 아닌 삶의 한복판인 중원으로 나아가 강건(剛健)한 기운으로 쉼 없이 천하의 일을 주도한다(終日乾乾 行事也). 하괘에 머물러야 할지 강을 건너 상괘로 넘어가야 할지를 선택하기 위하여 세상과 부딪히며 다툰다.

三효는 강중(剛中)한 자리를 벗어나 삶의 전쟁터에 나가 세상과 부딪히면서 싸우는 효이다. 그러므로 九三은 하괘의 정점으로 양강(陽剛)한 자리이므로 교만으로 무너지기 쉬우니 군자는 종일 힘쓰고 자신을 갈고 닦으며(終日乾乾 反復道也), 하루를 정리하는 저녁에 이르러 두려움으로 자신을 돌아본다고 했다(九三 君子 終日乾乾 夕惕若 厲无咎/중천건괘).

복(復)의 六三은 건(乾)의 九三이 종일건건(終日乾乾)하며 힘쓰듯이, 제자리로 돌아오기 위하여 노력하고 또 노력하는 효이다. 빈복(頻復)에는 終日乾乾의 뜻이 함유되어 있다. 그러나 양의 자리에 음으로 와서 자리가 부당하니 회복(回復)은 결코 쉬운 일이 아니다. 그러므로 반복하고 또 반복하면서 돌아오기를 빈번(頻繁)하게 시도하니 그 모습이 위태위태하다. 그러나 돌아오고자 하는 뜻에는 허물이 없으니, 공자는 소상전에서 이를 "빈복지려(頻復之厲)이나 뜻에는 허물이 없다(象曰 頻復之厲 義无咎也)"라고 하였다.

☞ 頻: 자주 빈, 빈번할 빈

六四 中行 獨復

육사 중행 독복

육사, 음의 무리 가운데에서 행하니 홀로 돌아오다.

건(乾)괘의 九四효사는 혹약재연(或躍在淵)이다. 연못에서 하늘로 도약하기 위해 뛰어보며 수련하는 효이다. 하괘에서 상괘로 건너온 효로서 이미 강을 건넜으니 홀로 나아가야 하는 처지에 있다. 음의 자리에 양으로 와서 자리가 부당하니 양강(梁剛)한 힘을 믿고 적진에 이미 깊숙이 들어왔다. 되돌리기에는 누군가의 도움 없이는 어렵다. 만일 실수라도 한다면 나락으로 떨어질 수 있으니 도약을 위해 뛰어보는 연습을 해야 한다. 어차피 멀리 나왔으니 나아가는 것이 허물은 없다.

그러나 복(復)괘의 六四는 다르다. 건(乾)의 九四는 나아가는 것(進)이 허물이 없지만(或躍在淵 進无咎也), 복(復)괘의 六四는 회복하는 것, 즉 돌아옴(復)의 도를 따르는 것이다. 六四는 음의 자리에 음으로 와서 자리가 바르며,

中行하는 중에 홀로 初九와 응하니 홀로 돌아오는 것을 뜻한다(獨復). 中行은 음(小人)의 무리 한가운데에서 행하는 것이다. 六二, 六三과 六五, 上六의 중간이므로 중행(中行)이다. 비록 무리(群陰)의 중심에 섞여 중행(中行)하고 있음에도 불구하고 흐름에 휩쓸리지 않고 홀로 아니라고 할 수 있는 용기, 홀로 회복을 도모할 수 있는 복(復)의 도가 바로 독행(獨行)이다.

六四는 자리가 합당하고 初九와 응하는 바른 효이다. 비록 소인의 무리(群陰)에 휩쓸려 한가운데 있을지라도 바른 도를 따르니 홀로 돌아올 수가 있다. 여기에서 道는 中道를 말하는 것이 아니라 양이 회복하는 復의 道를 뜻하니 初九와의 정응(正應)을 의미한다. 양이 돌아오는 복(復)의 道는 천지가 음양의 원리로 순환하며 만들어내는 생장수장의 이치를 말함이니, 初九와의 정응은 자연에 순응하며 따르는 것을 뜻하는 것이다. 공자가 소상전에서 풀이한 "중행독복(中行獨復)은 道를 따르기 때문이다(象曰 中行獨復 以從道也)"라고 한 것이 바로 이 뜻이다.

六五 敦復 无悔
육오 돈복 무회

육오, 돈독(敦篤)함으로 돌아오다. 회(悔)는 없으리라.

돈(敦)이라 함은 주변의 음의 무리를 도타움으로 감싸고 中道로써 中心을 잡아 주는 것을 뜻한다. 건(乾)괘로 보면 五는 비룡재천(飛龍在天)의 자리이다. 六五는 陰으로 비록 柔順하나 존위(尊位)에 거하여 中道를 지키고 있으니 우뚝 선 산처럼 돈독한 믿음을 준다. 효변하면 외호괘가 山☶이 되니 도타움(敦)의 뜻이 나온다. 상괘인 地☷도 도타움의 뜻이 있으니 돈복(敦復)이란 도탑게 돌아온다는 뜻이다. 많은 음(陰)의 무리가 세상에 가득하고 소인이 득세하는 세상이지만 六五는 中에 자리한 존위로서 돈독(敦篤)함으로 베풀고 이끄니, 이는 스스로를 성찰하기 때문이다. 그래서 六五는 비록 양의 자리에 음으로 와서 자리는 부당하지만 中을 지키고 있으니 회(悔)는 없다. 공자는 이를 "돈복무회(敦復无悔)는 中道로서 스스로 성찰하기 때문이다(象曰 敦復无悔 中以自考也)"라고 주석하였다.

☞ 敦: 도타울 돈

上六 迷復凶 有災眚 用行師 終有大敗 以其國君凶 至于十年 不克征
상육 미복흉 유재생 용행사 종유대패 이기국군흉 지우십년 불극정

상육, 혼미(昏迷)하게 돌아오니 흉하다. 재앙이 있으리라. 군사를 행하나 마침내 크게 패함이 있으니, 그 나라로서는 군주가 흉(凶)이다. 십 년에 이르러도 능히 헤치고 나아가지 못하리라.

上六은 음유(陰柔)로 복(復)의 마지막에 거하여 상극(上極)에 처했으니 끝내 혼미하여 돌아오지 못하는 자이다. 양의 기운이 일어나는 初九와 멀리 떨어져 있어 밝음을 미처 헤아리지 못하고 혼미(昏迷)하여 미혹(迷惑)되니 돌아오는 길을 잃고 흉함을 만난다. 재생(災眚)이 있으니 재(災)는 인간으로서는 어찌할 수 없는 천재(天災)를 말하고, 생(眚)은 자기의 잘못으로 일어난 재앙을 뜻한다. 이러한 때에 자신의 처지를 제대로 알지 못하고 군사를 동원한다면 결국 크게 패할 뿐이다. 군사를 동원함은 나라의 운명을 가르는 대사이니, 혼미에 빠져 길(道)을 잃은 처지에 자신의 운명을 결정짓는 일에 모든 것을 쏟아 붙는 것만큼 어리석은 일은 없다. 건(乾)괘로는 上九가 항룡유회(亢龍有悔)의 자리이니 상극에 처하여 지나침이 크면 회(悔)가 따를 뿐이다.

나라로 본다면 군주가 혼미하고 어리석은 자이다. 군주가 혼미하여 양(陽)이 돌아오는 복(復)의 때를 알지 못하니 이보다 더 큰 흉이 있겠는가? 혼미한 군주가 나라의 운명을 짊어진 군대를 이끈다면 10년에 이르러도 능히 헤치고 나아가지 못한다. 10은 수(數)의 최고를 뜻하니 결국은 이루지 못하는 것이다.

양(陽)이 돌아오는 初九는 震雷☳(進)가 되어 대로(大路)의 뜻이 있으니 군왕이 가는 길이다. 上六이 변하면 艮山☶(止)이 되면 좁은 길(小路)이 되고, 또한 그치는 뜻이 있으니 길이 막혀 가는 바른 길(正道)을 잃어버리고 만다. 진(震)☳의 대도(大道)가 간(艮)☶의 소로(小路)가 되었으니 군왕의 도에 반하는 것이고, 이길 수가 없는 것이다. 小路는 小人의 길로서 미로(迷路)의 뜻이 나온다. 공자는 소상전에서 이를 "미복지흉(迷復之凶)은 군왕의 도에 반하기 때문이다(象曰 迷復之凶 反君道也)"라고 풀이하였다.

☞ 克: 이길 극, 능할 극/ 征: 칠 정(쳐서 헤치고 나아가다), (먼 길을)갈 정/ 災: 재앙 재/ 眚: 흐릴 생, 눈에 백태가 낄 생, 재앙 생/ 迷: 미혹할 미, 헤맬 미

25. 天雷无妄천뢰무망

天☰乾
雷☳震

▶효변(爻變)

과거		미래	현재
☷+1 ⇨		☰+7	☰+7
			☷+1

上下작용력: (+1)-(+7)=-6

上下균형력: (+1)+(+7)=+8

无妄 元亨利貞 其匪正有眚 不利有攸往。

象曰 无妄 剛自外來而爲主於內 動而健 剛中而應 大亨以正 天之命也

其匪正有眚不利有攸往 无妄之往何之矣 天命不祐行矣哉

象曰 天下雷行 物與无妄 先王以 茂對時育萬物

初九 无妄 往吉

六二 不耕穫 不菑畬 則利有攸往

六三 无妄之災 或繫之牛 行人之得 邑人之災

九四 可貞 无咎

九五 无妄之疾 勿藥有喜

上九 无妄 行有眚无攸利

1. 괘상(卦象)

길고 긴 기다림 끝(地雷復☳)에 땅을 박차고 나와(雷地豫☳) 이제는 푸른 창공을 향해 날개를 펴고 비상하는 모습(天雷无妄☳)으로 천명(天命)☷을 받고 뜻을 펴고자 천하☰로 출사하는 상이다.

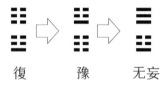

復　　　豫　　　无妄

푸른 창공☰(天)에 올라 넓은 세상을 향해 포효☷(雷聲)하는 모습에서 호연지기(浩然之氣)가 보인다. 재야☷☷에 묻혀 때를 기다리던 大人☷☷이 울타리☷☷를 벗어나 드디어 세상☰으로 출사하는 모습이다. 청년☷☷이 모든 준비를 마치고 당당히 사회☰로 진출하는 모습, 출사표☷☷를 던지고 천하☰를 향해 당당하게 나아가는 모습이다.

성공과 실패는 도전한 후의 일이니 시도☷☷하지 않은 성공☰이란 있을 수 없는 법, 도전은 그 자체가 헛됨이 아니니 무망(无妄)이다. 있는 힘을 다해 전진하는 진실된 모습이니 헛되지 않다. 무망지심(无妄之心)을 초심으로 갖추고 세상으로 나아가야 길하다(无妄 往吉). 그렇지 않으면 처음부터 세상과 타협하고 야합하는 길로 들어서게 되니, 무망지심으로 나아가 그 초심을 지켜 뜻을 이룬다(无妄之往 得志). 천명이 함께 하지 않으면 결코 대의를 이룰 수 없다(天命不祐).

天命之謂性(천명지위성): 하늘이 명한 것을 성(性)이라 하고,

率性之謂道(솔성지위도): 성을 따르는 것을 도(道)라 하며,

修道之謂敎(수도지위교): 도를 닦는 것을 교(敎)라 이른다.

하늘에서 양기가 도래하니 이는 하늘☰이 내리는 天命☷이다(天命之爲性). 하늘☰에서 울리는 뇌성(雷聲)☳은 사람을 두렵게 하기도 하고, 겸손하게 만들기도 한다. 천지를 뒤흔드는 뇌성은 하늘이 부여한 천성(天性)을 찾는 하나(一)님의 소리요, 영혼을 울리는 외침이다. 인간이 가지고 있는 태생적 두려움을 드러내게 하여 위선에서 벗어나 하늘 앞에서 발가벗겨진 존재로서의 자아를 돌아보게 함으로써 하늘이 부여한 천성을 회복하게 한다(率性之謂道). 본성을 회복한다는 것은 하늘☰이 부여한 천성☷을 회복하는 것으로 하늘이 부여한 천성은 망령됨이 없다(天下雷行 物與无妄).

◆ 震雷☳ (天命, 天性)

하늘☰(天)의 소리☳(命)를 듣고, 하늘☰을 향해 무망지심(无妄之心)으로 정진☳(進)하다.

(1)	(2)	(3)
☷☷	☷☳	☰☳
復	豫	无妄

(1) 복(復): 無明☷☷ 속에서 天命☳를 듣고 本性☷☷이 깨어나다. 각성하다(天命之謂性).

(2) 예(豫): 無明☷☷에서 벗어나 天性☷☷을 회복하다(率性之謂道).

(3) 무망(无妄): 光明☰을 향해 무망지심으로 정진(精進)☳하다(修道之謂敎).

천명(天命)을 따라 진심을 다해 행한다면 이것이 무망(无妄)의 경지이니 무망이란 거짓이 없는 것이고, 망령됨이 없는 진실한 마음으로 하늘의 뜻☰을 따라 움직이는 것☳(進)이다(修道之謂教). 그러므로 천하로 나아갈 때 무망지심(无妄之心)으로 나아가면 길하리라(无妄往吉).

2. 괘변(卦變)

▷호괘 – 風山漸

无妄   漸

☴+7   ⟹   ☴+5
☷+1   ☶−5
−6   −10

　무망(无妄)은 진실된 마음으로 비상(飛上)하는 새로운 시작을 의미하니 양과 음이 만나 서로 작용하며 시나브로 성취해 나간다(漸). 풍운의 꿈☴을 안고 뜻을 펼치고자 나선 길은 하늘의 뜻☰에 부합하지 않으면 안 된다. 자신만 믿고 경거망동하는 것은 망심(妄心)이니, 시기가 적절해야 하며(茂對時育萬物), 진퇴를 분명히 하고 무엇보다 자신을 분명히 알고 시작하는 것이 무망(无妄)의 참뜻이다.

▷착종 – 뇌천대장(雷天大壯)

无妄   大壯   夬

☴+7   ⟹   ☷+1   ⟹   ☱−1
☷+1   ☰+7   ☰+7
−6   +6   +8

　세상으로 출사하여 꿈을 이루고(天雷无妄), 세상을 평정하여 지도자로서 천하만민을 이끄는 모습이 대장이다(雷天大壯). 그러나 지도자로서 지위를 이용하여 욕심을 채운다면 그 교만함이 부덕(不德)이 되어 재앙을 불러오니 과유불급이 된다(澤天夬).

▷도전괘 － 山天大畜

无妄　　　　　大畜

☰+7　⟹　☶−5
☷+1　　　☰+7
−6　　　　+12

　　무망지심(无妄之心)으로 나아가는 무망(无妄)은 다른 쪽에서 보면 대축(大畜)이 된다. 무망(无妄)이나 대축(大畜)은 하나의 괘상을 서로 다른 쪽에서 본 것이다. 진실된 마음(无妄)으로 세상을 향해 나아가는 것은 크고 견고하게 뜻을 이루고자 함(大畜)이다.

▷배합괘 － 地風升

无妄　　　　　升

☰+7　⟹　☷−7
☷+1　　　☴+5
−6　　　　+12

　　무망은 험지(險地)☷를 뚫고 나와 푸른 창공☰을 향해 전진하는 모습으로 천명(天命)☷이라는 명분이 있다. 대의명분☰(天道)을 품고 세상으로 출정☷(進)하는 대인의 상이다. 반대인 배합괘는 승(升)이다. 巽風☴은 양의 자유로움이고 강력한 상향성(+5)이 있으므로 坤地☷−7라는 장애물을 만나면 뚫고 나가려는 강력한 돌파력(+12)으로 변한다. 아직은 땅속에서 봄을 기다리고 있지만 언젠가 부드러운 싹☴(巽順)이 땅☷을 뚫고 위로 솟아올라 크게 발전하는 상이니, 때가 되면 곧 땅☷을 딛고 하늘☰을 향해 활짝 만개☰할 때가 올 것이다.

3. 괘사 (卦辭)

无妄 元亨利貞 其匪正有眚 不利有攸往
무망 원형이정 기비정유생 불리유유왕

무망은 크게 형통하고 바르게 함이 이롭다. 바르지 않으면 재앙이 있으니 나아감이 이롭지 않다.

무망(无妄)은 원형이정(元亨利貞)이니 무망(无妄)을 잃어 바르지 않고 망동(妄動)하면 재앙이 따른다. 그러므로 나아가는 것이 이롭지 않다. 무망지심(无妄之心)으로 나아가는 것은 하늘의 뜻에 부합한 것으로 길하다(无妄往吉). 무망이란 하늘이 부여한 천성(天性)을 뜻한다. 비기정유생(其匪正有眚)은 무망의 기본이 정(正)이 되어야 함을 의미한다.

☞ 妄: 망령될 망, 거짓 망/ 匪: 아닐 비/ 眚: 재앙 생(자신의 잘못으로 인하려 초래된 결과), 災: 재앙 재(자신의 잘못과는 무관하게 외부로부터 주어진 재앙)

彖曰 无妄 剛自外來而爲主於內 動而健 剛中而應
단왈 무망 강자외래이위주어내 동이건 강중이응
大亨以正 天之命也 其匪正有眚不利有攸往
대형이정 천지명야 기비정유생불리유유왕
无妄之往何之矣 天命不祐行矣哉
무망지왕하지의 천명불우행의재

단에 이르길, 무망은 강(剛)이 밖에서 와서 안을 주장하는 것이다. 움직여서 굳세며, 강(剛)이 가운데 하여 응하니, 바르게 함으로써 크게 형통하다. 바름(正)은 하늘의 명이다. 바르지 않으면 재앙이 있고 가는 바가 이롭지 않으니 무망이 어디를 가겠는가? 천명이 돕지 않으니 행할 수 있겠는가?

미망(迷妄)==에서 깨어나 본성≡을 회복하게 하는 하늘의 명(命)==이 무망(无妄)이다. 하늘≡이 내 안에 내려와 나를 주장==하니, 이는 미망==에 가린 본성≡을 회복하여 무망지심으로 나아가게 하는 하늘의 뜻이다. 본성을 회복한다 함은 성통광명(性通光明)을 이루는 것을 의미한다.

무망지심(无妄之心)으로 움직여 강건(剛健)하게 나아간다(動而健). 九五는 中正하고 강(剛)함이며, 六二는 中正하고 유(柔)함이니 서로 정응함으로써 크게 형통하고 바르다. 이는 하늘≡과 땅==이 서로 통하여 내 안에서 하나==가 되는 것을 말함이니, 이는 바로 하늘의 뜻(志)이요, 하늘의 명(命)인 것이다. 무망이란 진실되고 망령되지 않은 마음으로 정(正)이 바탕이 되어야 하며 그래야만 크게 형통한 것이다. 바르지 않으면 재앙(有眚)이 따르게 되니 앞으로 나아가는 것이 이롭지 않다.

괘사에서 其匪正有眚 不利有攸往이란 바로 이 뜻이다. 바르지 않으면(匪正) 천명이 내리지 않는다. 그러니 바르지 않은 상태에서 무망으로 어찌 나아갈 수 있겠는가? 천명이 내리지 않으면 무망하지 않으니 무망없이 대의를 행할 수 있겠는가? 바르지 않으면 천명이 돕지 않으므로 뜻을 제대로 펼 수 없다. 그러므로 무망지심으로 바르게 나아가야 천명이 도와 뜻을 이룰 수가 있는 것이다(无妄之往 得志也).

象曰 天下雷行 物與无妄 先王以 茂對時育萬物

상왈 천하뇌행 물여무망 선왕이 무대시육만물

상에 이르길, 하늘 아래 우레가 행하며 만물에 无妄(天性)을 주니, 선왕은 이를 본받아 때에 맞추어 무성하게 하며 만물을 기른다.

하늘≡ 아래 우레≡≡가 움직이는 것이 무망(无妄)이다. 만물만상(萬物萬象)에 무망(无妄)이 주어지니 이는 곧 진실된 참 본성을 말한다. 그러므로 만물의 본성은 하늘이 부여한 천성이니, 만물은 하나(一)에서 나와 하나(一)로 돌아가는 본시 일체(一體)의 상이다(一始一終). 하늘(양)과 땅(음)은 본시 하나로 태극(一)에서 나왔고, 만물은 음양(二)의 작용으로 생화(三)한 것이니, 일즉삼(一即三)이고 삼즉일(三即一)이며 일체의식이다. 그러므로 대인은 이를 깨달아 때에 맞추어 힘써 만물을 기른다. 육만물(育萬物)이라 함은 천명을 받은 대인이 만물은 물론 인간을 제도하고 훈육하며 하늘이 부여한 천성을 되찾아 인간 본연의 참된 모습으로 기르는 것을 말한다. 무망(无妄)이란 天 ≡이 命≡≡을 내려 기르는 만물 본연의 참모습을 의미한다.

☞ 茂: 무성할 무/ 對: 대할 대

4. 효사(爻辭)

무망(无妄)의 효사는 '하늘☰(天)의 소리☳(命)를 듣고, 하늘☰을 향해 무망지심(无妄之心)으로 정진☳(進)하다'라는 뜻을 풀어나간다. 사회 초년생은 사회에 첫발을 내딛게 되면서 의도치 않은 문제나 화복(禍福)에 부딪히게 된다. 처음 가졌던 초심(初心)을 잃지 않고 대처해가는 마음이 바로 무망지심이다. 무망이란 하늘이 내린 천성으로 망령되지 않은 진실된 마음을 뜻한다. 무망은 마음(정신)을 풀이하는 괘이다. 본 효사는 무망지심으로 세상에 나아갈 때 자신도 모르게, 의도치 않게 발생되는 문제나 악재를 만나게 되었을 때 어떤 마음으로 대처해야 하는가를 제시한다. 우발적인 악재나 화복에 부딪혔을 때 초심에 가졌던 무망지심을 잃지 않으려면 어떻게 해야 하는가?

初九 无妄 往吉
초구 무망 왕길

초구, 무망이니 나아가는 것이 길하다.

初九는 하늘☰이 내려와 내 안에 거한 天命☳으로서 天性을 말한다. 하늘☰이 주장☳하는 대로, 天性☳이 가는 대로 자신을 맡겨 나아가는 것이 길하다. 하늘을 따른다는 것은 하늘과의 일치를 이루고자 함이니 무망지심(无妄之心)으로 자신을 무위(無爲)에 맡기는 것이다(剛自外來而爲主於內). 무망이란 내 안에 거한 하늘이니 망령됨이 없는 천성이다. 그러므로 공자는 "무망지심으로 나아가니 뜻을 얻음이다(象曰 无妄之往 得志也)"라고 하였다. 뜻이란 바로 하늘을 말함이니 천도(天道)를 뜻한다. 天性☰을 간직하고 무망☷☰(進)으로 나아가니 하고자 하는 뜻을 이루리라.

六二 不耕穫 不菑畬 則利有攸往
육이 불경확 불치여 즉이유유왕

육이, 갈지 않아도 얻고, 일구지 않아도 삼 년이 된 좋은 밭이 되도다, 그런 즉 나아가는 것이 이로우리라

하늘이 내려와 나를 주장한다는 것은 하늘이 나의 마음을 경작하는 것이다. 하늘이 주장하는 대로 하늘이 나의 마음을 경작하는 대로 진실된 마음으로 따르면 저절로 무망지심(无妄之心)이 드러난다. 이는 작위적으로 갈지 않아도 저절로 얻어지는 것이다. 작위적인 개간보다는 자연 그대로 무위(無爲)하면 하늘과 저절로 하나가 되는 것이니 일구지 않아도 삼 년이 된 좋은 밭이 된다. 밭이란 물리적인 밭이 아니라 하늘이 일구는 마음의 밭이다.

六二가 변하면 천택리(天澤履☰☱)가 된다. 澤☱은 하늘☰을 담은 못이니, 하늘☰이 씨☱를 내리고 일군 하늘의 밭이다(剛自外來而爲主於內). 그러므로 갈지 않고도 거두며, 일구지 않아도 좋은 밭이 되니 나아가는 바가 이로우며 행하고자 하는 모든 일이 저절로 이루어 진다. 하늘을 따라 무위로 마음을 일구니 경작하지 않아도 얻는다.

六二는 柔順하고 中正하며 하늘☰의 九五 剛健中正함과 정응하니, 天道의 이치에 순응하여 사심없이 따르는 것이다. 그래서 공자는 소상전에서 "일구지 않고도 얻는다 하여 부를 탐하는 것은 아니다(象曰 不耕穫 未富也)"라고 하여 확(穫)이나 여(畬)가 반드시 물질적인 부유(富有)를 말함이 아니라 하였다.

☞ 耕: 밭을 갈 경/ 穫: 거둘 확/ 菑: 경작한 지 한 해 된 밭 치, 처음 일군 밭 치, 개간하다, 일구다// 畬: 3년 묵은 밭 여, 새밭 여

六三 无妄之災 或繫之牛 行人之得 邑人之災
육삼 무망지재 혹계지우 행인지득 읍인지재

육삼, 무망(无妄)에 재앙이라. 혹여 소를 매어 놓았는데 지나가는 행인
이 가져가니 읍인의 재앙이다.

'무망(无妄)에 재앙이 이르다'라는 말은 천성으로 주어진 진실된 마음으로
살아가다 의도치 않는 재해(災害)를 만나게 되는 것을 말한다. 六三은 양(陽)
의 자리에 음(陰)으로 와서 자리가 바르지 않고 중(中)을 벗어나 있어 망령
(妄靈)된 자이다. 동네 어귀에 소를 매어 놓았는데 지나가는 행인이 끌고 가
버리니 손해 막심(災)이다. 행인이 오가는 동네 어귀에 귀한 소를 매어 놓았
다는 것은 무망지심을 소홀히 함을 의미한다. 외부에서 지나가는 행인이 소
를 끌어가듯이 무망지심을 제대로 지키지 않으면 결국 잃어버리게 되니 무
망에 재앙이 초래되는 것이다. 무망을 놓아버리는 순간 재앙이 가져가 버리
는 것이다.

六三이 변하면 火☲가 되니 재앙을 의미하며, 소(牛)의 뜻이 있다. 또한
火☲(明)는 지혜로운 정신을 상징하고, 雷☳(動)은 행인(行人)이 된다. 내괘는
風☴이 되니 바람은 만물을 하나로 잇는 끈(줄)의 뜻이 나온다. 그러므로 외
부의 행인이 오가는 동네 어귀에 소를 매어놓듯이 정신을 소홀히 하여 놓아
버리면 바름(正)을 지키지 못하니 지나가는 행인이 소를 끌고 가버리듯 사악
한 학문이나 신념(종교) 등이 정신을 홀려 끌어가 버린다. 이는 곧 재앙이
시작되는 것이다.

농경시대에는 소가 귀중한 재산이다. 그러한 소를 길가에 매어둔다는 것은 성심(誠心)이 없는 것이니 소를 잃어버리는 결과를 초래하는 것이다. 마음도 이와 같으니 공자는 "행인이 소를 가져가버리니 읍인의 재앙이다(象曰 行人得牛 邑人災也)"라고 바름(正)을 소홀히 하는 것을 경계하였다. 괘사에도 "바르지 않으면 재앙이 있으니 나아감이 이롭지 않다(其匪正有眚 不利有攸往)"라고 하여 무망은 바름(正)이 전제되어야 함을 말했다.

☞ 繫: 맬 계, 끈 계/ 災: 재앙 재(자신의 잘못과는 무관하게 외부로부터 주어진 재앙)

九四 可貞 无咎
구사 가정 무구

구사, 바르게 할 수 있으면 허물이 없다.

九四는 음의 자리에 양으로 와서 자리가 바르지 않으나 六三에서 재앙을 입고, 드디어 무망(无妄)의 강을 넘어 외괘 天☰乾에 이르렀으니 이제는 진실된 마음으로 하늘의 뜻에 손순(巽順)하게 따른다. 六四가 변하면 巽風☴이니 손순의 뜻이 나온다.

重天乾(䷀)괘는 모든 괘를 이해하는 기본이다. 건(乾)의 九四 효를 통해 무망의 뜻을 비교해보자. 乾괘 九四효는 "혹약재연 무구(或躍在淵 无咎)"이다. 하괘 九三에서 "종일건건 반복도야(終日乾乾 反復道也)"하며 세상과 수고로이 투쟁하며 노력하다가 드디어 강을 건너 상괘로 넘어왔으니 이제는 홀로 자신의 길을 가야 한다. 언제까지 조그만 연못에 머무를 것인가? 한번쯤 도약해 봄 직하지 않은가? 어차피 멀리 나왔으니 되돌리기는 쉽지 않다. 나아가는 것이 이로우니 나아가야 무탈한 것이다.

무망(无妄)의 九四는 이미 무망의 강을 건너 상괘인 天☰에 도달했으니 자신의 뜻을 바꿔 돌아가기에는 이미 늦어버린 상황이다. 강을 건널 때의 초심인 무망지심(无妄之心)을 그대로 지켜 바르게 나아가야만 하늘이 내린 천성을 지킬 수가 있으니 허물이 없다. 공자는 이것을 "무망지심을 바르게 하니 무탈하다. 이는 무망을 굳게 지켜 나가기 때문이다(象曰 可貞无咎 固有之也)"라고 풀이하였다.

九五 无妄之疾 勿藥有喜
구오 무망지질 물약유희

구오, 무망(无妄)의 병이다. 약을 쓰지 마라. 기쁨이 있으리라.

九五는 양의 자리에 양으로 와서 자리가 바르고 강건중정(剛健中正)하다. 유순중정(柔順中正)한 六二와 정응하니 九五는 무망의 지표이다. 존위로서 中正하니 初九가 무망의 길을 떠나면서 목표로 삼은 푯대가 된다.

九五는 무망지심(无妄之心)이 최고조로 절정에 달하였음을 의미한다. 무망지질(无妄之疾)이란 무망이 최고조에 이르러 무망지심을 굳게 고집하니 소인배들의 관점에서 보면 병적수준이라는 의미로 비유된다. 진짜 병이 아니라 무망을 추구하는 마음이 강고(强固)함을 은유적으로 표현하는 것이다. 그러므로 고쳐야 할 병이 아니니 九五의 진실무망을 고치려 해서는 안된다 라는 의미이다(象曰 无妄之藥 不可試也). 기쁨이 있을 것이니 신념을 바꾸려 하지 말고 무망을 그대로 지키라는 뜻이 되는 것이다.

무망지심을 굳게 행하다 보면 소인의 무리에 의해 비아냥과 시기, 질투

등에 의하여 상처를 받게 된다. 이 또한 무망을 행하면서 군자로서 감당해야 할 부분이다. 물론 天☰乾의 중심에 있으면서 무망지도(无妄之道)의 푯대가 되는 九五일지라도 의도치 않은 재해를 만날 수도 있다. 비록 성인군자라 할지라도 생장수장(生長收藏)의 순환에 따른 생로병사의 고리를 벗어날 수는 없는 것이니 이는 만물이 순응하는 천지자연의 이치이기 때문이다.

약을 쓰지 않는다 함은 인위적으로 목숨에 집착하여 구걸하지 않음을 이른다. 소인이 소인의 길을 가다 병을 얻으니 생명에 집착하는 모습은 차라리 애처롭다. 그러나 대인은 생로병사 순환하는 윤회의 수레에서 내려섰으니 생사(生死)를 탐하지 않는다. 생사를 넘어서니 오히려 이를 초월하는 기쁨이 있다. 그래서 공자는 소상전에서 "乾의 中효인 剛健中正한 九五가 병에 걸렸을지라도 무망지도(无妄之道)를 약으로 시험해서는 안 된다(象曰 无妄之藥 不可試也)"라고 경계하고 있다. 무망의 도를 가는 대인이 생로병사에 집착하며 사술(邪術)로써 자기자신을 시험하지 말라는 경계사이다.

무망의 효사는 무망지도(无妄之道)를 벗어나는 것을 경계하는 글로써 무망지심(无妄之心)에 병이 생기면 반신수덕(反身修德)하며 수양함으로써 쾌유하는 것이지 인위적인 약을 써서 해결하는 것이 능사가 아님을 설명한다. 九五가 변하면 서합(噬嗑☲☳)이다. 장애물이 돌파되고 길이 뚫리는 것을 의미하니 병이 치료되고 기쁨이 있게 되는 것이다.

☞試: 시험 시, 시험하다, 검증하다.

上九 无妄行 有眚 无攸利
상구 무망행 유생 무유리

상구, 무망(无妄)을 行하면 재앙이 있으니 이로움이 없다.

上九는 음 자리에 양으로 있어 자리가 부당하고 무망(无妄)의 극에 처했으니 움직이면 문제가 발생한다. 그러므로 무망을 행(行)하는 것이 이로울 바 없다는 뜻이다. 상구는 무망이 극에 달해 행하는 것이니 지나침이 있는 것이다. 무망지도(无妄之道)를 행함이 과하면 오히려 재앙을 초래하게 되니 이로울 바가 없다. 무망지심이 과욕으로 인해 작위적이 되면 그로 인해 재앙이 뒤따라오게 되니 생(眚)이 된다. 생(眚)은 자신의 잘못으로 인하려 초래된 재앙을 의미한다. 행(行)은 그 실천함이 작위적임을 의미한다. 고지식은 고집이 되고, 상식을 벗어나게 된다.

괘사 "其匪正有眚 不利有攸往"은 上九의 처지를 풀이한다. 상구가 변하여 澤☱이 되면 乾☰의 강건함이 훼절 당하는 것이니 재앙(眚)의 뜻이 된다. 그러므로 무망이 극에 달해 고지식함이 되었을 때에는 작위적으로 행하지 말고 차라리 머무는 것이 좋다. 공자는 소상전에서 "上九는 무망지심(无妄之心)으로 행하여도 그 처한 위치가 궁(窮)하므로 재앙이다(象曰 无妄之行 窮之災也)"라고 충고하고 있다.

☞ 窮: 다할 궁, 궁할 궁

26. 山天大畜_{산천대축}

山☶艮
天☰乾

▶효변(爻變)

과거	미래	현재
☰ +7	☷ -5	☷ -5
		☰ +7

上下작용력: (+7)-(-5)=+12

上下균형력: (+7)+(-5)=+2

大畜 利貞 不家食吉 利涉大川。

象曰 大畜 剛健篤實 輝光日新其德 剛上而尙賢 能止健 大正也 不家食吉

養賢也 利涉大川 應乎天也

象曰 天在山中 大畜 君子以多識前言往行 以畜其德

初九 有厲 利已

九二 輿說輹

九三 良馬逐 利艱貞 曰閑輿衛 利有攸往

六四 童牛之牿 元吉

六五 豶豕之牙 吉

上九 何天之衢 亨

1. 괘상(卦象)

　하괘의 양☰을 뚜껑☶으로 꼭 막고 있는 모습이다. 음2개가 바람 샐 틈 없이 막고 있으니 양이 크게 쌓인다. 소축(小畜☴)은 음 하나가 막으니 양이 새어나가 조금 쌓이는 모습이지만, 대축(大畜☶)은 음2개가 막고 있어 새지 않고 크게 쌓인다. 산☶이 하늘☰을 품고 있는 모습으로 큰 성취를 의미하며, 천하를 품은 대인을 상징한다(大畜剛健篤實輝光). 자신을 비울 줄 아는 소축(小畜)과 달리 대축(大畜)은 자신을 위해 크게 이룬 모습이니, 만일 타인을 위해 베풀지 못한다면 모습이 흉하다. 그러므로 대축은 내가 쌓은 것을 내 소유로만 그치지 말고 천하를 위해 펼쳐야 한다는 뜻을 품고 있다(不家食吉 養賢也). 대축의 진정한 의미는 단순히 재물이나 학식 등을 '높이 쌓는다'가 아니라 하늘을 품은 큰 산으로서 천하☰를 품은 마음의 크기☶에 있는 것이다.

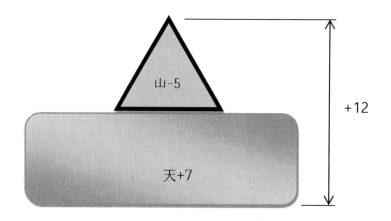

　하늘에 꽉 들어찬 大陽☰을 하나의 음이 고정시키면 巽風☴이 된다. ☴은 자유로운 바람이다. 바람은 자유로우나 하늘을 꽉 채운 대양(大陽)이 아니라 대지(초육)에 붙잡혀 일정한 공간에 한정된 소양(小陽)이다. 음이 성장하여 2개가 되면 하나의 양을 붙잡아 세우는 상으로 艮山☶이 된다. 한 자리에 그쳐 고정된 지(止)의 의미가 있다.

한 자리에 고정되어 우뚝 선 산☶은 바람을 막아 세우고, 흐르는 물을 막아 댐을 채운다. 산☶은 창을 막는 방패나 갑옷이 되고, 창고의 문(門)이 되며, 집(house)이 되니 보호하고 쌓는 역할을 한다. 대축(大畜)은 큰 산☶(家) 아래 하늘☰(天)이 있는 모습이니 천하☰(天)를 품은 집☶(家)으로 천가(天家)의 상이 된다. 천가(天家)☶란 천하☰를 집으로 삼는 사람, 또는 그런 집안이라는 뜻으로 천자(天子) 또는 황족(皇族), 백성을 품은 나라, 이를 다스리는 국가(정부)를 비유한다.

산☶(止)이 능히 하늘☰(剛健)을 막아 그치게 하니 안으로 강건(剛健)함이 크다. 하괘의 乾☰(健)을 艮☶(止)이 뚜껑이 되어 막고 있는 상으로, 음2개☷가 바람 샐 틈 없이 乾陽☰을 막고 있으니 강건(剛健)함이 크게 쌓이는 것이다(能止健大 正也).

산☶ 아래 하늘☰이니 크게 양이 쌓이는 모습(天在山中 大畜), 사람으로 말하면 내면이 충적되어 크게 쌓인 상이니 학문적 성취나 도덕적 수양, 재물 등이 크게 쌓인 것이다. 대축(大畜)은 강건한 기운☰을 품고 있는 큰 산☶의 모습으로 대인(大人)의 상이니 대산(大山)은 결코 하루아침에 이루어지지 않는다.

[비교-1] 상하작용력에 따른 괘의 변화

乾	小畜	大有	大壯	夬	需	大畜	泰
☰	☴+5	☲+3	☳+1	☱−1	☵−3	☶−5	☷−7
☰	☰+7	☰+7	☰+7	☰+7	☰+7	☰+7	☰+7
0	+2	+4	+6	+8	+10	**+12**	+14

[비교-2] 소축과 대축

小畜	大畜
☴+5	☶−5
☰+7	☰+7
+2	+12

▶小畜: 六四 음효 혼자서 3개 양의 상향을 막고 있으나 역부족이다. 이미 2개의 양이 빠져나갔으니 소축(小畜)이다. 이미 새어 나가니 작용력도 +2에 불과하다.

▶大畜: 六四와 六五 음효 2 개로 양을 단단히 막고 서있으니 크게 쌓인다. 하늘을 뚫고 높이 치 솟은 상이니 작용력도 +12가 된다.

[비교-3] 쾌(夬)와 대유(大有)

夬	大有
☱−1	☲+3
☰+7	☰+7
+8	+4

▶夬: 음효(上六) 하나가 5개 양의 상향력을 막고 있으니 터지기 직전이다.

▶大有: 음효(六五) 혼자서 5개 양의 팽창을 견디지 못하니 양(上九)을 하나 내보낸 모습이다. 터져 무너지는 어리석음보다는 하나를 내어 줌으로써 적당히 베푸니 집이 무너지지 않고 큼(大有)을 유지한다.

2. 괘변(卦變)

▷호괘 – 雷澤歸妹

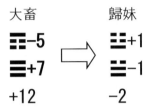

大畜　　　　　歸妹

☳ ☱　　　　　☳ ☱

-5　　　　　　+1
+7　　　　　　-1
+12　　　　　-2

　자신만을 위해서 자신의 선택과 자신의 기쁨☱(說)으로 나아간다면 오히려 짐☳(進)이 더 무거워질 수 있는 선택이 될 수 있다. 아무리 크게 쌓는다 하더라도 결국은 되돌아 나오는 것만 못한 상황이 초래되는 것이다. 귀매(歸妹)는 양기를 소진하고 지친 모습이니, 순간의 기쁨을 얻고 많은 성취를 이룬 것 같지만 결과적으로 아니함만 못한 상황이 될 수도 있는 것이다.

　돈과 사랑, 명예와 권력을 쫓아 내 것을 쌓아두는데 열중하다 보면 순간 순간은 기쁘지만(☱說), 내부적으로는 양기가 소진되고 지쳐간다(☳動). 큰 성취를 이루고 하늘보다 높은 큰 산을 쌓아가지만 마음(陽)은 이미 소진이 되고 있는 것이니, 진정한 대축(大畜)이란 천하를 위한 마음의 크기와 높이에 있는 것이다(不家食吉 養賢也).

▷착종 – 天山遯

大畜　　　　　遯

☶ ☰　　　　　☰ ☶

-5　　　　　　+7
+7　　　　　　-5
+12　　　　　-12

대축(大畜)은 크게 이룸을 타인을 위해 베푸는 大人의 도를 말함이요(大畜剛健篤實輝光), 돈(遯)은 물러나 때를 기다리니 小人의 도가 된다. 크게 이룸에는 시기와 질투가 따른다. 나아가는 것만이 능사가 아니니 물러나는 것이 때로는 나아가는 것보다 나을 때가 있다. 나아감만 못하다면 차라리 은둔하는 것이 大人의 처세이다. 때를 잘못 읽고 자신만의 기쁨으로 나아간다면 차라리 나아가지 않음만 못하니(歸妹), 때를 보아 물러나야 할 때를 알아 물러나는 것이 지혜로운 일이다(遯之時義 大矣哉).

▷도전괘 – 天雷无妄

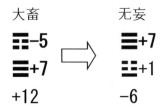

大畜
≡≡-5
≡+7
+12

无妄
≡+7
≡≡+1
-6

►天在山中 大畜 성취

산≡≡ 아래 하늘≡이 있으니 높은 것이다. 창고≡≡에 보물≡을 가득 채우고 문을 굳게 닫아 걸었으니 크게 쌓은 것이다. 크게 성취하여 높이 쌓았으니 대축(大畜)이다.

►天下雷行 无妄 도전

하늘≡ 아래 우레≡≡(動·進)가 행(行)하니 청년이 풍운의 꿈을 안고 광야로 나아가는 것이다. 양 하나가 음 2개를 짊어지고 나섰으니 도전하는 젊은이의 힘찬 모습이다. 세상≡으로 나아가는 젊은이≡≡의 꿈은 순수하고 진실되어야 하니 무망지심(无妄之心)의 자세를 견지해야 한다. 하늘≡에서 천명≡≡이 내려와 나를 주관하니 바르게 행하지 않는다면 하늘이 돕지 않는다(天命不祐行矣哉). 무망지심(无妄之心)으로 나아간다면 천명이 도와 마침내 뜻을 이룰 수 있다(无妄之往 得志也).

▷배합괘 - 擇地萃

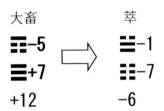

大畜　　　　　萃

하늘☰ 위에 산☶이 높이 쌓이니 대축(大畜)이다. 쌓은 것을 내 소유로만 그치지 않고 천하를 위해 나눠야 한다(不家食吉 養賢也). 땅☷ 위로 양기가 솟구쳐 나와 모이니 췌(萃)이다. 췌(萃)는 양기가 올라와 모인 곳으로서 만물을 생육하는 생명수☵의 공급원(澤)이 된다(萃 亨王假有廟).

3. 괘사(卦辭)

大畜 利貞 不家食吉 利涉大川
대축 이정 부가식길 이섭대천

대축(大畜)은 바르게 함이 이롭다. 천가(天家)에게 녹봉을 받지 않으니 길하다. 大川을 건너는 것이 이롭다.

대축(大畜)은 크게 쌓음이니 바르게 하는 것이 이롭다. 이는 크게 쌓으나 바르지 않으면 오히려 흉함이 되는 것을 뜻한다. 대축은 자신만을 위하여 크게 쌓음이 아니니, 자신의 출세와 영달을 위한 출사를 하지 않고 백성과 함께 험함을 건넌다.

하괘인 乾☰은 천하에 가득한 양기로 대양(大陽)이다. 初九와 九二가 효변하면서 산☶이 되니 하늘☰(健)이 땅에 고정☷(止)되는 의미가 된다. 이것은 山☶이 天☰의 상향을 저지하는 뜻이 되어 크게 쌓이는 모습이니 대축(大畜)의 뜻이다(能止健大 正也).

☷는 집(家)이고, ☰는 천하(天下)를 상징한다. 그러므로 대축은 천하☰(天)를 품은 집(☷家)의 상으로서, 여기에서 집이란 황제가 거하는 집, 나라를 다스리는 궁궐을 상징하니 천가(天家)의 뜻이다. 대축에서 가(家)는 일반인이 사는 작은 집이 아니라 천하 백성을 다스리는 왕의 집(天家)이다. 큰 산☶(家) 아래 하늘☰(天)이 있는 모습, 천하백성☰(天)을 품은 집(☷家)이니 천가(天家)의 상이 되는 것이다.

大陽☰이 2개의 음에게 붙잡히니 고정☷(止)된다. 乾☰의 커짐을 艮☶이 저지(沮止)하는 것이다(能止健大). 그러나 쌓임이 지나치면 흉이 되고 더 나아가면 자신에게 재앙이 된다. 욕심이 과하면 오히려 아니함만 못하다. 호괘가 귀매(歸妹)이니, 이는 안정된 집☰(安)을 뛰쳐나가 움직이며 힘들어하는 모습☶(動·進)이다. 자신의 기쁨☱(說)을 위해 집을 나서 개고생☳(動)하는 꼴이다. 어린 여자☱(小女)가 성인 남자☳(長男)를 따라 나서는 형상이니 흉하다.

艮☶이 乾☰의 상향을 막아서니, 이를 인사적로 풀이하면 大人☰이 국가☶(天家)에게 봉록을 받지 않음을 의미한다. 대인☰이 조정☶(天家)에 출사하지 않고 그 자리에서 덕을 쌓으며 현자☶(上九)를 길러내니(不家食吉養賢也), 백성과 어려움을 함께 건너는 것이다(利涉大川).

'집에서 먹지 않는다(不家食吉)'는 것은 단순히 자기 집에서 먹지 않는다는 뜻이 아니라 천가(天家)에게 녹봉을 받지 않음을 뜻한다. ☶은 내가 사는 작은 집이 아니라 천하☰를 품었으니 백성을 다스리는 큰집(天家)이다.

자신의 출세와 영달을 위하여 출사하지 않고 쌓은 덕을 천하 백성과 함께 한다. 내가 쌓은 것을 내 소유에 그치지 않고 천하를 위해 펼친다. 나만 먹지 말고, 나만을 위해 쌓지 말고 주변에 베풀라는 의미, 결국 대축(大畜)의 방점은 '쌓는다'가 아니라 천하를 위한 올바른 마음에 있는 것이다(能止健大正也). '쌓을 축(畜)'은 '기를 휵(畜)'으로도 읽히니 '쌓는다'라는 의미는 '천하를 기르다'라는 성인의 가르침으로 귀결된다.

아무리 크고 높게 쌓더라도 기초가 바르지 않으면 학문적 성취나 재물의 축적도 사상누각에 불과한 것이니 어느 순간 신기루처럼 쉽게 사라지기 마련이다. 그러므로 진정한 의미의 대축이란 정도로서 바르게 함이 이로운 것이다(大畜利貞).

이렇게 크게 쌓는 이유는 무엇인가? 하늘의 명에 따라 큰 일을 하고자 함이니 바로 이섭대천(利涉大川)하는 이유이다(利涉大川 應乎天也).

☞ 畜: 쌓을 축, 기를 휵

象曰 大畜剛健篤實輝光 日新其德 剛上而尙賢 能止健大 正也
상활 대축강건독실휘광 일신기덕 강상이상현 능지건대 정야
不家食吉養賢也 利涉大川 應乎天也
부가식길양현야 이섭대천 응호천야

상에 이르길, 대축은 강건하고 독실하며 빛나니, 날로 그 덕을 새롭게 한다. 剛이 위에 하니 현인을 숭상함이다. 乾의 강건(剛健)이 커 감을 능히 저지할 수 있으니 바르다. 부가식길(不家食吉)은 현인을 기름이니 길하다, 大川을 건너는 것이 이로우니 이는 하늘의 뜻에 응하는 것이다.

대축(大畜)은 乾☰으로 강건(剛健)하고 艮☶으로 독실(篤實)하게 자신의 덕을 닦으니 쌓는 덕이 커서 광채가 빛난다. 안으로 강건(剛健)☰함이 가득하니, 밖으로 독실(篤實)☶의 德이 크게 빛나는 것이다. 군자는 날로 그 덕을 새롭게 하니 이는 대축이 품은 뜻이다.

剛(上九)이 위에 있으니 현인(賢人)을 숭상하는 뜻이 있다. 산은 쌓은 덕을 의미하니 현덕(賢德)의 뜻이다. 艮☶이 능히 乾☰의 상향을 막으니, 乾이 출사하여 天家의 녹봉을 받지 않고 스스로 쌓은 재물과 지식을 사용하여 현인을 길러내는 뜻이 된다. 乾의 강건(剛健)이 커짐을 능히 저지할 수 있다 함은 건(乾) 스스로 절제하고 베푸는 것을 의미하는 것이니 바른 것이다(能止健大 正也).

乾☰의 커짐을 艮☶이 저지(沮止)한다(能止健大). 이는 乾☰이 2개의 음에게 잡혀 고정☶(止)되는 것을 의미한다. 즉, 하괘의 乾☰(健)을 艮☶(止)이 뚜껑이 되어 막고 있는 상으로서, 음2개☵가 바람 샐 틈 없이 양(陽)☰의 상향을 막고 있으니 강건(剛健)함이 크게 쌓이는 것이다.

그러나 쌓임이 지나치면 흉이 되고 더 나아가면 자신에게 재앙이 된다.

욕심이 과하면 오히려 아니함만 못하다. 호괘가 귀매(歸妹☳)이니, 이는 안정된 집☷(安)을 나가 움직이며 힘들어하는 모습☳(動), 자신의 기쁨☱(說)을 위해 집을 나가 개 고생☳(動·進)하는 꼴, 어린 여자☱(小女)가 성인 남자☳(長男)를 따라 나서는 형상이니 흉하다. 그러므로 艮☶(止)이 능히 乾☰(剛健)을 그치게 하니 안으로 강건(剛健)함이 바르다(能止健大 正也).

대축은 안으로는 강건☰(健)하고 밖으로는 절제하며 그치는(☶止) 독실(篤實☶)의 덕으로 빛나는 상이다. 산☶은 어떠한 움직임에도 능히 우뚝 서서 고정되니 독실☶의 덕으로 천하를 바르게 한다.

대축(大畜)에서 가(家)는 소인의 집이 아니라 천하백성을 품은 왕의 집, 천가(天家)이다. 그러므로 부가식(不家食)이란 왕의 집에서 먹지 않음을 의미하니 왕에게 봉록을 받지 않음을 말한다. 벼슬을 얻어 출사하지 않고 현인을 기르는데 힘을 쓰는 것이다.

대축(☶)은 지식이든 지혜이든 또는 재물이든 축적을 의미한다. 그러므로 출사하여 天家의 녹봉을 받는 것은 재물과 지식을 가득 쌓고도 모자라 더 나아가 출세를 하고자 하는 과욕에 불과하다. 그러므로 더 나아가지 않고 멈춰 서서 그 동안 쌓은 것을 베푸는 것이 길하다 한 것이다. 다시 말하면 乾☰은 자신의 출세를 위한 출사하지 않고, 세상을 위해 현덕(賢德)☶을 지닌 현인(賢人)을 기르는데 쌓은 것을 사용하는 것이다(不家食吉 養賢也). 하괘 乾☰이 강(剛)을 위에 모시고 현덕☶(上九)를 숭상한다(剛上而尙賢) 함은 현자를 길러 등용케 하는 뜻이 있다.

천하의 이로움을 위해 험함(險陷)을 건너는 이섭대천(利涉大川)의 뜻은 대인이 하늘에 응하는 것이니, 九二☰와 六五☶가 중(中)으로써 서로 응하는 것을 말한다(利涉大川 應乎天也).

일반적으로 이해하듯이 '집에서 먹지 않는다 함을 조정에 출사하여 벼슬을 얻고 녹봉을 받으며 현인을 기른다'라는 불가식(不家食)의 해석은 괘상에서 그 뜻을 찾아내기 어렵다. 대축은 艮☶이 乾☰을 저지하여 陽이 크게 쌓이는 뜻이다. 즉, 재물이나 지식, 지혜 등이 크게 쌓이는 것이다. 불가식(不家食)을 '집에서 먹지 않고 출사하여 녹봉을 받아 먹는다'라는 식의 이해는 의리론적 관점에서 대축의 당위성을 의도하는 해석에서 나온 오류로 볼 수 있다. 오히려 간(艮)이 건(乾)의 커짐을 저지하여 쌓는 뜻이 있으니(能止健大正也), 오히려 쌓인 재물이나 지식의 풍부함(☰)을 사용하여 현인(上九☶)을 육성하여 출사시키는 뜻이 있다(剛上而尙賢).

때로는 의리론적인 해석이 당위성에 치우치는 우(遇)를 범할 수가 있으니 역(易)의 해석은 한자풀이가 아니라 괘상의 이해가 우선되어야 한다.

"집이라고 하는 익숙하고 편안한 좁은 울타리에서 먹고 살기위해 아웅다웅하지 말고 인식의 지평을 넓혀 더 넓은 세상으로 나아가는 것이 이롭다"고 하는 "不家食吉 利涉大川"의 해석이 돋보인다. (주역독해/강병국)

집(家)과 대조되는 세계가 대천(大川) 너머의 신세계로, 대축(大畜)의 도를 완성하려면 익숙하고 좁은 세계에 안주해서는 곤란하고 대천 너머의 신세계로 나아가야 하는 것이다.

☞ 篤: 두터울 독/ 實: 열매 실/ 輝: 빛날 휘/ 新: 새 신/ 尙: 높일 상, 숭상할 상/ 賢: 어질 현

象曰 天在山中大畜 君子以 多識前言 往行以畜其德
상왈 천재산중대축 군자이 다식전언 왕행이축기덕

상에 이르길, 하늘이 산중에 있음이 대축이니, 군자는 이를 본받아 옛 성현의 말씀을 배우고 익히며 나아가 행함으로써 덕을 쌓는다.

하늘☰이 산☶ 안에 있음이 대축(大畜)이니 광대무변(廣大無邊)한 천하를 품은 군자의 상이다. 군자는 이러한 대축의 상을 보고 옛 성현들이 크게 축적한 학문을 통해 말씀을 상고(相考)하여 많이 배우고 익히며, 나아가 행함으로써 덕을 쌓으니 곧 대축이 품은 뜻이다.

4. 효사(爻辭)

　무망(无妄)은 진실된 마음으로 세상으로 나아가는 도를 말하지만, 도전괘인 대축(大畜)은 나아감을 멈추고 덕을 크게 쌓아 베푸는 것을 의미한다.

初九　有厲 利已
초구　유려 이이

초구, 위태로움이 있다. 그치는 것이 이로우리라.

　내괘의 乾☰을 외괘의 艮☶이 그치게 함으로써 크게 쌓는 대축괘에서 맨 아래에 처해있어 힘이 미약한 初九가 망령되이 움직여 나아간다면 덕을 크게 쌓을 수가 없다. 잘못하면 재(災)을 범할 수도 있다. 初九가 동변(動變)하여 風☴이 되면 산풍고(山風蠱☶☴)가 되니, 우뚝 솟은 태산(泰山☶)도 밑에서부터 좀먹기 시작하면 쉽게 무너진다.

　初九는 맨 아래에 있어 그 힘은 약하지만 양의 자리에 양으로 있어 자리가 바르며, 또한 저지(沮止)하는 六四와 화응한다. 그침(止)를 괘덕(卦德)으로 삼는 대축에서는 화응(和應)이 오히려 저지(沮止)의 뜻을 의미한다. 서로 음양으로 화응하는 六四에 의해 오히려 初九가 저지당하니 이는 그 속에 위험이 도사리고 있음을 암시하는 것이다. 그래서 공자는 "初九는 위험이 있으니 그만 두는 것이 이롭다. 더 나아가면 재(災)를 범하게 되기 때문이다(象曰 有厲利已 不犯災也)"라고 풀이하고 있다. 그러므로 初九의 입장에서는 차라리 그만두면 재(災)를 범하지 않게 되니 이로운 것이다(利已).

☞ 厲: 위태로울 려/ 已: 그칠 이, 이미 이

九二 輿說輹
구이 여탈복

구이, 수레에서 바퀴의 연결고리를 벗기다.

복(輹)은 수레와 바퀴 축을 연결하는 고리를 말한다. 수레에서 바퀴 축과 수레와의 연결고리를 빼어 놓는다는 것은 스스로 나아감을 멈추었다는 것을 의미한다. 강건한 九二가 스스로 나아감을 멈추었다는 것은 中에 거하여 중심을 잡고 있기 때문이다. 그래서 소상전에서 공자는 "스스로 수레와 바퀴 축의 연결고리를 빼내어 나아가지 못하게 한다. 이는 中을 지키고 있기 때문이니 허물이 없다(象曰 輿說輹 中无尤也)"라고 설명한다. 剛中한 九二는 서로 화응(和應)하는 六五 존위(尊位)에 의해 저지당한다. 그래서 九二는 스스로 차축의 연결고리를 빼어 놓음으로써 자진해서 나아가지 않는 중도의 지혜를 발휘하니, 六五가 파놓은 유혹의 함정에 빠지지 않고 스스로를 다스리는 것이다.

九二가 동변(動變)하면 火☲가 되어 수레의 상이 되고 지혜의 뜻이 되며, 불이니 상향하여 위로 올라가 六五와 접촉하려 한다. 九二는 六五와 화응하므로 그치기가 쉽지 않다. 그러나 그치지 않으면 쌓이지 않게 되고 대축(大畜)이 만들어 지지 않으니, 剛中한 九二는 中道의 지혜로써 스스로 수레바퀴의 연결고리를 벗겨내어 수레가 더 이상 나아가는 것을 멈추게 한다(輿說輹 中). 소축(小畜)괘 九三효의 여탈복(輿說輹)과는 뜻이 다르다.

☞ 輿: 수레 여/ 說: 벗을 탈, 기뻐할 열, 말씀 설/ 輹: 복토 복(수레와 바퀴 축을
연결 고정하는 나무)/ 尤: 허물 우

九三 良馬逐 利艱貞 日閑輿衛 利有攸往
구삼 양마축 이간정 일한여위 이유유왕

구삼, 좋은 말로 쫓아가니 비록 어려움이 있어도 바르게 함이 이롭다. 매
일 수레를 다루고 지키는 것을 익히면 나아감에 이로움이 있으리라.

九三이 변하면 산택손(山澤損☶☱)이 된다. 乾☰이 九三을 내어주니, 내 것
을 내어줌으로써 오히려 덕☶(上九)을 높이는 모습, 上九는 九三이 따르는
스승이다. 九三은 中을 벗어나 있으나 양의 자리에 양으로 와서 자리가 바
르다. 또한 上九는 乾이 위로 높여 숭상하는 현인(賢人)이다(剛上而尙賢). 乾

≡은 좋은 말(馬)이 되고, 외호괘가 震≡≡(進)이니 좋은 말로 上九를 쫓아가는 뜻이 나온다(良馬逐).

　三효는 하괘에서 상괘로 강을 건너야 할지 말지를 결정해야 하는 "終日乾乾 反復道也"하는 자리이다. 初九는 위험을 감지하고 조심하며, 九二는 스스로 수레의 부품을 **빼**내어 나아가지 못하게 하고, 九三에 이르러서는 드디어 하늘에 응하여 산≡≡의 저지를 뚫고 강을 건너기로 결정한다. 단사에서 "大川을 건너는 것이 이로우니 이는 하늘의 뜻에 응하는 것이다(利涉大川 應乎天也)"라고 하는 것이 바로 九三효를 말한다. 九三이 험한 大川을 건너는 것은 어려운 일이지만, 이는 하늘에 응하여 행하는 것이니 어렵더라도 이를 견디고 바르게 하는 것이 마땅한 일이고 또한 이로운 일이다(利艱貞).

　재물과 지식을 가득 싣고 갈 마차를 지키고 호위하는 것을 매일같이 익힌다(日閑輿衛). 수레에 가득 실은 것은 천하를 위해 쓰여 질 것들이다. 그러므로 수레를 끌고 나아가는 것은 이로운 일이다. 수레를 안전하게 지켜 강을 건너게 해야 하니 수레를 다루는 기술과 이를 지키는 능력을 기르고 익히는 것은 매우 중요하다. 매일같이 익힌다 함은 현실적인 삶을 유지하고 목적을 이루어 내기 위한 지속적인 배움과 노력을 의미한다. 이것은 하늘의 뜻에 응하는 것이니, 공자는 이를 "나아가는 것이 이로우니 上九의 뜻에 부합된다(象曰 利有攸往 上合志也)"라고 풀이하고 있다.

☞ 逐: 쫓을 축/ 艱: 어려울 간/ 閑: 익힐 한/ 衛: 지킬 위

六四 童牛之牿 元吉
육사 동우지곡 원길

육사, 어린 소를 외양간에 가두어 길들인다면 크게 길하리라.

26. 산천대축　　　673

대축(大畜)은 艮☲이 乾☰의 상승을 저지하여 틀어막는 상이다. 六四는 음위(陰位)에 음으로 있어 자리가 바르고, 乾☰의 상승을 저지하는 艮☲(止)의 아래에 처하여 初九와 서로 응한다. 六四는 初九를 저지하는 효이다. 불길을 잡을 때 가장 효과가 있는 것은 초기에 진압하는 것이다.

본 효사에서 初九는 송아지로 묘사된다. 初九는 비록 강양(剛陽)이지만 맨 아래에 처하여 힘이 미약하고, 처음 시작하는 효로서 아직은 송아지처럼 제어하기가 쉽다. 만일 송아지가 어미 소가 된다면 이미 번진 불길처럼 저지하기란 쉽지 않을 것이다. 그러므로 어린 송아지일 때 외양간에 들어가 갇혀 길들여 진다면 이보다 효과적이고 길한 것이 없다.

六四가 효변하면 火☲가 되니 화천대유(火天大有☲)이다. 송아지가 어미 소가 되어 큰 힘을 갖기 전에 저지하여 길들이면 쓸모 있는 어미 소☲가 된다. 어미 소는 지혜로운 대인을 상징하며, 大有의 상이니 천하를 크게 이롭게 한다. 그러므로 初九(童牛)가 미약할 때 더 나아가기 전에 코뚜레를 하여 외양간에 가두어 길들인다면 크게 길할 것이다. 그래서 공자는 "六四는 크게 길하니 기쁨이 있으리라(象曰 六四元吉 有喜也)"라 했다.

원길(元吉)에서 元은 선지장(善之長)으로 인덕(仁德)을 갖춘 것을 의미한다. 善의 으뜸은 仁이다. 즉, 길들여지지 않은 어린 소(小人)가 외양간에 들어가 길들여진다는 것은 인덕을 갖춘 지혜로운 어미 소☲(大人)가 되는 것을 의미하니 크게 길하다. 만일 인덕을 갖추지 못했다면 이는 아직 길들여지지 않은 송아지(소인배)에 불과 한 것이니 오히려 흉이다.

元吉은 仁德을 조건부로 하는 길(吉)을 뜻한다. 그래서 인덕을 갖추지 못했다면 오히려 흉이 된다. 그러므로 원길(元吉)이란 송아지[小人]를 미숙할 때 외양간에 가두어 원숙한 어미 소☲(大人)로 길들여 진다면, 즉 '인덕을 갖춘 군자☰로 성장한다면 크게 길하리라'라는 의미가 된다. 외양간은 교육기관으로 이해할 수 있겠다.

☞ 牿: 외양간(마구간) 곡/ 喜: 기쁠 희

六五 豶豕之牙 吉
육오 분시지아 길

육오, 거세된 멧돼지의 어금니 같으니 길하다.

六五는 九二를 제어하는 효이다. 그러나 九二는 剛中한 효로서 만만하지 않다. 그래서 九二는 제어하기 어려운 멧돼지로 비유된다. 六五는 존위로서 九二를 제지하고 제어할 수 있다. 그러나 六五는 비록 존위이나 음으로서 유순하니 멧돼지의 강한 어금니를 직접 제어하지는 못한다. 그래서 거친 멧돼지를 거세함으로써 자연스럽게 순한 집돼지로 만드니 어금니도 저절로 순해진다.

그러므로 六五는 거세된 멧돼지의 순한 어금니를 뜻한다. 야생 멧돼지의 어금니는 너무 강하다. 그러나 거세된 멧돼지는 순하니 강한 어금니라도 거칠지 않다. 길들여지지 않은 야생 멧돼지의 거친 어금니를 저지하여 순하게 다스린 것이다. 거칢이 손순(巽順)하게 다스려 진 것을 의미한다. 六五가 효변하면 巽風☴이니 야생 멧돼지가 손순(巽順)한 집돼지가 된 것이다.

거친 멧돼지(九二)를 거세하여 어금니가 순한 집돼지(六五)로 만들었다. 이는 집안의 재산이 늘어난 것이니 집안의 경사이고, 仁德을 갖춘 군자를 얻음이니 또한 나라의 경사이다. 그래서 공자는 이를 "六五가 吉한 것은 경사가 있기 때문이다(象曰 六五之吉 有慶也)"라고 풀이하였다. 六四는 六四元吉이나 六五는 六五之吉이다. 六四는 仁德(善之長)을 조건으로 하는 조건부 吉이지만, 六五는 거친 야생 멧돼지의 어금니가 거세됨으로써 손순(巽順)해진 것이니 吉한 것이다.

☞ 豶: 거세한 되지 분/ 豕: 돼지 시/ 牙: 어금니 아

上九 何天之衢 亨
상구 하천지구 형

어찌 하늘의 큰 거리라 하는가? 형통하다.

구(衢)는 사방으로 통하는 큰 거리를 뜻한다. 하늘의 거리는 어느 곳이나 통하는 사통팔달 자유로운 거리이다. 대인 군자의 걸림이 없는 대자유의 경지를 뜻한다. 上九가 변하면 坤이 되니 평탄하고 광활한 땅이 되어 거리낌이 없는 길이 된다. 하늘 길이니 어찌 장애물이 있겠는가? 艮☶은 경로(徑路)의 뜻으로 소로(小路)를 의미하지만, 上九가 동하여 효변하면 坤☷이 되니 거리낌 없는 대로(大路)가 되는 것이다.

九三과 上九는 서로 화응(和應)하지 않으니 서로를 저지(沮止)하지 않는다. 서로에게 장애물이 되지 않으니 구속됨이 없이 자유롭다. 하괘의 효는 저지 당하는 입장이고, 상괘의 효는 저지하는 입장이다. 初九와 九二는 나아가지 못하고 저지되지만, 九三에 이르러 드디어 하늘에 응하니 산☶의 저지를 뚫고 험난한 대천을 건넌다(利涉大川 應乎天也).

初九는 위험을 감지하고 나아가는 것을 조심스러워하며, 九二는 中을 아니 스스로 마차와 수레바퀴의 연결고리를 풀어냄으로써 멈춘다. 九三에 이르러서야 어려움을 무릅쓰고 나아가니 上九에 이르러 비로소 장애물이 사라지고 대통(大通)하며 사통팔달 걸림이 없는 하늘 길을 걷는다(天之衢 道大行也). 하늘 길을 걷는다 함은 上九(賢人)가 도통군자로 거듭난 것을 의미한다.

乾☰이 艮☶의 저지를 무릅쓰고 험난한 대천을 건너 하늘에 응한다. 나라의 녹을 먹지 않고 스스로의 재물과 지식☰으로 현인(上九☶)을 길러내니 험한 대천을 건너 하늘의 뜻에 응하는 뜻이 있다(不家食吉養賢也 利涉大川 應乎天也). 上九는 대인 군자로서 현인(賢人)을 가리킨다.

정자(程子)는 하(何)가 잘못 쓰여진 것이라 하여 "하늘의 큰 거리로다. 형통하다(天之衢 亨)"라고 하였는데 이 또한 뜻이 통한다. 공자는 소상전에서 "어찌 하늘의 큰 거리라 일컫는가? 길(道)이 크게 통(通)하기 때문이다(象曰 何天之衢 道大行也)"라고 하여 거리낌 없는 대자유의 경지에 오른 대인 군자의 도통을 반어법으로 강조하고 있다.

☞ 衢: 큰 거리 구

27. 山雷頤 산뢰이

山☶艮
雷☳震

▶효변(爻變)

과거	미래	현재
☷ ⟹ ☷		☷-5
		☷+1

上下작용력: (+1)-(-5)=+6

上下균형력: (+1)+(-5)=-4

頤 貞吉 觀頤 自求口實

象曰 頤 貞吉 養正則吉也 觀頤 觀其所養也 自求口實 觀其自養也

天地養萬物 聖人養賢以及萬民 頤之時大矣哉

象曰 山下有雷 頤 君子以愼言語 節飮食

初九 舍爾靈龜 觀我朶頤 凶

六二 顚頤 拂經 于丘頤 征凶

六三 拂頤 貞凶 十年勿用 无攸利

六四 顚頤 吉 虎視耽耽 其欲逐逐 无咎

六五 拂經 居貞吉 不可涉大川

上九 由頤 厲吉 利涉大川

---

1. 괘상(卦象)

　　산뢰이(山雷頤䷚)괘는 하괘☳ 初九가 상향☶하며 순리대로 건너편 둑☶에 도달하는 모습으로서 알에서 부화한 거북이가 물에서 헤엄치며 점점 어른으로 성장해 나가는 과정을 보여준다. 자연스럽게 성장해 나가는 모습이다. 거북이☵가 자라는 환경은 안전한 성(城)☶이며, 산☶은 넘을 수 있는 산으로서, 감옥이 아니라 안전한 울타리를 상징한다. 울타리는 보호막을 의미하며, 성(城)은 안전한 장소를 나타낸다.

　　강을 건너기 위해서는 물☵ 속에 뛰어들어야 하니 험난(險難) 속으로 들어간 모습이지만, ☵(+4양)으로서는 충분히 극복할 수 있는 어려움☵(險水)이다. 頤(䷚)괘의 상에서 하괘☳(動·進)의 初九가 상향하면 수☵가 만들어진다. 안전한 성에서 물☵을 만난 거북이☵가 헤엄치며 건너편 산자락☶(止)에 도달하니 차례차례 순리대로 편하게 풀려가는 모습이다. 上下괘가 작용하는 힘도 +6로서 충분히 어른으로 안전하게 성장할 수 있는 적당한 힘이다.

　　그러나 강을 건너는데 비바람☵(險難)을 감수하지 않고 어찌 건널 수 있겠는가? 헤엄을 치든, 배의 도움을 받아 강을 건너든, 다만 어려움의 크기만 다를 뿐이다. 어찌됐든 올바른 길과 적당한 때를 선택하지 않는다면 강을 안전하게 건널 수가 없다. 아이가 자라 성인이 될 때까지 몸에 맞는 적절한 음식과 좋은 가르침은 올바른 어른이 되게 하는 영양분이 된다(頤貞吉 養正則吉也). 물론 좋은 음식과 좋은 가르침을 받는 것은 중요한 일이지만, 스스로 좋은 음식을 취하고 바른 가르침을 구하는 것도 또한 스스로를 기르기 위한 자신의 선택과 결정이다(自求口實 觀其自養也). 아이가 자라는 과정에서 어찌 비바람이 없을 수 있겠는가? 비바람을 맞고 제대로 햇빛을 받은 농작물이 많은 수확을 내듯이 사람 또한 어려움을 통해서 바르게 길러지는 것이다.

산뢰이(山雷頤䷚) 괘상은 입(口)의 모양을 하고 있으니 상괘는 위턱☶(止)을 상징하고 하괘는 아래턱☳(動)을 상징한다. 음식을 씹을 때 위턱은 고정이 되고 아래턱이 움직이니 괘상의 모습 그대로다. 내호괘인 중지곤(重地坤䷁)은 만물을 기르는 토양이고, 육신을 살찌우는 입안의 음식이다. 사람이란 밥으로만 사는 것이 아니라 하나님의 말씀으로 산다고 하였으니 음식은 육신의 양식이요, 성인의 말씀은 마음의 양식이다. 사람이란 짐승과 다르니 육신과 함께 정신도 같이 바르게 커야 한다(養正). 입(口)이란 육신만을 위해 음식을 씹어 삼키는 통로가 아니라 마음의 양식을 가르치는 통로이기도 하다. 그러므로 입으로 들어가고(飮食), 나오는 것(言語)은 자신과 천하만물을 기르는 도구가 되니 대인은 스스로 언행을 삼가고 음식을 절제한다(愼言語 節飮食).

2개의 양이 위 아래에서 4개의 음을 안전하게 품고 있으니 새가 날개를 활짝 펴고 나는 상이다. 그러므로 천하의 큰 뜻을 품고 있는 대인은 천지가 만물(내호괘䷁)을 기르듯 어진이를 길러 만민에게 미치게 하니 이(頤)의 때는 매우 크다(天地養萬物 聖人養賢以及萬民 頤之時大矣哉).

음이 가득한 세계에 양☳이 처음 생기는 복(復䷗)은 그 힘이 미약하므로 사악한 기운의 접근을 막아 힘이 축적될 수 있도록 잘 보호해주어야 한다. 맨 위에 뚜껑☷(울타리)을 씌우니 안전하게 기른다는 의미가 된다. ☳(進)는 안전한 집☷(house)에서 보호받으며 세상으로 나가기 위해서 준비하는 태아의 모습이다.

☞순행(順行)

止 ☶-5   山水蒙

⬆   ☶ 헤엄을 쳐 건너 산자락에 도달하다.

       ☵

險 ☵-3   水雷屯

⬆   ☵ 용이 물에 뛰어들어 힘차게 헤엄을 치다.

       ☳

動 ☳+1

   ☳의 초구 양이 상향하여 六二 자리로 뛰어드니 물에서 헤엄치는 상(☵)이 만들어진다. 즉, 용☳(動·進)이 자발적으로 물☵에 뛰어들어 헤엄쳐 건너편 산자락(☶止)에 도달해 나가는 성장의 과정을 보여준다.

▶비교: 頤(䷚)와 中孚(䷼)

▷頤	▷中孚
天地養萬物 천지가 만물을 기르다.	利涉大川 乘木舟虛也 大川을 건넘이 이로운 것은 속이 빈 나무배를 탔기 때문이다.
도달 ☶-5(止) 출발 ⬆☳+1(動)	활동 ⬆☵+5(流) 안정 ☶-1(靜)
≫初九☳의 힘찬 출발(動) :自求口實 ≫순리대로 상향하며 풀려가는 모습	≫☱(說)가 품은 2개의 양을 기꺼이 내놓음으로써 ☴(巽)을 따르다.

27. 산뢰이   681

:養正則吉也 ≫만물을 품어 기르는 모습(보호) 　:天地養萬物 -군자의 모습(완성☷止) 　:聖人養賢 以及萬民	:說而巽 ≫속이 빈 나무(中虛)의 상이니, 중허(中虛)의 마음을 타고 험난(險難)을 건너 나아가다. 　:柔在內而剛得中 ≫강양(剛陽)으로 유음(柔陰)을 감싸니 믿음(孚)의 상이다. 　:信及豚魚也

2. 괘변(卦變)

▷호괘 - 重地坤

頤   坤

☷-5   ⟹   ☷-7
☷+1   ☷-7
+6   0

   천지가 나를 기르고 가르치니 다만 믿음으로써 순응하고 따른다. 천지가 나를 낳아 기르고, 나는 천지가 부여한 명을 따라 자녀를 낳아 기르니 이것이 우주만물의 근본이다(天地 養萬物 聖人養賢 以及萬民). 무릇 대지가 씨앗을 품고 싹을 내는 것은 사시를 따라 순리를 따름이니 이치를 벗어나지 않는다. 이(頤)괘 안에 곤(坤)이 있음은 바로 이(頤)는 때가 있음을 말하는 것이다(頤之時大矣哉). 震☳으로 생하고 가운데 네 음(坤☷)으로 양육시키며, 艮☶으로 이룬다.

▷착종괘 - 雷山小過

頤   坤

☷-5   ⟹   ☷+1
☷+1   ☷-5
+6   -6

   성장과정은 단순히 키만 크는 것이 아니라 적절한 음식으로 체력과 체격이 갖추어져야 하는 것이며, 시기에 적절하게 교육이 이루어져야 한다. 간난아기에게 숟가락으로 밥부터 떠 먹일 수는 없는 것이니 과욕이 지나치면 아니함만 못하다. 산☶을 넘어서니 또 가야 할 길☳이 멀다. 기른다는 것은 그런 것이다. 한번에 이루어지는 것이 아니니, 그러므로 이(頤)의 때는 매우 큰 것이다(頤之時大矣哉).

▷도전괘 - 산뢰이(山雷頤)

頤   坤

☶-5   ⇒   ☷-5
☳+1   ☷+1
+6   +6

천지가 만물을 내어 기르는 것이 천지의 근본이다. 부모가 자녀를 낳아 기르는 것은 천지가 부여한 본성으로서 자신도 기름을 받으면서 스스로 천지의 대행자가 되어 자녀를 기르는 것이다. 부모☷(천지)는 울타리가 되고 자녀☷(만물)는 그 품 안에서 시기에 맞는 적절한 영양을 공급받고 교육을 받으면서 바르게 성장해 나간다. 어린 자녀☷는 힘이 미약하니 사악한 기운이 접근하지 못하도록 뚜껑☶(울타리)을 씌워 안전하고 바르게 기른다는 의미가 된다(養正則吉也). 천지가 만물을 내고 부모가 자녀를 낳아 기르는 것은 바로 보든 거꾸로 보든 변하지 않는 우주의 근본원리이다.

▷배합괘 - 澤風大過

頤   大過

☶-5   ⇒   ☱-1
☳+1   ☴+5
+6   +6

교만은 패망의 시작이다. 모든 것이 지나치면 큰 화를 불러온다. 음식이 적절하지 않고, 교육 또한 마음이 너무 앞서게 되면 오히려 아니함만 못하게 된다. 음식조절을 못해 과음 과식하면 육신이 망가지며, 인성(人性)을 무시하고 출세와 욕망을 위한 지식위주의 교육은 결국 욕망의 화신으로 길러져 몰락을 초래하게 된다. 산뢰이(山雷頤䷚)는 시기에 적절하게 모든 것이 이루어져야 하는 뜻을 함유하고 있으며, 배합괘인 택풍대과(澤風大過䷛)는 과욕이 앞서면 결국은 화를 초래하게 된다는 것을 경고한다.

3. 괘사(卦辭)

> **頤 貞吉 觀頤 自求口實**
>
> 이 정길 관이 자구구실
>
> 이(頤)는 바르게 함이 길하다. 천지가 만물을 기르는 것을 보며 자기 스스로 생육함을 구하다.

천지가 만물을 생육한다는 것은 우주창조의 이치에 따라 길러지는 것이니 만물의 생화는 음양오행의 이치를 벗어나지 않는다. 만물이 천지 안에서 길러지는 것은 음양의 이치에 따른 양정(養正)을 말하는 것으로 생장수장의 이치는 천지의 법도에 순응하는 것이다. 만물이 어찌 천지를 벗어나 생육할 수 있으며, 자식이 어찌 어미의 품을 벗어나 바르게 성장할 수가 있겠는가? 천하의 이치에 따르는 바름이 길한 것이다(頤貞吉). 천지부모는 자식인 만물만상이 화생의 이치에 따라 스스로 먹을 것을 구하며(自求口實), 스스로 생장수장의 이치로 순환하도록 이법(理法)으로 살핀다(觀頤). 이(頤)괘는 전체가 大離☲(目)의 상으로 관(觀)의 뜻이 나온다.

> **彖曰 頤貞吉 養正則吉也 觀頤 觀其所養也 自求口實 觀其自養也**
>
> 단왈 이정길 양정즉길야 관이 관기소양야 자구구실 관기자양야
>
> **天地養萬物 聖人養賢以及萬民 頤之時大矣哉**
>
> 천지양만물 성인양현이급만민 이지시대의재

단에 이르길, 이정길(頤貞吉)은 '바르게 기르면 길하리라'는 것이니, 관이(觀頤)란 '천지가 만물을 기르는 것을 본다'는 것으로, 천지가 나를 기르는 바를 보는 것이다. 자구구실(自求口實)은 '스스로 먹을 것(實)을 구함이니, 스스로를 기르는 것을 보는 것이다. 천지가 만물을 기르며, 성인이 어진 이를 길러 만백성에게 미치게 하니 이(頤)의 때가 참으로 크다.

頤貞吉 養正則吉也

만물의 생육은 바르게 하면 길하다(頤貞吉)는 것은 천지의 이치를 벗어나지 않고 순리대로 바르게 생육하는 것이 정도라는 것을 의미한다.

觀頤 觀其所養也

천하만물은 나 홀로 자랄 수 있는 것이 아니라 서로 맞물려 조화를 이루며 생장한다. 벌이 어찌 꽃 없이 살 수 있을 것이며 꽃이 어찌 꿀이 아깝다 하여 벌을 멀리하고 자신의 생명을 유지할 수 있겠는가? 주위의 다른 생명의 생육이 곧 나의 생육과 직결되는 것이니 서로 보살펴야 하는 것이다. 벌이 사라지면 지구상의 생명이 멸종한다고 하지 않는가?

양이 생존하기 위해서는 음의 생존이 전제되어야 하고, 음이 생존하기 위해서는 양의 생존이 필수 전제조건이 된다. 天人地, 陽中陰은 고리(環환)로 연결된 관계망 속에서 일체로서 존재하는 생태학적 동일체라 할 수 있다. 천하만물은 본디 하나에서 시작되었으니 서로는 원래가 하나의 본체인 것이다.[37] 그러므로 觀頤 觀其所養也란 '관이(觀頤)란 천지가 만물을 기름을 본다'라는 뜻이다.

---

[37] 박규선, 양자물리학과 주역, 부크크, 2024.

自求口實 觀其自養也

이 세상에 던져진 생명은 천지부모가 토양을 제공하고 생명의 이치를 준 것이지만, 스스로가 그 이치에 맞게 땅을 헤치고 나와 햇볕을 받지 못한다면 생존할 수가 없다. 천하의 이치에 따라 바르게 자라는 것이 만물의 이치이니 생명의 이치에 맞게 스스로 자구구실(自求口實)해야 하는 것이다. 自求口實이란 천지의 이법에 따라 스스로 먹는 것을 구하는 것이다. 인간은 밥으로만 사는 존재가 아닌 하나님의 말씀으로 산다 하였으니 실(實)이라는 입으로 들어가는 음식과 자기다움을 만들어주는 가르침을 뜻한다. 즉, 인간에게 음식이란 육신에 필요한 밥과 하늘이 부여한 본성을 발현시켜주는 교육이 되는 것이니, 스스로 바른 것을 구해 먹으며 제대로 잘 길러지고 있는지(養正) 자기자신을 살펴보아야 하는 것이다(觀其自養也). 그러므로 항시 자신을 돌이켜 반성하며(反身修德), 덕을 닦아 하늘이 부여한 본성을 밝혀 만민을 이롭게 해야 한다.

天地養萬物 聖人養賢以及萬民 頤之時大矣哉

천지는 만물을 내어 기른다. 한치의 오차도 없이 음양오행의 이치에 따라 만물을 내어 서로 이롭게 기르니, 만왕만래(萬往萬來)하며 용변(用變)하지만 부동본(不動本)이니 천지의 이치는 영원하다. 인간은 만물의 으뜸으로 천지의 중심이니 천지의 이법(理法)에 어긋나지 않도록 대인은 어진이를 길러 만민에게 미치도록 하여 이롭게 해야 한다(弘益人間). 그러므로 천지가 만물을 기르듯, 어진이를 길러 인간을 이롭게 하는 이(頤)의 때는 위대하다(頤之時大矣哉). 이것이 한민족의 위대한 경전인 천부경(天符經)에서 말하는 성통공완(性通功完)의 길이요, 홍익인간(弘益人間)의 길인 것이다.

象曰 山下有雷頤 君子以 愼言語 節飮食

상왈 산하유뢰이 군자이 신언어 절음식

상에 이르길, 산 아래 우레가 있는 것이 이(頤)이니, 군자는 이로써 언어를 삼가고 음식을 절제한다.

산☶ 아래에 우레☳가 있는 것이 산뢰이(山雷頤☶☳)니, 산은 그침(止)이고 우레는 움직임(動)으로 나아감과 그침이 적절하게 조화를 이룬다. 군자는 이로써 말을 신중히 삼가며 음식을 절제하여 중도를 지켜 정도를 벗어나지 않는다. 음식을 절제한다 함은 과욕을 절제함이요, 언어를 신중히 한다 함은 가르침의 중요성을 말하는 것으로 과유불급(過猶不及)을 의미한다(愼言語節飮食).

입(口)이란 육신만을 위해 음식을 씹어 삼키는 통로가 아니라 마음의 양식을 가르치는 통로이기도 하다. 그러므로 입으로 들어가고(飮食) 나오는 것(言語)은 자신과 천하만물을 기르는 도구가 되니 군자는 스스로 언행을 삼가고 음식을 절제한다(愼言語 節飮食). 언어(言語)와 음식(飮食)은 震☳에서 나오고, 신(愼)과 절(節)의 뜻은 艮☶(止)에서 나온다.

육신을 위한 먹거리와 본성회복을 위한 교육은 성장과정에서의 대사이며 시간을 요하는 일이니 시기에 맞고 적절하게 하는 것은 매우 중요한 일이다. 시기에 따라 먹는 문제와 가르침이 적절하게 이루어져야 "양정(養正)"이 되는 것이다.

☞ 觀: 볼 관/ 頤: 턱 이, 기를 이/ 及: 미칠 급/ 愼: 삼갈 신/ 節: 마디 절, 조절할 절/ 飮: 마실 음

4. 효사(爻辭)

이(頤☲)는 大離☲의 상으로서 먹기 위해 입을 크게 벌리고 있는 상이다. 初九☲가 자라 上九☲로 성장하는 과정을 음식이라는 재료를 입을 통해 먹음으로써 성장해가는 문제를 설명하고 있다. 대과(大過☴)는 너무 많이 먹어서 탈이지만 이(頤☲)는 입안이 텅 비어 있는 모습이다. 이(頤)는 먹는 문제를 다루는 도로서 입을 통해 육신과 정신을 살찌우는 음식과 언어를 양정(養正)의 재료로 사용한다.

산☶은 그침(止)을 뜻하고 우레☳는 움직임(動)을 뜻하니, 육신과 정신의 문제를 음식과 언어라는 비유을 통해 그침☶과 움직임☳의 조화로 설명한다. 입을 통해 들어가는 음식을 절제하고 입을 통해 나오는 언어의 사용을 신중히 한다. 하괘는 움직이는 상☳(動·進)으로 스스로 먹으며 자라는 "自求口實 觀其自養也"을, 상괘는 높은 산이 상징하는 덕☶의 상으로 아래를 먹여 기르는 "觀頤 觀其所養也"을 설명한다.

이(頤)는 먹는 도를 설명한다. 스스로 생육하기 위해 먹는 것(自求口實)과 천지가 만물을 기르는 것(觀頤)은 같은 의미이다. 천지는 음양의 이치에 따라 만물이 스스로 생육할 수 있도록 했으니 먹음과 기름은 하나의 뜻이다. 이(頤☲)괘는 눈을 상징하는 大離☲(目)의 상이니, 관(觀)의 뜻이 나온다. 효사는 이(頤)를 바라보는 것(觀)을 객관화시켜 설명하고 있다.

初九 舍爾靈龜 觀我朵頤 凶

초구 사이영귀 관아타이 흉

초구, 너의 신령한 거북이를 버리고 나를 바라보며 턱을 늘어뜨린다. 흉하다.

震☳는 만물의 씨앗이요, 만물이 시생하는 봄이다. 만물의 시작은 때를 아는 것이 중요하다. 그래서 初九☳를 신령한 거북이로 묘사한다. 거북이는 예로부터 장수의 동물로서 영험하다고 여겨왔다. 신령스러운 거북이를 버린다 함은 만물이 시작하는 때를 버림을 의미한다. 단사에서 "天地養萬物 聖人養賢以及萬民 頤之時大矣哉"라 하지 않았던가? 신령한 거북이☳를 버리고 오히려 나☶를 바라보며 입을 크게 벌리고 있으니 어찌 탐욕스럽지 아니한가?

천지의 시생은 우주의 신성한 작업이다. 震☳은 일의 시작(進)이요, 艮☶은 일의 그침(止)이니, 밭을 갈아 씨☶를 뿌리는 봄의 신성한 때를 놓치고 어찌 가을의 열매☶(碩果석과)를 달라고 입을 쩍 벌리는가? 흉하고 흉하다. 초구가 효변하면 산지박(山地剝☷☶)이 되고, 上九는 다음 세대를 위하여 남겨 놓은 석과(碩果)의 의미가 있다.

初九는 양의 자리에 양으로 와서 자리가 바르나 맨 아래에 위치하여 그 힘이 미약하다. 입의 형상으로 보면 아래턱을 상징하니 먹을 것을 달라고 힘없이 아래 턱을 늘어뜨리고 움직이는 모습이 탐욕스럽고 천박하다. 그래서 공자는 "나를 보며 턱을 늘어트리는 것은 또한 존귀함이 부족한 것이다(象曰 觀我朵頤 亦不足貴也)"라고 하였다.

여기서 너(爾)는 初九를, 나(我)는 六四를 가리킨다. 初九가 六四와 화응하니 탐욕을 뜻한다. 初九 스스로가 신성하여 존귀함에도 불구하고 남에게 기대는 것이니 천박한 모습이다.

☞ 舍: 버릴 사/ 爾: 너 이/ 靈: 신령 령/ 龜: 거북 귀/ 朵: 늘어질 타

六二 .顚頤拂經 于丘頤 征凶.
육이 전이불경 우구이 정흉

육이, 거꾸로 밑(初九)에서 길러 주기를 구하면 법도에 어긋나고, 언덕(上九)에 기대어 길러 주기를 구하러 가면 흉하리라.

六二는 내괘에서 中正한 자리이다. 그러나 먹을 것을 구하는 때에 서로 응하는 자가 없다. 그래서 初九 양에게 거꾸로 먹음을 구하니 이는 순리를 거스르는 것이다. 또한 위로는 언덕(☶上九)에 기대어 길러 주기를 바라니 나아가면 흉하다. 中正한 자가 유약하여 순리를 거스르고 아래에 먹을 것을 구걸하고 위로는 上九에게 기름을 의지하니, 이는 六二가 동류(同類)를 배반하고 자기만 살고자 함이다. 中正함이 무색하니 오히려 흉하다. 그래서 공자는 "六二가 가서 흉하다는 것은, 六二가 언덕에 기대어 살고자 가면 동류(六三, 六四, 六五)를 잃어버리는 것이기 때문이다(象曰 六二征凶 行失類也)"라고 하였다.

☞ 顚: 뒤집힐 전/ 拂: 어길 불/ 經: 法 경, 道里 경/ 丘: 언덕 구

六三 拂頤 貞凶 十年勿用 无攸利
육삼 불이 정흉 십년물용 무유리

육삼, 기르는 도에 어긋나고 고집하니 흉하다. 십 년이 되어도 쓰지 못하니 이로울 것이 없다.

六三은 양의 자리에 음이 와서 자리가 바르지 않고, 중도를 벗어나 망령되이 행하는 자다. 음의 무리 가운데 유일하게 上九와 응하니 同類(六二, 六三, 六四, 六五)를 배반하고 오로지 자신만 살고자 한다. 도가 크게 어그러진 자이니 오래도록 쓰이지 않는다. 공자는 소상전에서 "무려 10 년이나 역할을 하지 못하니 도가 크게 어그러져 있기 때문이다(象曰 十年勿用 道大悖也)"라고 풀이하였다. 효변하면 하괘가 火☲가 되어 지괘가 산화비(山火賁䷕)가 되니 자신만이 화려하게 꾸미는 이기적인 행태로서, 해가 서산에 기우는 상이니 이로울 것이 없다. 흉하다.

☞ 悖: 어그러질 패

六四 顚頤 吉 虎視耽耽 其欲逐逐 无咎
육사 전이 길 호시탐탐 기욕축축 무구

육사, 거꾸로 아래를 기르니 길하다. 호랑이가 노려보듯 그 바라는 바를 쫓고 쫓으니 무구하리라.

하괘 震☳은 움직이는 것이니 스스로 먹을 것을 구하는 자양(自養)의 상으로 구체(口體)를 기르는 자가 되며(自求口實 觀其自養也), 상괘 艮☶은 덕이 쌓여 이루어진 상이니 위에서 아래로 덕을 베풀어 백성을 기르는 성인의 상이 된다(觀頤 觀其所養也).

음이 가득한 세계에 양☳이 처음 생기는 복(復䷗)은 그 힘이 미약하여 사악한 기운의 접근을 막아 힘이 축적될 수 있도록 잘 길러주어야 한다. 그래서 위에 뚜껑☶을 씌우니 안전하게 기른다는 의미가 있다. 힘이 약한 백성☷

을 감싸고 기르는 성인☲의 상이다. 백성☷이 안전한 집☶에서 보호받으며 바르게 기름을 받는 상이다(頤貞吉 養正則吉也).

효변하면 상괘가 火☲가 되니 호랑이의 눈☲(目)으로 살피듯 밝음☲(明)으로 아래(初九)를 살피는 것이며(虎視眈眈), 스스로 먹을 것을 구하는 미약한 初九(백성)가 그때그때 원하는 바를 쫓아가며 살펴 기른다(其欲逐逐). 지괘가 화뢰서합(火雷噬嗑☲☳)이니 初九가 짊어진 짐을 덜어주어 앞으로 나아가게 하는 상으로 본 효사의 뜻과 일치된다. 그래서 공자는 소상전에서 "전이(顚頤)가 길한 것은 위의 베풂이 빛나기 때문이다(象曰 顚頤之吉 上施光也)"라고 풀이하였다. 본문의 虎視耽耽은 虎視眈眈으로 바꾸어 이해하는 것이 좋다.

☞ 虎: 호랑이 호/ 耽: 즐길 탐/ 眈: 노려볼 탐/ 欲: 하고자 할 욕/ 逐: 쫓을 축

六五 拂經 居貞吉 不可涉大川
육오 불경 거정길 불가섭대천

육오, 도리(道理)를 거스르나 바름에 거하면 길하리라. 그러나 스스로 큰 내를 건너는 것은 불가하다.

六五는 외괘에서 中에 거하는 존위이나 양의 자리에 음으로 와서 자리가 바르지 않다. 그래서 기르는 도인 이(頤)괘에서 六五는 유약함으로 인해 스스로 큰 일을 도모하기가 어렵다(不可涉大川). 존위로서 中道를 지키고 있으나 음으로 와서 자리가 부당하니 스스로 대천을 건널 수 있는 힘이 부족한 것이다. 그런 까닭에 스스로 대천을 감내하지 않고 上九에게 의존함으로써 일을 도모하고자 한다. 즉, 아래 백성을 먹여 기르는 이도(頤道)에서는 유능한 현자인 上九에게 모든 권한을 위임하여 대천을 건너게 하는 것이다. 이

는 六五인군으로서 자신의 도리를 거스르는 것이지만 오히려 이렇게 하는 것이 백성을 위하여 바른 선택이 되니 길하다(拂經 居貞吉). 임금의 도리를 거스르는 것이 오히려 바름에 거하는 것이 되어 길하게 되는 것이다.

주나라의 어린 성왕(六五)이 유약하여 은나라 추종세력과 결탁한 삼촌들의 반란에 흔들리니 현자인 주공(上九)에게 섭정을 맡겨 난관을 극복한 것처럼, 유약한 육오존위(六五尊位)가 양강(陽剛)한 上九를 손순(巽順)하게 따르는 것이 오히려 이로운 것이다. 六五가 변하면 巽風☴이니 손순이 上九를 따르면 길하리라. 지괘가 풍뢰익(風雷益䷩)이니 득이 된다. 그래서 공자는"居貞之吉함은 上九에 순종하기 때문이다(象曰 居貞之吉 順以從上也)"라고 풀이하였다.

上九 由頤 厲吉 利涉大川
상구 유이 려길 이섭대천

상구, 자신으로 말미암아 천하백성을 먹여 기름에 항시 위태로움으로 염려하니 길하다. 대천을 건넘이 이로우리라.

初九는 震☳(進)이요, 상구는 艮☶(止)이니 上九는 마침내 대천을 건넌 자로서 산의 후덕함으로 백성을 기르니 이섭대천(利涉大川)의 상이 된다. 上九는 외괘 艮山☶의 맨 위에 처하여 후덕함으로 천하백성을 기르는 현자이다. 육오존위(六五尊位)의 절대적 신임을 받아 모든 권한을 위임받은 자로서 항시 염려하는 마음으로 백성을 살핀다. 음의 자리에 양으로 와서 자리가 바르지 않으니 항상 위태로운 마음을 가지는 것이 길하다. 염려하는 마음으로 위임받은 대업을 수행하면 그르침이 없다. 유순(柔順)한 六五의 신임을 받아 백성을 기르는 후덕한 자로서 마침내 천하 백성을 이끌고 어려움을 大川(險水☵)을 건너 천하를 이롭게 한다.

上九는 기름(頤)의 근원을 의미한다. 上九는 양의 강건함이 험한 대천을 건너 마침내 후덕(厚德)함으로 아래 4개의 음효를 기르니 길한 것이다. 천하가 上九에 의존하여 길러지니 비록 상극에 처하여 있으나 길한 것이다.

上九는 初九가 강을 건너기 시작하여 마침내 강을 건너 멈춰 서니 섭대천(涉大川)이요, 그리하여 천하를 길러 이롭게 하니 이섭대천(利涉大川)이다. 공자는 소상전에서 "천하백성을 먹여 기름에 항시 염려하니 길(吉)하다 함은 크게 경사가 있기 때문이다(象曰 由頤厲吉 大有慶也)"라고 풀이하였다. 그러므로 만일 근심하고 위태로운 마음으로 위임받은 대업을 수행하지 않는다면 오히려 흉이 되어 재앙이 될 수도 있다.

☞ 由: 말미암을 유/ 厲: 위태로울 려

28. 澤風大過택풍대과

澤☱兌
風☴巽

▶효변(爻變)

과거	미래	현재
☴+5 ⇨	☴-1	☴-1
		☴+5

上下作用력: (+5)-(-1)=+6

上下均衡력: (+5)+(-1)=+4

大過 棟撓 利有攸往 亨

象曰 大過 大者過也 棟撓本末弱也 剛過而中 巽而說行 利有攸往乃亨

大過之時大矣哉

象曰 澤滅木 大過 君子以獨立不懼 遯世无悶

初六 藉用白茅 无咎

九二 枯楊生稊 老夫得其女妻 无不利

九三 棟橈 凶

九四 棟隆 吉 有它 吝

九五 枯楊生華 老婦得其士夫 无咎无譽

上六 過涉滅頂 凶 无咎

---

1. 괘상(卦象)

　대과(大過)는 양기가 빠른 속도로 내부로 파고드는 모습으로 하괘 ☴의 二효, 三효 2개의 양이 초육 안으로 한번에 들어가면서 ☴가 만들어진다. 급격한 팽창으로 과열된 상태를 의미한다. 상괘☱가 작용에너지 -1의 힘으로 하괘☴의 +5의 상향성을 막아 내기에는 힘이 벅차다(大過大者過也).

　☴의 九二양과 九三양이 차례로 초육 음안으로 파고들어가니 양기가 하나하나 축적되고 있다. 양기가 음에 갇히고 있는 과정을 나타낸다. 그러나 이 과정은 실제로는 중간 과정인 ☲와 동시에 ☱로 변하므로 급격한 변화를 의미한다. 그러므로 급격한 팽창은 터지는 위험을 감내해야 한다.

　상괘☱의 -1이 하괘☴의 +5의 힘을 견디기는 쉽지 않다. 뚜껑(上六)이 약하다. 뻥 터지기 직전이다. 음기에 비해 안에 갇혀 있는 양기가 너무 강하고 지나치니, 용암이 가득하여 언제 터질지 모르는 활화산의 상이다. 호괘가 重天乾☰이니 初六과 上六이 끌어안기에 힘이 벅차다(棟橈本末弱也).

▶난행(難行): ☴이 ☱으로 효변하는 과정의 원리적 이해

　☴의 2개의 양이 차례로 初六을 파고 들어가는 과정(入), 음의 관점에서 보면 음이 양을 차례로 가두는 모습이다.

風　　　　火　　　　澤
☴ +5 ⇨ ☲ +3 ⇨ ☱ -1

火風鼎　　　　澤火革　　　　澤風大過
☲ +3　　　　☱ -1　　　　☱ -1
☴ +5 ⇨ ☲ +3 ⇨ ☴ +5
+2　　　　　+4　　　　　+6

火風鼎(䷱+2)은 상하괘의 작용력이 적절하게 서로 섞이지만, 澤火革(䷰+4)은 내부의 힘이 커지면서 외부의 벽이 힘에 부치기 시작한다. 澤風大過(䷛+6)에서는 내부의 힘을 버텨 내기가 쉽지 않아 보인다. 호괘를 보면 重天乾(䷀+14)으로 양기가 가득 차 있음을 알 수 있다. 내부의 힘이 더 커지면 이때에는 제어하기가 어려워진다. 처분을 기다릴 수밖에 없으니 바로 澤天夬(䷪ﾠ+8)가 된다.

▶[비교] 大過와 夬

大過

☱-1
☴+5

上下작용력: (+5)-(-1)=+6
上下균형력: (+5)+(-1)=+4

6개의 효 중에서 九五와 上六 효는 天爻, 初六과 九二 효는 地爻, 九三과 六四 효는 人爻를 의미한다. 天과 地의 효는 음양(陰陽)을 갖추었으나 人은 순양(純陽)으로서 자기 주장이 너무 강함을 나타낸다. 천지의 도리를 따르고 순응하기 보다는 자신을 채우려 하는 모습이다. 재산, 지식, 탐욕 등, 자만으로 인한 몰락을 초래한다. 욕심을 꽉꽉 눌러 채우는 상으로 小人의 모습이다. 폭발위험, 재벌가의 몰락, 권력의 파멸 등을 경고한다. 호괘가 重天乾(☰)이니 외벽인 초육과 상육으로서는 감당하기 힘이 든다. 과도한 욕심이 화(禍)를 부르는 이치를 보여준다. 전체적으로 대과大過는 大坎☵의 상으로 큰 험난(險難)에 빠져 있는 형국이다.

夬

☱-1
☰+7

上下작용력: (+7)-(-1)=+8

上下균형력: (+7)+(-1)=+6

택풍대과는 음의 입장에서 보면 음이 양을 차례로 먹어 치우면서 끝내는 배가 터질 지경에 이른 것을 말한다. 그러나 택천쾌는 양을 차례로 먹는 것이 아니라 갑자기 한 숟가락에 한 그릇의 양을 먹어 치운 모습으로 급체에 걸려 병원에 실려갈 수밖에 상황을 뜻한다. 5개의 양을 음(上六) 혼자서 감당하려 하니 과욕이 지나침이고, 나라를 경영함에 있어 독재자 될 수밖에 없고, 강제로 제어하려 하니 강한 저항을 받게 된다.

2. 괘변(卦變)

▷호괘 - 中天乾

夬 　　　　　　乾

☱ -1　　　　　☰ +7
☰ +5　　　　　☰ +7
　+6　　　　　　0

    大過가 품고 있는 것이 乾이니 음 2개로 가두기에는 크기가 너무 지나치게 크다. 욕심이 너무 과한 모습이다.

▷착종괘 - 風澤中孚

大過 　　　　　中孚

☱ -1　　　　　☴ +5
☴ +5　　　　　☱ -1
　+6　　　　　　-6

    대과(大過)는 나무☴가 못☱ 안의 갇혀 있는 모습으로 大坎☵에 빠져 있는 형상이니, 양☰의 활발한 상향을 못☱이 가로 막고 있는 모습이다(澤滅木大過). 중부(中孚)는 나무☴가 못☱을 뚫고 나와 자라는 상으로 목선☴을 타고 험난(險難)☵을 건너 하늘☰과 통하는 모습이다(利涉大川 乘木舟虛也 中孚以利貞 乃應乎天也).

▷도전괘 – 澤風大過

大過　　　　大過

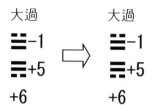

☱-1　　　　☱-1
☴+5　　　　☴+5
+6　　　　　+6

　눈앞의 이익에 눈과 귀가 막히면 코앞의 위험은 보이지 않는 법이다. 당장 이루어 질 것 같아 과욕을 부리지만 세상의 이치는 그리 호락호락하지 않다. 순리를 따르지 않는 과욕은 결국 큰 화를 자초한다. 용암을 가득 안고 있는 활화산이니 마그마를 덮고 있는 표층이 점점 과부하가 걸리는 모습이다. 과욕에 눈이 멀면 앞을 보나 뒤를 보나 똑같아 보이는 법이다(大過大者過也, 棟橈本末弱也).

▷배합괘 – 山雷頤

大過　　　　頤

☱-1　　　　☶-5
☴+5　　　　☳+1
　+6　　　　　+6

　이(頤)는 용☳이 물☵에 뛰어들어 유유히 헤엄쳐 건너편 산자락☶에 도달하는 모습이다. 순리대로 풀려나가는 모습으로 하괘의 初九와 상괘의 上九가 울타리로 음을 감싸고 있다. 안전한 수영장에서 안전하게 노니는 모양으로 점점 성장하며 어른으로 커가는 과정을 보여준다. 상괘의 에너지 -5는 하괘의 +1를 충분히 감쌀 수 있는 울타리가 되며, 작용력 또한 +6으로서 상호작용이 활발하다. 지뢰복(地雷復☳☷)의 초구☳를 잘 보호하고 기르기 위해 이불☷을 덮어주는 상이다.

3. 괘사(卦辭)

大過棟橈 利有攸往亨

대과동요 이유유왕형

대과(大過)는 크게 지나침이니 들보기둥이 휜다. 나아가는 바가 이롭고 형통하리라.

대과(大過)의 상은 양이 지나치게 과한 모습이다. 4개의 양을 초효와 상효의 두 음이 감싸고 있는 모습은 마그마가 팽창하고 있는 활화산의 위태로운 상황을 보여준다. 동요(棟橈)란 들보기둥(棟)이 휘는 것(橈)이니 네 양이 가운데에 거하여 지나치게 강왕하므로 초효와 상효의 두 음이 무거움을 감당하지 못하고 기둥에 몰리는 힘이 과중하여 비틀리며 휘는 현상을 말한다. 가운데가 강하고 밑둥(本)과 끝(末)이 약하므로 휘어지게 되는 것이다.

화산이 터지기 전의 산의 내부는 들끓는 마그마로 인하여 압력이 팽창하며 혼돈의 양상을 보여준다. 이러한 모습은 인간의 세상에도 그대로 적용되니, 대과(大過)의 시기는 '옳고 그름', '선과 악', '너와 나'가 서로 대적하고 다투며, 소인들의 목소리로 천하가 들끓는 때이다. 이익을 놓고 다툴 때에는 오히려 소인의 목소리가 더 크니, 이러한 시기에 대인은 소인과 이익을 놓고 다투지 않는다. 위엄으로써 가르치거나, 아니면 거리를 둠이 형통하다. [澤滅木]하는 大過의 때에 오히려 正道로써 당당히 자신 길을 가는 것이 대인의 태도이다. 비록 세상을 피하여 은둔하여도, 세상이 나를 인정하지 않고 멀리한다 하더라도, 또한 대중이 따르지 않아 홀로 가는 길이 외롭다 할지라도 대인의 길은 바르니 두려워하거나 번민하지 않는다(獨立不懼 遯世无悶).

大過의 때에는 제자리에 머물러 있는 것이 아니라 앞으로 나아가는 것이 형통하다. 변화를 꾀하고 더 나아가 일을 이룰 수 있기 때문이다(利有攸往亨). 이유유왕(利有攸往)이란 적극적이고 진취적이며, 혼돈의 상황에서도 길을 찾아 나아가는 지혜로운 선택을 말한다.

☞ 過: 지날 과, 초과할 과, 지나칠 과/ 棟: 마룻대 동/ 橈: 굽을 요

象曰 大過大者過也 棟橈本末弱也
단왈 대과대자과야 동요본말약야
剛過而中 巽而說行 利有攸往乃亨 大過之時大矣哉
강과이중 손이열행 이유유왕내형 대과지시대의재

단에 이르길, 대과(大過)는 큰 것이 지나침이라. 들보기둥이 휘는 것은 本末이 약하기 때문이다. 강이 지나치나 가운데에 거하며, 손순(巽順)하고 기쁨으로 행한다. 나아가는 바가 이로우니 이에 형통하다. 대과의 때가 참으로 크다.

大過大者過也 棟橈本末弱也

大過는 큰 것(大)이 지나침을 말하니 大란 4개의 강양(剛陽)을 가리킨다. 4개의 양을 상하 2개의 음이 버티고 있으니 과중한 무게를 감당하지 못해 들보가 휘는 것으로 비유한다. 즉, 들보가 휘는 것은 本(밑둥)과 末(끝)이 약하기 때문이니 본(本)은 初六이요, 말(末)은 上六을 말하고, 약(弱)하다는 것은 상하 효가 음유(陰柔)함을 이른다.

▷大過 大者過 陽過也 ☱-1 （精） ☴+5 （入） -큰 것이 과하니 양이 과한 것이다. -대과(大過)는 양이 가운데에 과하여 음의 위와 아래가 약한 것이다.	▷小過 小者過 陰過也 ☳+1 （動） ☶-5 （止） -작은 것이 과하니 음이 과한 것이다. -소과(小過)는 양이 가운데에 약하여 음의 위와 아래가 과한 것이다.
▷大過 剛過而中 巽而說行 利有攸往乃亨 過之時大矣哉 ☱-1 （精） ☴+5 （入） 강(剛)이 과하여 들보기둥이 흔들리는 난세를 맞이하였으나, 九二와 九五가 중(中)을 지켰으니 中을 잃지 않았다. 대인이 중도로서 巽順☴함으로 和說☱을 행하니, 오히려 혼돈의 때에 처하여 정도로써 나아가는 것이 이롭다. 이는 형통함을 이루기 때문이니, 영웅(大人)은 난세에 나오는 법이다. 강함이 지나쳐 어지러운 난세의 때에 처하여 오히려 大事를 이룰 수가 있으니 大過의 때는 참으로 엄중하다.	▷小過 柔得中 是以小事吉也 剛失位而不中 是以不可大事也 ☳+1 （動） ☶-5 （止） 二爻와 五爻가 모두 유(柔)로써 中을 얻었으니 小事에 길하다. 이는 산☶을 넘었으나 또 나아갈 길이 여전히 남아 있음이니 아직 일이 끝나지 않았음☳(進)을 말한다. 또한 三爻와 四爻는 강(剛)하나 中을 벗어나 있어 大事는 불가하다. 갈 길이 먼 새가 지친 날개를 접고 웅크린 모습이니 소인의 상이다.

象曰 澤滅木大過 君子以獨立不懼 遯世无悶
상왈 택멸목대과 군자이독립부구 둔세무민

상에 이르길, 연못이 나무를 멸하는 것이 大過이니, 군자는 이로써 홀로 서도 두려워하지 않으며 세상과 떨어져 있어도 번민하지 않는다.

生長☰에서 收斂☷으로 변이하는 과정은 엄청난 변화와 혼란을 일으킨다. 연못☱이 나무☴를 멸한다 함은 봄 여름의 왕성한 성장☰ 활동이 가을에 이르러 수렴☷ 됨을 의미한다. 선천지도(先天之道)에서 후천지도(後天之道)로 전이되는 과정에서 나오는 강한 흔들림으로 이해할 수 있다.

내부의 강한 압력(4개의 양효)으로 인해 초육과 상육이 흔들리는 것은 내부 팽창으로 인한 폭발의 위험이 감지되는 것으로서, 목(木) ☴이 못☱ 안에 갇혀 썩어가는 상황임을 말한다(澤滅木大過). 이러한 붕괴의 위험에 처한 혼란한 세상에서는 사람들은 홀로 서는 것을 두려워하여 패거리를 짓고, 서로를 옳고 그름으로 재단하며, 서로 다투는 혼돈이 가중된다. 중세 암흑시대에 성행한 마녀재판이 이와 같은 상황으로 하늘을 추구하는 종교지도자들이 오히려 악의 머리가 되는 때이다.

그러므로 이러한 혼돈의 시대적 상황에서도 어떠한 유혹이나 위협, 또는 군중심리에 휩쓸리지 않고 홀로 설수 있는 용기가 있어야 하며, 나 홀로 정도(正道)를 걸어도 두려워하지 않는 담대한 지혜가 있어야 한다. 군중심리에 휩쓸리지 않고, 패거리에 합류되지 않았다 하여 동요하고, 두려워하고 근심하지 않아야 한다. 오히려 당당하게 그러한 세상과 거리를 두고 홀로 설 수 있는 담대한 용기가 필요하다. 언제나 어디서나 홀로 두려워함 없이 정도를 행하고(獨立不懼), 세상을 피해 등지고 있어도 근심 없이 떳떳하게 자신의 길을 가는 것이 대인의 풍모이다(遯世无悶).

4. 효사(爻辭)

지나침이 과강한 시대를 대하는 처세, 양강함이 지나쳐 기둥이 구부러지 듯 사회질서가 흔들리고 도덕과 철학이 흔들리며 강함이 지나쳐 오히려 부러지기 쉬운 대과(大過)의 시대를 대처하는 지혜를 설명한다. 大過는 4개의 양을 유약한 2개의 음이 지지하고 있는 상으로서 풍선이 너무 부풀어 터지기 직전의 상황임을 보여준다. 전체적으로는 대감(大坎☵)의 상으로 위험에 빠져 있는 모습이다.

初六 藉用白茅 无咎

초육 자용백모 무구

초육, 깔개로 하얀 띠풀(白茅)을 쓴다. 무탈하리라.

初六은 대과(大過)의 시대에 맨 아래에 처하여 힘이 미약하고, 양의 자리에 음으로 있어 자리가 부당하다. 지나치게 과강하여 부러지기 쉬운 大過의 시대에 가장 낮고 가장 약한 初六은 스스로 유약함을 알아 삼가함과 겸손한 태도를 취한다.

고대에 제사를 지낼 때 경건한 분위기를 자아내도록 얇은 하얀 띠풀을 땅바닥에 깔고 그 위에 그릇을 놓았다. 이는 스스로 삼감으로써 자신을 낮추어 겸손과 정성을 드러내기 위함이었다. 이것은 비굴함이 아니라 음유(陰柔)하고 낮은 곳에 처한 자가 대과의 시대를 대처하는 지혜로움이라 할 수 있다. 외괘 兌☱는 연못이고, 내괘 巽☴은 음목(陰木)으로 연못가에서 자라는 띠풀의 상이 된다. 초효가 효변하면 乾金☰(白)으로 흰색이 되고, 하괘 巽☴(끈, 덩굴)에서 띠풀(茅)의 뜻이 나온다.

「계사상전」제8장에서는 다음과 같이 띠풀의 의미를 설명한다.

初六 藉用白茅 无咎 子曰 苟錯諸地而可矣 藉之用茅 何咎之有 愼之至
也 夫茅之爲物薄 而用可重也 愼斯術也以往 其无所失矣

　　初六은 흰 띠풀로 자리를 깔았음이니 허물이 없다. 공자께서 말씀하
시길, (제사에 쓰는 제물을) 땅에 놓아도 좋으나 하얀 띠풀을 깔았으니
무슨 허물이 있겠는가? 신중함이 지극하다. 무릇 띠풀의 물건 됨은 얇
으나 그 쓰임은 중하다. 삼가 이 방법을 써 나아가니 잃는 바가 없다.

　　과강함이 지배하는 시대에는 약자가 강자를 따르며 그 주변에 모이게 된
다. 사람이든 짐승이든 강자를 따르는 것은 동물적 속성이라 할 수 있다. 初
六은 九四와 서로 응한다. 당연히 서로 도움이 될 것 같으나 大過의 시대에
는 오히려 같이 파멸하게 되는 지름길일 수도 있다. 강자로 보이는 강자 또
한 다른 강자에게는 약자일 수 있으니 약육강식의 논리로 보면 서로 먹이사
슬로 연결되어 있을 뿐이다. 지나침이 강해 언제 폭발할 지 모르는 아슬아슬
한 시대에는 강자를 자처하는 자가 오히려 파멸의 길로 들어서기 쉽다. 그러
므로 군자는 대과(大過)의 시대에 강약의 논리를 따르지 않고 스스로를 낮출
뿐이다.

　　효변하면 택천쾌(澤天夬☱)가 되어 처단을 기다리는 위험한 상황을 자초하
게 되니 음유(陰柔)로써 자신을 낮추고 겸손하게 정성을 다하는 것이 지혜롭
다. 大過의 시대에 자력으로 대처할 수 있는 힘이 없다면 띠풀을 깔며 삼가
정성을 다하는 것처럼, 바람☴이 불 때 풀이 낮게 자신을 구부림으로써 바람

의 힘을 중화시키듯 巽順═══하게 대처함으로써 大過의 과강한 기운을 피한다. 자신을 낮추면 아무런 문제가 없는데 낮은데 처하여 유약함에도 불구하고 과강하게 나서다 보면 오히려 일을 크게 그르치게 된다. 소상전에서 공자는 이것을 "자용백모(藉用白茅)는 음유(陰柔)함이 아래에 처했기 때문이다(象曰 藉用白茅 柔在下也)"라고 풀이하고 있다.

☞ 藉: 깔 자, 깔개 자/ 茅: 띠 모

九二 枯楊生稊 老夫得其女妻 无不利
구이 고양생제 노부득기여처 무불리

구이, 말라버린 버드나무 노목(老木)의 뿌리에 새순이 움트니 늙은 사내가 젊은 아내를 얻는다. 이롭지 않음이 없다.

고양생제(枯楊生稊)는 죽은 거나 다름없어 말라 비틀어진 고목(枯木)의 뿌리에 움이 트는 것이니 고사목(枯死木)이 회생하는 것을 의미한다. ══은 나무(木), 호괘 乾═은 父, 어른(長)을 뜻하니 노목(老木), 노부(老夫), 노부(老婦)의 뜻이 나온다. 九二는 노목(老木), 初六는 뿌리에 움튼 새순이다.

二가 효변하면 艮山══이 되니, ══은 그침(止)의 뜻을 가진 효로서, 상징적 측면에서는 小男이지만 효의 작용적 측면에서는 양의 상승이 멈춰버린 노인이다. 또한 乾═은 건조(乾燥)의 의미가 있으니 물가══의 老木══은 말라 죽어가는 늙은 버드나무(枯楊)로 비유되었다(澤滅木大過). 大過는 大坎══의 상이니 물(水)의 뜻이 나오고, 노목(老木)이 되어 말라 죽어가던 버드나무(枯楊)가 물가에 뿌리를 내리면서 뿌리에 움이 싹트니 기사회생하는 뜻이 나온다.

뿌리에 움이 튼다는 것은 뿌리, 즉 근본이 살아났다는 의미이다. 그러므로 시간은 걸리겠지만 결국은 결실을 얻을 수 있으니 이롭지 않음이 없다. 고양생제(枯楊生稊)는 인사적으로는 노부득기녀처(老夫得其女妻)로 비유된다. 노인이 젊은 여인(☰小女)을 부인으로 얻음은 비정상적이고 지나친 처사이기는 하나, 그래도 결국은 움이 싹터 꽃을 피우고 열매를 얻을 것이며, 여처(女妻)는 자식을 낳을 것이니 상도(常道)를 벗어나기는 하지만 음양이 서로 더불어 결실을 얻음이니 이 어찌 이롭지 않다 하겠는가?

九二가 효변하면 山☶이 되고 지괘(之卦)는 택산함(澤山咸☶)이 된다. 함(咸)은 小男☶과 小女☱가 교감하고 교합하는 상으로 자녀라는 결실을 얻을 수 있음을 의미하는 괘이다. 그런데 艮☶(止)은 효의 작용적 측면에서는 양의 상승이 멈춰버린 노인이다. 그래서 공자는 이를 "노부(老夫)가 여처(女妻)를 얻음은 과하기는 하나 서로 더불어 사는 것이다(象曰 老夫女妻 過以相與也)"라고 풀이하였다.

늙어 말라 죽어가던 물가의 고양목(枯楊木)의 뿌리에서 움이 싹트는 것은 부활(復活)을 의미하며, 재활(再活)하는 것이고 재생(再生)하는 것이며, 늙은이가 회춘(回春)하는 것이고 인사적으로는 혁신(革新)하는 것이니 결실을 얻기까지 다소 시간은 걸리겠지만 이롭지 않음이 없다. 은퇴해야 할 나이에 다시 시작할 기회가 주어지고, 수명이 다한 물건이 다시 생명이 연장되며, 정치적으로 부활하는 것이며, 망해가던 기업이 회생하는 것이다.

☞ 枯: 마를 고, 시들 고, 말라 죽은 나무 고/ 楊: 버드나무 양/ 稊: 움(베어 낸 나무뿌리에서 나는 싹)

九三 棟橈 凶
구삼 동요 흉

구삼, 들보기둥이 구부러지니 흉하다.

九三은 양의 자리에 양으로 와서 자리는 바르지만 양강함이 지나친 大過의 시대에는 너무 과강하다. 대과의 시대에 과강으로 대처하면 쉽게 부러질수 있다. 九三이 효변하면 巽☴(木)이 坎☵(水)가 되니 나무가지가 부러지는 상으로 택수곤(澤水困☵)이 된다. 연못에 물이 빠지면 연못으로서의 기능이 상실되듯이, 들보기둥이 부러지면 집으로서의 효용가치가 없어진다. 이는 지괘인 택수곤(澤水困)이 품은 뜻으로 연못은 물이 가득하여야 못으로서의 역할을 하는 것이고, 물이 빠지면 그 기능을 유지할 수가 없다. 그러므로 연못에 물이 빠지는 것은 집의 들보기둥이 꺾이는 것과 비교된다. 기둥이 휘거나 꺾인다면 기둥으로서의 역할을 할 수가 없는 것이니 흉한 것이다.

九三과 정응하는 上六은 이미 상비(相比)관계에 있는 九五에게 마음이 가있다. 또한 大過의 극에 처해있고 유약하여 도움이 되기 보다는 오히려 부담스럽다. 그러므로 공자는 이 효사를 "동요지흉(棟橈之凶)은 보를 덧대는 것이 불가하기 때문이다(象曰 棟橈之凶 不可以有輔也)"라고 풀이하였다.

☞ 輔: 도울 보, 바퀴 덧방나무 보(수레의 양쪽 가장자리에 덧대는 나무)

九四 棟隆吉 有它吝
구사 동륭길 유타린

구사, 들보기둥이 높아지니 길하다. 다른 것을 탐하면 옹색하리라.

우물은 물이 솟아올라야 우물로서의 제 역할을 할 수 있고, 들보기둥은 휘지 않고 높이 치솟아야 기둥으로서의 역할을 한다. 九三효가 변하면 택수곤(澤水困☱☵)이 되고, 九四효가 변하면 택수곤의 도전괘인 수풍정(水風井☵☴)이 되어 서로 뜻이 반대가 된다. 택수곤은 물이 빠진 빈곤한 연못의 상이고, 수풍정은 우물에 물이 가득 솟아오르는 풍부한 연못의 상이다. 그러므로 九三효는 들보가 부러지거나 휘는 뜻이 되고, 九四효는 들보기둥이 힘차게 위로 솟구쳐 높아지는 뜻이 된다. 그래서 소상전은 九四효사를 "동륭지길(棟隆之吉)은 아래로 휘지 않음이다(象曰 棟隆之吉 不橈乎下也)"라고 풀이하여 기둥이 힘차게 높이 솟구치는 것을 가리켰다. 九四는 初九와 응하지만, 유약한 初九는 들보기둥을 지지하는데 아무런 도움이 되지 않으니 이를 탐하면 오히려 높아진 들보의 뜻이 옹색해진다.

☞ 隆: 높을 륭/ 它: 다를 타, 딴 사람 타

九五 枯楊生華 老婦得其士夫 无咎无譽
구오 고양생화 노부득기사부 무구무예

구오, 말라 죽어가던 버드나무 노목(老木)이 꽃을 피우다. 늙은 부인(老婦)이 젊은 지아비(士夫)를 얻는다. 허물은 없으나 영예로움도 없다.

九二가 아래로 음(初六)을 얻음은 老木의 뿌리에 움이 트는 것을 뜻하고, 九五가 위로 음(上六)을 얻음은 노목(老木)에 꽃이 피는 것을 뜻한다. 노목은 늙어 말라 죽어가는 고목(枯木)을 상징하며 물가☱(澤)의 나무☴(木)를 가리키니 말라 죽기 직전의 늙은 버드나무(枯楊)로 비유하였다(澤滅木大過).

上六은 大過의 상극에 처하여 늙은 고목(九五)에 핀 꽃을 의미하며, 마침내 열매를 얻지 못함을 비유한다. 열매를 얻지 못하니 결국 고목은 꽃을 잃고 죽게 될 것이다. 九五는 강건중정(剛健中正)하나 응함이 없고, 효변하면 유음(柔陰)이니 늙은 과부(老婦)를 상징한다. 九五가 변하면 상괘가 震☳이 되니, ☳은 長男을 상징하지만 효의 작용적 측면에서는 역동적으로 움직이며(動) 나아가는(進) 건장한 사내가 된다. 그러므로 지괘가 뇌풍항(雷風恒䷟)이 되니 늙은 과부(老婦)가 젊은 지아비(士夫)를 얻어 여자로서의 생명이 일시나마 유지되는 뜻이 나온다. 그러나 젊은 지아비는 늦가을에 때를 잘못 알고 피어난 꽃에 불과하니, 여자로서는 자손을 잉태할 수 없음을 뜻하고, 꽃은 결실을 얻지 못하고 떨어져 사라질 것이며 만남은 오래가지 못한다.

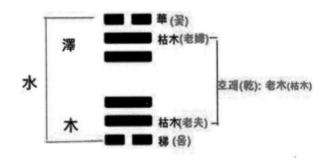

► 九二와 九五는 서로 화응(和應)이 없고, 각각 初六과 上六에 친하다. 상비(相比) 관계로 서로 돕는 뜻이 있다. 九二는 양으로 음을 타고 있어 길(吉)이 되고(承), 九五는 양으로서 음 아래에 있으니 흉(凶)이 된다(乘). 大過는 大坎☵(水)의 상이다.

노부(老婦)가 비록 젊은 사부(士夫)를 지아비로 얻어 여자로서의 생명은 일시나마 연명되었으나 자식을 얻을 수 없으니 마땅히 허물할 것은 없으나 영예로울 것도 없다. 그래서 공자는 "고양생화(枯楊生華)이니 어찌 오래가겠는가? 늙은 과부(老婦)가 젊은 사내(士夫)를 얻는 상이니 또한 추할 수 있음이다(象曰 枯楊生華 何可久也 老婦士夫 亦可醜也)"라고 하였다.

上六이 늙은 과부(枯楊)의 젊은 지아비(華)가 되는 것은 그 만남이 결코 오래가지 못함을 의미한다. 음이 양을 타고 있으니 상비관계로서는 흉이 된다. 열매 없는 꽃은 씨앗을 남기지 못하니 내일을 기약할 수 없기 때문이다. 九五가 動한 지괘 뇌풍항(雷風恒)의 六五효사는 "그 덕을 항상(恒常)함이 바르니 부인(婦人)은 길(吉)하나 남편(夫子)은 흉(凶)하다(六五 恒其德貞 婦人吉 夫子凶)"라고 표현했다.

☞ 華: 빛날 화, 꽃 화/ 譽: 명예 예, 영예로울 예/ 醜: 추할 추

上六 過涉滅頂 凶 无咎
상육 과섭멸정 흉 무구

상육, 무리하게 건너니 이마를 멸하다. 흉하리라. 남을 허물할 것은 없다.

大過는 大坎☵(險水)의 상으로 물이 되며, 큰 위험을 뜻한다. 호괘가 重天乾(☰)으로 양이 4개이니 내에 물이 불어나 넘치기 직전임을 비유한다. 과섭(過涉)은 이러한 사실을 알고도 과강하게 물을 건너는 것을 말한다. 외호괘 乾☰이 上六(☷)에 잠기니 연못이 乾(머리)을 멸하여 이마(頂)가 물에 잠기는 뜻이 된다. 외호괘 乾은 머리(頭)를 상징한다.

홍수로 물이 불어나 내(川)가 위험에 처했음에도 불구하고, 이러한 사실을 알면서도 스스로 내를 건너다 머리까지 잠기게 되는 상황에 처하게 된다. 스스로 흉을 자처하였으니 누구를 탓하랴. 그래서 공자는 이를 "과섭지흉(過涉

之凶)이니 남을 허물할 것이 없다(象日 過涉之凶 不可咎也)"라고 하여 스스로 자처한 일이라 하였다. 효변하면 天風姤(䷫)가 되니, 이는 기둥이 무너질지 모르는 아슬아슬한 위험으로 가득한 大過(䷛)의 시대를 지나 새로운 상황과 맞닥트리게 될 것임을 의미한다. 구(姤)의 괘사는 "姤 女壯 勿用取女"라 하여 순양(純陽)으로 가득한 천하에 처음 나타난 새로운 기운(초음)과의 만남을 경계하고 있다. 大過에 이어진 괘가 重水坎(䷜)이니, 이는 과용(過勇)으로 위험을 무시하고 물이 불어난 대천(大川)을 무리하게 건너다 험수(險水)에 빠져버린 곤궁한 상황을 그린다.

☞ 滅: 멸할 멸/ 頂: 이마 정

29. 重水坎_{중수감}

水 ☵ 坎
水 ☵ 坎

▶ 효변(爻變)

과거	미래	현재
☵-3 ⇨	☵-3	☵-3
		☵-3

上下작용력: (-3)-(-3)=0

上下균형력: (-3)+(-3)=-6

習坎 有孚 維心亨 行有尙

象曰 習坎 重險也 水流而不盈 行險而不失其信 維心亨 乃以剛中也 行有尙 往有功也 天險不可升也 地險山川丘陵也 王公設險以守其國 險之時用大矣哉

象曰 水洊至 習坎 君子以常德行 習敎事

初六 習坎 入于坎窞 凶

九二 坎有險 求小得

六三 來之坎坎 險且枕 入于坎窞 勿用

六四 樽酒 簋貳 用缶 納約自牖 終无咎

九五 坎不盈 祇旣平 无咎

上六 係用徽纆 寘于叢棘 三歲不得 凶

---

1. 괘상(卦象)

    외괘와 내괘가 모두 水☵으로 이루어진 괘를 감(坎)이라 하며, 거듭되었다 하여 중수감(重水坎☵)이라 한다. 九二와 九五 양이 위아래의 음에 빠져있으니 험난(險難)에 빠져 휩쓸린 상이다(重險也). 거듭하여 물에 빠지니 어려움이 크다. 물이 거듭하니 홍수처럼 쓸어가는 어려움이다. 어찌할꼬?

    험난(險難) 속에서도 하괘 九二가 中을 잃지 않았고, 군왕(君王)인 상괘 九五가 中正함으로 자리를 지키고 있다. 그러므로 아무리 험한 곳을 가더라도 중심을 지키며 믿음을 잃지 않는다[行險而不失其信]. 사람은 어려움에 처할수록 자신의 진면목을 드러내기 마련이니, 소인은 믿음을 잃고 부화뇌동하며 자신만 살려는 이기심으로 타인에게 해를 끼치지만, 대인은 험함(險陷)에 처할수록 믿음을 잃지 않고 덕행을 떳떳하게 행하고 가르치며 남을 구제한다.

    九二와 九五가 양으로서 험난(險難)에 빠져 안팎으로 험한 상태이나 中에 陽이 거하여 중심(中心)을 바로잡고 있으니, 비록 어려운 상황이지만 흔들리지 않고 강중(剛中)의 덕으로 물이 흐르듯 끝없이 행해 나가므로 마음이 형통하다[有孚維心亨]. 내호괘가 ☳(動.進)이니 험함(險陷)에 처해서도 움직여 나아가는 상이다. 물이 흐르고 흘러 마침내 바다로 나아가듯 믿음을 잃지 않고 끊임없이 행하여 나아가니, 그러므로 어디를 가든 무엇을 행하든 이룸(功)이 있다. 나무도 중심이 곧아야 큰 재목으로 커가듯, 사람 또한 험난(險難)한 세상에 살고 있으나 강건한 마음으로 중도를 잃지 않아야 큰 뜻을 이룰 수 있는 것이다(行有尚 往有功也).

2. 괘변(卦變)

▷호괘 – 山雷頤

坎　　　　　頤

☵-3　⟹　☶-5
☵-3　　　☳+1
0　　　　　+6

　중수감(重水坎)의 호괘가 산뢰이(山雷頤)이니 험함(險陷)의 상황에 처해서도 양(陽)을 기른다는 의미가 들어있다. 큰 어려움에 빠져 있을수록 오히려 힘을 기르지 않는다면 벗어날 기회를 잡기는 어려워진다. 하괘의 초효가 양이니 캄캄한 어둠 속의 한줄기 빛이다. 이 빛을 보호하고 기르지 못한다면 희망이 없다. 땅 속 깊이 갇혀 있는 하나의 양은 험함(險陷)의 상황에서도 벗어날 수 있는 한 가닥 희망의 줄기이니 대인은 때를 기다리며 이를 기른다(險之時用大矣哉). 맨 위의 양효☶(上九)는 이불이니 초양☳을 잘 덮어 보호하는 상이다. 또한 ☶은 튼튼한 뚜껑이니 희망☳을 보호하고 기르는 역할을 수행한다.

　산뢰이(山雷頤)괘는 초구☳(양)이 순리대로 물☵에 뛰어들어 헤엄으로 건너편 둑☶(上九)에 도달하는 상이다. 초구☳(양)가 강을 건너기 위해서는 물☵에 뛰어 들어야 하니, 물☵(險陷)에서 빠져나오기 위해서는 거듭하여 행하지 않고는 나올 수가 없다.

　초구☳(양)이 상향하여 물☵에 뛰어드니 험난(險難)함이 거듭된다. 계속되는 어려움(☵☵重險)속에서도 믿음을 잃지 않고(有孚), 중심을 지켜 나아간다면(剛中也), 험함(險陷)☵을 벗어나 건너편에 도달☶(止)할 수 있는 것이니(往有功也), 이는 곧 험(險)에 대처하는 습감(習坎)의 지혜라 할 수 있다.

▷ 산뢰이(山雷頤)

山 ䷳

⬆

蒙: 헤엄☵을 쳐 건너 산자락☶에 도달하다.

水 ☵

⬆

屯: 용☳이 물☵에 뛰어들어가 힘차게 헤엄을 치다.

雷 ☳

☳의 初九가 상향하여 六二로 뛰어드니 물에서 헤엄치는 상(☵)이 만들어진다. 初九가 上九에 도달하기 위해서는 두 개의 ☵을 지나야 하니 "수천지 습감(水洊至 習坎)"의 의미가 나온다.

중수감(重水坎) 속에 산뢰이(山雷頤)가 들어있음은 아무리 험난☵함 속이라도 믿음을 잃지 않으면 희망은 어딘 가에 있는 것이며(行險而不失其信), 이를 찾아 기르는 것은 바로 자신의 몫이라는 것을 가르쳐 준다. 산뢰이(山雷頤)는 또한 대리(大離)☲의 상이 되니 험난 속에서도 믿음을 잃지 않는다면 밝은 빛이 길을 드러낸다.

▷착종괘, 도전괘 - 重水坎

坎   坎

☵-3   ⇨   ☵-3

☵-3   ☵-3

0   0

앞으로 가도, 뒤로 물러나도 험수☵가 가로막고 있으니 벗어나기 어렵다 (來之坎坎 險且枕 入于坎窞). 九二와 九五가 양으로서 험함(險陷)에 처해있으나 중(中)을 지키고 있으니 혼돈 속에서도 믿음을 잃지 않고 부화뇌동하지 않는다.

▷배합괘 - 重火離

坎   離

☵ -3   ⟹   ☲ +3
☵ -3   ☲ +3
0   0

중수감(重水坎)은 九二와 九五가 위아래의 음에 빠져 있어 험함(險陷)에 처한 상이다. 거듭하여 감험(坎險)☵에 빠지니 어려움이 크다. 중화리(重火離)는 두 개의 양이 하나의 음에 걸려 양(陽)의 덩어리인 해(日)의 상을 이루니, 어둠(陰柔)을 태워 만천하를 밝히는 모습으로 만물이 자라고 만백성이 우러른다.

3. 괘사(卦辭)

習坎 有孚 維心亨 行有尙
습감 유부 유심형 행유상

습감은 믿음으로써 오직 마음이 형통함으로 행하면 숭상함이 있으리라.

땅이 움푹 파여 웅덩이(坎) 진 곳에 물이 계속 흘러 들어가 메워가는 과정에서 습감(習坎)의 의미가 나왔다. 인생을 살아가다 보면 구덩이처럼 푹 패인 함정에 빠질 수도 있지만 물이 끊임없이 반복하여 흘러 든다면 아무리 깊은 구덩이라도 어느덧 물이 가득 차게 되고, 그럼으로써 구덩이(險陷)에서 빠져나올 수 있게 된다. 끊임없는 반복적인 학습의 의미로 받아들여 습감(習坎)이라고 하며, 이를 통해 어려움(坎)에서 벗어날 수 있는 방법을 모색한다.

습감(習坎)의 뜻을 받들고 나아가면 공을 이루니, 험함(險陷)에 처해서도 믿음을 잃지 않고 행하면 어느덧 험(險)에서 빠져나와 뜻을 이룬다(行險而不失其信). 습감(習坎)이란 물이 구덩이에 끊임없이 흘러 들어 채워 나아가듯, 어려움에 처해서도 中道를 잃지 않고 끊임없이 반복하여 익히고 행하여 마침내 이루어 내는 것을 말한다.

九二와 九五가 실질(實質)로서 중(中)의 자리를 지키고 있으니 험난(險難)에 빠져서도 믿음을 잃지 않고 중심을 지킨다(維心亨 乃以剛中也). 九二와 九五가 두 개의 음 사이에 빠져서도 중(中)을 잃지 않으니 마음이 형통한 것이고 나아가면 이룸이 있는 것이다. 물이 쉬지 않고 끊임없이 흘러 거듭되는 구덩이를 채우며 나아가 마침내 바다에 이르는 것처럼, 끊이지 않는 정성으로 한결 같이 나아가면 공을 이루게 되니 이는 습감(習坎)의 뜻을 높이 받들어 행(行)하는 것이다(行有尚 往有功也).

☞ 習: 익힐 습, 어린 새가 날개(羽)를 퍼드덕거려 스스로(自→白)날기를 연습한다 하여 「익히다」를 뜻함/ 坎: 구덩이 감/ 孚: 미더울 부/ 維: 벼리 유(그물 코를 꿴 굵은 줄, 일이나 글의 뼈대가 되는 줄거리), 바 유(밧줄), 오직 유

象曰 習坎 重險也
단왈 습감 중험야
水流而不盈 行險而不失其信 維心亨 乃以剛中也 行有尚 往有功也
수류이불영 행험이부실기신 유심형 내이강중야 행유상 왕유공야
天險不可升也 地險山川丘陵也 王公設險以守其國 險之時用大矣哉
천험불가승야 지험산천구릉야 왕공설험이수기국 험지시용대의재

단에 이르길, 습감은 험(險)이 거듭됨이라.
물이 흘러 들어가나 가득 차지 않으며, 험함 속을 행하나 믿음을 잃지 않으니 오로지 마음이 형통함은 강중(剛中)하기 때문이다. 행하면 숭상함이 있으니 가서 공을 이룸이 있다. 하늘의 험(險)은 오를 수 없고, 땅의 험(險)은 산천과 구릉이니, 왕공이 험을 설치하여 나라를 지키니 험의 때와 그 씀이 크다.

습감(習坎)은 새가 하늘을 나는 것을 반복하며 정성을 다해 연습하여 마침내 하늘에 날아오르듯 처해진 난관을 극복해 나아가는 삶의 태도를 설명한다. 험난(險難)☵이 거듭하여 앞을 가로 막으니 중수감(重水坎)의 상이다(重

險也). 습감(習坎)이란 바로 난관에 처했을 때, 이러한 험함의 상황을 극복해 나아가는 인생의 지혜를 말해준다.

거듭된 깊은 구덩이(險陷)에 물이 흘러 들어 채워 나간다. 구덩이에서 빠져나갈 수 있는 방법은 물을 가득 채워 나가는 것이다. 그래야만 물이 끊이지 않고 계속 흘러 마침내 바다에 도달한다. 그러나 물이 쉽게 차지 않더라도(水流而不盈), 거듭되는 난관에 부딪혀 이를 넘어서기가 어렵더라도 믿음을 잃지 않고 중심을 지켜 상황에 대처해 나아간다면, 이는 삶을 대하는 성심(誠心)이니 형통한 마음이다(行險而不失其信 維心亨). 그 마음이 형통한 것은 중효(中爻)가 강중(剛中)하기 때문이니(維心亨 乃以剛中也), 중실(中實)함은 유부(有孚)의 상이다. 험한 가운데 처했으나 믿음을 잃지 않고 험함을 행하니 곧 강양중실(剛陽中實)로서, 이는 감험(坎險)☵속에서도 中正을 지키는 것이니 剛中의 도를 말한다.

행(行)한다는 것은 '끊임없이 반복되는 연습', '어려움(坎陷)에 처해서도 믿음을 잃지 않고 나아가는 항상(恒常)함'을 의미하는 습감(習坎)의 뜻을 높이 숭상하여 받든다는 의미이니(行有尙), 습감(習坎)의 깊은 뜻을 받들어 행하여 나아가면 마침내 이룸이 있을 것이다(往有功也).

하늘이 험(險)하다는 것은 오를 수 없음을 말함이고(天險不可升也), 땅이 험(險)하다는 것은 산천(山川)과 구릉(丘陵)의 난관을 말한다(地險山川丘陵也). 그러나 지금은 기구를 이용하여 하늘을 날을 수 있고 저 멀리 우주선을 타고 우주 멀리 나갈 수도 있으며, 아무리 험난(險難)한 지세(地勢)라도 능히 오를 수가 있다.

다만 험(險)의 의미가 그렇다는 것이다. 지금과 전쟁의 개념이 다른 옛적에는 험함(險陷)을 설치하여 적을 막아 나라를 지킬 수도 있었으니 일종의 '부비트랩'이라고 할 수 있다(設險以守其國). 천험(天險)을 추상적 의미의 험(險), 지험(地險)은 구체적 의미의 험(險)으로 이해할 수도 있다.

칼과 창으로 전쟁을 하던 시절의 험(險)과 현대의 전쟁에서의 험(險)은 개념부터 다르며, 험(險)을 활용하는 차원도 다르다. 언제 어디서 무슨 일이 닥칠지 모르는 인생길에서 險의 활용과 이제 저 멀리 공간으로 나아가는 우주시대에 있어서 있을지도 모르는 우주전쟁에서 險의 활용은 현대인이 생각해보아야 할 지혜의 보고가 될 수 있다. 險의 지혜를 이용하여 악인의 접근을 사전에 차단할 수도 있고, 흉사가 일어나는 것을 미리 막을 수도 있다. 마음을 곧고 바르게 하며 명경지수(明鏡止水)와 같이 하여 더러움이 묻지 않게 하는 것 역시 險으로써 바름을 지키는 일이다. 곧고 바름(正)은 더러움(不正)이 접근하기 어려운 險이 되니 險이란 서로 상대적인 개념이다.

시공간(時空間)을 활용하는 물리적인 지험(地險)뿐만 아니라 형이상학적 천험(天險)의 활용도 우리 인생사에서는 얼마든지 있다. 그러므로 험(險)을 이용하는 때와 그 씀(用)의 크기는 적지 않으니 "험지시용대의재(險之時用大矣哉)"의 뜻이다. 현대를 사는 우리는 "險之時用"의 지혜를 어떻게 활용할 수 있을까?

☞ 重: 거듭할 중, 자주할 중, 무거울 중/ 險: 험할 험/ 盈: 가득 찰 영, 충만할 영 升: 오를 승, 丘: 언덕 구, 무덤 구/ 陵: 언덕 릉(큰 언덕), 무덤 능(릉) 矣: 어조사의 (~었다, ~리라, ~이다, ~뿐이다, ~도다!, ~느냐?), ~여라)/ 哉: 어조사 재(~하구나!, 하도다).

象曰 水洊至習坎 君子以 常德行 習教事

상왈 수천지습감 군자이 상덕행 습교사

상에 이르길, 물이 거듭 이르는 것이 습감(習坎)이니, 군자는 이를 본받아 덕행을 항상(恒常)하며, 백성을 가르침에도 습감의 지혜를 따라 물이 거듭하듯 한다.

구덩이에 물이 거듭하여 이르니 어느덧 물이 차고 흐른다. 또 다시 구덩이를 만나면 물은 계속하여 흘러 들어 결국 구덩이를 채우고 흘러나와 강을 이루고 바다에 이른다(水洊至 習坎). 습감(習坎)이란 구덩이를 채우는 물의 끊이지 않는 반복된 노력을 말하는 것이니, 바다는 물 한 방울 한 방울이 모이고 지류와 지류가 합해져 형성되는 것으로 모든 것이 한번에 갑자기 이루어지는 것이 아니다. 사람은 물처럼 항상(恒常)함이 있어야 하니, 물이 온갖 험함을 무릅쓰고 흘러 들어 만물의 생명수가 되어주듯, 사람이 덕을 행함도 이와 같아야 한다(常德行). 또한 어리석은 백성을 가르침에도 습감(習坎)의 지혜를 따라 물처럼 거듭하여 깨닫게 하여야 하니(習教事), 그렇지 않으면 형벌을 엄히 시행하여 강요하더라도 능히 이루지 못할 것이며, 결국은 독재자의 말로에 이르게 된다.

☞ 洊: 이를 천(연거푸, 자주)/ 常: 떳떳할 상, 항상 상, 항구할 상

4. 효사(爻辭)

　중수감(重水坎)은 연속되는 험함(險陷)에 둘러 쌓여 있음을 가리킨다. 습감(習坎)의 도는 험난한 파도가 쓰나미처럼 밀려와도 자기 중심을 잃지 않아야 함을 일깨운다. '호랑이에게 물려가도 정신만 차리면 된다'라는 말처럼 험한 세상에 휩쓸려 흘러가고 있지만 중(中)을 잃지 않는다. 물이 험한 구덩이를 만나면 구덩이 속으로 빠져들어가지만 어느덧 물이 차서 가득 메워지면 물은 다시 흘러 강으로 바다로 나아간다. 극에 달하면 변하는 것임을 알고 때를 읽어 극한 험난 속에서도 자기 중심을 잃지 않는 자세가 필요함을 말해준다(險之時用大矣哉). 습감이란 험함에 빠져 있을 때 그 곳에서 벗어나는 지혜를 알려준다.

初六　習坎　入于坎窞　凶
초육　습감　임우감담　흉

초육, 물이 거듭하여 흘러 더 험한 구덩이(坎窞)로 들어가니 흉하리라.

　물이 거듭하여 흘러 드니 깊고 험한 구덩이 속으로 계속 빠져들어간다. 구덩이가 깊고 험해서 흘러 들어가는 물이 고이지 못하니 계속 깊은 심연 속으로 빠져들어가는 모습이다. 그래서 공자는 이를 "물이 거듭하여 어두운 심연(深淵) 속으로 흘러 들어가니 길을 잃은 것이다(象曰 習坎入坎 失道凶也)"라고 말한다. 初六은 양의 자리에 음으로 와서 자리가 부당하고, 험하고 험한 坎괘의 맨 아래에 처해있으니 깊고 험한 구덩이에 빠져 있는 상이다. 고여서 빠져나오지 못하고 오히려 더 깊은 심연 속으로 빠져 들어가기만 하니 흉하다. 구덩이에 빠졌는데 그 속에서 더 깊은 구멍을 만나 거듭하여 들어가는 형국이다. 初六이 변하면 澤☱이 되니 물이 못에 들어가 있는 상이다.

☞ 坎: 구덩이 감/ 窞: 구덩이 담(구덩이 속의 제일 깊은 곳)

九二 坎有險 求小得
구이 감유험 구소득

구이, 감坎은 위험에 처해있으나 구하는 바를 조금은 얻으리라.

九二는 음 자리에 양으로 있어 자리가 바르지는 않으나 내괘의 중(中)을 지키고 있으니 더 깊은 구덩이로 빠져 들어가지 않는다. 험한 구덩이에 빠져 위험에 처해있지만 그래도 중도를 잃지 않고 있으니 구하는 바를 조금은 얻을 수 있기 때문이다. 위험에 처했을 때 당황하여 허우적거리기 보다는 중심을 잃지 않고 조금씩 방법을 찾아 길을 열면서 나오는 것이 현명하다는 것을 의미한다.

공자는 이를 "구하는 바를 조금 얻는다 함은 중도를 벗어나지 않았기 때문이다(象曰 求小得 未出中也)"라고 풀이한다. 九二와 九五는 서로 강중하나 서로 응하지 못하고 험수(險水)에 빠져 있어 서로를 도와줄 수 있는 처지가 못 된다. 중(中)을 벗어나지 않고 자신의 안위를 지키는 것만으로 부족하다. 변하면 평지☷가 되니 물이 구덩이에서 나와 흐를 수는 있지만 땅 위의 곳곳에 있는 험한 구덩이를 메우며 수고로이 나아가야 하니 구하는 바를 조금 얻는다 한 것이다(水地比).

六三 來之坎坎 險且枕 入于坎窞 勿用

육삼 래지감감 험차침 입우감담 물용

육삼, 오도가도 험함(險陷)이로다. 험(險)이 감(坎)을 베게 삼으며 더 깊고 험한 구덩이(坎窞)로 들어간다. 힘쓰지 마라.

괘효사의 기본이 되는 乾괘의 九三은 中을 벗어나 본격적으로 삶의 한복판에 나가 세상과 직접 부딪히고 싸우면서 종일건건 반복도야(終日乾乾 反復道也)하는 자리이다. 하괘에서 상괘로 건너가기 위해 진퇴를 결정하는 자리이니 그 수고로움이 클 수밖에 없다. 이렇듯 감(坎)의 六三도 아래로 내려가면 하괘의 험중(險中☵)으로 들어가게 되고, 위로 나아가면 거듭 상괘의 험함(險陷☵)에 처하게 되니, 오도가도 험하여 래지감감(來之坎坎)이다. 아래로 내려와도 坎☵이요, 위로 올라가도 坎☵이니 진퇴양난(進退兩難)이다.

양자리에 음으로 와서 자리가 부당하고 중도를 벗어나 있으며, 진퇴가 모두 험난에 막혀 있으니 나아갈수록 깊고 험한 구덩이로 빠져 들어갈 뿐이다(入于坎窞). 험차침(險且枕)이란 험함이 또 험함을 베개(枕)삼아 나아감을 뜻하니 더욱 험해짐을 강조한다. 효변하면 巽風☴(入)이니 험난에 이리 쓸리고 저리 쓸리며, 엎어지고 넘어지며 계속하여 험함으로 빨려 들어간다. 巽☴은 입(入)의 뜻이 있으니 험함(險陷)으로 들어가는 입우감담(入于坎窞)의 뜻이 나온다.

그래서 六三은 힘쓰지 말라 한 것이니, 공자는 이를 "래지감감(來之坎坎)이니 끝내 이룸은 없으리라(象曰 來之坎坎 終无功也)"라고 풀이하고 있다. 또한 벗어나려 애쓰면 애쓸수록 더 깊은 곳으로 빠져들어가게 되니 움직이지 말고 기다리라는 뜻도 된다.

☞ 之: 갈 지/ 枕: 베개 침

六四 樽酒簋貳用缶 納約自牖 終无咎

육사 준주궤이용부 납약자유 종무구

육사, 술 한 동이와 대나무 그릇 두 개를 질그릇(받침)에 담아 들창문으로 주고받으며 관계를 맺으니 마침내 무탈하리라.

감(坎)괘는 험난(險難)이 쓰나미처럼 거듭 밀려오는 상으로 모든 효가 응함이 없다. 하괘는 세효의 자리가 모두 부당하여 험함(險陷)이 깊고, 상괘는 모두가 자리가 바르니 감험(坎險)을 벗어날 수 있는 상황이 조성되기 시작한다.

六四는 험하고 험한 하괘의 坎(來之坎坎)을 벗어나 상괘로 넘어온 효로서, 험함에서 벗어나고자 노력하는 효이다. 음의 자리에 음으로 와서 자리가 바르고 강건중정(剛健中正)한 구오존위(九五尊位)와는 신하 관계로 상비(相比) 관계를 맺고 있다. 험함에서 벗어나고자 九五에게 도움을 청한다.

술 한 동이와 대나무로 만든 두 개의 그릇에 간단히 안주를 나눠 담아 투박한 질그릇에 받쳐 들창문을 통해 받친다는 의미(樽酒簋貳用缶)는 격식을 차리지 않은 소박한 술상의 모습을 말하고자 함이니, 이는 가식적이고 형식적인 아부가 아니라 질그릇같이 투박한 진심을 뜻한다. 여기에서 들창문(牖)이란 서로의 마음과 마음이 통하는 통로를 상징한다. 공식적인 격식을 통해 공개적으로 하는 것이 아니라 둘만이 알 수 있는 들창문을 통해 九五존위에게 진심을 전하니 험함 속에서도 서로에게 친밀을 느끼고 서로 신뢰관계를 맺는다(納約自牖). 六四와 九五는 상비(相比) 관계, 신하와 임금의 관계로서 포장된 가식과 형식이 아니라 질그릇 같이 투박하고 소박한 진심을 마음의 창을 통해 주고받는 것을 의미하므로 믿음으로 신뢰관계가 맺어진다. '둘만이 알 수 있는 들창문을 통한다' 함은 둘 사이에 열린 마음의 창문을 뜻한다. 그래서 공자는 "준주궤이(樽酒簋貳)는 강(九五)과 유(六四)가 서로 친밀하게 사귀니 신뢰를 주고받는 것을 뜻함이다(象曰 樽酒簋貳 剛柔際也)"라고 했다. 곤궁에 처해서 어려울 때 맺어지는 신뢰는 쉽게 변하지 않으며 어려움을 벗어나는데 큰 힘이 되니 마침내 무탈하게 된다.

내호괘 震雷☳는 대나무, 외호괘 艮山☶은 질그릇을 의미한다. 호괘는 산뢰이(山雷頤䷚)로서 음효가 두 개 들어 있으니, 질그릇에 안주를 담은 두 개의 그릇이 된다. 상괘 坎水☵는 술, 六四가 변하면 兌澤☱이 되니 술을 담은 동이가 된다(樽酒). 지괘의 외호괘 巽風☴은 서로 통하는 들창문(牖)의 뜻이 나온다.

☞ 樽: 술 동이 준/ 酒: 술 주/ 簋: 대나무 그릇 궤/ 貳: 두 이/ 缶: 질그릇 부/ 納: 받을 납, 바칠 납/ 約: 맺을 약/ 牖: 들창문 유

九五 坎不盈 祗旣平 无咎
구오 감불영 지기평 무구

구오, 구덩이에 물이 가득 차지 않는다. 이미 평지(平地)에 이르렀음이니 무탈하리라.

九五는 강건중정(剛健中正)으로 존위(尊位)에 있어 험난을 구제할 수 있는 자이나 스스로 險☵에 빠져 있고, 九二와 서로 응함은 없으니 아직은 구덩이에서 완전히 빠져나오지 못한 상황이다. 구덩이는 물이 가득해야 밖으로 흐를 수 있는 것인데, 九五는 아직 흐르지 못하는 물이다.

효변하면 지수사(地水師䷆)이니, 險水☵가 땅 속에 스며 있는 상으로서 이미 험한 구덩이가 메워진 상이니, 드디어 험(險)을 딛고 평지(平地)에 이른

것을 의미한다. 즉, 九五는 비록 坎☵의 가운데 있으나 상괘의 중(中)에 강건중정으로 거하니 때가 되면 나오게 되어있는 자리이다.

九二의 감함(坎陷)과 九五의 감함(坎陷)은 그 깊이에 차이가 있다. 九二는 하괘의 中에 거하여 험함의 깊이가 九五에 비하여 깊다. 九五 물의 수면은 깊거나 험하지 않다. 九五는 상괘의 존위에 강건하고 중정함으로 거하니 上六을 다스리며 장차 그 험함에서 나올 수 있는 자리이다.

그러므로 九五의 험함은 연못에 비유될 수 있다. 구덩이에 물이 어느 정도 고이면 연못이 된다. 연못은 가득 차지 않는다. 왜냐하면 가득 차기 전에 밖으로 흘러나와 일정 수준을 유지하기 때문이다. 가득 차지는 않았으나(坎不盈), 물이 흘러나옴은 이미 평지에 이르렀음을 뜻하는 것이니(祗既平), 허물이 없는 것이다(无咎).

연못 본연의 모습을 찾은 것이기 때문이다. 연못의 본질은 모자라지도 차지도 않는 중(中)으로서 주변의 만물을 충족시키며 기르니 충만함이다. 중(中)은 완전한 보름달처럼 가득 참을 의미하지 않는다. 과하면 넘치는 것을 알기 때문이다. 그러므로 中은 未大(모자람)이면서 곧 大(충만)인 것이다. 그러므로 공자는 九五효사를 "물이 구덩이에 흘러 들어가나 中을 지켜 가득 채우지 않는다. 中道에 거하니 험함(險陷)이 크지 않기 때문이다(象曰 坎不盈 中未大也)"라고 풀이하였다.

하괘의 감(坎)은 깊고 험한 구덩이(坎窞)이지만, 상괘의 감(坎)은 어느 정도 물이 고인 연못(坎不盈)으로서 中에 거하니 험함(險陷)이 크지 않다.

하괘 九二의 감(坎)은 깊고 험하나 강중(剛中)하여 물이 흐를 수는 있지만 땅 위의 곳곳에 있는 험한 구덩이를 메우며 수고로이 나아가야 하니 구하는 바를 조금 얻을 수밖에 없다. 九二는 剛中하지만 자리가 바르지 않기 때문이다.

이에 반하여 상괘 九五의 감(坎)은 물이 모자라지도 꽉 차지도 않은 中正한 연못의 상태로서 물이 흘러 나가니 이미 평지에 이른 것이다. 연못은 가득 차 넘치지 않아도 평지와 같아지면 이미 물이 흐르기 시작한다. 물이 흐르면 둑은 터지지 않으니 무탈한 것이다. 강건중정하며 존위에 거하니 험(險)을 벗어날 수 있는 자리이다.

☞ 盈: 가득 찰 영/ 祇: 이를 지/ 既: 이미 기

上六 係用徽纆 寘于叢棘 三歲不得 凶
상육 계용휘묵 치우총극 삼세부득 흉

상육, 동아줄로 꽁꽁 묶어 가시덩쿨(감옥)에 가두니 3년이 되도록 얻지 못하니 흉하리라.

上六은 음위에 음으로 와서 자리가 바르고 감험(坎險)의 맨 위에 처한 상으로 험한 구덩이에서 벗어나고 있는 모습이다. 아직 감험(坎險)을 완전히 벗어나지는 못했으나 얕은 수면 위의 물로서 동하면 언제든지 險水☵를 벗어날 수 있는 바람☴이 되는 물이다(상육이 효변하면 風☴이 된다).

그러나 上六은 소인으로 다른 효의 어려움은 모른 체 나 홀로 벗어나는 것이니 도를 잃은 효이다. 험(險)의 극에 처한 소인으로서 자리는 바르나 응함이 없어 타인에 대한 베풂이 없고 나만 홀로 살고자 하는 소인배의 상이다. 그러므로 도를 잃으면 언제든 구름(☵외괘)이 바람(☴)에 흩어지듯 흉하게 된다. 上六이 변하면 풍(風)이니 구름☵이 바람☴이 되는 상으로 액체☵가 기체☴로 화하여 사라지는 모습이 된다(風水渙䷺). 물길☵이 가던 길을 잃고 바람☴처럼 떠도는 모습이니 길을 잃은 모습이다(上六失道).

上六은 감험(坎險)의 상극에 처한 음으로서 소인이 된다. 험난(險難)에 처한 소인의 처세는 나 홀로 벗어남이다. 동하면 風☴이 되니 험함이 바람에 의해 사라지는 긍정의 의미가 아니라 물길이 바람에 의해 흩어져 길을 잃은 뜻이 된다. 上六은 九五와 六四를 도와 감험(坎險☵)에 빠져 고통받는 백성을 도와야 함에도 불구하고 나 홀로 배☴(木)를 타고 물☵(險水)을 건너가니 소인으로서 도를 잃은 모습이 되는 것이다.

巽☴(木)에서 서로를 연결하는 끈(덩굴)의 의미가 나왔고(徽纆), 그 끈으로 손☶(手, 외호괘)과 발☳(足, 내호괘)을 꽁꽁 묶어 가시덩쿨☵(叢棘)이 둘러싼 감옥(내호괘 頤☲)에 가두니 3년이 되도록 세상을 볼 수가 없고, 그래서 세상을 얻을 수 없으니 흉하다.

공자는 소상전에서 "上六이 도를 잃었으니 흉액이 3년이 가리라(象曰 上六 失道 凶三歲也)"라고 하였다. 3년이란 오랜 기간을 의미한다. "係用徽纆 寘于 叢棘"은 거듭된 험수(險水☵)로 인하여 가시덩쿨로 무성한 초토화된 폐허를 의미한다. 이 폐허에서 벗어나는데 오랜 시간이 걸린다는 의미이다.

☞ 係: 맬 계/ 徽: 세 가닥 노끈 휘/ 纆: 두 가닥 노끈 묵/ 寘: 둘 치/ 叢: 덤불 총 / 棘: 가시나무 극

30. 重火離_{중화리}

火☲離
火☲離

▶효변(爻變)

과거	미래	현재
☵-3 ⟹	☵+3	☵+3
		☵+3

上下작용력: (+3)-(+3)=0

上下균형력: (+3)+(+3)=+6

離 利貞亨 畜牝牛吉

彖曰 離麗也 日月麗乎天 百穀草木麗乎土 重明以麗乎正 乃化成天下

柔麗乎中正 故亨 是以畜牝牛吉也

象曰 明兩作離 大人以 繼明照于四方

初九 履錯然 敬之 无咎

六二 黃離 元吉

九三 日昃之離 不鼓缶而歌 則大耋之嗟 凶

九四 突如其來如 焚如 死如 棄如

六五 出涕沱若 戚嗟若 吉

上九 王用出征 有嘉折首 獲匪其醜 无咎

1. 괘상(卦象)

乾☰은 우주공간에 빈틈없이 가득 차 있는 강건(剛健)한 양기이다. 이 양기의 가운데(中)를 음이 파고들어 천하에 가득한 기운을 음 중심으로 모은 상이 離☲이다. 양기(陽氣)가 음을 중심으로 뭉친 상으로서 하늘에 걸려있는 해(日)를 상징한다(離麗也). ☲은 음을 중심으로 밖으로 2개의 양이 걸려있는 상으로 광명(光明)이며 희망을 의미한다.

麗☲는 중천에 걸려있는 태양으로 만천하를 밝게 비추는 지혜를 상징한다. 문물과 문화를 이루어 문명을 세우니 도가 바로 서고 만백성이 밝음 속에서 우러른다. 六二와 六五는 중(中)으로써 자리를 지키며, 두 개의 밝음(양)이 하나의 음에 바르게 걸려 밝게 빛나니(重明以麗乎正), 만물은 어딘 가에 붙어 있는 법이다. 해와 달은 하늘에 바르게 걸려 있어 천하를 고루 비추고(日月麗乎天), 백곡과 초목은 땅에 뿌리를 내려 천하를 이룬다(百穀草木麗乎土).

음을 중심으로 양가 양쪽에 위치한 모습은 만물이 분별되고 질서가 바르게 잡힌 완성의 의미가 있다. 사물이 분화되고 만물이 분별되니 우주 삼라만상의 질서(cosmos)가 바르게 잡힌 모습이다(柔麗乎中正).

밝음(陽)은 어둠(陰)을 태우며 빛을 낸다. 태양은 양(陽)만으로 빛을 내지 못하며, 초가 자신을 태워 밝은 빛을 내듯, 내부의 음(陰)을 키우고 지켜내야만 빛을 발할 수 있다(畜牝牛吉). 허심(虛心)이 되어야 비로소 지혜(智慧)가 밖으로 빛나는 이치이다.

양은 음을 태우며 존재한다. 음을 모두 태우면 양도 사그라지고 만다. 음이 바르게 중심을 잡고 있을 때 양도 밝게 빛난다. 리(離)는 '걸리다, 떠나다, 아름답다'의 의미가 있다. 불은 음에 붙어있어 음을 기반으로 불꽃을 생한다. 그런데 또한 불꽃은 끊임없이 음으로부터 떠나고자 그 기운을 발산한다. '걸리다'와 '떠나다'는 불☲의 기본적인 속성이다. 서로 반대되는 의미 같지만 결국 하나의 체이며, 하늘에 걸린 큰 불(태양)은 만물을 기르는 아름다움 그 자체이다.

하늘에는 태양이 두 개가 있을 수 없으니 밝음이 서로를 주장한다면 강함이 충돌해 오히려 다툼이 생긴다. 불☲(明) 가운데 그늘(暗)이 있음은 강한 밝음(剛) 속에 어둠(柔)이 들어있는 이치이니, 지나친 자기 주장보다는 소란함 속에 조용히 자기중심(中道)을 지키는 동중정(動中靜)의 자세가 필요하다.

2. 괘변(卦變)

▷호괘 - 澤風大過

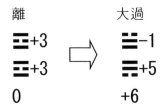

離
☲+3
☲+3
0

大過
☱-1
☴+5
+6

불(火)의 강함이 지나치면 오히려 주변을 태운다. 지나치게 나아간 문명은 제어되지 않는 말과 같으니 주변의 문명을 침해하게 되고 무너트리는 결과를 초래한다. 離(☲)의 六二, 六五는 중(中)을 잡아 과도하게 나아가는 불의 지나침을 제어하는 중심이니, 자기제어를 하지 못해 중(中)을 벗어난다면 한 번에 모든 것을 불살라버리는 참화를 초래하게 될 수도 있다(柔麗乎中正). 호괘가 대과(大過)이니 이를 경계함이다.

▷착종괘, 도전괘 - 重火離

離
☲+3
☲+3
0

離
☲+3
☲+3
0

☲은 하늘에 떠있는 대명(大明)으로 천하를 밝게 비추니 만물이 자란다. 그러나 밝음☲이 지나치면 주변을 태우게 되니, 六二와 六五는 유음(柔陰)의 순함으로 강양(剛陽)의 지나침을 제어하는 중심이다. 촛불의 중심은 어두운 법이니 어둠이 없다면 밝음이 빛을 잃는다. 불은 어둠을 불사르며 밝게 빛나

는 것이다.

▷배합괘 - 重水坎

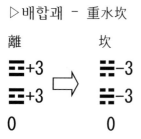

離

☲+3

☲+3

0

坎

☵-3

☵-3

0

六二와 六五가 두 양을 걸어 밝음으로써 만천하를 비추니, 만물이 자라고 만백성이 우러르니 중화리(重火離)의 괘상이다(重明以麗乎正 乃化成天下). 중수감(重水坎)은 九二와 九五가 위아래의 음에 빠져 있으니 험함에 빠진 모습이다. 거듭하여 험수☵에 빠지니 어려움이 크다(水洊至 習坎).

3. 괘사(卦辭)

離 利貞亨 畜牝牛吉

리 이정형 휵빈우길

리(離)는 바르게 함이 이롭고 형통하다. 암소를 기르면 길하리라.

중지곤(重地坤)을 상징하는 물상은 땅(土)이며, 동물은 소(牛)가 되고 음유(陰柔)이니 유순한 암소(牝牛)가 된다. 휵빈우길(畜牝牛吉)의 암소는 바로 坤괘에서 나온 것으로 六二는 자리로 볼 때 음이 음의 자리에서 와서 바르며(正), 내괘에서 중(中)을 얻어 유순한 암소로 비유된다. 이처럼 중정(中正)을 얻은 六二효는 두 개의 양을 치우침이 없도록 바르게 중(中)을 잡고 있으니 형통하다(利貞亨). 또한 六五는 군주의 자리에서 유순(柔順)함으로써 중(中)을 지키니 文明한 덕으로 천하를 비춘다. ☲은 음을 중심으로 밖으로 2개의 양이 걸려있는 상이니(明兩作離), 광명이고 희망이며 지혜로움이 된다.

六二와 六五 음(陰)이 中의 자리에서 두 개 양(陽)의 중심을 잡아 치우침 없이 바르게 하늘에 거니 태양(日)이 되어 만천하를 이롭게 비춘다. 밝음(剛)은 어두움(柔)을 태우며 빛난다. 암소란 바로 유(柔)를 비유한다. 암소를 기름이 길(吉)하다는 것은 암소는 유순(柔順)한 물건이니, 바로 암소의 상징인 유순한 음덕(陰德)을 기름으로써 오히려 밝음이 빛을 내는 것을 의미한다(畜牝牛吉).

☞ 離: 걸릴 리/ 畜: 기를 휵/ 牝: 암소 빈

象曰 日月麗乎天 百穀草木麗乎土 重明以麗乎正 乃化成天下

단왈 일월리호천 백곡초목리호토 중명이리호정 내화성천하

柔麗乎中正 故亨 是以畜牝牛吉也

유리호중정 고형 시이휵빈우길야

단에 이르길, 일월은 하늘에 걸리고 백과초목은 땅에 걸린다. 밝음이 거듭하여 바름(正)에 걸리니 이에 천하를 이룬다. 柔가 中에 바르게 걸리니 고로 형통하다. 이로써 암소를 기름이 길하리라.

'걸려있다'는 의미는 '서로 연결이 되어 있다'라는 의미로서, 분리되지 않는 하나라는 뜻이다(離麗也). 일월(日月)은 하늘에 걸리고, 백과초목은 땅에 뿌리를 걸고 있으니, 하늘과 땅은 본디 하나의 본체에서 시작된 하나의 체로 모두가 서로 연결되어 있다. 만물은 하나(一)에서 비롯되었으니 어디에 걸려 있든 서로 상호관계성으로 연결되어 있는 '환존(環存)'의 뜻이 있는 것이다.

우주창조원리와 만물의 존재의미, 그리고 목적을 담고 있는 한민족 고유의 경전인 천부경에 "人은 中이니 天地가 하나(一)된 자리이다(人中天地一)"라는 말이 나온다. 이는 천지의 중심인 인중(人中)의 의미를 설명한 것이다. 人은 天地와 고리(環)를 이루어 하나(一)로써 존재하는 대중화(大中和)의 의미를 품고 있다.

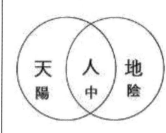

☞人中天地一

人中은 天地가 人을 생하고, 陰陽이 中을 생한 자리로서 서로 하나되어 천지인이 삼신일체를 이루는 환존(環存)의 자리이다.

환존(環存)

重明以麗乎正 乃化成天下

六二와 六五가 중(中)을 잡아 바름(正)을 지키니, 두 양이 하나의 음에 걸려 밝게 빛난다. 음이 두 양을 걸어 광명(日)으로 비추니 문명함이 천하를 이룬다.

柔麗乎中正 故亨 是以畜牝牛吉也

부드러움(柔)으로 중(中)을 잡아 바르게 함으로써 두 개의 양(剛)이 치우침이 없고 바르니 형통하다(柔麗乎中正 故亨). 밝음(剛)은 내면이 유순(柔)함으로써 오히려 강하게 빛나는 법이니, 유순(柔順)한 암소를 기르는 것에 비유하였다(是以畜牝牛吉也).

六二는 자리가 바르고 中正하나, 六五는 中을 잡았으나 자리가 바르지 않다. "柔麗乎中正"은 무슨 의미일까? 六五는 인군의 자리에 와서 中을 잡아 치우침이 없이 바르게(正) 두 양을 걸어 태양(日)이 되었으니, 비록 양의 자리에 음으로 와서 자리는 바르지 않으나 그 역할이 바르니 가히 중정(中正)하다. 그런고로 태양이 하늘에 바르게 걸려 온 천하를 비추니 천하만물을 이루게 하는 것이다(重明以麗乎正 乃化成天下).

☞ 穀: 곡식 곡/ 重: 거듭할 중, 무거울 중

象曰 明兩作離 大人以 繼明照于四方
상왈 명양작이 대인이 계명조우사방

상에 이르길, 밝음이 이어진 것이 리(離)이니 대인은 천하사방을 계속하여 밝음으로 비춘다.

밝음이 이어진 것이 리(離)의 상이니(明兩作離), 대인은 이러한 상을 통해 밝음(明)을 계속하여 항구(恒久)이 천하 사방(四方)을 비추듯, 자자손손 이어서 밝고 바른 덕(明德)을 펼친다(繼明照于四方).

☞ 繼: 이을 계/ 照: 비칠 조

4. 효사(爻辭)

　중수감(重水坎)은 험함(險陷)이 거듭되는 것을 물(水)로 표현하였다면 중화리(重火離)는 불(火)로 표현한다.

　물은 음(陰)으로 위에 높이 위치할수록 아래로 떨어지는 힘, 즉 작용력이 크다. 그래서 아래에 처할수록 험난하고 어지러우며, 위로 올라갈수록 험(險)에서 벗어날 수 있는 상황이 만들어진다. 아래의 하괘는 세 효가 모두 자리가 부당하나 위에 있는 상괘의 세 효는 모두 자리가 바르므로 험난에서 벗어나는 상이다. 그리고 모든 효가 서로 응함이 없으니 九二와 九五의 中의 역할이 크다.

　중화리(重火離)의 불은 양(陽)으로 아래에 깊이 처할수록 위로 상향하려는 힘, 즉 작용력이 크다. 또한 아래 하괘의 세 효는 모두 자리가 바르지만 상괘는 모두 자리가 부당(不當)하다. 그러므로 하괘는 험한 불길 속에서도 六二의 中正함으로 질서를 바르게 잡아 황색으로 밝게 빛나니 공자는 이를 소상전에서 "黃離元吉 得中道也"라고 풀이한다. 상괘는 모두 자리가 바르지 않아 불길이 험하고 어지럽다. 그리고 역시 모든 효가 서로 응함이 없으니 六二와 六五의 中의 역할이 크다.

初九 履錯然 敬之 无咎
초구 리착연 경지 무구

초구, 발걸음이 어긋나니 공경하는 마음으로 삼가다. 무탈하리라.

하괘는 세 효가 자리가 바르고, 또한 아래에 처하여 위로 상향하고자 하는 작용력이 크다. 初九는 火☲의 맨 아래에 처하여 미약하지만 위로 오르고자 하는 욕구가 강하다. 그러나 불길은 서둘면 질서 없이 타오르게 되니 나아가는 발길이 꼬이고 서로 어긋나게 되어 혼란스러워진다. 그러므로 서로 공경하는 마음으로 삼가야 혼돈에 휩싸이지 않는다. 初九는 九四와 응함이 없고 오히려 六二中正과 친하다. 初九가 변하면 산☶(止)이니 성급한 발걸음을 멈추고 스스로 삼가야 무탈하다. 그래서 공자는 초구를 "리착지경(履錯之敬)은 이로써 허물을 피하고자 함이다(象曰 履錯之敬 以辟咎也)"라고 풀이하였다.

☞履: 밟을 리/ 錯: 어긋날 착/ 敬: 공경할 경, 삼가할 경/ 辟: 피할 피

六二 黃離 元吉
육이 황리 원길

육이, 황색으로 빛나다. 마땅하면 크게 길하리라.

六二는 음의 자리에 음으로 와서 자리가 바르고 中의 자리를 지키고 있으니 그 뜻이 中正하다. 하괘는 세 효가 모두 자리가 바르고 질서가 있으며, 또한 六二가 유순중정으로 初九와 九三을 중심에서 바르게 잡고 있으니 천하를 밝히는 밝음(日)이 된다.

부드러움(柔)이 중(中)을 잡아 질서를 바르게 세움으로써 두 개의 양(剛)이 치우침이 없고 바르게 서니 형통하다(柔麗乎中正 故亨). 밝음(剛)은 내면이 유순(柔)함으로써 오히려 강하게 빛나는 법이니, 단전에서는 이를 유순(柔順)한 암소를 기르는 것에 비유하였다(是以畜牝牛吉也).

황(黃)은 중앙(土)의 색을 뜻한다. 중지곤(重地坤)을 상징하는 물상은 땅(土)이며, 동물은 소가 되고, 음(陰)이니 암소(牝牛)가 된다. 암소는 坤괘에서 나온 것으로 六二효를 가리킨다. 六二는 자리로 볼 때 음이 음의 자리에서 바르며(正), 내괘에서 中을 얻었다. 이처럼 中正을 얻은 六二효는 두 개의 양을 치우침 없이 바르게 잡고 있으므로 형통한 것이다(利貞亨). 離☲는 음을 중심으로 밖으로 2개의 양이 걸려있는 상이니(明兩作離), 광명이고 희망이며 지혜로움을 상징한다.

황리(黃離)란 황색이 빛난다는 뜻이니 '六二中正이 바로 선다'라는 의미이다. 元吉의 元은 선지장(善之長)으로 善의 으뜸인 仁을 의미한다. 지어지선(止於至善)이니 仁德이 마땅하면 크게 길하다는 조건부의 뜻이 된다. 그러므로 괘사에서는 六二를 암소에 비유하여 휵빈우길(畜牝牛吉)이라 하여 암소를 기르면 길하다고 했다. 암소를 기른다 함은 바로 六二의 柔順中正한 덕을 기르는 것을 말한다.

六二는 성급하게 타오르는 初九와 九三의 불길의 中을 잡아 밝음☲(日)을 만든다. 그래서 공자는 "黃離元吉은 中道를 얻었다(象曰 黃離元吉 得中道也)"라고 하여 六二의 中正함을 키울 것을 강조하고 있다. 六二가 효변하면 乾이 되니 지괘는 화천대유(火天大有☲)가 된다. 하늘 위에 태양이 걸려 만천하를 비추니 황리원길(黃離元吉)의 뜻이니, 이는 中道를 얻었기 때문이다.

九三 日昃之離 不鼓缶而歌 則大耋之嗟 凶
구삼 일측지리 불고부이가 즉대질지차 흉

구삼, 해가 기울어 서산에 걸리다. 질그릇(질장구)을 두드려 노래하지 않으면 대질(大耋)이 크게 기욺을 탄식하리로다. 흉하리라.

九三은 하괘의 끝이니 상괘로 넘어가는 자리에 있다. 밝음이 기울고 황금빛이 퇴색하는 석양에 걸린 기울어가는 해의 모습이다. 선천이 기울어가니 불타는 후천의 강이 보인다. 질장구를 두드리며 양기를 북돋고 풍악을 울리며 하늘에 경외감을 고한다. 해가 서산에 기울어 서쪽하늘 끝에 걸리니 질장구를 두들기며 노래를 부르지 않는다면 크게 기울어 늙음을 한탄하게 되니 흉하리라.

九三이 변하여 음이 되면 震☳이 되니 서쪽하늘에 걸린 초승달처럼 이지러진 모습이다. 이는 해가 이지러지는 일식(日蝕)을 의미하기도 한다. 옛 기록에 의하면, 일식이 일어나면 왕은 북을 치고 노래를 부르며, 양기를 돋우고 반성하는 예를 행함으로써 해(日)를 구하는 구식례(求食禮)를 행하였다(실증주역/황태연). 질장구를 두들기며 노래를 부르는 예식은 스스로를 반성하면서 음기를 누르고 양기를 북돋으며 하늘에 공경을 표현하는 행위이다. "불고부이가(不鼓缶而歌)"는 이를 행하지 않는다는 뜻이다. 그러므로 결국 해가 서산으로 넘어가게 되니 인사적으로 보면 인생의 끝자락에 걸려있는 늙은 노인(大耋)의 모습으로, 대세가 크게 기울어 감을 탄식하는 것이다. 그래서 공자는 소상전에서 이를 "일측지리(日昃之離)이니 어찌 오래 가겠는가? (象曰 日昃之離 何可久也)"라고 풀이하고 있다.

九三이 변하면 내호괘가 山☶이니 산에 걸려있는 해☲(상괘)의 상이 되고, 외호괘가 兌☱으로 서(西)가 되니 서산(西山)에 기울어 걸려있는 해(日)의 상이 된다. 九三이 변하면 1,2,3,4효는 ☷의 상이 되어 질장구(缶)가 되고, 震雷☳는 질장구를 두드리는 뜻(鼓)이 된다. 해가 기울어 서산에 걸리는 어려운 상황(日昃之離)에 처하게 되면 질장구를 두드리며 노래하라(鼓缶而歌). 이는 바로 하늘에 예(禮)를 고하는 것이니, 질장구를 두드림은 스스로에게 반성과 각성을 촉구하는 것이고, 노래함은 하늘을 경외하는 뜻이 있다.

☞ 耋: 늙은이 질/ 大耋: 80세 노인/ 昃: 기울 측/ 鼓: 두드릴 고/ 缶: 그릇 부,
질장구 부/ 歌: 노래가/ 嗟: 탄식할 차

九四 突如其來如 焚如 死如 棄如
구사 돌여기래여 분여 사여 기여

구사, 갑작스럽게 그것이 오다. 불타고 죽이고 버리다.

하괘는 세 효가 모두 자리가 바르다. 또한 불(火)은 아래에 처할수록 작용
력이 크고 상향성이 강하다. 그러나 위로 올라갈수록 불길은 바람☴(내호괘)
에 무질서하게 흩어지게 되니, 상괘는 세 효가 모두 자리가 바르지 않아 불
길이 사나워진다. 태우고 죽이며 버린다. 선천의 질서(하괘)가 무너지며 갑작
스럽게 후천(상괘)의 강을 넘어가게 되니 혼돈 속에 기존의 질서는 불타고
죽고 버려진다. 밤 도둑처럼 몰래 갑작스럽게 들이닥치는 것이다. 선천의 강
을 건너 후천으로 넘어오면서. 새로운 질서가 정착되기 위한 고통이 시작되
는 것이다.

3효와 4효는 상경(선천)에서 하경(후천)으로 넘어가는 과정에서 오는 혼돈
을 설명한다. 리(離)괘는 바로 선천에서 후천으로 넘어가는 마지막 길목에
서있는 괘다. 그래서 3효는 해가 기울어가는 모습으로 묘사되고, 4효는 갑작
스러운 변화에 불타 죽고 버려지는 모습으로 묘사하는 것이다.

九四가 효변하면 산화비(山火賁☶☲)가 된다. 태양이 서산 아래로 사라진 모
습이고, 밝음 속에 있던 만물은 어둠 속으로 사라진다(버려진다). 산화비는
무덤☶ 속에 밝음☲이 묻혀 있는 상이니 무덤 속의 죽음을 상징한다.

또한 九四가 변한 지괘 산화비(山火賁)는 하괘(선천)의 불길☲이 상괘의
산☶을 불태우는 모습이 된다. 비(賁)는 상향하는 火☲의 초효가 변하면서

山☰☰이 되어 고정되는 모습이니 정착을 의미한다. 혼돈의 과정이 멈춘 새로운 곳에서의 정착☰☰(止)은 새로운 질서를 세우며 정주하기 위한 고통이 요구된다.

九四는 음의 자리에 양으로 와서 자리가 부당하다. 그러므로 새로운 가치와 질서가 정착되기 위해서는 기존의 것이 불타고 죽고 버려지는 것이다. 선후천이 바뀌는 과정에서 오는 혼돈, 하괘에서 상괘로 건너가는 과정의 고통이 九三과 九四에서 드러난다. 그래서 공자는 九四효를 "갑작스럽게 그것(후천, 새로운 질서)이 오니 받아드릴 곳이 없다(象曰 突如其來如 无所容也)"라고 하여 기존질서가 무너지고 새로운 질서가 세워지는 과정에서 오는 기존질서와 새로운 질서의 충돌, 기존 가치가 무너지고 새로운 가치가 성립되어가는 과정에서 오는 가치의 충돌, 선후천의 변이과정에서 오는 혼돈상태를 설명한다.

☞ 突: 갑자기 돌/ 焚: 태울 분/ 棄: 버릴 기

六五 出涕沱若 戚嗟若 吉
육오 출체타약 척차약 길

육오, 물 흐르듯 눈물을 쏟으며 탄식하듯 슬퍼하니 길하리라.

상괘는 세 효의 자리가 바르지 않으니 불길이 질서를 잃고 바람☰☰(내호괘)에 어지러이 날리는 상이다. 九四는 불타고 죽임을 당하며 버림받는 처참한 상황에 처한다. 六五는 존위로서 후천에서 中을 지키며 질서를 바르게 잡고자 애쓴다. 그러나 양의 자리에 음으로 와서 자리가 부당하니 유약한 왕으로 어지러운 불길을 잡는 것이 쉽지 않다. 타오르는 불길☰☰(상괘)속에서 中을 잡고 있는 육오존위(六五尊位)는 유순하고 유약하다. 그러므로 어찌할 수 없는 상황에 자신의 유약함을 탓하며 슬퍼할 수밖에 없는 것이다.

불타는 후천의 중심에서 유약한 六五는 中을 지키며 도탄의 불길에 빠진 중생을 보며 물 흐르듯 눈물을 쏟아내며 근심하고 탄식한다. 알면서도 모르는 척하고 외면하는 것은 흉(凶)이다. 이를 알고 슬퍼하고 탄식하며 스스로를 탓하니 끝내 六五는 허물이 없는 것으로서 길하다. 길(吉)한 이유는 불타오르는 후천의 혼돈 속에서 六五가 끝내 中을 지키면서 비 오듯 눈물을 흘리며 왕으로서 백성과 동병상련을 느끼기 때문이다.

공자는 六五효사를 "六五가 吉함은 王公의 지위에 있기 때문이다(象曰 六五之吉 離王公也)"라고 하여 六五가 비록 유약하나 왕공(王公)으로서 두 개의 양을 끝까지 붙잡아 중도를 잃지 않고 離☲의 中을 지키고 있기 때문이라 풀이하였다. 六五는 왕의 자리에서 中을 잡아 치우침이 없이 바르게(正) 두 개의 양(陽)을 걸어 태양(日)을 이루었으니, 양의 자리에 음으로 와서 비록 자리는 바르지 않으나 그 역할이 바르니 가히 중정(中正)함이 되어 吉한 것이다.

호괘가 大過(☴)로 大坎☵(눈물)의 상이 되니 눈물이 지나쳐 물 흐르듯 하는 뜻이 되고(出涕沱若), 坎☵(戚)과 태☱(口, 외호괘)가 합하여 슬퍼(戚)하고 탄식(嗟)하는 뜻이 된다.

☞ 涕: 눈물 체/ 沱: 눈물 흐를 타/ 戚: 슬퍼할 척/ 嗟: 탄식할 차

上九 王用出征 有嘉 折首獲匪 其醜无咎
상구 왕용출정 유가 절수획비 기추무구

상구, 왕이 출정하니 경사스러움이 있으리라. 적장을 베고 비적을 붙잡으니, 그 나머지 무리들은 허물이 없다.

上九는 음의 자리에 양으로 와서 자리가 바르지 않고 離(☲)의 상극에 처하여 부정(不正)함이 극에 달한다. 이에 왕이 공식적으로 나서 上九가 상징하는 적장의 머리를 벤다. 왕용출정(王用出征)은 왕이나 대통령, 최고 통수권자가 나서는 공식적인 조치, 즉 공권력의 발동을 의미한다. 震☳(動·進)은 출정(出征)을 뜻한다.

☳의 삼효가 효변하면 ☵가 된다. ☳는 初九가 밀고 三효가 이끌며 상향하고, 二효가 中을 잡는 상이다. 그런데 三효가 음으로 효변하면 ☳의 상향이 지체된다. 초구인 양 앞에 2개의 음이 갑자기 가로막기 때문이다. 앞에서 이끌던 三효는 무리(☵덩어리)의 머리가 되니, 震☳은 무리의 상향을 이끄는 머리가 잘린 상이 된다(折首). 上九가 변하면 지괘는 뇌화풍(雷火豊☲)이다. 우두머리를 베니(☵), 그를 따르는 무리(☲하괘)가 ☳(상괘)에 갇히는 격, 비적(匪賊)의 무리가 사로 잡히는 꼴이 된다(獲匪).

뇌화풍(雷火豊)은 상향하던 하괘☳의 삼효가 효변하면서 상괘가 ☵이 되는 것을 말한다(하괘가 효변하면 상괘가 드러나는데, 이는 대성괘가 만들어지는 원리이다.) 음효 두 개가 양의 상향을 막아서는 것이니 양(陽)은 더 이상 나아갈 수가 없다. 앞서 달리던 차가 급정거를 하면서 따르던 차량이 병목현상으로 갇히는 형상이니, 여기에서 쌓인다(豊)는 풍요(豊饒)의 뜻이 나온다. 우두머리를 베고 그의 비적을 잡으니(折首獲匪), 자신의 뜻과는 달리 어쩔 수 없이 따르던 나머지 무리는 허물을 벗으니 풀려나와 풍요롭게 번성한다(其醜无咎).

"우두머리를 베고 추종하는 무리가 아닌 자를 얻으니 허물이 없다(折首 獲 匪其醜 无咎)"라는 해석도 가능한데 뜻은 서로 통한다. 공자는 "왕용출정(王 用出征)이라 함은 바름으로 나라를 세우고자 함이다(象曰 王用出征 以正邦也)" 라고 풀이하고 있다.

☞ 嘉: 아름다울 가, 경사스러울 가/ 折: 꺾을 절/ 獲: 잡을 획/ 匪: 비적 비, 아닐 비/ 醜: 무리 추

<참고서적>

김석진, 홍역학회 정리,『대산 주역강의』1-3권, 한길사, 1999.

김석진, 윤상철 외3 편집,『대산 주역강해』상경·하경, 대유학당, 2015.

김승호,『주역원론』1-6권, 선영사, 2009.

김진희,『알기 쉬운 상수역학』, 보고사, 2013.

박규선,『간지역학원론』상·하, 부크크, 2024.

박규선,『간지역학 비결강의』, 부크크, 2024.

박규선,『양자물리학과 주역』, 부크크, 2024.

최정준 외3 공역,『周易傳義』元·亨·利·貞, 전통문화연구회, 2021.

황태연,『실증주역』상·하, 청계, 2012.

강병국,『주역독해』상·하, 위즈덤하우스, 2017.

프리초프 카프라, 김용정·김성범 공역,『현대물리학과 동양사상』, 범양사,
    2017.

朱伯崑, 김학권 외4 공역,『역학철학사』1-8권, 소명출판, 2012.

廖名春 외2 공저, 심경호 역,『주역철학사』, 예문서원, 1994.

박규선,『易學의 中和論 연구』, -易理와 量子物理의 공통성을 중심으로-,
    동방문화대학원대학교 철학박사 학위논문, 2023.

박규선·최정준,「卦爻의 數理化에 따른 易의 과학적 해석연구」,『동방문화와
    사상』제10집, 동양학연구소, 2021.

박규선·최정준,「음양의 대립과 통일에 관한 인문학적 고찰」,『동양문화연구』,
    동양문화연구원, 2022.